D1238525

LES PASTICHES DE PROUST

FAC-SIMILE DE LA DÉDICACE D'UN EXEMPLAIRE DE *Pastiches et Mélanges*
A ANDRÉ BEAUNIER (reproduit avec l'autorisation de M. Alfred Dupont)

A André Beaunier
Son ami tout dévoué
Marcel Proust

Je voudrais vous écrire plus longuement mais je suis terriblement malade
Mon adresse provisoire (car à tout le reste s'est ajouté un déménagement) es
8 bis rue Laurent Pichat. Je vous demande de ne pas la donner. Ne sachan
pas si vous avez la même rue Moncey, je vous envoie ceci aux bons soins de
l'Echo de Paris où vous écriviez quand j'avais encore des yeux et pouvais lire
les journaux. Et je pense que vous y écrivez toujours.

Le pastiche de St-Simon est nouveau, celui de Balzac très transformé. Vou
connaissez déjà les autres.

LES PASTICHES
DE PROUST

Edition critique et commentée

par

JEAN MILLY

Chargé d'Enseignement
à la Faculté des Lettres et Sciences humaines d'Amiens

1970
LIBRAIRIE ARMAND COLIN
103, Boulevard Saint-Michel - Paris 5ᵉ

A LA MÉMOIRE DE MON PÈRE

AVANT-PROPOS

Les pastiches de Proust relatifs à l'Affaire Lemoine viennent, pour la plupart d'entre eux, d'avoir cinquante ans. Curieusement, dans l'immense littérature critique suscitée par leur auteur, ils paraissent avoir été un peu délaissés, et n'ont pas encore été l'objet d'une étude approfondie, quoiqu'on voie généralement en eux un chef-d'œuvre du genre. Lacune regrettable sur de nombreux points : le texte des *Pastiches et Mélanges* comporte d'assez nombreuses fautes d'impression et obscurités qui ont échappé à une relecture hâtive ; il a besoin d'être corrigé. Plusieurs ébauches de pastiches « Lemoine » inédits, dont une seule a été publiée et reste peu connue, se trouvent dans les papiers manuscrits [1]. Aussi proposons-nous une édition comprenant toutes ces ébauches. Le genre même des pastiches, le fait qu'ils sont aussi une œuvre de circonstance, les rendent porteurs de très nombreuses allusions. Nous nous efforçons d'éclaircir celles-ci. La publication des grands inédits, *Jean Santeuil* et *Contre Sainte-Beuve,* et de lettres de plus en plus nombreuses, permet aujourd'hui de discerner beaucoup mieux la continuité de l'œuvre de Proust, qui a été jusqu'en 1913, une longue préparation, une maturation progressive de ce qui allait devenir *A la recherche du temps perdu*. Il importe de situer exactement les pastiches dans cette évolution, comme il importe de dégager les lois du genre et d'étudier l'art avec lequel l'auteur l'a pratiqué.

L'exploitation de la grande masse des ébauches de Proust, déposées depuis 1962 à la Bibliothèque Nationale, pose un problème. Elles fourmillent de renseignements précieux, car l'écrivain y notait des noms, y faisait des commentaires et des rapprochements qu'il a jugé bon de taire ou de travestir dans l'œuvre définitive. Mais elles sont très difficiles à lire et à mettre en ordre, et les chercheurs les ont souvent, jusqu'ici, com-

---

1. Plusieurs mois après la rédaction du présent ouvrage, tandis que notre manuscrit était déposé à la Sorbonne dans l'attente de la soutenance de thèse, les pastiches que nous présentons ici comme inédits ont fait l'objet d'une première publication aux Etats-Unis dans « Marcel Proust, *Textes retrouvés*, recueillis et présentés par Philip Kolb et Larkin B. Price, University of Illinois Press, Urbana-Chicago-London, 1968 ». Les lectures de ces éditeurs diffèrent des nôtres sur d'assez nombreux points ; cf. *infra* p. 51. (*Note de novembre 1968*).

pulsées avec peine et un peu au hasard, chacun recommençant le long travail de ses prédécesseurs. Dans l'attente d'une entreprise d'édition générale et de classement analytique de ces papiers, qui ne saurait être qu'une œuvre collective et de longue haleine, nous avons estimé utile d'anticiper et de présenter aux lecteurs l'ensemble des manuscrits relatifs aux pastiches, qu'il s'agisse de notes, de brouillons, de manuscrits au net ou de corrections sur épreuves. Nous avons choisi une méthode de présentation qui nous semble avoir fait ses preuves, celle de MM. Journet et Robert dans leurs éditions critiques d'œuvres et de manuscrits de Victor Hugo, en l'adaptant aux circonstances particulières de notre travail. Nos lecteurs pourront constater que ces manuscrits fournissent d'abondants et intéressants compléments à notre connaissance des *Pastiches,* et nous révèlent des procédés de préparation, de rédaction et de composition qui sont déjà dans une large mesure ceux de la *Recherche.*

M. Deloffre, Professeur à la Sorbonne, a bien voulu diriger notre projet et nous prodiguer encouragements et conseils : nous tenons à lui en témoigner notre très sincère et respectueuse reconnaissance. Notre tâche a été possible grâce à l'autorisation bienveillante que nous a accordée Mme Mante-Proust, nièce de l'écrivain, d'utiliser et de citer les manuscrits de son oncle : nous la prions d'accepter l'hommage de notre très vive gratitude. Nous avons plaisir à remercier également Mme Callu, qui a favorisé nos recherches au Département des Manuscrits de la Bibliothèque Nationale ; M. John Theodore Johnson Jr, Professeur à l'Université de Kansas, M. Yves Sandre, Maître-Assistant à la Faculté des Lettres de Paris-Nanterre, qui nous ont obligeamment communiqué des renseignements à l'occasion de leurs propres travaux sur Proust ; MM. Castex, Robichez et Picard, Professeurs à la Sorbonne, pour les suggestions et remarques utiles que nous leur devons.

SIGLES ET ABRÉVIATIONS

BA	*La Bible d'Amiens.*
BSAMP	*Bulletin de la Société des Amis de Marcel Proust.*
CG	*Correspondance générale.*
Chr.	*Chroniques.*
CSB (Nx Mél.)	*Contre Sainte-Beuve. Nouveaux Mélanges.*
JS	*Jean Santeuil.*
LR	*Lettres retrouvées.*
LRH	*Lettres à Reynaldo Hahn.*
Painter	*Marcel Proust,* par George D. Painter.
PJ	*Les Plaisirs et les Jours.*
RTP	*A la recherche du temps perdu* (Bibliothèque de la Pléiade).
SL	*Sésame et les Lys.*

Les sigles usités dans l'apparat critique seront indiqués dans la *Note sur la présente édition.*

Nous plaçons entre crochets les dates de la correspondance attribuées par les éditeurs, ou, lorsque c'est le cas, données après rectification par M. Philip Kolb dans *La Correspondance de Marcel Proust.*

INTRODUCTION

LE PASTICHE, ACTIVITÉ PERMANENTE DE PROUST

Lorsque paraît, de février 1908 à mars 1909, la série de pastiches inspirée par l'Affaire Lemoine, Proust ne vient pas de se découvrir un talent nouveau ; il ne fait que cristalliser une tendance permanente de son esprit. Tous ses amis parlent de son habileté à imiter la voix et le geste de ses contemporains, notamment du plus original d'entre eux, Robert de Montesquiou [1]. Mais dès ses premiers écrits l'on voit apparaître le pastiche littéraire, qui émaille ses articles et sa correspondance. Les *Lettres à Reynaldo Hahn* sont à cet égard tout à fait remarquables : elles forment une sorte de pastiche continu de tout ce qui intéresse les deux amis, lectures, spectacles, personnages pittoresques ou ridicules de la société parisienne ; Proust s'y livre même à de nombreux pastiches dessinés de tableaux, de dessins ou caricatures, de vitraux, statues et bas-reliefs d'églises. Cette activité est moins apparente dans les textes de 1909 à 1917 : c'est qu'elle est tout entière absorbée par l'élaboration du roman, où nous la retrouvons intacte. Enfin, elle reprend sous ses formes premières à partir de 1918, avec la longue mise en œuvre d'un nouveau « Lemoine » attribué à Saint-Simon, avec des imitations glissées dans les lettres, des dédicaces en forme de pastiche. Est-ce une contagion ? La propre gouvernante de Proust, Céleste, se met à pasticher dans son langage les *Nourritures terrestres* de Gide !

> Si j'allais voir la princesse Soutzo et que je priais Céleste de lui téléphoner, Céleste commençait par me dire : « Nathanaël, je te parlerai des amies de Monsieur. Il y a celle qui l'a fait ressortir après des années, taxi vers le Ritz, chasseurs, pourboires, fatigue. » Si on sonnait : « Nathanaël, je te dirai les amis de Monsieur », et des choses assez jolies dont je ne veux pourtant pas vous fatiguer [2].

Il serait facile également de montrer la part importante du mimétisme dans le comportement de l'homme, que ce soit dans ses prévenances à l'égard de ses amis, ses efforts pour se mettre à leur portée, ou dans les éloges délirants qu'il adresse aux plus vaniteux d'entre eux (Montesquiou,

---

1. Cf. notamment E. de Clermont-Tonnerre, *Robert de Montesquiou et Marcel Proust*, pp. 34 et 136.
2. *Lettres à André Gide*, Neuchâtel et Paris, Ides et Calendes, 1949, pp. 62-63. (Cette lettre, non datée, paraît être des premiers mois de 1919 d'après la coïncidence d'une des phrases attribuée à Céleste avec une addition sur épreuves au pastiche de Saint-Simon. Cf. *infra*, p. 268, l. 15.)

Mme de Noailles). C'est la même attitude qui lui fait accorder, dans sa formation intellectuelle et littéraire, un rôle si important à des modèles.

Bien que notre étude soit orientée uniquement vers les pastiches « Lemoine », nous donnerons des autres une liste chronologique (qui ne prétend pas être exhaustive) pour illustrer la permanence de cette disposition chez Proust :

[1888]. — Pastiche de Jules Lemaître, destiné à *La Revue Lilas* (Robert Dreyfus, *Souvenirs sur Marcel Proust*, Grasset, 1926, pp. 59-60).

1892-1893. — Pastiches de La Bruyère, émaillés de souvenirs de Huysmans, dans des « études » du *Banquet* (avril et mai 1892) et de *La Revue blanche* (décembre 1893), reprises dans *PJ* (p. 67 sqq., « Fragments de Comédie italienne »).

1893. — Pastiche de Flaubert : « Mondanité de Bouvard et Pécuchet », *La Revue blanche* (juillet-août) repris dans *PJ*, p. 99 sqq.

[1895]. — Pastiche des litanies de la Vierge (*LRH*, lettre XXXII, p. 50).

1899. — Pastiches de Montesquieu et de Mme de Sévigné : « Lettres de Perse et d'ailleurs. Les Comédiens de Salon » (*La Presse* des 19 septembre et 12 octobre).

1903. — Pastiche de Balzac : « Le Salon de Mme Madeleine Lemaire », *Le Figaro* du 11 mai ; repris dans *Chr.*, p. 28 sqq.

1904, 4 janvier. — Quelques lignes pastichant l'Évangile : « Le Salon de la Comtesse d'Haussonville », *Le Figaro*, repris dans *Chr.*, p. 49.

» 18 janvier. — « Fête chez Montesquiou à Neuilly. Extrait des Mémoires du duc de Saint-Simon », *Le Figaro*.

[1904]. — Pastiche de Serge Basset, courriériste théâtral du *Figaro* (sur la pièce *Le Jaloux*, d'Antoine Bibesco, 1904), *Lettres à Bibesco*, pp. 160-164. Acrostiche à la manière de Victor Hugo, *ibid.*, p. 166.

1905, 15 juin. — Quelques lignes pastichant Th. Gautier dans l'article « Sur la lecture », publié dans *La Renaissance latine*, et qui deviendra la préface à *Sésame et les Lys*, de Ruskin. Cf. *PM*, p. 246.

1906. — Pastiches de la Comtesse Greffulhe : *LRH*, pp. 88-89, 91 ; [9 août], pastiche de Mme de Sévigné, *ibid.*, pp. 94-95 ; pastiche de Corneille, *ibid.*, p. 108.

[1908 ?]. — Pastiche de Mme de Noailles ; *ibid.*, pp. 165-166.

» — Pastiche d'Alexandre de Gabriac ; *ibid.*, p. 166.

» — Pastiche de Gaugard ; *ibid.*, pp. 166-167.

[1909], [juillet]. — Pastiche de Taine (*CG*, IV, lettre XLIII à R. Dreyfus, pp. 241-242).

[1910]. — Pastiche de Mallarmé, *LRH*, p. 179.

[1911]. — Pastiche de Maeterlinck (*Pelléas et Mélisande*), *ibid.*, pp. 204-205.

[1914 ?]. — Pastiche de Hugo, *ibid.*, pp. 252-253.

[1915], juin. — Pastiche de Wagner (Lucien Daudet, *Autour de soixante lettres de Marcel Proust*, Gallimard, 1929, lettre XIV, page 120).

[vers 1915 ?]. — Pastiche de Cocteau, inédit ; *Carnet 2*, f. 48 r° et v° ³.

[prob^t 1919]. — Pastiche du *Journal* inédit des Goncourt, dans *Le Temps retrouvé* (*RTP*, III, 709-717).

[1920], [vers avril]. — Pastiche de Faguet : *LR*, n° 55, p. 140.

---

3. Sur les *Carnets*, cf. *infra*, Note sur la présente édition, p. 52.

[1921], [17 mai]. — Pastiche de Faguet : *CG*, III, lettre XX à Jacques Boulenger, p. 245 ;

»   — Pastiche de Paul Morand, comme dédicace à un exemplaire de *PJ*. (*BSAMP*, 1965, n° 15, pp. 262-265).

[1922], [mai]. — Pastiche de Paul Souday (*CG*, III, lettre XX à P. Souday, pp. 98-101).

LA VÉRITABLE AFFAIRE LEMOINE

En voici la chronologie sommaire, d'après *Le Figaro*, où Proust a pu suivre son déroulement :

1904. — L'ingénieur Lemoine se livre, devant des diamantaires anglais, à des expériences de fabrication de diamant par cristallisation de carbone porté à haute température. Les expériences ont lieu dans un laboratoire installé rue Lecourbe à Paris.

1905. — Lemoine propose ses services au gouverneur de la compagnie De Beers, Julius Wernher, et le convainc par ses expériences. Wernher lui assure une commandite de 1 671 000 francs. Lemoine s'engage à construire une usine à Arras, bourgade des Hautes-Pyrénées, près d'Argelès (que Proust confondra, volontairement ou non, avec la ville du Pas-de-Calais). Mais il refuse de livrer son procédé et se contente d'en déposer la formule dans une banque de Londres sous un pli cacheté, à n'ouvrir qu'après sa mort.

1907, mars-avril. — Un autre financier de Londres, Jackson, assiste rue Lecourbe à deux expériences au cours desquelles sont produits plus d'une centaine de petits diamants. Après avoir fait expertiser ces derniers, Jackson engage des pourparlers avec Lemoine.

» **décembre.** — L'usine d'Arras est construite, mais son inauguration est sans cesse différée par Lemoine, qui finit par fixer la date du 26 décembre. Mais Wernher s'impatiente, s'irrite des pourparlers entrepris avec Jackson, dépose une plainte devant le Tribunal de Tarbes, qui se déclare incompétent, puis devant le Tribunal correctionnel de Paris. Lemoine est arrêté le 11 décembre.

1908, 9 janvier. — Début de l'instruction par le juge Le Poittevin. Des experts sont désignés, dont le principal est Bordas. La défense de Lemoine est dirigée par Labori, l'ancien avocat de Dreyfus. L'instruction durera jusqu'à la fin de mars ; nous en donnons les principales dates.

» **11 janvier.** — Lemoine propose de déposer une caution de 750 000 francs et de répéter ses expériences devant le juge et les experts à l'usine d'Arras (le laboratoire de la rue Lecourbe n'existe plus). Wernher accepte une nouvelle expérience, mais s'oppose à la mise en liberté provisoire demandée par l'ingénieur. Le juge veut alors faire saisir l'enveloppe déposée à Londres, par le moyen d'une commission rogatoire. Labori fait opposition à cette mesure qu'il déclare illégale.

» **15 janvier.** — On apprend qu'en même temps que Jackson assistait aux expériences de 1907 un riche anglais, lord Armstrong, qui se déclare entièrement convaincu et qui possède des diamants résultant de ces opérations.

» **23 janvier.** — Des joailliers parisiens déclarent avoir rendu à Lemoine le 25 août 1905 (soit quelques jours après la signature du contrat avec Wernher) pour 25 000 francs de diamants bruts. Lemoine assure que c'était pour les étudier et les comparer avec les siens. La demande de mise en liberté provisoire est rejetée.

1908, 24 janvier. — Deux lapidaires, qui ont fourni les diamants bruts aux joailliers en 1905, reconnaissent formellement un certain nombre de ceux qui leur sont présentés et que Lemoine a donnés pour siens. On raconte même que ces diamants proviendraient de mines d'Afrique du Sud appartenant à la De Beers.

» 28 janvier. — Lemoine fait appel devant la chambre des mises en accusation pour obtenir la liberté provisoire. De son côté, lord Armstrong fait parvenir au juge deux diamants fabriqués devant lui en 1907.

» 29 janvier. — Deux autres lapidaires reconnaissent avoir vendu aux joailliers tous les diamants restant entre les mains du juge. Lemoine dépose un mémoire contestant les faits et accusant ses adversaires de supercherie et de machination.

» 1er février. — La chambre des mises en accusation refuse la liberté provisoire. L'affaire traîne en longueur pendant les mois de février et de mars. Le juge demande par commission rogatoire la saisie de l'enveloppe de Londres, mais la banque tarde à donner suite. Lemoine ne cesse de réclamer la liberté provisoire pour procéder à une expérience ; Wernher fait chaque fois opposition.

» 2 avril. — La liberté provisoire est accordée, et Lemoine relâché.

» juin. — Lemoine prend la fuite, se dirige vers Constantinople, mais à Sofia fait volte-face et revient en France. Il est aperçu à la Légation de France à Sofia, par le chargé d'affaires, Robert de Billy, ami de Proust, qui apprend le lendemain seulement la véritable identité du personnage, et qui racontera l'anecdote à l'écrivain. Lemoine est surpris et arrêté à son retour à Paris.

1909, 6 juillet. — Lemoine est condamné à six ans de prison.

Dans ses *Pastiches,* Proust ne s'attache pas à la vérité historique, sinon pour citer quelques noms et quelques faits qui lui paraissent curieux ou comiques, comme la qualité considérable des personnes trompées par l'escroc ou l'énormité des sommes confiées. Il en prend à son aise avec les lieux, transportant l'usine du sud au nord de la France. Ce qui l'intéresse surtout, c'est l'aspect anti-historique de l'affaire, l'aliment qu'elle fournit aux imaginations et au comique. Il demande bien, vers le début de janvier 1919, à Robert Dreyfus de lui rédiger un « petit précis historique » de la question [1], mais, constatant sans doute que les pastiches de 1908-1909 n'ont que de lointains rapports avec les faits, il se contente de l'utiliser dans la brève note liminaire qu'il place à la première page des *Pastiches et Mélanges.*

1. Cf. *CG*, IV, lettre LX à R. Dreyfus, [26 janvier 1919], p. 265.

HISTORIQUE DES PASTICHES « LEMOINE »

Déjà prédisposé par son tempérament et par ses exercices antérieurs, Proust est également amené par les circonstances à écrire des imitations suivies et plus ambitieuses. Depuis quelque temps, des pastiches d'écrivains paraissent dans *Les Lettres,* sous la plume de Paul Reboux, Charles Müller et Fernand Gregh. En décembre 1907, les deux premiers publient le célèbre recueil *A la manière de* ..., contenant quinze imitations d'écrivains illustres et de contemporains [1]. Par ailleurs, Proust se trouve à ce moment amené à réfléchir sur les problèmes du style : après l'abandon de ses études sur Ruskin, et l'année de silence qui a suivi la mort de sa mère, il se trouve dans une période de reprise d'activité littéraire. Les lettres de cette époque à Robert Dreyfus [2] contiennent de nombreux conseils et corrections de détail sur les œuvres de celui-ci ; une autre, adressée à Mme Straus [3], est un véritable manifeste en faveur de l'originalité du style, de cette idée que chaque écrivain doit « faire sa langue comme chaque violoniste est obligé de faire son *son* ».

L'Affaire Lemoine éclate dans la presse le 10 janvier, mais ce n'est que le 24 janvier que l'escroquerie devient patente. *Le Figaro* du 26 janvier donne un nouveau pastiche de Reboux et Müller, sans rapport avec l'affaire : *Discours sur la Société future, par Jaurès.* C'est sans doute une incitation nouvelle. Proust se décide et travaille donc assez rapidement, puisque paraissent le 22 février 1908, dans le supplément littéraire du même journal, les pastiches de Balzac, Faguet, Michelet et Goncourt. Trois semaines plus tard, le 14 mars, paraissent le Flaubert et le Sainte-Beuve. Le Renan paraît le 21 mars, avec le numéro VII et sous la rubrique : « *Pastiches, suite et fin* ». Quelques jours auparavant, l'auteur écrivait à R. Dreyfus, annonçant cette « fin » et la prochaine orientation de son activité :

> Quant aux pastiches, Dieu merci, il n'y en a plus qu'un. C'était par paresse de faire de la critique littéraire, amusement de faire de la critique littéraire « en action ». Mais cela va peut-être au contraire m'y forcer, pour les expliquer à ceux qui ne les comprennent pas [4].

1. Il s'agit de Paul Adam, Maurice Barrès, Henry Bataille, Tristan Bernard, Conan Doyle, J.-M. de Hérédia, J.-K. Huysmans, Francis Jammes, La Rochefoucauld, Maeterlinck, Mme Delarue-Mardrus, Mme de Noailles, Charles-Louis Philippe, Jules Renard, Shakespeare. Une deuxième et une troisième séries verront le jour en 1913, une quatrième et une cinquième, dues à P. Reboux seul, en 1925 et 1950, et une édition scolaire en 1930.
2. Cf. R. Dreyfus, *Souvenirs sur Marcel Proust.*
3. *CG*, VI, lettre XLVII, pp. 92-94 [vers janvier 1908].
4. *CG*, IV, lettre XXXV à R.D., p. 227 [18 mars 1908].

Néanmoins, il parle encore dans une lettre du [23 mars] d'un « Bern-heim » et assure, mais sans préciser, être « descendu encore plus bas dans le pastiche ». « Mais, ajoute-t-il, maintenant c'est fini, je n'en fais plus, quel exercice imbécile ».

Bientôt, il exprime l'intention de publier ces articles en volume et écrit en ce sens à l'éditeur Calmann ; mais en vain. Même échec auprès du Mercure de France et de Fasquelle [5]. Les intentions de critique littéraire et diverses allusions, à vrai dire peu claires, dans les lettres, à « un travail assez long », donnent à penser qu'une tâche nouvelle et importante est entreprise au printemps de 1908 [6]. Néanmoins, Proust se remet à composer des pastiches à Cabourg au cours de l'été. C'est Marcel Plantevignes, un de ses compagnons de vacances, qui en témoigne dans Avec Marcel Proust [7] ; mais il ne dit pas qui sont les écrivains imités. En novembre et décembre, Proust apprend à Georges de Lauris qu'il a fait des pastiches de Chateaubriand et d'H. de Régnier, « si parfaitement illisibles que vous ne liriez rien » [8]. Il ajoute qu'il est en « plein Saint-Simon », qui est son « grand divertissement ». Ce détail est confirmé par Plantevignes, qui raconte que l'hiver suivant, il passe de nombreuses soirées chez Proust à lire et à commenter La Bruyère et Saint-Simon. Au début de 1909 [9], l'écrivain redemande à Montesquiou son ancien pastiche de Saint-Simon, dans l'intention de le corriger s'il n'est pas assez exact, et de le réunir aux autres. Il songe aussi, dit-il, à faire un pastiche de Montesquiou lui-même. Lemaitre lui a fait demander un Mérimée et un Voltaire, mais cette tâche ne lui paraît guère possible : « L'extrême complication et l'extrême nudité rendent les pastiches difficiles » [10].

Le 6 mars 1909, paraît dans Le Figaro, « " L'Affaire Lemoine " : VIII, par Henri de Régnier » [11]. D'autres pastiches sont presque prêts, le Chateaubriand, le Maeterlinck et un second Sainte-Beuve :

> Je ne peux publier ni Chateaubriand, ni Maeterlinck parce qu'il faudrait un léger coup de pouce et je suis hors d'état de faire le plus léger effort. Ce qui a le plus de chance de paraître un jour est

5. L'incertitude de la datation de certaines lettres de cette époque ne permet pas de savoir s'il eut lieu avant ou après. Cf. CG, IV, lettres III, IV et V à Mme de Cavaillet, pp. 115-118 [avril 1908] ; F. Gregh, Mon Amitié avec Marcel Proust, Grasset, 1958, pp. 138-140, 29 mai 1909 ; Marcel Proust, A un ami, Amiot-Dumont, 1948, lettres LXIV et LXV à Georges de Lauris, pp. 206-208, datées inexactement, semble-t-il, par l'éditeur et par Ph. Kolb.
Paul Reboux a raconté plus tard (préface à G.A. Masson, A la façon de, p. 20) que Müller et lui-même avaient vu leur premier recueil successivement refusé par Calmann-Lévy, Fasquelle, Ollendorff et Flammarion, avant de connaître chez Grasset un tirage de plus de deux cent mille exemplaires.
6. Cf. Henri Bonnet, Marcel Proust de 1907 à 1914, chapitre : 1908.
7. P. 287.
8. A un ami, lettres XLI, p. 154, et XLV, p. 163. Il faut préciser que Proust écrivait ordinairement alité, et que l'écriture de ces ébauches est particulièrement difficile à lire.
9. CG, I, lettre CLXXXVIII, pp. 204-205 [janvier-février 1909].
10. Ibid., lettre CXCIII [février-mars 1909], p. 210.
11. Le même numéro du journal présente une autre série de courts pastiches d'écrivains (non nommés) : « Petits cahiers d'une étrangère », signé : Sonia. La mode semble battre son plein.

Sainte-Beuve (pas le second pastiche, mais l'étude) parce que cette malle pleine au milieu de mon esprit me gêne [...]. J'aimerais pourtant un jour mettre au point le Maeterlinck car il y a deux ou trois petites choses qui, je crois, vous feraient rire mais tout cela « n'est pas sorcier » [...] [12].

On voit d'après cette lettre que la préoccupation des pastiches le cède au souci plus pressant de l'étude sur Sainte-Beuve. Cependant, Proust promet encore à R. Dreyfus un « Nietzsche » en avril [13], lui annonce en juin un « Paul Adam » [14], et finit par lui manifester avec éclat son impatience en terminant une lettre de juillet[15] par « Merde pour les pastiches ! » suivi de l'*Explication par H. Taine des raisons pour lesquelles tu me rases à me parler des pastiches*. Voici le texte de ce « pastiche anti-pastiches » :

> Vous ouvrez un volume et vous tombez sur la première page : *L'Affaire Lemoine,* par Balzac. Bon, dites-vous, voilà un écrivain qui connaît le fort et le faible des autres écrivains, qui se fait un jeu de reproduire, avec l'allure générale de la pensée, la même gesticulation de style. Il sait que rien n'est négligeable de ce qui peut éclairer un type ou renseigner sur un temps ; il ne néglige aucune de ces particularités de la syntaxe qui trahissent le tour de l'imagination, les mœurs ambiantes, les idées reçues, le tempérament hérité, la faculté primordiale. C'est de la bonne caricature. Voilà qui va bien. Mais la caricature fatigue vite, et vous n'aimez pas à être fatigué. Vous tournez la page et vous allez aux choses sérieuses. Vous lisez la première ligne. *L'Affaire Lemoine,* par Renan. Bon Dieu, pensez-vous, voilà qui est abuser. Vous voulez bien d'une ou deux caricatures dans un vestibule, avant d'entrer dans la bibliothèque. Mais il est ennuyeux de rester indéfiniment dans le vestibule.

Il est temps, veut dire Proust, de passer à des choses plus importantes, et il songe à ses grands projets. Dans son esprit, d'ailleurs, les pastiches doivent aller de pair avec des études analytiques des mêmes écrivains. Il n'a pas publié de manière simultanée cette critique, mais il a eu l'intention de le faire. Onze ans plus tard, après la publication du volume de *Pastiches et Mélanges,* il précise à Ramon Fernandez, auteur d'un compte rendu : « Vous m'avez deviné par votre " Critique et Actes " car j'avais d'abord voulu faire paraître ces pastiches avec des études critiques parallèles sur les mêmes écrivains, les études énonçant d'une façon analytique ce que les pastiches figuraient instinctivement (et vice-versa), sans donner la priorité ni à l'intelligence qui explique ni à l'instinct qui reproduit » [16]. Le lien est donc bien établi entre les deux genres, que les contingences de la publication ont séparés. Car les études analytiques ont été dispersées. Elles forment d'abord une partie de l'essai sur Sainte-Beuve,

12. *A un ami,* lettre XLIX à G. de Lauris, pp. 170-171 [peu après le 6 mars 1909].
13. *CG,* IV, lettre XLI à R.D., p. 237. Ce « Nietzsche » est inconnu.
14. *Ibid.,* lettre XLII, p. 238. Même remarque.
15. *Ibid.,* lettre XLIII, pp. 241-242.
16. Lettre publiée dans *Le Divan,* octobre-décembre 1948, p. 433.

œuvre hybride mi-critique, mi-romanesque, commencée au plus tard en 1908 [17], atteignant, d'après les lettres de l'auteur, quatre ou cinq cents pages dans l'été de 1909, mais finissant par être abandonnée par suite de la difficulté de trouver un éditeur ; elle fournira de nombreux épisodes à la *Recherche*. Le *Contre Sainte-Beuve,* publié par Bernard de Fallois en 1954, et qui ne représente que des fragments de l'ouvrage projeté, contient justement des développements critiques sur Sainte-Beuve, Balzac et accessoirement Flaubert. B. de Fallois présente dans le même volume, sous le titre de *Nouveaux Mélanges,* d'autres fragments critiques, dont un sur Chateaubriand et un sur Régnier, qui sont probablement de la même époque. Enfin Proust publie lui-même, en 1920, son étude « A propos du " style " de Flaubert » et des remarques développées sur Renan dans « Pour un ami, remarques sur le style » [18]. Ces deux articles développent des arguments qu'on rencontre dans la correspondance des années antérieures, parfois avec les mêmes citations. On peut donc supposer qu'ils existaient déjà, au moins à l'état d'ébauches, et remontent, au-delà de la période consacrée à la *Recherche,* jusqu'à l'époque du *Sainte-Beuve.* L'article sur Flaubert, pourtant beaucoup plus tardif que le pastiche, est présenté comme son complément : « C'est un trajet inverse que j'ai accompli aujourd'hui en cherchant à noter à la hâte ces quelques particularités du style de Flaubert. Notre esprit n'est jamais satisfait s'il n'a pu donner une claire analyse de ce qu'il avait d'abord inconsciemment produit, ou une recréation vivante de ce qu'il avait d'abord patiemment analysé » [19].

Quant aux pastiches Lemoine, Proust, après l'été de 1909, fait le silence sur eux pendant plusieurs années. Un nouveau projet de publication en recueil le tente en 1913 [20], sans doute pour accompagner *Du côté de chez Swann* : il s'agirait cette fois d'un volume d'articles, comprenant les pastiches. Puis c'est de nouveau le silence — un silence actif car les notes sur Saint-Simon s'accumulent dans les carnets — jusqu'à l'été de 1918, où l'approche de la fin de la guerre redonne vie aux projets d'édition. Alors, Proust reprend l'annonce de son recueil, recherche ses articles du *Figaro* [21], discute des titres possibles avec Lucien Daudet [22] : il adopte en définitive celui de *Pastiches et Mélanges* pour éviter toute confusion avec les différentes parties de la *Recherche.* A l'automne, il annonce à ses meilleures amies qu'il a repris, développé et adapté à

---

17. Henri Bonnet, *op. cit.,* donne cette date, tandis que R. Vigneron, « La Méthode de Sainte-Beuve et la méthode de M. Painter » (p. 141), croit pouvoir en faire remonter les premiers travaux à 1904, et estime que les pastiches présupposent les ébauches de critique.
18. « A propos du " style " de Flaubert », *NRF,* janvier 1920. Repris dans *Chroniques,* pp. 193-211. « Pour un ami. Remarques sur le style », *La Revue de Paris,* 15 novembre 1920 ; devenu la préface à *Tendres stocks,* de Paul Morand, *NRF,* 1921.
19. Déjà, en 1917, Proust signale à Antoine Bibesco qu'il a une étude prête sur Flaubert, à faire paraître « plus tard » (*Lettres à Bibesco,* p. 151).
20. *CG,* II, lettre XLIV à Madame de Noailles, pp. 192-193.
21. Cf. *CG,* IV, lettre LVIII à R. Dreyfus, p. 263, [juillet 1918], et *CG,* VI, lettre CVIII à Mme Straus, p. 206, [31 juillet 1918].
22. Cf. *Autour de soixante lettres...,* lettre LV, pp. 220-221 [été 1918].

l'Affaire Lemoine son ancien pastiche de Saint-Simon, et il leur demande la permission d'y insérer quelques phrases en leur honneur. Nous évoquerons en détail cet épisode dans la *Notice* consacrée au Saint-Simon. Proust annonce même une suite à ce pastiche, destinée à célébrer encore davantage les mérites de ces mêmes personnes. Pendant plusieurs mois, il multiplie ce genre de démarches mondaines, rajoute sur épreuves des portraits de contemporains, redemande les placards à l'imprimeur, échange force lettres avec l'Américain Walter Berry pour lui faire accepter la dédicace du volume [23] : « A Monsieur Walter Berry, Avocat et lettré, qui, depuis le premier jour de la guerre, devant l'Amérique encore indécise, a plaidé, avec une énergie et un talent incomparables, la cause de la France, et l'a gagnée. Son ami Marcel Proust. »

L'achevé d'imprimer date du 25 mars 1919, et la mise en vente a lieu le 23 juin, en même temps que celle d'*A l'ombre des jeunes filles en fleurs*, et qu'une réédition de *Swann*.

23. *CG*, V, lettres III, IV, VI, XXIV, XXV, XXVI, à W.B., de janvier à mars 1919.

LES TEXTES PASTICHÉS :
TEXTES DE BASE ET ALLUSIONS VARIÉES

Proust imagine donc, en 1908, qu'un certain nombre d'écrivains évoquent, chacun à sa manière, l'Affaire Lemoine. Ils sont loin d'être pris au hasard ; tous entrent à quelque titre dans ses préoccupations esthétiques ou stylistiques. Nous retrouverons les justifications de ses choix dans l'analyse du rôle des pastiches dans son évolution littéraire et dans les notices dont nous faisons précéder chacun des textes.

Qu'il nous suffise pour l'instant de remarquer qu'il s'agit, pour la majorité, d'auteurs à l'œuvre très abondante, voire immense, et qu'entreprendre de les pasticher suppose de vastes lectures. Nous avons tenté de remonter à ces sources, pour retrouver autant que possible ce que Proust a retenu d'elles, et voir comment il l'a retenu et mis en œuvre. Cette recherche a été longue, elle n'a pas été décevante : elle nous a apporté un enrichissement personnel, et une connaissance beaucoup plus précise de la méthode du pasticheur. Celui-ci, par la connaissance générale et en profondeur de l'écrivain imité, se met en mesure d'emprunter pour un moment sa personnalité et ses modes de pensée : il « voit » l'Affaire comme son modèle aurait pu la voir, en romancier, en historien, en critique ou en mémorialiste, avec les mêmes réactions dominantes, les mêmes attitudes en face de la réalité. Mais il ne reconstruit pas seulement d'après cette connaissance globale. Dans tous les cas, Proust se reporte à un ou plusieurs passages précis, qui lui fournissent l'impulsion première et l'aident à retrouver le ton de l'écrivain. Autour de cet élément ou de ces éléments de base, les allusions sont très variées, et dénotent une vaste mémoire littéraire [1]. Ainsi, le Balzac repose au départ sur *Les Secrets de la Princesse de Cadignan* (ce qui n'empêche pas des allusions à une vingtaine d'autres romans), le premier Sainte-Beuve sur la critique de *Salammbô* dans *Le Constitutionnel*, le second sur les articles consacrés aux *Mémoires d'outre-tombe* et aux *Recueillements* de Lamartine, le Régnier sur *M. d'Amercœur* et *Le Trèfle blanc,* le Goncourt sur les dernières années du *Journal,* le Faguet sur les feuilletons dramatiques de 1907 dans *Le Journal des Débats,* le Michelet sur les préfaces aux œuvres historiques, le Maeterlinck sur *L'Intelligence des Fleurs* et *Le Double Jardin,* le Ruskin sur *La Bible*

---

1. Beaucoup de ces allusions, et même des éléments de base, échappent aux lecteurs qui n'ont pas la même somme de lectures que Proust. Le travestissement des allusions gêne aussi parfois leur reconnaissance.

d'Amiens et *Les Pierres de Venise* ; le Flaubert présente de manière plus fondue les divers aspects de l'œuvre du romancier ; le Renan est presque une revue des œuvres complètes ; le Chateaubriand s'appuie sur quelques fragments des *Mémoires d'outre-tombe*, dont l'élément commun est l'égoïsme et la vanité de l'auteur ; quant au Saint-Simon, il exploite largement quelques grands textes des *Mémoires* : les portraits du duc d'Orléans, de Louis XIV, du prince de Conti, les remontrances de Saint-Simon au duc d'Orléans sur sa liaison avec Mme d'Argenton, et les « prétentions » de l'électeur de Bavière ; mais les autres allusions, innombrables, révèlent une connaissance extrêmement détaillée d'une foule d'autres passages.

Souvent — ce fait nous est appris par les brouillons — les pastiches naissent sous forme de « noyaux » distincts, correspondant à des thèmes ou à des allusions différents, et ensuite raccordés entre eux, parfois simplement juxtaposés. D'où provient fréquemment, dans les pastiches définitifs, une impression de coq à l'âne qui contribue au comique, mais n'est pas un élément emprunté.

Le comique tient aussi aux disparates d'époques et de personnages : c'est une veine dont Proust tire un large parti. Aux allusions littéraires, si justes et profondément observées, il superpose des allusions burlesques, se jouant des différences de temps, de lieux et de mentalités. Il se met lui-même en scène, et se raille tout le premier.

C'est sans doute par cette largeur de vue dans le domaine des allusions, par cette aptitude à évoluer dans le temps et à faire des rapprochements que l'histoire interdit, que les pastiches Lemoine se distinguent des *A la manière de* ... de Reboux et Müller, souvent fort pourvus de justesse d'observation et surtout de force comique, mais qui n'ont pas, pour reprendre une expression de Proust, une aussi grande « ouverture de compas ».

LA STRUCTURE LITTÉRAIRE ET STYLISTIQUE
DES « PASTICHES »

Etudier la structure des *Pastiches,* c'est les faire apparaître comme un ensemble organisé ayant son fonctionnement propre. C'est aussi laisser de côté, du moins à ce niveau, leur histoire, et les traiter seulement par référence à leur genre [1].

A vrai dire, le pastiche n'est pas un genre comme les autres, puisque le donné qu'il organise est déjà lui-même organisé. Son contenu est déjà un ensemble contenant-contenu ; c'est un genre qui se superpose à d'autres genres. Ainsi Proust imite-t-il des fragments de roman, d'histoire, de critique, de journal, en leur donnant un thème commun. Une étude pertinente des procédés du pastiche négligera nécessairement les formes littéraires empruntées pour ne s'intéresser qu'à la structuration nouvelle qui leur est donnée.

Nous avons tenté, dans un article récent [2], de définir ce genre en partant de l'usage qu'il fait des différentes « fonctions » du langage, et en nous appuyant sur les travaux des linguistes Roman Jakobson [3] et Michaël Riffaterre [4]. Nous nous contenterons ici de reprendre les principaux résultats de ce travail.

La fonction du langage mise en œuvre de façon prépondérante dans le pastiche est la fonction *référentielle.* Elle y est double, puisque l'imitation se rapporte directement à un thème conventionnel (chez Proust, l'Affaire Lemoine), pur prétexte ; et indirectement, mais de façon plus réelle, à une œuvre littéraire supposée connue du lecteur. Sont également mises en œuvre dans le pastiche la fonction *métalinguistique,* destinée à faire apparaître les formes d'expression du modèle ; et la fonction *impressive* (ou *conative,* selon Jakobson), qui vise à faire rire ou sourire le lecteur. A ces fonctions, qui organisent le discours autour de l'auteur, du lecteur et du contenu, se superpose la fonction *poétique* (selon Jakobson), ou *stylistique* (selon Riffaterre), qui a pour effet d'ajouter à l'information exprimée

---

1. Nous dirons que, d'une manière générale, le genre est une catégorie du langage littéraire caractérisée, sur le plan du contenu, par l'attitude de l'écrivain à l'égard du donné, et, sur le plan de l'expression, par un système particulier, généralement conventionnel, de contraintes formelles.
2. « Les Pastiches de Proust : structure et correspondances », 1967.
3. « Linguistics and Poetics », 1960, traduit dans *Essais de linguistique générale,* 1963, pp. 209-248.
4. « Vers une définition linguistique du style », *Word,* 1961, pp. 318-344. — « The Stylistic Function », 1962.

par le message, et sans en altérer le sens, un « accent expressif, affectif ou esthétique » [5].

En ce qui concerne les trois premières fonctions, nous pouvons dire que pour l'essentiel tout pasticheur recherche dans son modèle des structures d'expession et, grâce à l'artifice d'un nouveau référent, reconstruit ces structures plus ou moins fidèlement, selon l'effet qu'il veut produire sur le lecteur.

Proust, pour son compte, use très habilement de la double référence du pastiche. Le référent direct lui fournit l'anecdote commune, l'Affaire Lemoine, et donne à l'ensemble des pastiches une unité extérieure, d'ailleurs très souple. Dans ce rôle d'élément commun, il fait apparaître les pastiches comme des variations sur un même thème, soulignant ainsi les différences qui existent entre les modèles dans les genres pratiqués, les thèmes favoris, les tendances esthétiques, l'organisation du contenu, les modes d'expression. D'un autre côté, dans le passage de chaque modèle, pris isolément, à son pastiche, ce référent se comporte comme une variable : il permet de séparer les structures des textes de leurs référents originels, donc de les faire apparaître comme formes. La fonction de référence se combine avec la fonction métalinguistique.

Par la référence indirecte, le lecteur est renvoyé à des systèmes complexes et développés : les œuvres des pastichés dans tous leurs aspects idéologiques et formels. Ainsi le pastiche de Balzac évoque-t-il l'ensemble de *La Comédie humaine,* par des allusions expresses à différents romans (« Voir *Le Cabinet des antiques* ... Voir *Les Secrets de la princesse de Cadignan* ... Voir *Une Fille d'Eve* ... Voir *Les Illusions perdues...* ») et par la représentation de très nombreux personnages de ces romans. Il fait appel, au-delà, aux référents proprement balzaciens, comme la société française sous la Restauration, ou les doctrines occcultes, pour ne citer que ceux-là. On voit de même le pastiche des Goncourt évoquer la société fin de siècle, celui de Saint-Simon la cour de Louis XIV, etc. Chaque imitation porte la trace des orientations esthétiques de son modèle : peinture de la médiocrité, effacement de l'auteur derrière les personnages et les événements, chez Flaubert ; conception « artiste » de la réalité, chez les Goncourt ; symbolisme chez Régnier. La référence est aussi stylistique, et consiste alors à reconstruire le système d'expression du pastiché en employant les mêmes traits distinctifs que lui. Ainsi reconnaît-on aisément dans le pastiche de Flaubert l'usage « impressionniste » de l'article indéfini avec les noms abstraits (« *des* intimités s'ébauchèrent... *une* douceur l'envahit »), les effets d'opposition de l'imparfait et du passé défini, les groupements ternaires, l'élargissement de la phase par un *et* ou un *pendant que* destiné uniquement à relancer le mouvement, les retardements au moyen d'une subordonnée ou d'un participe à valeur circonstancielle, le développement du

---

5. Riffaterre, « Criteria for Style Analysis », *Word,* 1959, pp. 154-174, paragraphe 0.2.

discours indirect libre. Dans ce même texte, les premières pages, imitées de *Madame Bovary*, avec leurs phrases à l'architecture robuste et leurs descriptions précises se distinguent nettement de la dernière, dans laquelle la recherche de la fluidité et des demi-teintes rappelle *L'Education sentimentale* :

> Ils se voyaient avec elle, à la campagne, jusqu'à la fin de leurs jours, dans une maison tout en bois blanc, sur le bord triste d'un grand fleuve. Ils auraient connu le cri du pétrel, la venue des brouillards, l'oscillation des navires, le développement des nuées, et seraient restés des heures avec son corps sur leurs genoux, à regarder monter la marée et s'entrechoquer les amarres, de leur terrasse, dans un fauteuil d'osier, sous une tente rayée de bleu, entre des boules de métal. Et ils finissaient par ne plus voir que deux grappes de fleurs violettes, descendant jusqu'à l'eau rapide qu'elles touchent presque, dans la lumière crue d'un après-midi sans soleil, le long d'un mur rougeâtre qui s'effritait [6].

Là encore, nous retrouvons la fonction référentielle liée à la fonction métalinguistique.

La dualité du référent permet des raffinements et des jeux de renvois dont Proust ne se prive pas. Le pastiche III est intitulé « Critique du roman de M. Gustave Flaubert sur l' " Affaire Lemoine " par Sainte-Beuve, dans son feuilleton du Constitutionnel ». Or, ce roman n'est autre chose que le pastiche de Flaubert par Proust. Ainsi, le référent direct est double : il est fictif en tant que roman de Flaubert sur l'Affaire Lemoine, et réel en tant que pastiche ; or ce dernier se réfère à son tour d'une part à l'Affaire Lemoine, d'autre part au message littéraire de Flaubert. On peut schématiser ces rapports comme suit :

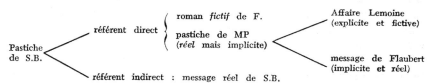

Proust fait ainsi coup double, évoquant le message littéraire de Sainte-Beuve et, grâce à la démarche métalinguistique de ce dernier, le message de Flaubert. A ce degré second se trouvent à la fois des observations critiques sur Flaubert imitées de Sainte-Beuve, et d'autres, plus difficilement discernables, dues à Proust lui-même. Et il faudrait aussi distinguer celles qui atteignent le Flaubert authentique de celles qui s'arrêtent à son image déformée. Nous sommes dans une sorte de galerie des glaces.

Le pastiche de Faguet est construit selon un procédé analogue, mais l'un des miroirs est presque entièrement opaque : le texte est présenté comme l'extrait d'un feuilleton dramatique sur la pièce d'Henri Bernstein, *L'Affaire Lemoine*. Mais celle-ci n'existe ni dans la réalité, ni sous forme de

6. Pp. 125-126 de la présente édition.

pastiche. Nous sommes néanmoins renvoyés à Bernstein par le récit d'une intrigue imaginaire, caractéristique de sa manière, ou encore par les comparaisons établies entre cette pièce fictive et les autres pièces (réelles, celles-là) du dramaturge.

Ces jeux de renvois et ces facéties relèvent en même temps de la fonction impressive, ici de type comique. Le genre s'apparente à la caricature et en adopte les moyens : ceux-ci consistent à déformer suffisamment les traits du modèle pour que, tout en restant reconnaissable, il échappe aux notions communément admises par le pasticheur et le lecteur. C'est surtout dans le domaine de l'expression que nous trouverons employés ces procédés. Mais ils existent aussi au niveau du contenu. Le plus courant est l'exagération des traits descriptifs ; par exemple, chez Flaubert, le portrait outré du président du tribunal, vieux, laid, vulgaire, prétentieux et somnolent ; l'abus du « réalisme » dans le décor de la salle d'audience, où il ne manque ni la poussière, ni les taches de moisissure sur les portraits officiels, ni une araignée, ni un rat, ni une mauvaise odeur ; le caractère délirant des rêves de richesse qui transportent les assistants dans un hôtel de l'Avenue du Bois, à l'Académie, au Pôle, à la présidence de la République, à la seule exception, par dédain, du Jockey-Club. Chez Balzac, l'exagération porte sur le thème de la relation occulte existant entre les noms et les êtres, si bien que le nom de Werner, personnage de l'affaire Lemoine, en vient à évoquer Faust et la pierre philosophale, par l'intermédiaire du Werther de Gœthe. La déformation peut consister dans une concentration de traits, comme dans l'attitude admirative prêtée à Balzac, toutes les fois (et il y en a plusieurs par page) qu'il nomme un personnage éminent. Elle peut aussi consister dans une disparité burlesque entre les caractères réels d'un objet et l'attitude mentale adoptée pour le décrire : chez H. de Régnier, une maison inconfortable est évoquée à la manière d'un palais. D'autres procédés, fréquents, font apparaître des personnages insolites, comme le nègre de Flaubert distribuant des quartiers d'orange dans la salle du tribunal ; ou anachroniques : Proust s'amuse beaucoup de ce dernier moyen, et se plaît à se mettre en scène, lui ou ses amis ; ainsi, il est cité par Renan pour ses traductions de Ruskin (« d'une platitude pitoyable ») ; par les Goncourt, qui relatent sa prétendue querelle, suivie de duel, avec Zola ; Balzac cite Paul Morand parmi les invités de son « rout » ; Saint-Simon énumère longuement, parmi les principaux personnages de la Cour, les duc de Gramont, princesse Soutzo, comtesse de Chévigné, marquis d'Albuféra, comte de Montesquiou et autres brillantes relations du pasticheur. Dans ces derniers cas, le comique tend à se rendre indépendant de l'imitation des modèles et à exister pour lui-même.

Nous avons déjà rencontré la fonction métalinguistique à propos des référents, et nous venons de remarquer que, si elle coopérait avec la fonction impressive dans le renforcement des traits distinctifs du modèle, elle devait parfois lui céder le pas. De toute façon, ses démarches, dans le pastiche, sont intuitives et implicites. Sa situation par rapport à l'élément impressif est l'inverse de celle que nous trouvons dans la critique analytique, où elle est dominante et se subordonne l'effort didactique. Critique et pastiche se trouvent être ainsi, du point de vue de cette fonction, des genres complémentaires. De plus, le terme de métalinguistique doit être pris dans une acception large, à la fois rhétorique et idéologique : car, nous l'avons vu, le pastiche permet à Proust de dégager non seulement les formes d'expression, mais tout autant les formes de contenu (thèmes, personnages, organisation esthétique) de ses modèles.

Reste le style qui, dans ce genre, est à la fois style d'emprunt et marque personnelle du pasticheur. Nous avons évoqué le premier à propos de la fonction référentielle. Notons que, contrairement à l'affirmation de Riffaterre selon laquelle le style dispose uniquement, pour attirer l'attention sur un point du texte, de l'imprévisibilité [7], c'est ici le contraire qui est exigé, à savoir la reconnaissance : sans cette dernière, la plus grande partie des effets de l'imitation serait perdue. Dans le pastiche de Balzac, par exemple, des traits comme le vocabulaire de la considération allié à celui de l'élévation sociale, l'accumulation des titres de noblesse ou de gloire, les appositions et les relatives explicatives, frappent le lecteur et sont pourtant tout à fait prévisibles dans un contexte balzacien. Les accumulations de noms propres, procédé banal, sont plus remarquées comme rappels qu'elles ne le seraient dans l'original [8].

La reconnaissance du modèle par le lecteur est facilitée par l'appartenance, dans la plupart des cas, des schémas d'expression empruntés à ce qu'on est traditionnellement convenu d'appeler la « langue d'auteur », c'est-à-dire en fait, la partie de son style qui est marquée par rapport à la communication minimale, mais sert de fond aux effets de détail [9] : vocabulaire préféré (usage des noms propres et style « superlatif » de Balzac ; clichés et familiarismes de Sainte-Beuve et de Faguet ; termes « artistes » des Goncourt), usage des temps verbaux, des rythmes de phrases (Flaubert). C'est ce fond stylistique d'auteur, plus que des figures originales, que nous retrouvons dans l'imitation.

Mais ce n'est pas la reproduction pure et simple qui fait le style propre du pastiche [10]. L'expressivité principale et la force comique tiennent à ce

---

7. « Criteria for Style Analysis », paragraphe 1.2.

8. D'une manière plus générale, l'imprévisibilité ne rend compte que d'une partie des faits de style, qui ne sont pas tous les faits d'opposition, mais aussi de relation, et ne se définissent pas uniquement dans le contexte d'expression immédiat, mais aussi dans un contexte d'ordre associatif.

9. Pour la critique de la notion de « langue d'auteur », cf. les conclusions de l'étude de G. Antoine : « La Stylistique française ; sa définition, ses buts, ses méthodes », in *Revue de l'Enseignement supérieur*, 1959, pp. 57-60 ; et M. Riffaterre, « Problèmes d'analyse du style littéraire », *Romance Philology* (XIV), 1961, pp. 216-227.

10. Ainsi, Proust s'efforce de ne jamais citer textuellement une phrase, une proposition de ses modèles ; plusieurs notes des *Carnets*, sur les Goncourt et sur Saint-Simon, expriment son intention de dissocier les éléments d'un même ensemble, de séparer des expressions qui sont voisines chez le modèle. Il veut que le pastiche soit entièrement conscient et se reproche tout « souvenir involontaire » : « J'ai eu [dans les pastiches

que le lecteur perçoit, simultanément ou successivement, une ressemblance et une différence avec le modèle. Ce défaut de conformité se présente souvent, de la même façon que pour le contenu, comme une accentuation ou une concentration des traits soulignant les tics ou transformant en tics de simples tendances. Nous en trouvons des exemples particulièrement nets dans le pastiche de Balzac, où leur effet s'apparente au comique de répétition : les nombreux personnages qui se pressent dans une réception mondaine sont non seulement nommés, mais caractérisés chacun à l'aide d'une parenthèse, d'une apposition, d'une incise, d'une relative, ou de plusieurs de ces moyens réunis. Nous en avons ainsi quatorze cas en une page :

> [...] à un des ces « routs » de la marquise d'Espard où se pressait alors l'élite de l'aristocratie parisienne (*la plus élégante de l'Europe, / au dire de M. de Talleyrand, / ce Roger Bacon de la nature sociale, / qui fut évêque et prince de Bénévent*) [...]
> [...] la maîtresse de maison — *cette carmélite de la réussite mondaine* — [...]
> [...] la marquise — *une demoiselle de Blamont-Chauvry, / alliée des Navarreins, des Lénoncourt, des Chaulieu* —/ tendait à chaque nouvel arrivant cette main *que Desplein, / le plus grand savant de notre époque, / sans en excepter Claude Bernard, / et qui avait été élève de Lavater, / déclarait la plus profondément calculée qu'il lui eût été donné d'examiner.* Tout à coup la porte s'ouvrit devant *l'illustre romancier* Daniel d'Arthez. Un physicien du monde moral *qui aurait à la fois le génie de Lavoisier et de Bichat — / le créateur de la chimie organique* — serait seul capable d'isoler les éléments qui composent la sonorité spéciale du pas des hommes supérieurs [11].

Les pages suivantes du même pastiche contiennent le récit d'une conversation entre tous ces personnages. Les répliques sont nombreuses et brèves, mais chacune est accompagnée d'une incise développée, qui décrit l'attitude du parleur, ou commente sa vie ou sa personnalité ; sur ce premier commentaire, d'autres encore viennent fréquemment se greffer :

> — Il croyait sans doute y rencontrer M. de Rubempré [...], *répondit Diane avec une moue câline / qui cachait la plus mordante des railleries, / car on savait que Mme d'Espard ne pardonnait pas à Lucien de l'avoir abandonnée.*
> — Oh ! mon ange, *répondit la marquise avec une aisance surprenante,* nous ne pouvons retenir ces gens-là, Lucien subira le sort du petit d'Esgrignon, *ajouta-t-elle en confondant les personnes présentes par l'infamie de ces paroles / dont chacune était un trait accablant pour la princesse /.* (*Voir Le Cabinet des antiques*).

---

publiés dans *Le Figaro*] deux souvenirs involontaires. J'en suis si désolé que cela m'engagerait à réimprimer ces petits pastiches, rien que pour enlever les deux phrases (deux sur l'ensemble des pastiches) qui semblent un peu démarquées [...] Mais quand je te verrai, je te montrerai ces deux taches affreuses. Heureusement cela ne fait que trois ou quatre lignes en tout, peut-être sur cinq ou six mille. Mais je ne vois plus que ça. Et j'ai tout le temps peur de faire de nouvelles découvertes. Mais j'ai exploré l'œuvre de mes pastichés — et je n'ai rien trouvé d'autre ». (*CG*, IV, lettre XXXVI à R. Dreyfus, p. 229 [23 mars 1908].

11. Pp. 71 sqq. C'est nous qui soulignons et séparons les différents traits « explicatifs ».

— Vous parlez de M. de Rubempré, *dit la vicomtesse de Beauséant / qui n'avait pas reparu dans le monde depuis la mort de M. de Nueil / et qui, par une habitude particulière aux personnes qui ont longtemps vécu en province, / se faisait une fête d'étonner des Parisiens avec une nouvelle qu'elle venait d'apprendre* [...]

[...] — On me l'a affirmé, mais cela peut être faux, *reprit la vicomtesse qui, / sans comprendre exactement en quoi elle avait fait une gaucherie, / regretta d'avoir été aussi démonstrative* [...]

[...] — Mais au contraire, personne n'est de votre avis, Claire, *s'écria la princesse en montrant la comtesse de Sérizy qui écoutait* [...]

— Pas séduisant, *essaya-t-elle de corriger* [...]

— Imaginez-vous, *s'écria d'Arthez avant même d'avoir remis son manteau à Paddy, / le célèbre tigre de feu Beaudenord / (voir les* Secrets de la princesse de Cadignan), *qui se tenait devant lui avec l'immobilité spéciale à la domesticité du faubourg Saint-Germain,* oui, imaginez-vous, *répéta le grand homme avec cet enthousiasme des penseurs / qui paraît ridicule au milieu de la profonde dissimulation du grand monde.*

— Qu'y a-t-il ? que devons-nous imaginer, *demanda ironiquement de Marsay / en jetant à Félix de Vandenesse et au prince Galathione ce regard à double entente, / véritable privilège de ceux qui avaient longtemps vécu dans l'intimité de* MADAME.

— Tuchurs pô ! *renchérit le baron de Nucingen / avec l'affreuse vulgarité des parvenus qui croient, à l'aide des plus grossières rubriques, se donner du genre / et singer les* Maxime de Trailles *ou les de Marsay* [...] [12].

Ainsi, un contexte mimétique est obtenu par la concentration de figures propres au modèle [13]. Cette densité est une marque par rapport à la proportion des figures dans l'original, de même que chez Molière la répétition de « Et Tartuffe ? » crée une marque par rapport à ce que serait l'expression d'un personnage réel. Dans les deux cas l'effet comique tient au remplacement d'une expression originale par un automatisme aveugle et irrépressible.

La non-conformité du pastiche peut aussi résider dans une discordance entre la forme et le contenu. Outre le décalage général dû au changement de référent, Proust obtient de nombreux effets en faisant correspondre à des procédés formels empruntés des contenus qui ne leur conviennent ni dans l'usage général, ni dans celui de l'auteur. Ainsi, à la fin du pastiche de Régnier, il use d'une phrase longue, raffinant sur le vocabulaire décoratif, accumulant les retouches correctives et les suspensions, préparant un effet de chute magistral, pour dépeindre... une traînée de morve sur l'habit de Lemoine :

On ne distinguait plus qu'une seule masse juteuse, convulsive, transparente et durcie ; et dans l'éphémère éclat dont elle décorait l'habit de Lemoine, elle semblait y avoir immobilisé le prestige d'un diamant momentané, encore chaud, si l'on peut dire, du four dont il

12. Pp. 72 sqq.
13. Cf. Riffaterre, « Stylistic Context », 3.4.

était sorti, et dont cette gelée instable, corrosive et vivante qu'elle
était pour un instant encore, semblait à la fois, par sa beauté menteuse
et fascinatrice, présenter la moquerie et l'emblème [14].

Le pastiche de Flaubert, particulièrement élaboré, offre un luxe de ces
déraillements d'expression. L'écrivain use abondamment de la liaison thématique, qui donne d'ordinaire au discours une allure particulièrement cohérente et progressive. Mais Proust la lui fait employer, avec un effet maximal,
dans un coq-à-l'âne : « [...] une dame enleva son chapeau. Un perroquet
le surmontait ». L'accumulation ternaire est habituellement oratoire et am-
plifiante : l'appliquer à la poussière et aux araignées, la faire culminer
sur la présence d'« un rat dans chaque trou » est burlesque (la salle « avait
de la poussière sur le parquet, des araignées aux angles du plafond, un rat
dans chaque trou [...] ») ; il l'est autant de l'appliquer à des termes séman-
tiquement incohérents, en plaçant l'incohérence à la troisième place, celle
du sommet de l'amplification : « Il avait débuté sur un ton d'emphase, parla
deux heures, semblait dyspeptique ». Mieux encore, des termes numéraux
viennent souligner la progression attendue, alors qu'on s'achemine — au
propre et au figuré — vers un effet de chute : « Enfin le président fit un
signe, un murmure s'éleva, deux parapluies tombèrent ». Les métaphores
et les comparaisons disproportionnées contribuent également à ces désé-
quilibres : « [...] chaque fois qu'il disait " Monsieur le Président " [l'avocat]
s'effondrait dans une révérence si profonde qu'on aurait dit une jeune fille
devant un roi, un diacre quittant l'autel. » Dans tous les cas, l'effet consiste
à agir sur la relation unissant le signifiant et le signifié, pour la rendre
absurde. La capacité que possède le pasticheur de convertir et de pervertir
les schémas d'expression empruntés est un puissant facteur d'expressivité, et
prouve en outre que la marque stylistique n'est pas liée aux figures rhéto-
riques elles-mêmes, mais à l'emploi qui en est fait.

L'exercice du pastiche peut aller jusqu'à la création de formes nouvelles, par l'analogie. Ainsi, Proust nous apprend lui-même qu'il attribue à
Renan le mot « aberrant », probablement inexistant dans l'œuvre de ce
dernier, mais pourtant caractéristique de son style [15]. Vraisemblablement,
ce mot lui a paru typiquement renanien par son contenu, peut-être par des
traits phoniques, par l'emploi qu'il en fait dans la phrase (adjectif
substantivé à valeur de type). L'activité métalinguistique du pasticheur
peut donc être telle qu'après avoir assimilé les structures originales de son
modèle, il est capable de prendre à son tour une attitude créatrice analogue.

Aux deux grandes séries de procédés stylistiques, par concentration et
par décalage, que nous venons de reconnaître, peut s'appliquer la distinc-

---

14. P. 149.
15. Cf. p. 216 : (s'adressant à l'Humanité) : « Ton histoire est désormais entrée
dans une voie d'où les sottes fantaisies du vaniteux et de l'aberrant ne réussiront pas
à t'écarter. » Et CG, IV, p. 229, lettre XXXVI à R. Dreyfus [23 mars 1908] : « Je trouve
« aberrant » extrêmement Renan. Je ne crois pas que Renan ait jamais employé le mot.
Si je le trouvais dans son œuvre, cela diminuerait ma satisfaction de l'avoir inventé [...] ».

tion qu'établit Jakobson dans son étude : « Deux aspects du langage et deux types d'aphasie » [16], entre les deux axes de développement du langage, la combinaison (ou contiguïté) et la sélection (ou similarité). Si l'on passe d'un signifié à un autre par contiguïté (c'est-à-dire que les deux signifiés entretiennent entre eux des rapports logiques de complémentarité), le processus est dit *métonymique*, (la *synecdoque* étant le cas particulier où les deux signifiés se trouvent dans un rapport mutuel de tout à partie). Si le passage s'effectue par similarité, c'est-à-dire que le second signifié est donné comme un substitut (même antithétique) du premier, le processus est *métaphorique*. Les deux orientations se retrouvent dans toute forme de discours, et plus particulièrement dans le discours littéraire, qui transpose la réalité. C'est sur elles que reposent les modifications que le pastiche fait subir au modèle : lorsqu'il y a renforcement des marques formelles par exagération ou concentration, la démarche est synecdochique ; le nouveau signifié est un accroissement du premier ; lorsque, sur des schémas formels identiques, se produit une substitution de contenu, l'opération est de type métaphorique (il en va de même dans la substitution l'un à l'autre de termes ayant le même contenu, tel «aberrant » substitué à un mot plus explicitement renanien). La première sorte de procédé relève de l'inflation verbale, la seconde est déjà une forme d'invention. Les deux peuvent d'ailleurs se combiner dans une même séquence, comme dans l'évocation du pseudo-diamant prêtées à H. de Régnier. Le pasticheur, en développant ces deux processus, invente pour ainsi dire un style-limite du modèle, comme s'il voulait montrer que ce dernier n'a pas joué à fond de toutes les possibilités impliquées par les structures thématiques et expressives de son œuvre.

Il serait intéressant de rechercher aux différents niveaux les faits de synecdoque et de métaphore attribuables à Proust. Bornons-nous à quelques indications : le principe général de l'adoption d'un référent fictif est métaphorique. Mais, l'orientation du contenu étant déterminée par ce choix initial, nous trouvons dans le détail beaucoup plus de faits d'inflation verbale que de faits d'inadéquation de l'expression au contenu. Les faits « métaphoriques » surgissent plutôt çà et là qu'ils ne forment une trame continue. Ainsi le pastiche de Balzac apparaît-il, nous avons pu le voir, comme un condensé de tics, sur lequel tranchent quelques effets burlesques et « métaphoriques ». Comme Balzac, sont surtout pastichés de façon synecdochique Sainte-Beuve, les Goncourt, Michelet, Faguet, Saint-Simon. La place de la « métaphore » aparaît beaucoup plus importante pour Flaubert, H. de Régnier et Renan. Nous en avons cité des exemples pour le premier. Dans les deux autres pastiches, elle se manifeste surtout par l'inadéquation du vocabulaire et de la dimension des phrases aux thèmes développés : descriptions, chez Régnier, d'une maison et d'un jardin en piteux état à l'aide de termes et avec une emphase convenant à un château et à un parc ;

---

16. In *Fundamentals of language*, La Haye, 1956. Traduit in *Essais de linguistique générale*, déjà cité, pp. 43-67.

chez Renan, style bucolique choisi pour commenter l'escroquerie de Le-moine, lequel est dit vouloir convier ses juges à « tremper dans la mousse du savon un pipeau taillé dans le chaume à la façon de la flûte de Pan, y regarder perler des bulles qui unissent les délicieuses couleurs de l'écharpe d'Iris et appeler cela enfiler des perles [...] » [17]. Ailleurs, les marques du doute, fréquentes chez ce même auteur, sont appliquées à l'énoncé de faits bien connus : « le plat recueil de contes sans vraisemblance qui porte le titre de *Comédie humaine* de Balzac n'est peut-être l'œuvre ni d'un seul homme, ni d'une même époque » ; « le centon de poèmes disparates appelé *Chansons des rues et des bois*, qui est communément attribué à Victor Hugo, quoiqu'il soit probablement un peu postérieur » ; « la com-tesse de Noailles, si elle est l'auteur des poèmes qui lui sont attribués [...] ». A un autre endroit [18], Renan prend le ton de l'envolée lyrique (« Patience, donc ! Humanité, patience [...] ») pour célébrer, comme la victoire définitive de l'idéalisme, le fait que « Lemoine, par un jeu de mots exquis, a appelé pierres précieuses une simple goutte d'eau ».

De proche en proche, l'invention tend à s'écarter du modèle, et à se manifester par des faits de style *sui generis*, de même qu'au niveau du contenu apparaissent des thèmes personnels de Proust (la chambre de liège, le Jockey-Club, les jeux du soleil sur une statue, la description com-plaisante d'une traînée visqueuse, etc.). L'analyse des *Pastiches* débouche alors sur des comparaisons avec d'autres œuvres du pasticheur. Il n'est pas indifférent, par exemple, pour une étude génétique du style de Proust, de suivre dans son pastiche de Régnier le passage des couples d'adjectifs séman-tiquement hétérogènes, conformes à une tendance du modèle (« les opales emblématiques et doubles », « le visage alternatif et taciturne », un « cri fatidique et narquois ») aux triades et aux séries plus développées où l'on a reconnu un des traits du style de la *Recherche* (« la porte close, monumen-tale et verdie » ; « votives et pansues, [...] des colombes [...] laissaient souvent tomber une boule fade, écailleuse et grise » ; « on ne distinguait plus qu'une masse juteuse, convulsive, transparente et durcie » ; « cette gelée instable, corrosive et vivante »). C'est dans le processus métaphorique et dans ces traits particuliers à Proust que nous saisissons le point de jonction du mimétisme et de la spontanéité.

Nous atteignons là une des limites du pastiche, la limite opposée tou-chant à la pure et simple imitation. Mais il existe aussi une limite « interne » créée par la saturation du contexte. Riffaterre a bien analysé ce phéno-mène [19] : la trop grande densité des faits stylistiques empêche les marques de se manifester ; elles se neutralisent les unes les autres. Dans le pastiche, le renforcement du décodage dû à la reconnaissance des traits du modèle n'est que provisoire, et le risque de monotonie apparaît vite. Aussi le

17. Pp. 210-211.
18. P. 216.
19. « Stylistic Contest », 3.3.

pasticheur est-il naturellement entraîné vers des effets de plus en plus marqués et variés, qui à leur tour saturent de plus en plus le contexte. D'où la brièveté des pastiches et les deux types de fins que Proust leur donne [20] : une gradation continue des effets aboutissant à une sorte d'apothéose : ample période (Flaubert, Régnier) ou mot d'auteur (Goncourt, Michelet) ; ou bien une suspension brusque, sans raison apparente, par un *etc.* (Balzac, Sainte-Beuve, Faguet, Renan) ou un « à suivre » (Saint-Simon). La longueur des textes varie de deux pages et demie (Michelet) à dix pages (Renan), avec une exception pour Saint-Simon : vingt-huit pages ; mais ce pastiche a une histoire différente de celle des autres.

Le pastiche comme genre, autant que nous avons pu l'observer, est donc soumis à des limitations qui tiennent à sa structure et à son style. La fonction stylistique s'y exerce d'une façon particulière, en appliquant des marques nouvelles à un système de marques déjà existantes. Nous en avons reconnu quatre types principaux, dont l'ordre est caractérisé par une conformité décroissante au modèle :

— les marques par *simple reconnaissance* : le signifiant renvoie à deux signifiés, le référent direct et le message pastiché ;
— les marques par *inflation verbale* : il y a surcroît de marques pour un contenu analogue à celui du modèle ; c'est un procédé de synecdoque ;
— les marques par *discordance du contenant et du contenu* : le changement n'est pas quantitatif, mais qualitatif ; c'est un procédé métaphorique ;
— les marques *autonomes* par rapport au modèle.
(Le nivellement dû à la densité des marques peut s'appliquer à toutes les catégories).

Proust joue au maximum de toutes les possibilités : fidèle aux écrivains qu'il imite en feignant d'adopter leur façon de voir sur l'Affaire Lemoine et en reprenant leurs principaux schémas d'expression, il prend une attitude d'ironie et de distance dans ses exercices de « démontage-remontage » stylistique et dans les variations qu'il impose aux rapports du signifiant et du signifié.

---

20. Proust se déclare explicitement partisan de la brièveté dans une lettre à Jules Lemaître : « Permettez-moi de ne pas changer d'avis sur vos pastiches. Il importe si peu qu'un pastiche soit prolongé s'il contient les traits généraux qui, en permettant au lecteur de multiplier à l'infini les ressemblances, dispensent de les additionner. » (*CG*, III, p. 101, sans date).

LE ROLE DES PASTICHES
DANS L'ÉVOLUTION LITTÉRAIRE DE PROUST

Etudiée dans sa structure interne, l'œuvre n'a pas tout livré d'elle-même. Il faut encore considérer ses attaches naturelles avec l'auteur et l'ensemble de sa création, la situer par rapport à des causes et à des fins, en tout cas par rapport à des faits qui lui correspondent. Il se trouve justement que Proust a abondamment commenté ses *Pastiches* et leur a lui-même attribué une place dans son évolution littéraire. Sans accorder à ses déclarations une valeur absolue, nous ne pouvons pas les négliger. Les déclarations d'intention prennent place parmi les *faits* qui aident à comprendre une œuvre ; ce sont même des faits privilégiés ; si l'interprétation proposée par l'auteur est fausse ou insuffisante, c'est par d'autres faits, extérieurs ou intérieurs à l'œuvre, qu'elle doit être contredite. Dans l'étude d'un message littéraire comme ailleurs, toute hypothèse interprétative est soumise à la vérification par le donné.

Bien que la tendance au pastiche soit permanente chez Proust, il n'est pas injuste de parler à son propos, pour les années 1908 - début de 1909, d'une « période des pastiches », représentant une étape de sa formation intellectuelle et littéraire. Nous avons fait le rapprochement chronologique de cette période avec celle de l'essai sur Sainte-Beuve, et constaté que, pour Proust, pastiche et critique sont les deux « côtés » d'une même activité. Lorsqu'on compare un pastiche au texte critique correspondant, leur lien étroit apparaît en ce que les traits les plus vigoureusement contrefaits sont aussi ceux qui ont le plus attiré l'attention de l'analyste. Ainsi, d'après *Contre Sainte-Beuve*, Balzac [1], au lieu de tranformer le donné, « explique », « qualifie immédiatement », « juxtapose », « ajoute à chaque mot la notion qu'il en a, la réflexion qu'elle lui inspire ». C'est bien cela que figure le pastiche ; d'ailleurs, certaines phrases de Balzac citées dans l'ébauche critique pour illustrer cette tendance (« Elle enviait Lady Esther Stanhope, ce bas bleu du désert. » — « Au dîner, d'Arthez fut placé près de la princesse qui, loin d'imiter les exagérations de diète que se permettent les minaudières, mangea [...] ». — « Le duc jeta sur Mme de Camusot un de ces rapides regards par lesquels les grands seigneurs analysent toute une existence, et souvent l'âme ») semblent avoir été écrites non par l'auteur en personne, mais par son pasticheur.

1. *CSB*, ch. IX, « Sainte-Beuve et Balzac ».

Proust n'a pas choisi ses modèles sans intention. Ce sont tous des écrivains qu'il connaît bien, et avec la plupart desquels il se sent des affinités très fortes : il est nourri de Balzac, de Flaubert, de Saint-Simon ; selon sa propre expression [2], il se « retrouve » en Régnier ; s'il est perpétuellement hostile à Sainte-Beuve, c'est pour une bonne part qu'il se reconnaît à lui-même, au moins à l'état de fortes tendances, les défauts qu'il lui reproche [3] ; il connaît aussi, comme les Goncourt et Ruskin, la tentation du dilettantisme eshétique et du raffinement verbal. Par les pastiches, il veut se libérer d'influences trop fortes, pour conquérir son indépendance, sa pleine capacité de créateur original.

Il a la phobie du « pastiche involontaire », de l'imitation inconsciente :

> Je suis l'ennemi de tout pastiche, excepté quand il est voulu, et encore [4] !
>
> [...] Ne prenant jamais, même inconsciemment, le bien d'autrui, je ne fais jamais de pastiches plus ou moins involontaires dans mes œuvres. Cela me donne plus de plénitude et de gaieté quand j'en fais ouvertement [5].

Aussi le pastiche volontaire lui sert-il à « fixer » ses tendances mimétiques. Il s'en explique clairement à deux reprises : d'abord dans une lettre de 1919 à Ramon Fernandez, citée plus haut (p. 20) :

> Le tout était surtout pour moi affaire d'hygiène ; il faut se purger du vice naturel d'idolâtrie et d'imitation. Et au lieu de faire sournoisement du Michelet ou du Goncourt en signant (ici les noms de tels ou tels de nos contemporains les plus aimables), d'en faire ouvertement sous forme de pastiches, pour redescendre à ne plus être que Marcel Proust quand j'écris mes romans.

Puis, dans l'article « A propos du " style " de Flaubert », si explicite sur l'influence exercée par ce modèle [6] :

> Aussi, pour ce qui concerne l'intoxication flaubertienne, je ne saurais trop recommander aux écrivains la vertu purgative, exorcisante, du pastiche. Quand on vient de finir un livre, non seulement on voudrait continuer à vivre avec ses personnages, avec Mme de Beauséant, avec Frédéric Moreau, mais encore notre voix intérieure qui a été disciplinée pendant toute la durée de la lecture à suivre le rythme d'un Balzac, d'un Flaubert, voudrait continuer à parler comme eux. Il faut la laisser faire un moment, laisser la pédale prolonger le son, c'est-à-dire faire un pastiche volontaire, pour pouvoir après cela, redevenir original, ne pas faire toute sa vie du pastiche involontaire.

Pasticher un style, le décomposer et le recomposer, le faire éclater en ses éléments, rendre ceux-ci « utilisables » à volonté ; c'est le rendre extérieur

---

2. Cf. *Nouveaux Mélanges*, « Henri de Régnier », p. 436.
3. Cf. sur ce point Jean Pommier, « Marcel Proust et Sainte-Beuve », *Revue d'Histoire littéraire de la France*, octobre-décembre 1954, pp. 536-542.
4. CG, V, lettre I à la princesse Bibesco, p. 139, [mars 1908 ou 1909].
5. *A un ami*, lettre LXXIX à G. de Lauris, pp. 243-244 [janvier-février 1915].
6. Influence particulièrement sensible, en ce qui concerne la phrase, dans les parties descriptives de *Jean Santeuil*. La citation se trouve dans *Chr.*, p. 204.

à soi. Ainsi l'obsession s'éloigne-t-elle. Nous retrouvons, soulignée par l'auteur lui-même, la notion de distance par rapport au modèle que notre étude interne avait mise en lumière.

Mais cet aspect « purgatif » ne va pas sans une contrepartie positive à l'égard du modèle : la recherche et l'adoption de ce que Proust appelle son « rythme », sur lequel il règle son « métronome intérieur », comme il le dit à propos du pastiche de Renan :

> Je n'ai pas fait une correction dans le Renan. Mais il m'en venait tellement à flots que j'ai ajouté sur les épreuves des pages entières à la colle, et tellement à la dernière minute qu'il y a des citations de Mme de Noailles que je n'ai pu vérifier. J'avais réglé mon métronome intérieur à son rythme, et j'aurais pu écrire dix volumes comme cela. Remercie-moi de ma discrétion [7].

C'est presque toujours à l'aide de métaphores musicales qu'il exprime l'originalité et l'unité de l'œuvre d'un écrivain. Dans le texte donné comme conclusion au *Contre Sainte-Beuve*, il commente de la même façon son procédé d'imitation :

> Dès que je lisais un auteur, je distinguais bien vite sous les paroles l'air de la chanson, qui en chaque auteur est différent de ce qu'il est chez tous les autres, et tout en lisant, sans m'en rendre compte, je le chantonnais, je pressais les notes ou les ralentissais ou les interrompais, pour marquer la mesure des notes et leur retour, comme on fait quand on chante, et on attend souvent longtemps, selon la mesure de l'air, avant de dire la fin du mot.
> Je savais bien que si, n'ayant jamais pu travailler, je ne savais écrire, j'avais cette oreille-là plus fine et plus juste que bien d'autres, ce qui m'a permis de faire des pastiches, car chez un écrivain, quand on tient l'air, les paroles viennent bien vite [8].

Ce n'est donc pas particulièrement le vocabulaire qu'il cherche à assimiler, mais plutôt un élément sous-jacent et continu. Ce « chant », le pasticheur le saisit intuitivement et le reproduit, tandis que le critique le réduit à des procédés grammaticaux ou autres :

> Quand j'ai écrit jadis un pastiche, détestable d'ailleurs, de Flaubert, je ne m'étais pas demandé si le chant que j'entendais en moi tenait à la répétition des imparfaits ou des participes présents. Sans cela je n'aurais jamais pu le transcrire [9].

Nous comprenons mieux en quoi consiste l'intuition du pasticheur, et quelles perspectives elle nous ouvre sur la création proustienne en général, si nous prêtons attention à un rapprochement que fait Proust dans la suite du passage cité de *Contre Sainte-Beuve* :

---

7. *CG*, IV, lettre XXXVI à R. Dreyfus, p. 229-230 [23 mars 1908].
8. P. 301.
9. « A propos du " style " de Flaubert », *Chr.*, 204.

> Mais ce don, je ne l'ai pas employé, et de temps en temps, à des
> périodes différentes de ma vie, celui-là, comme celui aussi de découvrir
> un lien profond entre deux idées, deux sensations, je le sens toujours
> vif en moi [...]

et un peu plus loin :

> Et je pense que le garçon qui en moi s'amuse à cela [aux pastiches]
> doit être le même que celui qui a aussi l'oreille fine et juste pour sentir
> entre deux impressions, entre deux idées, une harmonie très fine que
> d'autres ne sentent pas.

Ces dons, qui ne diffèrent que par leur domaine d'application, n'en sont
qu'un, en réalité : l'intelligence des rapports. C'est elle qui est à la base de
l'art du pastiche comme de celui de la critique ; c'est sur elle que repose
toute la théorie esthétique, développée et mise en application dans le
roman, des liens qui unissent en profondeur les êtres et les objets, certains
moments du passé à des instants présents.

Comme le donnent à penser les nombreuses expressions musicales employées par Proust, l'ensemble de ces rapports constitue une unité. Cette
dernière notion a constamment obsédé l'écrivain. On le voit dans sa critique
comme dans sa création. Ainsi, dans la préface à sa traduction de *La Bible
d'Amiens* [10], il justifie ses nombreuses et longues citations de Ruskin par le
fait que les traits singuliers de l'artiste, ainsi répétés dans des circonstances
variées, seront reconnus comme « caractéristiques et essentiels », comme
« les traits permanents du caractère ». « Et du rapprochement des œuvres
différentes nous dégageons les traits communs dont l'assemblage compose
la physionomie morale de l'artiste. » Cette « physionomie morale », il la
recherche également dans les œuvres comparées des peintres. Ses études
dans ce domaine [11], et notamment celle de Rembrandt, vont dans le même
sens, remontant des réalisations particulières à l'élément commun, placé
tantôt dans les goûts du créateur, tantôt — et c'est ce qui nous rapproche
le plus des théories littéraires proustiennes — dans le « jour de sa pensée »,
« l'espèce de jour particulier dans lequel nous voyons les choses, au moment
où nous les pensons d'une façon originale ».

Il n'en va pas autrement chez les musiciens. Dans *A la recherche du
temps perdu*, la sonate et le septuor de Vinteuil se ressemblent [12], malgré
les années qui séparent leur composition, malgré une orchestration et une
technique différentes. Mais leurs similitudes les plus frappantes ne sont pas
celles qui tiennent à la reprise de phrases musicales d'un morceau à l'autre ;
ce sont surtout des « ressemblances dissimulées, involontaires », qui appa-

---

10. Reprise dans *Pastiches et Mélanges*, sous le titre : « Journées de pèlerinage. Ruskin
à Notre-Dame d'Amiens, à Rouen, etc... », pp. 100-147. La citation suivante est tirée de
la note 1, pp. 107-108 des *PM*.
11. Recueillies dans les *Nouveaux Mélanges*, pp. 357 à 400 (« Portraits de peintres ») et
datées par l'éditeur, globalement et sans preuves, de l'époque de *Jean Santeuil*.
12. Cf. *RTP*, III, pp. 255 sqq.

raissent lorsque Vinteuil se veut le plus original : dans ces moments, « quelque question qu'on lui pose, c'est du même accent, le sien propre, qu'il répond ». Car « c'est bien un accent unique auquel s'élèvent, auquel reviennent malgré eux ces grands chanteurs que sont les musiciens originaux ». Comme la même lumière baignant les tableaux de Rembrandt, l'accent unique des grands musiciens est un signe capital pour Proust, c'est sur cette identité qu'il fonde l'unité de leur personnalité : c'est un « chant singulier dont la monotonie — car quel que soit le sujet qu'il traite, il reste identique à soi-même — prouve chez le musicien la fixité des éléments composants de son âme [13] » ; c'est la manière dont s'exprime sa perception du monde : ainsi, pour expliquer la « fragrance de géranium » de la musique de Vinteuil, c'est-à-dire l'originalité de son accent, il faudrait retrouver « l'équivalent profond, la fête inconnue et colorée (dont ses œuvres semblaient les fragments disjoints, les éclats aux cassures écarlates), mode selon lequel il « entendait » et projetait hors de lui l'univers » [14].

Pour en revenir à la littérature, le Narrateur de la *Recherche* entreprend de démontrer que, de même, « les grands littérateurs n'ont jamais fait qu'une seule œuvre, ou plutôt réfracté à travers des milieux divers une même beauté qu'ils apportent au monde ». Comme chez Vinteuil, on reconnaît des « *phrases-types* » chez les écrivains. C'est par exemple, explique-t-il, l'atmosphère de vieilles coutumes et de sorcellerie des romans de Barbey d'Aurevilly, les perpétuels parallélismes chez Thomas Hardy, le « sentiment de l'altitude » chez Stendhal, un type de femme unique chez Dostoïewsky. Toutes ces « phrases » dont le retour et l'accumulation sont caractéristiques de leur auteur, sont des thèmes ou des organisations de contenu. Ainsi, pour Proust, le style ne consiste pas seulement, en littérature comme dans les autres arts, en des procédés techniques, mais dans la vision originale que l'artiste a de l'univers. C'est exactement ainsi qu'il définit le sien propre, lorsqu'il présente *Du côté de chez Swann* :

> Le style n'est nullement un enjolivement, [...] ce n'est même pas une question de technique, c'est comme la couleur chez les peintres, une qualité de vision, une révélation de l'univers particulier que chacun de nous voit et que ne voient pas les autres [15].

Le style est une structure de contenu autant que d'expression [16]. Aussi la connaissance véritable du style d'un artiste remonte-t-elle, à travers les moyens d'expression, jusqu'à son comportement esthétique.

Des premiers pastiches à la *Recherche*, il y a donc une évolution naturelle, ou plutôt (car le roman ne « sort » pas plus des pastiches que ceux-ci ne « sortent » des œuvres précédentes) une transposition, dans le

13. *RTP*, III, 257.
14. *Ibid.*, 375.
15. Lettre de novembre 1912 à Antoine Bibesco : *Lettres de Marcel Proust à Bibesco,* pp. 174-177.
16. C'est sans doute pour indiquer qu'il lui donne une acception particulière que Proust écrit entre guillemets le mot « style » dans le titre de son article sur Flaubert.

domaine de la théorie esthétique et de la création romanesque, de cette idée fondamentale que l'essentiel dans une œuvre littéraire réside dans une restructuration de l'univers d'après une vision originale et cohérente.

Il serait intéressant de comparer aux principes qui guident les pastiches proustiens la méthode de Reboux et Müller dans leurs *A la manière de...* Paul Reboux l'a exposée, tardivement, dans la préface qu'il a écrite pour le recueil de Georges-Armand Masson, *A la façon de...* (1949). Bien plus, il l'oppose à celle de Proust, sur lequel il porte un jugement très sévère :

> Marcel Proust a écrit des *A la manière de...* où s'attestaient sa culture et sa délicatesse. Mais ils n'ont jamais « passé la rampe ». Méritoires, ils restaient grisâtres et ennuyeux. La plupart des essais de ce genre offrent le même inconvénient. Ils n'égaient ni par la rosserie, qui consiste à mettre sous la plume d'un écrivain des phrases qui le ridiculisent, ni par l'invention d'une anecdote. Ce sont des imitations ternes comme un vieux miroir qui reproduit sans déformer.

Quelle est donc la particularité des *A la manière de...* ? Il faut d'abord construire le pastiche sur une anecdote « gaie par elle-même, et capable de divertir, indépendamment de l'auteur imité ». Reproduire textuellement nombre de phrases authentiques des modèles, et surtout « les toquades, les fautes, les obsessions, les erreurs ». Accentuer le burlesque par tous les moyens : par exemple, pour pasticher Maeterlinck, Reboux et Müller relevèrent sur des petits papiers des phrases caractéristiques de cet auteur, les agitèrent dans un chapeau, les tirèrent au hasard et les recopièrent dans leur ordre de sortie. Et encore « semer çà et là le poivre rouge des mots grossiers [...] Ne pas reculer devant les gaillardises, à condition qu'elles soient ambiguës et assez voilées ».

Ainsi l'accent est-il mis par ces pasticheurs avant tout sur la bouffonnerie. Nous avons vu en détail comment Proust, sans la dédaigner, fait une place beaucoup plus large à l'imitation des procédés créateurs de ses modèles, au point que, s'il lit lui aussi *in extenso* leurs œuvres et relève des listes d'expressions, il ne reproduit jamais ces dernières telles quelles, mais en recrée d'analogues.

Reboux et Müller poursuivaient, eux aussi, en pastichant, un but particulier de critique littéraire. C'est dans l'orientation de cette critique que nous trouvons la divergence fondamentale des deux procédés, celle qui explique toutes les autres. Selon Reboux, le pastiche

> enseigne la pensée nette, le parler clair, l'art de ne pas représenter rond ce qui est carré, d'évoquer la nature non par de vagues et fugaces analogies, mais par des images qui s'imposent et par des formules resserrées. Il nous fait comprendre, en se moquant des prétentieux et des voyous, qu'on n'écrit pas seulement pour soi, par jeu, pour exprimer les émotions que l'on a eues. On doit écrire pour se faire comprendre, pour communiquer aux autres ce que l'on a ressenti. Il montre ce qu'on risque en s'écartant des chemins de l'équilibre et du bon sens.

On voit immédiatement combien ces principes esthétiques et stylistiques, hérités de Voltaire et d'Anatole France, sont éloignés de ceux de Proust [17]. Il s'agit de se livrer à une satire au nom de la « pensée nette », du « bon sens ». Proust, qui tient pour sa part aux « fugaces analogies », à l'expression de ses émotions les plus intimes, et qui répugne aux « formules resserrées », ne saurait se fonder sur les mêmes critères. Au lieu d'aboutir à des exécutions parfois sommaires, sa méthode, parce qu'elle n'a pas ce but un peu lourdement pédagogique, mais repose sur des motivations personnelles, sur des lectures en profondeur et un acte de sympathie avec les modèles, est infiniment plus nuancée, insinuante, juste en un mot. L'œuvre de Reboux et Müller est surtout caractérisée par le but théâtral de « passer la rampe » et de corriger par le rire les mœurs littéraires. Celle de Proust manifeste, même dans la satire, la sensibilité et la finesse d'analyse de son auteur.

17. Cf. par exemple la préface à *Tendres stocks*.

LES « PASTICHES » ET
« A LA RECHERCHE DU TEMPS PERDU »

Ainsi orientés par les commentaires de Proust lui-même, nous pouvons rechercher expressément des correspondances entre les *Pastiches* et la *Recherche*. Nous trouvons tout d'abord ce qu'il appelle lui-même des « ressemblances apparentes », comme le langage des personnages du roman, qui est une sorte de pastiche du langage de personnages réels et parfois de modèles littéraires. Proust avait des « modèles » vivants et les amalgamait entre eux. Il imitait non seulement leur langage, mais leur caractère et leurs attitudes. Ses carnets abondent en expressions caractéristiques, notées « pour Brichot », « pour Norpois », etc. Chaque personnage est largement dépeint par ses paroles, sa prononciation, ses clichés, le genre d'effets qu'il recherche [1]. Comme dans les pastiches, l'auteur met en évidence des caractères pittoresques, et pratique l'inflation verbale, au point d'atteindre parfois à un haut degré de caricature, comme avec Norpois ou le directeur du Grand Hôtel de Balbec. Il accompagne en outre ses imitations de fréquents commentaires métalinguistiques. Quant aux personnages qui parlent comme certains écrivains, leurs propos ne sont pas des pastiches « purs », mais un amalgame d'emprunts variés. Ainsi la grand-mère s'exprime-t-elle souvent comme Mme de Sévigné, mais aussi comme La Bruyère, comme Corneille et d'autres ; Bloch imite Leconte de Lisle, mais non exclusivement ; Legrandin parle comme Renan, mais aussi comme les symbolistes, etc.

Il existe cependant un pastiche « pur » dans le roman : c'est celui des Goncourt, introduit dans *Le Temps retrouvé* [2]. Le Narrateur emprunte un soir à son hôtesse un volume du « journal inédit » des Goncourt. Il y découvre une évocation du milieu Verdurin, qu'il a lui-même longtemps fréquenté, et il le reconnaît si peu qu'il transcrit le passage à l'intention des lecteurs. Proust adapte étroitement son pastiche au thème de son roman, dont il refait, pour ainsi dire, une partie à la manière des deux écrivains. Il met surtout en évidence, dans ces pages, par les procédés de renforcement et de concentration des traits, le point de vue des deux frères sur la réalité, et leurs procédés d'expression. Ils considèrent tout ce qu'ils rencontrent, choses et gens, comme des objets d'art curieux. M. Verdurin est lui-même un ancien critique d'art en renom ; il habite l'hôtel des Ambassadeurs de

---

1. Cf. R. Le Bidois, « Le Langage parlé des personnages de Proust », *Le Français moderne*, juillet 1939, pp. 197-218.
2. *RTP*, III, 709-717.

Venise, somptueusement décoré d'objets d'art, dans un quartier riche en souvenirs artistiques. Le dîner est servi dans une vaisselle dont chaque pièce est un chef-d'œuvre unique, décrit dans ses détails. La maîtresse de maison entretient ses convives des sensations esthétiques que lui font éprouver les paysages de Normandie, et de l'éducation raffinée que le peintre Elstir a reçue auprès d'elle. Aussi le « style artiste » peut-il être imité dans toutes ses subtilités, avec ses mots rares, ses abus d'adjectifs et d'infinitifs subtantivés, ses phrases accumulatives marquées de ruptures inattendues. Rappelons par exemple la description des assiettes :

> Nous passons à table et c'est alors un extraordinaire défilé d'assiettes qui sont tout bonnement des chefs-d'œuvre de l'art du porcelainier, celui dont, pendant un repas délicat, l'attention chatouillée d'un amateur écoute le plus complaisamment le bavardage artiste — des assiettes des Yung-Tsching à la couleur capucine de leurs rebords, au bleuâtre, à l'effeuillé turgide de leurs iris d'eau, à la traversée, vraiment décoratoire, par l'aurore d'un vol de martins-pêcheurs et de grues, aurore ayant tout à fait ces tons matutinaux qu'entre-regarde quotidiennement, boulevard Montmorency, mon réveil — des assiettes de Saxe plus mièvres dans le gracieux de leur faire, à l'endormement, à l'anémie de leurs roses tournées au violet, au déchiquetage lie de vin d'une tulipe, au rococo d'un œillet ou d'un myosotis — des assiettes de Sèvres engrillagées par le fin guillochis de leurs cannelures blanches, verticillées d'or, ou que noue, sur l'à-plat crémeux de la pâte, le galant relief d'un ruban d'or, — enfin toute une argenterie où courent ces myrtes de Luciennes que reconnaîtrait la Dubarry.

Les personnages, comme le cadre qui les entoure, nous paraissent méconnaissables, et pourtant ce sont bien ceux que le Narrateur a déjà longuement dépeints. Lui-même se reproche, après cette lecture, de n'avoir aucun don d'observation, puisque, ancien familier des Verdurin, il n'a jamais remarqué tous ces détails. Tout juste reconnaît-il qu'il existe en lui, par intermittences, une personne qui sait regarder, quand se manifeste à elle « quelque essence générale, commune à plusieurs choses ». Proust veut montrer, au-delà de l'intérêt anecdotique de ces pages, qu'un donné identique est perçu et rendu de façon totalement différente par deux observateurs, que chacun laisse transparaître avant tout dans sa description sa propre personnalité. Sur un même thème, l'accent des Goncourt n'a rien de commun avec le sien.

Au niveau de l'ensemble de l'œuvre, ce passage a une autre signification. L'écrivain n'en est plus à ses pastiches de 1908. Dans ceux-ci, toute son originalité consistait à jouer avec les structures de l'œuvre d'autrui. Dans *Le Temps retrouvé*, au moment où tous les fils du roman se renouent et font apparaître la trame de ce vaste ensemble, le pastiche des Goncourt n'a plus seulement la valeur d'un exercice, mais celle d'une vérification. Bien que le Narrateur n'ait pas encore pris sa propre décision d'écrire, le roman de Proust lui-même s'achève. Ces pages, et les réflexions qui les suivent, sont là pour établir, toujours selon la méthode proustienne qui est comparative, un constat de fécondité et d'originalité. En face de ces huit pages du pseudo-*Journal,* et malgré les sentiments trop modestes du héros, *A la recherche du temps perdu* se dresse de toute sa masse. En face de cette description du milieu Verdurin qui relève d'une esthétique de collectionneurs d'objets précieux et d'anecdotes, Proust nous a développé sa propre vision ; et il nous invite implicitement à faire la comparaison. Le talent de l'imitateur est ici une incitation habile et discrète à considérer le génie du créateur.

Un passage de *La Prisonnière* [3] contient une autre forme, plus curieuse, de pastiche. Albertine, voulant décrire différentes variétés de glaces et évoquer le plaisir qu'elles lui procurent par anticipation, adopte le propre style imagé du Narrateur :

> Ce que j'aime dans ces nourritures criées, c'est qu'une chose entendue comme une rhapsodie change de nature à table et s'adresse à mon palais. Pour les glaces (car j'espère bien que vous ne m'en commanderez que prises dans ces moules démodés qui ont toutes les formes d'architecture possible), toutes les fois que j'en prends, temples, églises, obélisques, rochers, c'est comme une géographie pittoresque que je regarde d'abord et dont je convertis ensuite les monuments de framboise ou de vanille en fraîcheur dans mon gosier.

Du moins celui-ci précise-t-il qu'il n'aurait jamais usé dans la conversation de formes aussi littéraires, et que celles-ci lui semblaient réservées « pour un usage plus sacré et que j'ignorais encore ». Cette sorte d'autopastiche révèle un auteur capable de prendre du recul vis-à-vis de son propre système d'expression. C'est, estime le Narrateur, « un peu trop bien dit », d'une « grâce assez facile ». N'est-ce pas là une critique de la manière de *Swann* ? Cette imitation parodique et ce jugement nous semblent un indice, corroboré par d'autres faits, que, vers la fin de sa vie, Proust n'avait plus exactement la même conception du style.

Outre ces correspondances évidentes, il existe entre les *Pastiches* et la *Recherche* des rapports plus fondamentaux. Nous les trouvons au niveau d'aspects particuliers plutôt que de l'ensemble, car la perspective générale des deux types d'œuvres est toute différente, la *Recherche* ayant une tout autre envergure. C'est d'abord une attitude commune de distance par rapport à la « vision » qu'ont les modèles. Le pastiche procédait par la raillerie. Le roman le fait beaucoup moins, malgré la présence fréquente de l'élément comique : ce qui, dans le point de vue des modèles, avait le plus impressionné Proust, est cette fois incarné dans des personnages, intégré à l'œuvre, pourvu d'une nouvelle vie et placé dans d'autres situations. Il s'agit d'une recréation en profondeur, avec une « épaisseur » de vie que le romancier emprunte à son expérience et à son observation. La distance vient de ce qu'il fait revivre ces attitudes dans des personnages secondaires, ou incarnant une forme de l'échec. Les jugements de Sainte-Beuve sont prêtés à Mme de Villeparisis, personnage de second plan et un peu ridicule. L'esprit de Faguet devient

3. III, 129-131.

l'esprit Bloch ou l'esprit Brichot. L' « optique » de Saint-Simon est celle de personnages anachroniques, Charlus, les Guermantes, qui vivent en rêvant aux privilèges de leurs ancêtres à la cour de Louis XIV. L'esthétisme de Ruskin se retrouve chez des hommes (Swann, Charlus) qui symbolisent en définitive une faillite esthétique. Le snobisme de Balzac est dans une large mesure (la « vulgarité » en moins) assumé par le Narrateur jusqu'à ce que celui-ci découvre la vanité de cette ambition. Tous ces points de vue, qui ont été, d'une manière ou d'une autre, ceux de Proust, sont présentés comme insuffisants ou dépassés par l'esthétique nouvelle.

On pourrait évoquer une autre forme de distance : celle de l'auteur par rapport à lui-même. Bien qu'il assure avoir tout tiré de sa propre vie, Proust ne s'est pas identifié au Narrateur. Ce dernier représente une objectivation du moi, pourvue d'une vie romanesque propre. L'effort de détachement est celui d'une personnalité qui ne s'assume pas entièrement elle-même.

L'analyse psychologique, qui refuse de s'en tenir aux apparences et les dépasse pour rechercher des lois, est du même type, exige la même tension dans les pastiches et dans le roman. Proust a songé à placer ce rapprochement dans la bouche du Narrateur, comme en témoignent deux passages des *Cahiers* inédits. Nous les citons intégralement, malgré leur caractère heurté et parfois obscur d'ébauches :

> Quand je montre (sur le pont de Combray, mais mieux ailleurs) que pour moi la vraie réalité est quelque chose qu'on n'aperçoit pas d'abord qui est derrière ce qu'on croit voir et entendre qui est si confus, tandis qu'elle est claire (et le pastiche est au fond cette perception en littérature car là où un autre dit c'est délicieux je descends au-dessous et je prends connaissance du thème clair. Et des jugements littéraires profonds car qd d'autres parlent de la jolie langue de Renan, je descend plus bas, jusqu'aux choses qui s'enlacent [?] au fond de sa prose), il faudra ajouter (très important) que c'est à cause de cela, à cause de cette réalité immanente à nos impressions et plus durable, que tout ce qui a trait à la première couche ne m'intéresse pas. Quand Daniel Halévy dit : l'affaire Dreyfus qui nous a pris 2 ans de notre vie, toute notre vie peut-être, je ne peux pas comprendre ce que cela signifie, car toute ma vie quelque [sic] soit l'apparence de mes actions ou de mes sentiments est occupée à un travail dans des couches plus profondes où il peut y avoir la *raison* de ces choses de surface mais une raison générale où leur particularité ne compte pas [4].

[page sur le « zut » prononcé sur le Pont-vieux par incapacité d'éclaircir une impression forte] :
> En entendant ce « zut » je m'arrêtai malgré la pluie qui commençait à tomber. C'était la première fois que je remarquais combien nous cherchons peu à amener à la lumière nos impressions les plus fortes et combien l'expression que nous en donnons montre que nous les sentons sans les regarder, que nous les laissons mourir immédiatement

4. *Cahier* XIV, ff. 2 r°, 3 r°.

sans les avoir connues. Je cherchai à revenir à quelques instants en arrière et à percevoir cette idée dont le passage m'avait rendu si heureux que j'avais crié, et que je n'avais pas vue. Et depuis je n'ai guère fait autre chose en un certain sens et pour une partie au moins de ce que j'ai écrit, quand j'écrivais d'essayer de revenir sur ces minutes heureuses où l'on crie zut que c'est beau, et de dire ce qu'était la minute heureuse, que « zut que c'est beau » ne dit pas, d'essayer de voir ce qu'il y a sous les mots que chacun dit, soit qu'ils reflètent insuffisamment une impression intellectuelle soit qu'ils travestissent un défaut de caractère, notre amour-propre par exemple. Dans cet ordre d'idées, les pastiches qu'on a lus de moi, ne sont que la continuation de l'effort qui commence sur le pont-vieux, du côté de Méséglise, et au lieu de dire devant Renan ou Flaubert zut que c'est beau de tâcher à revivre exactement ce que nous exprimons d'une façon si inadéquate et confuse [5].

Une autre correspondance entre les deux œuvres est l'aptitude à superposer, par jeu dans le premier cas, avec une intention esthétique dans le second, des moments distincts, en supprimant toute durée intermédiaire. Dans le roman, la discontinuité chronologique joue le plus grand rôle dans les réminiscences, fondements psychologiques de l'œuvre, et dans la construction générale. La réminiscence est faite du contact, dans l'esprit, de deux points du temps séparés par un abîme d'oubli :

> Entre le souvenir qui nous revient brusquement et notre état actuel, de même qu'entre deux souvenirs d'années, de lieux, d'heures différentes, la distance est telle que cela suffirait, en dehors même d'une originalité spécifique, à les rendre incomparables [...]. Le souvenir, grâce à l'oubli, n'a pu contracter aucun lien, jeter aucun chaînon entre lui et la minute présente, [...] il est resté à sa place, à sa date, il a gardé ses distances [...] [6].

De même la chronologie générale du récit n'a rien de linéaire, et comporte de vastes lacunes. Les métaphores nous entraînent continuellement d'une époque à l'autre, par-dessus les années et les siècles. La psychologie des personnages repose, elle aussi, sur les « intermittences du cœur ». Et toutes les distances sur lesquelles repose la construction du roman ne sont autre chose — comme le Narrateur en prend clairement et nettement conscience dans les dernières pages, lors de la matinée Guermantes, — que le Temps.

Le point commun le plus important est la méthode de décomposition et reconstruction du donné. Proust la fait pratiquer et commenter par ses personnages artistes, notamment par Elstir. L'atelier de ce dernier apparaît « comme le laboratoire d'une nouvelle création du monde », dans lequel les objets subissent une métamorphose « analogue à celle qu'en poésie on nomme métaphore » ; ainsi le fameux tableau du port de Carquethuit [7] recompose-t-il le paysage réel en supprimant toute démarcation entre la

5. *Cahier* XXVI, f. 10 v°.
6. *RTP*, III, 870.
7. *RTP*, I, 836.

terre et la mer. D'autres toiles recréent systématiquement des illusions d'optique, et remplacent les liens logiques existant entre les objets par des contiguïtés fortuites.

Ce n'est pas autrement que le Narrateur perçoit le monde : les choses lui apparaissent par fragments détachés dans l'espace et dans le temps. Par exemple, au cours d'un voyage, à l'aube [8], le paysage se révèle à lui successivement nocturne et éclairé par les premières lueurs, au gré des détours de la voie ferrée et selon la fenêtre du compartiment vers laquelle il dirige ses regards ; il est donc obligé, pour avoir une vision unifiée, de « rentoiler les fragments intermittents et opposites » de cette matinée. Lorsque, à la fin du roman, il trouve sa vocation d'écrivain, il envisage son œuvre future comme « la transcription d'un univers qui était à redessiner tout entier » [9]. Non seulement il projette de construire son roman de pièces et de morceaux, comme Françoise bâtissait une robe ou préparait le bœuf mode, mais il voudrait supprimer les rapports de causalité et tenir compte principalement des erreurs des sens, des déformations provoquées par nos désirs, des changements imputables à des points de vue successifs sur un même objet. Il regrette de devoir, pour être compris, s'abstenir d'aller jusqu'à l'absurde, « bien que faire chanter doucement la pluie au milieu de la chambre et tomber en déluge dans la cour l'ébullition de notre tisane ne dût pas être en somme plus déconcertant que ce qu'ont fait si souvent les peintres ». Ces principes découverts par le Narrateur sont en fait ceux qui ont guidé Proust dans toute son œuvre. Cette esthétique de la substitution nous rappelle le jeu, plus gratuit, pratiqué dans les *Pastiches*. Mais ce n'est plus un fragment d'un auteur qui est reconstruit, c'est tout l'univers mental d'un personnage. Nous retrouvons, appliqué non seulement à d'innombrables figures de style, mais à la conception même du roman, le principe de la métaphore.

Il semble que les formes d'expression des deux œuvres ne puissent guère être comparées. Celles des *Pastiches* étaient des formes d'empunt, et l'exercice de ce genre semble avoir effectivement purgé Proust du « vice d'imitation », sauf lorsqu'il effectue des rappels volontaires. Pourtant certains procédés personnels se retrouvent. Les séries d'adjectifs hétérogènes, par exemple, qui ont été signalés à propos du pastiche de Régnier. Le jeu sur l'inadéquation d'un terme à son environnement reparaît également. Mme Verdurin est ainsi décrite trônant dans son salon : « telle, étourdie par la gaîté de ses fidèles, ivre de camaraderie, de médisance et d'assentiment, Mme Verdurin [...] sanglotait d'amabilité » [10]. Le verbe *sangloter* présente des possibilités d'association assez limitées (« de joie », « de bonheur », « de reconnaissance », c'est-à-dire des sentiments éprouvés), alors que Proust le complète par un terme hétérogène (impliquant une attitude active).

A un autre niveau, plus surprenant à première vue, on aperçoit une

8. *Ibid.*, 654-655.
9. III, 1046.
10. I, 205.

relation entre la méthode d'imitation suivie dans les pastiches et les longues phrases de description ou d'analyse.

Dans ceux-là Proust, ayant reconnu les structures de ses modèles, cherche à actualiser le plus grand nombre possible des virtualités qu'elles recèlent. Dans ses longues phrases du roman, il se comporte d'une façon analogue à l'égard de l'objet évoqué : il veut examiner tous ses aspects, dégager et exploiter toutes ses possibilités de relations. De là, ces phrases aux multiples circonstancielles, surtout temporelles et comparatives, créant de nouveaux liens dans l'espace, le temps et la logique, ces rebondissements sur des détails qui à leur tour en engendrent d'autres. De là ce fil conducteur sinueux, mais jamais rompu, qui semble envelopper l'objet et explorer toutes ses faces. De là, cette fréquence des tours alternatifs, toute direction choisie rappelant à l'esprit inquiet que les autres directions sont également à considérer. La description du clocher de Combray nous en fournit un bon exemple :

> Qu'on le vît à cinq heures, quand on allait chercher les lettres à la poste, à quelques maisons de soi, à gauche, surélevant brusquement d'une cime isolée la ligne des faîtes et toits ; que, si au contraire on voulait entrer demander des nouvelles de Mme Sazerat, on suivît des yeux cette ligne redevenue basse après la descente de son autre versant, en sachant qu'il faudrait tourner à la deuxième rue après le clocher ; soit qu'encore, poussant plus loin, si on allait à la gare, on le vît obliquement, montrant de profil des arêtes et des surfaces nouvelles comme un solide surpris à un moment inconnu de sa révolution ; ou que, des bords de la Vivonne, l'abside, musculeusement ramassée et remontée par la perspective, semblât jaillir de l'effort que le clocher faisait pour lancer sa flèche au cœur du ciel ; c'était toujours à lui qu'il fallait revenir, toujours lui qui dominait tout, sommant les maisons d'un pinacle inattendu, levé devant moi comme le doigt de Dieu dont le corps eût été caché dans la foule des humains sans que je le confondisse pour cela avec elle [11].

Il semble que dans les deux œuvres, selon une finalité littéraire différente et par des moyens distincts, le style tende à épuiser son objet. Le modèle, qu'il soit l'œuvre d'un autre écrivain, ou l'univers intérieur, possède un capital de possibilités qu'il faut faire fructifier. Cette attitude aboutit à l'élaboration, dans le premier cas, d'un style-limite mimétique, dans le second, d'une phrase-fleuve. Elle comporte des dangers : celui d'une pulvérisation de l'objet et celui d'une recomposition se satisfaisant d'un amalgame fortuit de fragments épars. Proust, particulièrement exposé à ces risques par son intelligence analytique à l'extrême et sa sensibilité excessive, par son sens du discontinu, y échappe dans les *Pastiches* par sa soumission aux formes de pensée de ses originaux, et dans la *Recherche* en imposant à ses analyses dissociantes, étendues à tout son univers, un principe de cohérence : la transformation de cet univers en un objet d'art, reflet de sa propre personnalité.

11. *Ibid.*, 66.

Comme elle le fait de toutes les œuvres ou essais qui l'on précédée, la *Recherche* intègre le pastiche, mais le dépasse, au niveau de l'expression et du contenu. Pour le Narrateur, ce genre, si varié soit-il dans ses jeux de reconstruction, repose sur une relative prévisibilité, et ne peut atteindre à vraie variété des grands écrivains :

> La vraie variété est dans cette plénitude d'éléments réels et inattendus, dans le rameau chargé de fleurs bleues qui s'élance, contre toute attente, de la haie printanière qui semblait déjà comble, tandis que l'imitation purement formelle de la variété (et on pourrait raisonner de même pour toutes les autres qualités du style) n'est que vide et uniformité, c'est-à-dire ce qui est le plus opposé à la variété, et ne peut chez les imitateurs en donner l'illusion et en rappeler le souvenir que pour celui qui ne l'a pas comprise chez les maîtres [12].

Aussi est-ce aux lois psychologiques et esthétiques sous-jacentes à l'expression des maîtres que Proust accorde l'attention la plus grande. Mais c'est pour contester, en définitive, les « visions » de ses modèles ou, beaucoup plus rarement, — comme celle de Mme de Sévigné [13] — pour les incorporer à son propre système.

Il n'en reste pas moins que pendant toute la vie de Proust la tendance au pastiche et la volonté créatrice ont été en dialogue, d'où ces alternances perpétuelles de « *c'est fini, je n'en fais plus* » et de retours ravis. D'où encore la présence de l'élément créateur dans les pastiches, et de l'élément mimétique dans le roman.

Valant par eux-mêmes comme brillants exemples d'un genre, les *Pastiches,* tournés vers les modèles de l'écrivain, et préparant en même temps les voies du roman à venir, portant les marques d'un talent divers mais unique, éclairent la grande œuvre et sont éclairés par elle.

---

12. *RTP*, I, 551.
13. Cf. *Ibid.,* 653.

NOTE SUR LA PRÉSENTE ÉDITION

Le texte figurant dans les *Pastiches et Mélanges* de 1919 (*NRF*) comporte un certain nombre d'erreurs et de coquilles, surtout dans le pastiche de Saint-Simon. Les éditions suivantes les ont reproduites mécaniquement : nous l'avons constaté dans la cinquante-cinquième (1935), qui nous a servi de document de travail.

Nous avons établi notre texte, là où il y avait erreur manifeste ou doute, d'après les manuscrits et les corrections sur épreuves. Nous avons ajouté aux neuf pastiches de l'édition Gallimard quatre autres pastiches « Lemoine » qui ont été retrouvés à l'état d'ébauches dans les manuscrits : le Ruskin, le Maeterlinck, le Chateaubriand et le second Sainte-Beuve. Le Ruskin a fait l'objet d'une publication en revue en 1953 ; nous nous sommes néanmoins reporté pour lui aussi au manuscrit [1].

LES MANUSCRITS

Les manuscrits utilisés, déposés à la Bibliothèque Nationale, comprennent :

a) Un dossier cartonné intitulé *Pastiches et Mélanges. Manuscrit autographe,* que nous abrégerons en « *Ms. aut.* » : il comprend plusieurs manuscrits à peu près au net, notamment le Saint-Simon, et un grand nombre de brouillons.

b) Des coupures des articles du *Figaro* de 1908 et 1909 (abrégées en *Coup. Fig.*), avec des corrections et additions manuscrites, parfois très développées, en vue de l'édition de 1919, et les placards 1 à 6 des *Pastiches et Mélanges* (abrégés en *Plac.*) avec de nombreuses corrections manuscrites. Les pastiches sont entièrement compris dans ces placards. Il est à supposer qu'un autre jeu d'épreuves fut encore tiré, car des différences subsistent (sur des détails peu importants, il est vrai) entre ces placards et le texte définitif. Les coupures du *Figaro* et les placards se trouvent en cours de restauration et de classement en 1968. Nous les avons consultés avant cette opération.

---

1. Après confrontation avec les manuscrits du texte que nous avons établi pour Maeterlinck, Chateaubriand et le second Sainte-Beuve, et de celui que publient MM. Kolb et Price (cf. *supra*, p. 7, n. 1), nous avons admis que la lecture de ces derniers était préférable dans six cas à la nôtre, et nous l'adoptons pour notre édition en volume, en signalant le fait dans les notes. Mais dans la grande majorité des cas, soit une soixantaine, nous estimons devoir maintenir notre lecture.
   Le Ruskin publié par la *NNRF*, et repris tel quel dans *Textes retrouvés*, comporte quelques lectures erronées que nous avons rectifiées.

c) Des cahiers d'écolier, appartenant à un ensemble de soixante-deux cahiers d'ébauches (nous utiliserons l'indication *Cahier*, suivie d'un numéro en chiffres romains, et qui ne s'appliquera qu'à ces cahiers d'ébauches). Nous ne trouvons de brouillons de pastiches que dans les *Cahiers* II, III, V, LII et LVI.

d) Quatre carnets de notes, comprenant des renseignements variés et de nombreux détails utilisés dans les pastiches. Malheureusement, ces *Carnets*, extrêmement difficiles à déchiffrer, n'ont pas encore été étudiés et datés de façon systématique. Nous adoptons simplement et provisoirement un ordre de succession qui nous a été indiqué de vive voix par M. Philip Kolb, lequel doit publier prochainement une étude sur ce point :

Carnet 1 Sur la couverture : Homme à la Canne ; format : environ 7 × 26 cm
Carnet 2 Sur la couverture : Femme ; format : environ 7 × 26 cm
Carnet 3 Sur la couverture : Homme à la Canne ; format : environ 5 × 19 cm
Carnet 4 Sur la couverture : Homme au Col blanc ; format : environ 6 × 17 cm

e) Le manuscrit autographe de *Fête chez Montesquiou à Neuilly* est classé dans le dossier *Articles critiques* du fonds Proust.

PRÉSENTATION. SIGLES ET ABRÉVIATIONS

Chaque pastiche est précédé d'une notice, d'une note sur le texte, et des brouillons, s'ils existent ; il est suivi de notes et éclaircissements. L'ordre des pastiches de la première partie est celui des *Pastiches et Mélanges*.

Dans le texte même, les seuls signes employés sont les crochets simples, qui encadrent les additions faites sur les coupures du *Figaro,* les crochets doubles, qui encadrent les additions faites sur les placards, et les appels de notes qui renvoient aux *Notes et éclaircissements.*

Au-dessous du texte se trouvent les variantes du manuscrit (*Ms.*), des coupures annotées du *Figaro* (*Coup. Fig.*), des placards (*Plac.*), quelquefois du texte de *Pastiches et Mélanges* (*PM*), quand nous avons dû le corriger. Pour chaque variante, on indique d'abord, en marge, la ligne du texte à laquelle elle correspond. Puis son origine, à l'aide de l'un des sigles ci-dessus.

Les mots biffés ou surchargés sont indiqués en italiques. Dans le cas de suppressions successives sur la même ligne, on laisse entre les séries différentes de mots biffés un espace blanc un peu plus important. Les mots soulignés par Proust ou imprimés en italiques ont été soit maintenus par lui, et nous les reproduisons en italiques, mais suivis d'un astérisque, soit biffés et dans ce cas nous les reproduisons en italiques grasses.

Les suppressions de grande étendue sont expressément signalées ; dans ce cas nous laissons la variante en caractères droits, les italiques indiquant des suppressions de détail antérieures à la suppression de l'ensemble.

Les additions faites hors de la ligne d'écriture sont placées entre des traits verticaux. L'addition est précédée d'un sigle en caractères gras qui la localise par rapport à la ligne d'écriture. Une addition faite à l'intérieur d'une première addition est placée entre des traits obliques. Ces traits sont doublés pour une addition de troisième degré.

On a adopté les sigles suivants, déjà utilisés pour la plupart par MM. René Journet et Guy Robert dans leurs éditions critiques des manuscrits de Victor Hugo :

d à droite.

g à gauche.

i au-dessous de ce qui précède ; plusieurs additions précédées de **i1**, **i2**, etc. représentent des mots ou des groupes placés les uns au-dessous des autres, dans leur ordre d'éloignement de la ligne principale, ou dans l'ordre chronologique, quand ce dernier peut être déterminé avec une probabilité suffisante (notamment par la présence ou l'absence de biffures, ou par la disposition matérielle).

I au-dessous de la ligne principale, après une variante supérieure.

lp ligne principale (signalée après une série complexe d'additions).

m en marge.

s au-dessus de ce qui précède (plusieurs additions précédées de **s1**, **s2**, etc. représentent des mots placés les uns au-dessus des autres, ou se succédant de la même façon qu'il a été indiqué pour **i1**, **i2**).

S au-dessus de la ligne principale, après une variante inférieure.

sc en surcharge sur le texte en italique qui précède.

+ mot barré non déchiffré.

[?] lecture douteuse du mot précédent.

Ces sigles peuvent entrer en combinaison les uns avec les autres, et donner par exemple :

mg dans la marge gauche.

mid dans la marge inférieure, à droite.

Quand une variante existe dans plusieurs états successifs, c'est le dernier état que nous signalons. Cela permet en général de faire apparaître la rature qui la supprime et, éventuellement, l'addition qui la modifie.

Les brouillons sont présentés de manière continue, texte et variantes réunis. Seules les suppressions étendues figurent en bas de page. L'usage des italiques est également réservé aux mots biffés ou surchargés. Les numéros de feuillets placés entre crochets (par exemple [**f. 4 r⁰**] pour : **feuillet 4, recto**) annoncent chacun le début d'une nouvelle page du manuscrit ; la numérotation est celle de la Bibliothèque Nationale.

Le lecteur désireux de s'en tenir au texte définitif des ébauches peut le suivre aisément en négligeant tous les mots en italiques et les sigles. Néanmoins, on trouve assez fréquemment des additions modifiant une première leçon non biffée, ou le cas inverse où toutes les variantes sont biffées. Nous respectons ces hésitations ou ces négligences de l'auteur.

L'AFFAIRE LEMOINE
DANS « PASTICHES ET MÉLANGES »

L'AFFAIRE LEMOINE

1

DANS UN ROMAN DE BALZAC

NOTICE

LES AVATARS DU PASTICHE

Le pastiche de Balzac figure d'abord en tête de la première série publiée dans *Le Figaro* du 22 février 1908. Les trois brouillons successifs que nous en possédons montrent le sens des tâtonnements de Proust : il s'essaie d'abord sur les premières lignes, les modifiant chaque fois, cherchant une phrase à la fois balzacienne (le schéma de cette phrase est emprunté aux *Secrets de la Princesse de Cadignan,* cf. note 8) et suffisamment « dynamique » pour bien amorcer l'article. Il ébauche en même temps ses premiers thèmes : l'aristocratie parisienne, la difficulté des parvenus à s'y faire admettre, la rivalité de Mme d'Espard et de Mme de Cadignan, les commentaires sur les personnages. Il cherche à articuler ces éléments entre eux : certains sont déplacés d'un brouillon à l'autre (l'insistance de Nucingen à faire recevoir sa femme, par exemple.) Déjà se manifeste une caractéristique du pastiche de Balzac : le côté dramatique, que constituent l'arrivée de d'Arthez, les dialogues et l'annonce de la découverte de Lemoine, disparaît derrière la masse impressionnante des commentaires. Les allusions sont dès les brouillons en telle quantité que, contrairement à sa tendance reconnue, l'auteur en supprimera un certain nombre (le Salon Carré du Louvre, la robe de Mme de Cadignan, Shakespeare et Bandello, le légitimisme des Vandenesse.)

Dans le volume de 1919, le pastiche a presque doublé, six passages nouveaux ayant été introduits en divers endroits. Certaines additions vont dans le sens du mouvement dramatique, comme le long dialogue des femmes, la « gaffe » de Mme de Beauséant (p. 73). Mais la plupart sont néanmoins documentaires : la liste des personnages mentionnés s'allonge considérablement, plusieurs sont nommés avec un abrégé de leur histoire ; les paroles prononcées sont plus longuement commentées, des attitudes plus longuement

décrites (le « regard » de Mme de Cadignan), de nouveaux thèmes balzaciens
introduits. En un mot, l'équilibre général du pastiche n'est pas modifié,
seule s'accroît sa richesse. Il faut aussi le remarquer, les phrases ajoutées
sont souvent plus aisées que celles de 1908, et relevées par des traits
d'humour plus incisifs.

LES MODÈLES

Les Secrets de la princesse de Cadignan fournissent le point de départ
et l'armature du texte. Proust a voulu reproduire la scène du dîner chez
la marquise d'Espard, où d'Arthez est guetté par la société aristocratique
qui vient d'apprendre son amour pour Mme de Cadignan. Il retient de
cette scène la liste des invités, le « *mais* » qui annonce une réplique décisive
de d'Arthez et auquel toutes les attentions restent suspendues (ce « *mais* »
devient « Imaginez-vous »). Il intègre à ce cadre d'autres éléments, pris dans
des parties différentes du roman : la présence de Mme de Cadignan, rivale
de la marquise, les allusions à leurs anciens amants à toutes deux, l'émotion
provoquée par le bruit des pas de d'Arthez. Le pastiche se présente comme
un condensé des *Secrets,* auxquels il emprunte d'ailleurs de nombreuses
expressions (cf. Notes et Eclaircissements). Le choix de Proust pour ce
roman est expliqué par un passage de *Contre Sainte-Beuve* (212-214), où
il relève le goût un peu puéril de Balzac pour la réunion, dans certaines
de ses œuvres (*Les Secrets* et *Autre étude de femme,* notamment), d'un
grand nombre de personnages de *La Comédie humaine* : le romancier les
propose ostensiblement à la reconnaissance du lecteur, et leur fait proférer
à chacun une ou deux répliques caractéristiques. Justifiée dans le grand
ensemble romanesque de Balzac, une scène de ce genre est aussi extrêmement commode pour le pasticheur, qui se livre alors à une véritable
« revue », et la prolonge à son gré.

De fait, Proust ne craint pas de rattacher à cette base déjà dense un
nombre impressionnant d'allusions à tous les autres romans — ou du moins
à une vingtaine d'entre eux, y compris même des romans pseudo-balzaciens
comme *La Famille Beauvisage* ou *Le Comte de Sallenauve.* Il le fait avec
une lourdeur volontaire, usant comme Balzac de renvois entre parenthèses
(« Voir *Le Cabinet des Antiques* », etc.), et de digressions à caractère biographique, historique ou philosophique.

C'est pour lui l'occasion d'associer à la revue des personnages une revue
des thèmes du modèle. De ceux-ci, le plus important est le snobisme de
Balzac, son admiration pour la haute société parisienne : il est développé
dans la galerie de portraits du début, grâce à son étalage des noms, des
titres et des alliances des personnages ; par la mention spéciale à la « domesticité du faubourg Saint-Germain » ; par le dédain affiché à l'égard des
parvenus et des provinciaux ; par la familiarité consistant à appeler, presque
au premier abord, les grandes dames par leur prénom. Nous retrouvons tous
ces aspects de ce que Proust nomme la vulgarité de Balzac longuement

analysés dans le chapitre XI de *Contre Sainte-Beuve,* « Sainte-Beuve et Balzac », qui forme le pendant théorique du pastiche.

Au thème de l'aristocratie se rattache celui des intrigues menées dans ce milieu, où règnent l'ambition, la haine, la dissimulation. Puis celui des grands hommes, réels ou imaginaires, longuement énumérés, comme s'ils étaient des relations personnelles de l'auteur ; celui des circonstances qui, en certaines natures, peuvent susciter un héros ou un grand criminel ; ceux, enfin des catégories sociales inférieures, hommes de loi, de finance, journalistes, qui cherchent à s'élever par tous les moyens et souvent y parviennent.

On ne peut pas ne pas évoquer l'allusion claire faite à *La Recherche de l'absolu,* dans laquelle on voit Balthazar Claës se ruiner et déposséder tous les siens dans sa tentative chimérique de cristalliser le carbone pour en faire du diamant. Si *Les Secrets* fournissent pour l'essentiel le cadre littéraire du pastiche, les déboires de Claës ont permis le rapprochement anecdotique de Balzac et de l'Affaire Lemoine.

Des emprunts sont faits à la psychologie du romancier : le regard des êtres supérieurs est d'une richesse expressive particulière ; l'aspect de leur corps, leur démarche ont un sens, expliqué par la physiognomonie. Les sciences occultes interprètent les noms et leur « magie » : Werner évoque Werther, et par lui Gœthe, Faust et l'alchimie. L'histoire intervient, dans les digressions exposant la situation politique ou sociale à une certaine époque. L'art et l'esthétique également, avec les allusions à la peinture, dont Balzac se piquait d'être un connaisseur.

Tout cependant ne provient pas de Balzac. L'une des additions tardives, celle qui concerne le prochain mariage de Rubempré, combine très habilement la situation balzacienne de la maîtresse apprenant indirectement, et par accident, les fiançailles de son amant avec une autre femme (cf. note 20), et une anecdote personnellement connue de Proust : l'annonce du mariage de Fernand Gregh. L'incident est raconté dans une lettre déjà ancienne à Antoine Bibesco ([23 ou 26 décembre 1902], *Choix de lettres,* présentées par Ph. Kolb, p. 92) :

> Gregh se marie. La « *Femme abandonnée* » qui n'était pas encore fixée là-dessus était en visite chez Mme Baignières avec une Mme Sichel [...] Cette Sichel n'étant pas sortie par maladie depuis longtemps ignorait la liaison de la femme abandonnée (qui ne l'était pas encore, abandonnée) et du jeune Poète. Elle dit : « On dit que Gregh se marie. » Sueurs froides de la vieille Baignières qui s'agite, dément, proteste, nie, détourne. Mme Sichel dit : « Du reste cela m'étonnait, il est tellement laid, chauve, commun, etc. » Nouvelles récriminations de Mme Baignières. La Sichel s'empêtre et finit par dire : « Enfin je ne le trouve pas séduisant » (un silence) ; s'apercevant subitement de la gaffe, à la tête de tout le monde : « *Du moins pour une jeune fille !* »

Il est frappant de voir utiliser ce souvenir, avec autant de précision, après seize ans. C'est que Proust, selon son habitude, assimile à l'œuvre en cours des éléments qu'il puise dans son expérience personnelle, même lointaine, et dans ses écrits antérieurs.

Enfin, comme il le fera dans tous ses pastiches, il mêle les hommes et les époques, faisant intervenir le général d'Empire Montcornet dans les événements de 1905, et plaçant parmi les invités de la marquise d'Espard Paul Morand, son ami depuis 1916.

L'ART DU PASTICHE

Si Proust procède en empruntant à Balzac de nombreux personnages et thèmes, il adopte aussi son vocabulaire. Non de façon mécanique. Il n'est certes pas question que nous nous livrions sur un bref pastiche à une comparaison des fréquences d'emploi des termes. Nous remarquons seulement qu'il recherche, à propos des thèmes balzaciens, les mots typiques de l'auteur : *raout, élite, aristocratie parisienne, élégant, impertinent, illustre, profond, supérieur, sublime, génie, penseur, enthousiasme, dissimulation, chef-d'œuvre, connaisseur,* etc. ; ce sont des mots-thèmes, ou des adjectifs de caractérisation. Il reprend des traits appartenant à l'idiolecte de certains personnages ou de certains groupes : le parler « alsacien » de Nucingen, les appellations, consacrées dans le beau monde, de « tigre », de « feu Beaudenord », de « petit d'Esgrignon », l'usage des prénoms féminins. Dans une intention plus humoristique, il retient des mots qui ne sont ni véritablement des mots-thèmes, ni des traits idiolectiques, mais qui détonnent dans leur contexte d'origine ; à son tour il les emploie dans une situation de rupture : ainsi de *suer* et de *pantoufles.*

En ce qui concerne les procédés ou les tics, nous trouvons une concordance étroite entre le pastiche et la critique du style de Balzac dans *Contre Sainte-Beuve* : Balzac manque de « style » au sens proustien, parce qu'il ne transforme pas le donné, mais le livre tel quel, et l'explique. Il tend à tout qualifier : par des adjectifs, lesquels sont du type appréciatif et passe-partout ; par des appositions nombreuses et développées (« la marquise — une demoiselle de Blamont-Chauvry, alliée des Navarreins, des Lénoncourt, des Chaulieu — ») ; par des relatives (« [...] tendait [...] cette main que Desplein, le plus grand savant de notre époque, sans en excepter Claude Bernard, et qui avait été élève de Lavater, déclarait la plus profondément calculée qu'il lui eût été donné d'examiner ») ; par des incises présentant le parleur, détaillant son attitude, appréciant la finesse ou la naïveté de ses propos. Le mouvement des phrases en est sans cesse ralenti et alourdi. De même, les fréquentes digressions, grossièrement articulées (« Le génie n'est-il pas d'ailleurs [...] ? » — « Pour comprendre le drame qui va suivre [...] »), interrompent le fil du récit.

Les images, et cela est un vice capital aux yeux de Proust, ne sont pas créatrices, mais explicatives. Elles servent seulement d'illustrations : « la maîtresse de maison — cette carmélite de la réussite mondaine — », « l'égale de la sainte » ; « le paradis social ». D'autres fois, elles choquent brutalement en jetant une discordance : « Mme Firmiani suait dans ses pantoufles, un des chefs-d'œuvre de l'industrie polonaise ». Cette dernière phrase nous paraît un comble d'exagération, et son effet comique est éclatant. Ce n'est pourtant qu'une légère transposition d'une expression de Balzac tout aussi ridicule : « Elle souffrait dans son cœur et suait dans sa robe » (cf. note 28).

Quant à l'organisation nouvelle des emprunts, elle est produite par la concentration, au maximum et jusqu'à l'outrance, des traits du modèle, et par la contamination. Aucun pastiche ne pousse à ce degré la méthode d'inflation verbale décrite dans l'introduction. La contamination, dont nous avons signalé le mécanisme, est également constante et, toutes les fois que nous l'avons pu, nous avons cité dans les notes les différentes sources d'un tour unique. Voulant présenter un condensé de Balzac, mais tendant en même temps à en faire une somme, Proust n'a pas surmonté cette contradiction, et son texte est comme congestionné. Le comique en souffre. Sans doute gêné par la dimension restreinte qu'il s'est (ou qu'on lui a) imposée, le pasticheur trahit quelque peu Balzac en lui ôtant presque tout mouvement : il en fait un monstre de lourdeur. (Un fait analogue est d'ailleurs sensible également dans le pastiche de Michelet, paru en même temps et dans les mêmes conditions : le manque de place le prive d'un essor qui est dans la vérité de l'écrivain. Cet inconvénient est beaucoup moindre pour Faguet ou pour Goncourt.) En revanche, Proust fait apparaître à l'évidence le caractère de vaste système organisé qui est celui de *La Comédie humaine,* ainsi qu'une technique romanesque se plaçant simultanément à plusieurs niveaux.

LE PASTICHE ET LA « RECHERCHE »

Ces dernières remarques nous rapprochent évidemment de la conception proustienne du roman. Il ne faut certes pas voir dans le pastiche une quelconque préfiguration de la *Recherche.* Mais sur plusieurs points des rapports sont à établir. D'abord, les deux œuvres témoignent d'une connaissance de Balzac totale et en profondeur. Les citations et allusions faites à cet écrivain dans le roman de Proust sont extrêmement nombreuses : elles apparaissent principalement des *Jeunes filles en fleurs* à *Sodome et Gomorrhe,* en passant par *Le Côté de Guermantes,* c'est-à-dire dans les parties les plus « sociales ». Deux personnages connaissent parfaitement Balzac, le Narrateur et le baron de Charlus. Ce dernier, pour ne citer que des détails en rapport avec le pastiche, évoque immédiatement, quant on lui présente le jeune Victurnien de Surgis, le « petit d'Esgrignon » qui porte le même prénom ; ou encore compare la robe d'Albertine avec celle que porte Mme de Cadignan dans *Les Secrets.*

Surtout, nous retrouvons en bonne place dans la *Recherche,* quoique différemment intégrés, certains des thèmes évoqués dans le pastiche : en tête de tous, celui de la haute société parisienne et du snobisme, qui nous vaut là aussi de grandes scènes-revues (chez les Guermantes, chez les Verdurin) ; celui des intrigues et de l'ascension sociale, celui de la magie des noms, celui des références picturales. Parfois même, nous rencontrons quelques traits d'expression qui pourraient être de Balzac, en particulier quand Proust cherche à rendre le regard d'un de ses héros : « Irrité de l'interruption de sa femme, le duc la tint quelques instants sous le feu d'un silence menaçant. Et ses yeux de chasseur avaient l'air de deux pistolets chargés » (*Guerm.*, II, 491) ; « Ah ! assez, s'écria la duchesse qui, comme une dompteuse, ne voulait jamais avoir l'air de se laisser intimider par les regards dévorants du fauve » (SG, II, 673).

Tous ces thèmes, néanmoins, s'ils doivent à Balzac, sont toujours traités de façon beaucoup plus liée et dominée. Proust s'est, sur ce point capital, affranchi de son modèle. Il ne juxtapose pas, il fond ensemble. Tous les éléments semblent mûs par la seule nécessité romanesque. Même dans les grandes réunions de société, dont le but littéraire est proche de celui de Balzac, la différence de mise en œuvre est frappante. Tout aspect « explicatif » est évité. Les changements d'interlocuteur se font avec aisance, les incises sont plus rares, les commentaires se trouvent toujours intégrés, soit à la conversation et faits par l'un des personnages, soit aux pensées du Narrateur ou d'un tiers : en effet, Proust — c'est son originalité et son progrès — passe sans rupture aucune des paroles aux pensées et des pensées aux faits, car pour lui tout cela appartient à un même milieu homogène, celui de la vision esthétique, dans laquelle il fond les matériaux qu'il utilise.

NOTE SUR LE TEXTE

Ce pastiche a d'abord paru dans *Le Figaro* (supplément littéraire du 22 février 1908) puis, sous une forme abondamment remaniée, dans *Pastiches et Mélanges*.

La Bibliothèque Nationale possède des brouillons, une refonte de l'article faite à partir de coupures du *Figaro*, et des placards de *Pastiches et Mélanges* annotés de la main de Proust. On ne possède pas de manuscrit définitif pour ce texte.

LES BROUILLONS

Ils forment les feuillets 1 à 13 de l'ensemble intitulé « *Manuscrit auto-graphe* » (*Ms. aut.*) des *Pastiches et Mélanges*. Ils sont tous écrits sur un papier à lettres identique, de format 17 × 11,2 cm, à feuilles doubles. Pour une même feuille, Proust suit le plus souvent l'ordre des pages 1-3-2-4, en écrivant dans le sens vertical sur les pages 2 et 4. Mais ce n'est pas toujours le cas. Certaines pages comportent des éléments étrangers au pastiche de Balzac.

Récapitulation :

Feuillets 1 et 2 : feuille double écrite sur ff. 1 r° et 2 r° seulement. Sur 2 v°, quatre lignes écrites sur la feuille retournée, sans rapport avec le pastiche : « encore dans l'histoire, dans la vie, presque dans la pensée. Ici la vie au contraire est faite d'immobilité, des lois immobiles — fort belles aussi dans leur sévère grandeur — de la cristallisation ». Ce fragment est la fin du brouillon consacré à Michelet et fait suite au f. 53 v°.

Feuillets 3 et 4 : feuille double, écrite dans l'ordre 4 v°,3 r°, 4 r°, 3 v° (verticalement).

Feuillets 5 et 6 : id., dans l'ordre 5 r°, 6 r°, 5 v° (vert.), 6 v° (vert.).

Feuillets 7 et 8 : id., dans l'ordre 7 r°, 8 r°, 7 v° (vert.), 8 v° (vert.).

Feuillets 9 et 10 : id., dans l'ordre 10 v° et 9 r°, en ce qui concerne Balzac. 9 r°, à partir de la troisième ligne, et 10 r°, plus une ligne dans le sens vertical de 9 v° (le reste du feuillet est laissé blanc) sont consacrés à un brouillon de pastiche inédit (cf. plus loin, p. 190).

Feuillet 11 : feuille simple du même papier, écrite au recto seulement.

Feuillets 12 et 13 : feuille double, écrite sur 12 r° seulement, dans le sens vertical. Sur 13 v°, inscriptions sans rapport avec les pastiches : « Defreyn (vert.), Maine de Biran, Gutem, Mis de Jouffroy, 1751 machines à vapeur. »

LES « CARNETS INÉDITS »

Les *Carnets inédits* de Proust contiennent de très nombreuses notes destinées aux pastiches. Une seule concerne Balzac. Elle se trouve dans le *Carnet 3*, ff. 15 r° et v°. La voici :

> [**15 r°**] Pastiche de Balzac, on y voyait les hommes les plus impertinents, les esprits les plus cruellement épigrammatiques de l'époque, Maxime de Trailles, le mis d'Ajuda-Pinto, les [**f. 15 v°**] Vandenesse,   + | **i** citer | aussi Me Firmiani.

LES COUPURES ANNOTÉES DU « FIGARO »

L'ensemble des coupures et des additions manuscrites est collé sur une grande feuille de papier blanc de dimension 49,5 × 40 cm, et se répartit ainsi :

Pièce 1 : coupure ; 55 lignes de texte imprimé. Du début à : « domesticité du faubourg Saint-Germain ».

Pièce 2 : feuille de papier à lettre collée ; format 20,5 × 15,6 cm ; 42 lignes manuscrites. De « Athénaïs ne se sentait... » à... « Imaginez-vous, répéta d'Arthez avec ».

Pièce 3 : coupure ; 19 lignes imprimées. De : « *Imaginez-vous* », *répéta-t-il avec* cet enthousiasme »... à ... « Diane de Maufrigneuse. »

Pièce 4 : coupure ; 4 lignes imprimées. De « *Fite, fite* * »... à ... « je m'adresse à la marquise ».

Pièce 5 : papier blanc collé de format 13,6 × 7,2 cm ; 26 lignes manuscrites. De : « Cela fut dit »... à ... « Me de Sérizy avec ».

Pièce 6 : coupure ; 7 lignes imprimées. De : « *se tournant vers la belle Négrepelisse avec* cet effrayant sang-froid »... à ... « la fabrication du diamant ».

Pièce 7 : marge de journal ; format 3,7 × 4 cm ; 5 lignes manuscrites : « Cesde iffire esd eine crant dressor », s'écria le Baron ébloui ».

Pièce 8 : coupure ; 3 lignes imprimées : « Mais j'aurais cru qu'on en avait toujours fabriqué », répondit naïvement *la marquise* | s Léontine |. »

Pièce 9 : feuille de papier blanc collée ; format 9,6 × 7,7 cm ; 13 lignes manuscrites. De « Mme de Cadignan »... à... « un regard sublime ».

Pièce 10 : coupure ; 34 lignes imprimées. De : « Mme de Cadignan eut alors »... à... « (*Voir* **Splendeur et Misère des Courtisanes**). »

Pièce 11 : marge de journal ; 16 × 2,5 cm ; 6 lignes manuscrites. De : « Il n'est pas jusqu'à *Nathan* »... à... « la Paix à tout prix. »

Pièce 12 : coupure ; 32 lignes imprimées. De : « La France ne fut alors »... à... « Werther est de Gœthe ».

Pièce 13 : papier blanc ; format : 9 × 11,2 cm ; 26 lignes manuscrites. De : « Julius Werner »... à... « (Voir les Illusions Perdues). Certes »

Pièce 14 : coupure ; 17 lignes imprimées. De : « *Certes*, peu de personnes »... à la fin.

Ces pièces collées sont disposées en quatre colonnes, soit, de gauche à droite :

1re colonne : pièces 1 et 2 ;
2e colonne : pièces 3 à 8 ;
3e colonne : pièces 9 à 12 ;
4e colonne : pièces 13 et 14.

LE PLACARD DE « PASTICHES ET MÉLANGES » (placard 1)

Il comporte une seule addition importante : la note liminaire sur l'Affaire Lemoine, écrite en marge gauche. Les autres modifications sont minimes ou d'ordre typographique. L'article du *Figaro* n'avait qu'un seul alinéa, précédé d'une ligne en blanc, avant les mots : « Pour comprendre le drame qui va suivre »... Le placard offre une présentation beaucoup plus aérée, qui se retrouve dans le volume définitif.

BROUILLONS

BROUILLON 1

Feuillets 1 r° et 2 r° de « *Ms. aut.* »

[**f. 1 r°**] Dans un des derniers mois de l'année 1907 Maxime de Trailles, Lousteau, | s *et Bianchon* | **I** *la mise d'Espard,* le mis Ajuda Pinto, | *Eugène de Rastignac causait au coin* | **i** de Marsay et le duc de Rhétoré | *formaient* | s *étaient réunis* | **I** causaient | *le* | s un | petit groupe dans un de ces raouts de la marquise d'Espard qui étaient alors à l'aristocratie parisienne ce que le Salon Carré du Louvre peut être aux chefs-d'œuvre de la peinture. Madame de Nucingen avait | **i** vainement | employé la faveur d'Eugène de Rastignac pour en forcer les portes, quoique sa sœur la vicomtesse de Restaud, une des femmes les plus élégantes de la société du faubourg St-Germain y fût [**f. 2 r°**] reçue. La Princesse de Cadignan qui *avait q* plus connue *autre-* | **i** autrefois | sous *son* | s le | nom de Duchesse de Maufrigneuse (voir le Cabinet des Antiques) *y causait levant*

BROUILLON 2

Dans l'ordre de la rédaction, feuillets 4 v°, 3 r°, 4 r°, 3 v°, de « *Ms. aut.* »

[**f. 4 v°**] Dans un des derniers mois de l'année 1907 | s à un des raouts de la mise d'Espard où se pressait l'élite de | ms l'aristocratie *de* parisienne — la plus élégante de l'Europe au dire du Prince de Talleÿrand, ce Roger Bacon des vérités sociales, qui fut cardinal et Prince de Bénévent — | **lp** Maxime de Trailles, Félix de Vandenesse | s *quelque chose* | *La Palférine* [1], | s De Marsay | de *Marsay et les* | s la Princesse de Cadignan voyait réunis autour d'elle les | ducs | **i** de Grandlieu et | de Rhétoré *tenaient* | s *Mademoiselle* | *étaient réunis à un de ces raouts de la Marquise d'Espard autour de la Princesse de Cadignan* à *un des* raout de la marquise d'Espard, sans exciter pourtant la jalousie de cette dernière | s sans exciter pourtant la jalousie de la maîtresse du lieu, à qui elle avait pourtant enlevé Lucien de Rubempré (voir Splendeur et Misère des Courtisanes) |. N'est-ce pas une des grandeurs *de la* | s *toute* | *maîtresse de maison* | **i** d'une maîtresse de maison | quand *elle ne* *l'égale en cela de la sainte* | **i** cette carmélite de la mondanité | *qu'elle* il lui a fallu arriver pour se faire un salon à *triompher immoler en elle, les ri* tuer en elle toute coquetterie *toute rivalité* [?] tout orgueil se réjouir de la beauté d'une rivale si elle   + | **i** peut *attirer* | S retenir ses invités. |

[**f. 3 r°**] N'est-ce pas par là l'égale de la sainte. Ne mérite-t-elle pas une part du paradis social ? *A ce moment* La marquise née Blamont-Chauvry tendait à chaque nouvelle personne qui entrait cette main que Desplein, le plus grand *me* savant de notre époque, sans excepter même Claude Bernard, *déclarait* | s et qui fut élève de Lavater | (voir la Messe de l'Athée) [2] déclarait la plus profondément méditative qu'il eût vue, quand *retentit un pas,* la porte s'ouvrit devant | **il** le / **i2** célèbre / romancier | Daniel d'Arthez. Un physicien | s moral | qui aurait le génie de Lavoisier *ou* | s à la fois et | de Bichat, le créateur de la chimie organique *saurait* | s serait seul capable de *dire* découvrir | **I** peut-être | dire quels éléments *peuvent* composent le *pas* bruit des pas des hommes supérieurs. En entendant celui de D'Arthez vous auriez frémi. | s Seul pouvait marcher ainsi | Un homme de génie seul ou un grand criminel — le génie n'est-il pas une sorte de crime contre la routine du passé que le présent punit plus sévèrement encore que l'autre puisque les savants meurent à l'hôpital qui est plus triste que le bagne. Imaginez-vous s'écria-t-il, avec [**f. 4 r°**] | **ms** avant même d'avoir remis son manteau à Paddy, le « tigre » de la marquise d'Espard qui s'apprêtait à | **mg** le recueillir avec l'immobilité spéciale à la domesticité du faubourg St-Germain | **lp** l'enthousiasme des penseurs *qui* qui *détonne* | **i** semble ridicule | *toujours* au milieu de la dissimulation profonde des salons, Imaginez-vous... « Que devons-nous imaginer, grand homme » demanda ironiquement De Marsay avec ce regard à double entente, | **i** privilège aussi impossible à acquérir que celui du sang | que possèdent seuls qui [sic] ont vécu *de* longtemps dans l'intimité de Madame. « Bwhui, keu tuasche *mima chinai* | s himhachinai », | renchérit avec la grossièreté du parvenu le | s célèbre | baron de Nucingen, qui ne pouvait s'habituer à l'idée que sa femme *née* | **i** née | Goriot *n'était* n'avait pu forcer la porte du salon de la mise d'Espard quand sa belle-sœur, une vicomtesse de Restaud, y était reçue sur le pied d'intimité. Rien répondit *froidement* | s avec à propos | d'Arthez, je m'adresse à la marquise. Et se tournant vers [**f. 3 v°**] la belle Athénaïs avec ce sang-froid qui a raison de tous les obstacles — en est-il de plus *grand* | **i** insurmontable | pour les *grands passionnés* | s artistes | que les obstacles du cœur ? « Imaginez-vous qu'on vient de découvrir le secret de la fabrication du diamant ». « Mais j'aurais cru qu'on avait toujours fabriqué du diamant répondit naïvement la marquise. La Princesse | **i** *de Cadignan* | **S** fut | alors sublime. *Elle eut un de ces regards* *Se* Raphaël *qui* seul aurait été capable *de* | s *d'essayer* de | peindre le regard qu'elle *eut alors.* | s S'il | y avait réussi, peut-être eût-il donné *une égale* | **il** un + | **i2** une réplique | à sa

BROUILLON 3

Dans l'ordre de la rédaction, feuillets 5 r°, 6 r°, 5 v°, 6 v°, 7 r°, 8 r°, 7 v°, 8 v°, 10 v°, 9 r°, 11 r°, 12 r°.

[**f. 5 r°**] Dans un des derniers *mois* jours du mois de novembre 1907, à un de ces raouts de la mise d'Espard qui étaient alors pour l'aristocratie parisienne — la plus élégante | s de l'Europe | au dire du prince de Talleyrand | **i** ce Roger Bacon de la mondanité | qui s'y connaissait — ce que le Salon Carré du Louvre est pour les chefs-d'œuvre de la peinture, Maxime de Trailles, les Ducs de Rhétoré et de Lénoncourt, et le Comte de Rastignac causaient près de la cheminée avec la marquise et la Princesse de Cadignan, plus connue jadis sous le nom de duchesse de Maufrigneuse (voir les Secrets de la Princesse de Cadignan). Rastignac venait pour la deuxième fois d'essayer [f. 6 r°] de *forcer les portes* | s d'obtenir une invitation dans ce | salon alors recherché de ce qu'il y avait de plus illustre en France, pour Madame de Nucingen, *la femme du* qui n'avait jamais pu réussir à en forcer les portes quoique sa sœur, la vicomtesse de Restaud, une des femmes les plus élégantes du faubourg St-Germain y fût reçue sur le pied d'intimité. A ce moment suivant un usage *employé* introduit depuis peu dans le faubourg St-Germain et que la bourgeoisie avait essayé d'imiter sans réussir à autre chose qu'à le ridiculiser car elle ne sut jamais comprendre | s voulut toujours adopter | une seule des véritables grandeurs de la noblesse, qui en a tant, on « annonça » le grand [f. 5 v°] romancier Daniel d'Arthez. Madame de Cadignan *qui portait ce soir-là une robe* [3] | i *bague* | *couleur* leva vers lui un de *ces regards* comme seule une femme de cette naissance et de cette force ose en lever sur son amant, regard où il y avait de la reconnaissance, *de l'inq* de la sécurité, *de* du triomphe, une vague inquiétude aussi [4] car le regard de la femme sait arriver à la conciliation des contraires, cet idéal que la chimie organique a poursuivi si longtemps et qu'elle désespère aujourd'hui d'atteindre. Seul Raphaël aurait pu peindre un tel regard. Encore | i les expressions diverses du regard | S de | sa Fornarina — son plus célèbre [f. 6 v°] modèle — est-il | s d'une conception | pauvre et *facile à* sans grandeur auprès de celui qui fit passer toutes les passions et les sublima suivant un mot depuis peu à la mode dans ces écoles où on croit par la bizarrerie des expressions dissimuler la banalité des idées, à côté de celui *de* que Madame de Cadignan leva sur d'Arthez. *Ainsi* S'il avait pu s'élever | i fût-ce un moment | jusqu'à la conception d'un regard si complexe, il serait sans conteste le plus grand peintre de tous les siècles, titre que lui dispute sans parvenir à le lui ravir toujours son élève André Del Sarto. « Imaginez-vous s'écria d'Arthez ayant   +   à peine remis son manteau au tigre qui se tenait devant [f. 7 r°] lui avec cette immobilité particulière à la domesticité dans le faubourg St-Germain, imaginez-vous *qu'on vient de découvrir le secret de la fabrication du diamant.*

 « *Je croyais qu'il y avait longtemps* | s s'écria-t-il avec cette | *chaleur* | i ardeur effrayante | dont sont seuls capables les artistes et qui les *consume au* fait mourir si souvent tout jeunes — Lavater l'a remarqué — quand les politiques toujours profonds   +   et circonspects vivent si vieux. « *Qu'a-t-il* | s Que devons-nous imaginer | demanda *Rastignac avec* | s le duc de | Rhétoré avec ce sourire à double entente, véritable privilège, aussi impossible à acquérir que celui du sang, et qui distinguait tous [f. 8 r°] ceux qui avaient vécu dans l'intimité de Madame. » « Rien répondit froidement d'Arthez c'est à la marquise que je m'adresse » et se tournant vers Madame d'Espard avec ce*tte* sang-froid effrayant où l'on reconnaissait l'homme capable de triompher des plus grands obstacles — en est-il de plus grands pour les vrais passionnés que ceux du cœur : « Je viens d'apprendre qu'un nommé Lemoine a découvert le secret de la fabrication du diamant ».« Mais j'aurais cru qu'on avait toujours su fabriquer le diamant dit naïvement la marquise ». « Céline » [5] s'écria étourdiment la

Princesse sur *un* | s le | ton d'affectueux [**f. 7 v°**] reproche légèrement protecteur que sa naissance, la première de France après celle de Me de Beauséant) voir le Père Goriot lui permettait à l'égard d'une Montcornet.

Pour comprendre le drame *dont ce* | s qui va suivre et | auquel cette scène peut en quelque sorte servir de prologue *et dont les pages qui suivent sont le sincère récit fidèle* [**passage barré d'un trait oblique** : — la vérité n'a-t-elle pas *des* pour *l'esprit* des charmes plus *profonds* profonds que la fiction, Hamlet [6] n'est-il pas une véridique chronique de Bandello à peine « adaptée » par Shakespeare, comme le dit dans son argot, la critique, la plus infatuée des puissances de ce temps —] quelques mots d'explication sont nécessaires. A la fin de 1906 *les tensions* | i1 les *rivalités* | i2 *rapports* | i3 *difficultés* | [**f. 8 v°**] lp *terribles* | s effrayants | qui *régnaient dans* | s1 et les craintes de guerre qui + | s2 marquaient | les rapports de l'Allemagne et de l'Angleterre avaient été légèrement *détendus* aplanis par la géniale intervention du Général de Montcornet (voir Une Ténébreuse Affaire) l'homme le plus profond de notre siècle après Napoléon. Encore Napoléon n'a-t-il jamais pu *mener* réaliser le projet de descente en Angleterre, la grande pensée de son règne. Napoléon, Montcornet n'y a-t-il pas entre ces deux noms comme une sorte d'harmonie mystérieuse. Peut-être notre + temps après avoir douté des choses les plus *sérieuses* | s sacrées | sera-t-il forcé de revenir à l'harmonie préétablie de Leibniz. Or à cette époque *l'homme d'une effrayante présence d'esprit qui était à la tête de la De Beers* | s le directeur de | la colossale entreprise financière [**f. 10 v°**] dont le nom reviendra | s si souvent dans ce récit | s'appelait Werner. Werner. *Changez deux lettres et vous avez Werther.* Werner ! Ce nom ne vous semble-t-il pas évoquer bizarrement le moyen âge. Rien qu'à l'entendre ne voyez-vous déjà pas le docteur Faust penché sur ses creusets. N'évoque-t-il pas l'idée de la pierre philosophale. Werner ! Changez deux lettres et vous avez Werther. Werther est de Gœthe. Alors vous comprendrez l'intérêt primordial que les Cours d'Angleterre et d'Allemagne dont le rôle | s effroyable | en tout ceci *n'avait* a pas encore été mis en lumière quel intérêt dis-je les Cours d'Angleterre et d'Allemagne avaient à faire disparaître [**f. 9 r°**] l'inventeur et [**trois mots illisibles**] à le discréditer etc.

[**f. 11 r°**] Aussi *fort* peu de personnes comprirent-elles *la profonde la* | sc l' | *profonde* exclamation de Lemoine au moment où il fut arrêté : « Quoi l'Europe m'abandonnerait » s'écria le faux inventeur. Le mot colporté le soir dans les salons de Madame de *Vand* Cadignan | s du ministre Rastignac | y passa inaperçu. | s *Serait-il* devenu fou s'écria *le premier* le comte de Granville étonné | Seul le baron de Nucingen, qui paraissait pour la 1ère fois *dans les l* à une réception de la Princesse *mais qui n'avait pu* | s sans avoir pu | y faire admettre sa femme née Goriot, parut comprendre la profondeur

[A partir d'ici, suite de griffonnages mal liés entre eux] :
la faveur que lui avait fait perdre sa récente alliance avec les Vandenesse

Seul le Cte de Sallenauve [7] qui *al* devait prendre la parole *comme* | s au nom du | ministère public, ayant retrouvé par le mariage de sa | s seconde | fille avec le financier du Tillet, *la f* sa faveur compromise *par* pour avoir donné la première à un Vandenesse. L'ancien clerc de Me Bordin

avait obtenu de prendre la parole *au nom du ministère* | **i** dans cette af-
faire | comme avocat général ayant retrouvé depuis peu | **s** par le ma-
riage | **I** de sa fille avec le financier du Tillet |

[f. 12 r°] **[Série de griffonnages, portant également sur la fin du pastiche]**
msg   Le célèbre financier avait d'ailleurs des raisons d'en vouloir à d'Arthez
qu'il accusait de ne l'avoir pas suffisamment soutenu quand l'ancien amant
d'Esther avait voulu faire *recevoir* / **s** admettre / sa femme née Goriot
chez / **i** aux réceptions / de la Pcesse de Cadignan, où allait déjà sa belle-
sœur la vicomtesse de Restaud.

lp   Certes peu de personnes comprirent *la*   la réponse que fit Lemoine
aux gendarmes venus pour l'arrêter : « Quoi ? l'Europe m'abandonnerait-elle
s'écria le faux inventeur avec une terreur profonde. » Le mot colporté le
soir dans les salons du ministre Rastignac y passa inaperçu. « Cet homme
deviendrait-il fou » *s'é dit à haute voix* | **i** *se* demanda | le Cte Granville
étonné. L'ancien clerc de l'avoué Bordin devait précisément requérir *com-
me* | **s** dans cette affaire en qualité de | procureur général *dans* | **s** ayant |
cette affaire ayant retrouvé par le mariage de sa seconde fille avec le
banquier du Tillet les | **msd** faveurs que lui avait perdues / **s2** auprès du
nouveau gouvernement / son alliance avec les Vandenesse *jugés depuis peu
trop légitimistes, jugés très*   tenus à l'écart par le / **i** nouveau / gouver-
nement comme trop légitimistes. |

       N. B. Dans le passage allant des lignes 10 à 18 ci-dessus, Proust a coupé son texte
de barres verticales, accompagnées de numéros de 3 à 10 ; elles délimitent des fragments comportant approximativement le même nombre de signes typographiques qu'une
ligne du *Figaro* ; Proust voulait probablement donner à la fin de son article un nombre fixé
de lignes d'imprimerie. Mais, curieusement, certaines barres passent à l'intérieur des syllabes.
Voici le passage reproduit tel quel :

   Certes peu de personnes comprirent *la* la | réponse que fit Lemoine
aux gendarmes | venus pour l'arrêter : « Quoi ? l'Europe m'aban **3** | don-
nerait-elle s'écria le faux inventeur **4** | avec une terreur profonde. » Le
mot colp **5** | orté le soir dans les salons du ministre **6** | Rastignac y
passa inaperçu. « Cet homme **7** | deviendrait-il fou » *s'é* | *dit à haute
voix* | **i** se demanda | le Cte G **8** | ranville étonné. L'ancien clerc de
l'avoué **9** | Bordin devait précisément requérir *comme* **10** | | **s** dans cette
affaire en qualité de | procureur général *dans* | **s** ayant | cette affaire ayant
retrouvé par le mariage de sa seconde fille avec le banquier du Tillet les
[Dans ce passage, exceptionnellement, les barres grasses et les chiffres placés en exposant
représentent des signes ajoutés par Prout.]

L'AFFAIRE LEMOINE (1)

I

DANS UN ROMAN DE BALZAC

Dans un des derniers mois de l'année 1907 [8], à un de ces « routs » [9]
de la marquise d'Espard où se pressait alors l'élite de l'aristocratie parisienne [10] (la plus élégante de l'Europe, au dire de M. de Talleyrand, ce
Roger Bacon de la nature sociale, qui fut évêque et prince de Bénévent),

5 de Marsay et Rastignac, le comte Félix de Vandenesse, les ducs de
Rhétoré et de Grandlieu, [le comte Adam Laginski, Mme Octave de
Camps, lord Dudley [11],] faisaient cercle autour de Mme la princesse de

[[(1) On a peut-être oublié, depuis dix ans, que Lemoine ayant faussement
prétendu avoir découvert le secret de la fabrication du diamant et ayant

10 reçu, de ce chef, plus d'un million du président de la De Beers, Sir Julius
Werner, fut ensuite, sur la plainte de celui-ci, condamné le 6 juillet 1909 à
six ans de prison. Cette insignifiante affaire de police correctionnelle, mais qui
passionnait alors l'opinion, fut choisie un soir par moi, tout à fait au hasard,
comme thème unique de morceaux, où j'essayerais d'imiter la manière d'un
certain nombre d'écrivains. Bien qu'en donnant sur des pastiches la moindre
explication on risque d'en diminuer l'effet, je rappelle pour éviter de froisser

15 de légitimes amours-propres, que c'est l'écrivain pastiché qui est censé parler,
non seulement selon son esprit, mais dans le langage de son temps. A celui
de Saint-Simon par exemple, les mots bonhomme, bonne femme n'ont nullement le sens familier et protecteur d'aujourd'hui. Dans ses *Mémoires*, Saint-
Simon dit couramment le bonhomme Chaulnes pour le duc de Chaulnes

20 qu'il respectait infiniment, et pareillement de beaucoup d'autres.]]

Titre [la note (1) a été rajoutée à la main par Proust sur le placard des
Pastiches et Mélanges (en **mg** et **mi**), précédée de la mention : « En note au bas
de la page ».]

— *Fig* : Dans un roman de Balzac [en minuscules]

1 *Coup. Fig.* : raouts | **mg** « routs » | de la marquise

6 *Coup. Fig.* : | **mg** le Cote Adam... lord Dudley, |

14 *Plac.* : de Pasticher | **s** d'imiter | la manière

Cadignan, sans exciter pourtant la jalousie de la marquise [12]. N'est-ce pas en effet une des grandeurs de la maîtresse de maison — cette carmélite de la réussite mondaine — qu'elle doit immoler sa coquetterie, son orgueil, son amour même, à la nécessité de se faire un salon dont

5 ses rivales seront parfois le plus piquant ornement ? N'est-elle pas en cela l'égale de la sainte ? Ne mérite-t-elle pas sa part, si chèrement acquise, du paradis social ? La marquise — une demoiselle de Blamont-Chauvry, alliée des Navarreins, des Lénoncourt, des Chaulieu — tendait à chaque nouvel arrivant cette main que Desplein, le plus grand

10 savant de notre époque, sans en excepter Claude Bernard, et qui avait été élève de Lavater, déclarait la plus profondément calculée qu'il lui eût été donné d'examiner. Tout à coup la porte s'ouvrit devant l'illustre romancier Daniel d'Arthez. Un physicien du monde moral qui aurait à la fois le génie de Lavoisier et de Bichat — le créateur de la chimie

15 organique — serait seul capable d'isoler les éléments qui composent la sonorité spéciale du pas des hommes supérieurs. En entendant résonner celui de d'Arthez vous eussiez frémi [13]. Seul pouvait ainsi marcher un sublime génie ou un grand criminel. Le génie n'est-il pas d'ailleurs une sorte de crime contre la routine du passé que notre temps punit plus

20 sévèrement que le crime même, puisque les savants meurent à l'hôpital qui est plus triste que le bagne.

[Athénaïs [14] ne se sentait pas de joie en voyant revenir chez elle l'amant qu'elle espérait bien enlever à sa meilleure amie. Aussi pressa-t-elle la main de la princesse [15] en gardant le calme impénétrable

25 que possèdent les femmes de la haute société au moment [[même]] où elles vous enfoncent un poignard dans le cœur [16].

— Je suis heureuse pour vous, ma chère, que M. d'Arthez soit venu, dit-elle à Mme de Cadignan, d'autant plus qu'il aura une surprise complète, il ne savait pas que vous seriez ici.

30 — Il croyait sans doute y rencontrer M. de Rubempré dont il admire le talent, répondit Diane avec une moue câline [17] qui cachait la plus mordante des railleries, car on savait que Mme d'Espard ne pardonnait pas à Lucien de l'avoir abandonnée.

---

21 *Fig.* : après « bagne », sans alinéa : « Imaginez-vous », s'écria le grand homme avant même d'avoir remis son manteau à Paddy, le célèbre tigre de feu Beaudenord (voir *Les Secrets de la Princesse de Cadignan*) qui se tenait devant lui avec l'immobilité spéciale à la domesticité du faubourg Saint-Germain. [Phrase reproduite et rayée ligne par ligne dans *Plac.*]

22 *Coup. Fig.* : [Pièce 2, manuscrite : jusqu'à ... pour une jeune fille ! (p. 73, l. 24)]

—   *Coup. Fig.* : Athénaïs *en voyant* ne se sentait

25 *Plac.* : | **md** même |

27 *Coup. Fig.* : Pour vous, *lui dit-elle* | s ma chère | , que

32 *Coup. Fig.* : car *chacun* | s on | savait

— Oh ! mon ange, répondit la marquise avec une aisance sur-
prenante, nous ne pouvons retenir ces gens-là, Lucien subira le sort
du petit d'Esgrignon [18], ajouta-t-elle en confondant les personnes
présentes par l'infamie de ces paroles dont chacune était un trait
5 accablant pour la princesse. (Voir le *Cabinet des Antiques*.)
— Vous parlez de M. de Rubempré, dit la vicomtesse de Beauséant qui n'avait pas reparu dans le monde depuis la mort de M. de
Nueil [19] et qui, par une habitude particulière aux personnes qui ont
longtemps vécu en province, se faisait une fête d'étonner des Pari-
10 siens avec une nouvelle qu'elle venait d'apprendre. Vous savez qu'il
est fiancé à Clotilde de Grandlieu.
Chacun fit signe à la vicomtesse de se taire, ce mariage étant
encore ignoré de Mme de Sérizy, qu'il allait jeter dans le désespoir [20].
— On me l'a affirmé, mais cela peut être faux, reprit la vicomtesse
15 qui, sans comprendre exactement en quoi elle avait fait une gaucherie, regretta d'avoir été aussi démonstrative.
Ce que vous dites ne me surprend pas, ajouta-t-elle, car j'étais
étonnée que Clotilde se fût éprise de quelqu'un d'aussi peu séduisant.
— Mais au contraire, personne n'est de votre avis, Claire, s'écria
20 la princesse en montrant la comtesse de Sérizy qui écoutait.
Ces paroles furent d'autant moins saisies par la vicomtesse qu'elle
ignorait entièrement la liaison de Mme de Sérizy avec Lucien.
— Pas séduisant, essaya-t-elle de corriger, pas séduisant... du moins
pour une jeune fille !]
25 — Imaginez-vous, s'écria d'Arthez [21] [[avant même d'avoir remis

---

1 *Coup. Fig.* : Oh ! *ma chère* | **i** mon ange | , répondit la marquise *nous ne*
pouvons avec une aisance
5 *Coup. Fig.* : | **s** (Voir le *Cabinet des Antiques.* °) | -
10 *Coup. Fig.* : Parisiens *par* | **s** avec | une nouvelle
12 *Coup. Fig.* : *Toutes les personnes* Chacun fit signe
17 *Coup. Fig.* : « *Cela* Ce que vous dites
19 *Coup. Fig.* : Mais au contraire *il,* personne
— *Coup. Fig.* : dit | **s** s'écria | la princesse en montrant *à Madame de Beauséant*
la comtesse de Sérizy qui *l'entendait. Je* « *Pas séduisant... essaya de corriger*
Madame de Beauséant, | **s** écoutait. Ces paroles furent d'autant moins saisies
par la Vicomtesse qu'elle ignorait entièrement la liaison de Mme de Sérizy
avec Lucien. Pas séduisant essaya-t-elle de corriger | pas séduisant ... du
moins [l'addition **s** se développe sur plusieurs interlignes.]
25 *Fig.* : Imaginez-vous, répéta-t-il avec cet enthousiasme des penseurs qui paraît
ridicule au milieu de la profonde dissimulation du grand monde.
— *Coup. Fig.* : [Fin de la pièce 2, manuscrite :] « Imaginez-vous, répéta d'Arthez
avec . [Début de la pièce 3, imprimée :] « *Imaginez-vous* », *répéta-t-il avec*
— *Plac.* : Imaginez-vous ! *répéta d'Arthez avec* | **mg** *s'écria d'Arthez avant même*
d'avoir remis son manteau à Paddy, le célèbre tigre de feu Beaudenord (voir
Les Secrets de la Princesse de Cadignan) | **md** s'écria d'Arthez avant même
d'avoir remis son manteau à Paddy, le célèbre tigre de feu Beaudenord (voir

son manteau à Paddy, le célèbre tigre de feu Beaudenord [22] (voir les *Secrets de la princesse de Cadignan*), qui se tenait devant lui avec l'immobilité spéciale à la domesticité du Faubourg Saint-Germain, oui, imaginez-vous, répéta le grand homme]] avec cet enthousiasme
5　des penseurs qui paraît ridicule au milieu de la profonde dissimulation du grand monde.

　　— Qu'y a-t-il ? que devons-nous imaginer, demanda ironiquement de Marsay en jetant à Félix de Vandenesse [et au prince Galathione] ce regard à double entente, véritable privilège de ceux qui avaient
10　longtemps vécu dans l'intimité de MADAME [23].

　　— *Tuchurs pô* [24] ! renchérit le baron de Nucingen avec l'affreuse vulgarité des parvenus [qui croient, à l'aide des plus grossières rubriques, se donner du genre et singer les Maxime de Trailles ou les de Marsay ; *et fous afez du quir ; fous esde le frai brodecdir tes baufres, à*
15　*la Jambre.*]

　　(Le célèbre financier avait d'ailleurs des raisons particulières d'en vouloir à d'Arthez qui ne l'avait pas suffisamment soutenu, quand l'ancien amant d'Esther avait cherché en vain à faire admettre sa femme, née Goriot, chez Diane de Maufrigneuse) [25].

20　　　— *Fite, fite [mennesir,] la ponhire zera gomblète [bir mi] si vi mi druffez tigne ti savre ke vaudille himachinei ?*

　　— Rien, répondit avec à-propos d'Arthez, je m'adresse à la marquise.

　　[Cela fut dit d'un ton si perfidement épigrammatique que Paul
25　Morand, un de nos plus impertinents secrétaires d'ambassade [26], murmura : — Il est plus fort que nous ! Le baron, se sentant joué, avait

---

　　les *Secrets de* ° la Princesse de Cadignan) qui se tenait devant lui avec l'immobilité spéciale à la domesticité du Faubourg St-Germain. « Oui, imaginez-vous, répéta le grand homme avec | cet enthousiasme

8　*Coup. Fig.* : Vandenesse | **mid** et au prince Galathione | ce regard

11　*Coup. Fig.* : avec l'affreuse *grossièreté des parvenus* | **mg** *qui veulent se donner du genre* | **mgs** vulgarité des parvenus qui *cherchent* / **i** croient / à l'aide des plus grossières rubriques, se donner du genre | **mgI** et singer les Maxime de Trailles ou les De Marsay ; |

14　*Coup. Fig.* : | **mi** *Ed* « Et *vous* / **sc** fous / afez du quir ; fous esde le frai brodecdir tes baufres, à la Jambre » |
　　Plac. : [supprime les guillemets.]

19　*Fig.* : aux raouts de Diane de Maufrigneuse.
　　Plac. : *aux « routs » de* | **md** chez | Diane

20　*Coup. Fig.* [pièce 4, imprimée] : Fite, fite, | **s** mennesir, | *ma* | **sc** la | ponhire zera gomblète | **s** bir mi | si vi mi [passage en italique dans le texte imprimé].

22　*Fig.* : à la marquise. Et se tournant vers la belle Nègrepelisse avec cet effrayant sang-froid
　　Coup. Fig. : [Après marquise, longue addition manuscrite sur papier blanc (pièce 5)]

froid dans le dos [27]. Mme Firmiani suait dans ses pantoufles [28], un des chefs-d'œuvre de l'industrie polonaise [29]. D'Arthez fit semblant de ne pas s'être aperçu de la comédie qui venait de se jouer, telle que la vie de Paris peut seule en offrir d'aussi profonde (ce qui explique pourquoi la province a toujours donné si peu de grands hommes d'Etat à la France) et sans s'arrêter à la belle Nègrepelisse [30], se tournant vers Mme de Sérizy avec] cet effrayant sang-froid qui peut triompher des plus grands obstacles (en est-il pour les belles âmes de comparables à ceux du cœur ?) :

— On vient, madame, de découvrir le secret de la fabrication du diamant.

[— *Cesde iffire esd eine crant dressor*, s'écria le baron ébloui.]

— Mais j'aurais cru qu'on en avait toujours fabriqué, répondit naïvement Léontine.

[Mme de Cadignan, en femme de goût, se garda bien de dire un mot, là où des bourgeoises se fussent lancées dans une conversation où elles eussent niaisement étalé leurs connaissances en chimie. Mais Mme de Sérizy n'avait pas achevé cette phrase qui dévoilait une incroyable ignorance, que Diane, [[en]] enveloppant la comtesse tout entière, eut un regard sublime [31].] Seul Raphaël eût peut-être été capable de le peindre [32]. Et certes, s'il y eût réussi, il eût donné un pendant à sa célèbre Fornarina, la plus saillante de ses toiles, la seule qui le place au-dessus d'André del Sarto dans l'estime des connaisseurs.

---

3   *Coup. Fig.* : de ne pas *apercevoir* s'être aperçu
4   *Coup. Fig.* : (ce qui explique ... à la France) : [parenthèses biffées.]
—   *Plac.* : [Sans parenthèses. Elles sont rétablies dans *PM*.]
6   *Coup. Fig.* : et, *se tournant vers* sans s'arrêter à
7   *Coup. Fig.* : vers *la Comt Me de Sérizy avec* [fin de la pièce 5.]
—   *Coup. Fig.* [pièce 6, imprimée] : *se tournant vers la belle Nègrepelisse avec* cet effrayant
-9   *Coup. Fig.* : [parenthèses ne figurant pas dans *Fig.*, rajoutées au crayon sur la coupure. Le point d'interrogation est biffé ; il manque aussi dans **Plac.** où il est rajouté en **mg.**]
2   *Coup. Fig.* [pièce 7, manuscrite : les paroles rapportées sont entre guillemets et suivies d'un point d'exclamatoin. Ces signes manquent dans *Plac.* ; *PM* place la virgule.]
3   *Coup. Fig.* : [pièce 8, imprimée ; trois lignes.]
4   *Coup. Fig.* : naïvement *la marquise* | s Léontine |.
5   *Coup. Fig.* : [pièce 9, manuscrite, jusqu'à « eut un regard sublime. »]
6   *Coup. Fig.* : des bourgeoises *n'ayant reçu que l'éducation la plus sordide* se fussent
7   *Coup. Fig.* : eussent | s niaisement | étalé
9   *Coup. Fig.* : *l'enveloppant tout eut alors, par* enveloppant la Comtesse tout entière, eut alors un regard sublime.
—   *Plac.* : | **mg** en | enveloppant
—   *Coup. Fig.* : [pièce 10, imprimée] : Mme de Cadignan eut alors un regard sublime [: phrase non biffée, mais rendue nulle par la fin de la pièce 9.]
0   *Plac.* : eut *alors* un regard sublime.

Pour comprendre le drame qui va suivre [33], et auquel la scène que nous venons de raconter peut servir d'introduction, quelques mots d'explication sont nécessaires. A la fin de l'année 1905, une affreuse tension régna dans les rapports de la France et de l'Allemagne. Soit que Guillaume II comptât effectivement déclarer la guerre à la France, soit qu'il eût voulu seulement le laisser croire afin de rompre notre alliance avec l'Angleterre, l'ambassadeur d'Allemagne reçut l'ordre d'annoncer au gouvernement français qu'il allait présenter ses lettres de rappel. Les rois de la finance jouèrent alors à la baisse [34] sur la nouvelle d'une mobilisation prochaine. Des sommes considérables furent perdues à la Bourse. Pendant toute une journée on vendit des titres de rente que le banquier Nucingen, secrètement averti par son ami le ministre de Marsay de la démission du chancelier Delcassé, qu'on ne sut à Paris que vers quatre heures, racheta à un prix dérisoire et qu'il a gardées depuis.

[Il n'est pas jusqu'à Raoul Nathan qui ne crût à la guerre, bien que l'amant de Florine, depuis que du Tillet, dont il avait voulu séduire la belle-sœur (voir *Une Fille d'Eve*), lui avait fait faire un puff à la Bourse, soutînt dans son journal la paix à tout prix [35].]

La France ne fut alors sauvée d'une guerre désastreuse que par l'intervention, restée longtemps inconnue des historiens, du maréchal de Montcornet [36], l'homme le plus fort de son siècle après Napoléon. Encore Napoléon n'a-t-il pu mettre à exécution son projet de descente en Angleterre, la grande pensée de son règne. Napoléon, Montcornet, n'y a-t-il pas entre ces deux noms comme une sorte de ressemblance mystérieuse ? Je me garderais bien d'affirmer qu'ils ne sont pas rattachés l'un à l'autre par quelque lien occulte. Peut-être notre temps, après avoir douté de toutes les grandes choses sans essayer de les comprendre, sera-t-il forcé de revenir à l'harmonie préétablie de Leibniz. Bien plus, l'homme qui était alors à la tête de la plus colossale affaire de diamants de l'Angleterre s'appelait Werner, Julius Werner, Werner ! ce nom ne vous semble-t-il pas évoquer bizarrement le moyen âge ? Rien qu'à l'entendre, ne voyez-vous pas déjà le docteur Faust, penché sur ses creusets, avec ou sans Marguerite ? N'implique-t-il pas l'idée de la pierre philosophale ? Werner ! Julius ! Werner ! Changez deux lettres et vous avez Werther. *Werther* est de Goethe.

6	*Plac.* : soit qu'il *ait* | **md** eût | voulu
15	*Coup. Fig.* : depuis | (*voir* **Splendeur et Misère des Courtisanes**). |
16	*Coup. Fig.* : [pièce 11, manuscrite].
—	*Coup. Fig.* : jusqu'à *Nathan* Raoul Nathan qui ne crut *Plac.*, *PM* : crut
18	*Coup. Fig.* : voulu *séduire la belle-sœur* | **md** séduire la belle-sœur (voir *Une Fille d'Eve* °), | lui avait
20	*Coup. Fig.* : [pièce 12, imprimée.]
22	*Coup. Fig.* : Napoléon (*voir la* **Famille Beauvisage**). Encore
36	*Fig.* : de Gœthe. Certes, peu de personnes

[Julius Werner se servit de Lemoine, un de ces hommes extra-
ordinaires qui, s'ils sont guidés par un destin favorable, s'appellent
Geoffroy Saint-Hilaire, Cuvier, Ivan le Terrible, Pierre le Grand,
Charlemagne, Berthollet, Spallanzani, Volta [37]. Changez les circons-
5   tances et ils finiront comme le maréchal d'Ancre, Balthazar Claës,
Pugatchef, Le Tasse, la comtesse de la Motte ou Vautrin. En France,
le brevet que le gouvernement octroie aux inventeurs n'a aucune
valeur par lui-même. C'est là qu'il faut chercher la cause qui para-
lyse, chez nous, toute grande entreprise industrielle. Avant la Révolu-
10   tion, les Séchard, ces géants de l'imprimerie, se servaient encore à
Angoulême des presses à bois, et les frères Cointet hésitaient à
acheter le second brevet d'imprimeur. (Voir les *Illusions perdues*.)]
Certes peu de personnes comprirent la réponse que Lemoine fit aux
gendarmes venus pour l'arrêter. — Quoi ? L'Europe m'abandonne-
15   rait-elle ? s'écria le faux inventeur avec une terreur profonde. Le mot
colporté le soir dans les salons du ministre Rastignac y passa inaperçu.
    — Cet homme serait-il devenu fou ? dit le comte de Granville
étonné.
    L'ancien clerc de l'avoué Bordin devait précisément prendre la
20   parole dans cette affaire au nom du ministère public, ayant retrouvé
depuis peu, par le mariage de sa seconde fille avec le banquier du
Tillet, la faveur que lui avait fait perdre auprès du nouveau gouvernement son alliance avec les Vandenesse [38], etc.

---

1   *Coup. Fig.* : [pièce 13, manuscrite.]
2   *Coup. Fig.* : qui, + s'ils sont
4   *Coup. Fig.* : Charlemagne, *Changez les circonstances et ils finiront* Berthollet,
5   *Coup. Fig.* : comme *la Ctesse de la Motte, Pougatcheff, Biron de Courlande,*
    le maréchal d'Ancre ou la comtesse de la le maréchal d'Ancre
6   *Coup. Fig.* : Pugatcheff, *la Comtesse de la Motte ou Vautrin,* le Tasse
—   *Coup. Fig.* : Vautrin. *Certes* En France, le brevet
12   *Coup. Fig.* : d'imprimeur. *Certes peu de* | s (Voir les | Illusions perdues).
    Certes [fin de la pièce 13]
13   [Pièce 14, imprimée :] *Certes,* peu de personnes

NOTES ET ÉCLAIRCISSEMENTS

Les références aux romans de Balzac sont faites d'après l'édition
de la Bibliothèque de la Pléiade.

BROUILLONS

Ne sont commentés, dans les brouillons, que les mots ou expressions ne
figurant pas dans le texte difinitif.

1 La Palférine : dandy apparaissant principalement dans *Un Prince de la
bohême.*

2 *La Messe de l'athée* : l'allusion à ce roman ne vaut guère que pour le
nom du médecin Desplein, et pour l'évocation de la misère de certains
hommes supérieurs.

3 La robe de Mme de Cadignan : Balzac la décrit longuement dans *Les
Secrets de la princesse de Cadignan* (VI, 29). Le baron de Charlus se
souviendra de cette robe, à propos de la robe d'Albertine, dans *Sodome
et Gomorrhe* (*RTP*, II, 1054, sqq.).

4 Cf. *Secrets*, VI, 49 : « Elle resta un moment les yeux dans les yeux de
d'Arthez, en exprimant tout à la fois du bonheur, de la pruderie, de la
crainte, de la confiance, de la langueur, un vague désir et une pudeur de
vierge. »

5 Céline : ce n'est pas le prénom de la marquise d'Espard, qui n'est d'ailleurs
pas une Montcornet, mais « une demoiselle de Blamont-Chauvry » (cf. p.
72).

6 *Hamlet :* l'origine du sujet de cette pièce est évoquée par Balzac dans la
dédicace des *Parents pauvres* (VI, 133).

7 *Le comte de Sallenauve :* personnage du roman apocryphe portant ce titre,
écrit en réalité par Ch. Rabou (5 vol., 1855). Ce comte est un fils, né en
1809 du forçat Jacques Collin et de Catherine-Antoinette Groussard. Cf. les
commentaires de R. Pierrot, dans les notes de l'édition de la *Pléiade*, XI,
1044, et le *Répertoire de la Comédie humaine d'Honoré de Balzac* par
Anatole Cerfberr et Jules Christophe, Calmann-Lévy, 1887, pp. 457-458.
Proust a vraisemblablement connu et utilisé ce dernier répertoire, qui
donne *Le Comte de Sallenauve* comme authentique.

Ce détail, comme l'allusion à *La Famille Beauvisage*. cf. note 36, indique
que Proust avait lu même les « suites » de *La Comédie humaine.*

Dans Balzac, le beau-père de Du Tillet est en réalité le comte de
Granville (cf. *La Maison Nucingen*, V, 628).

TEXTE ET VARIANTES

8 Cf. *Secrets,* VI, 17 : « Dans un des premiers beaux jours du mois de mai
1833, la marquise d'Espard et la princesse [de Cadignan] tournaient, on ne

pouvait dire se promenaient, dans l'unique allée qui entourait le gazon du jardin [...] »

9 « Rout » est l'orthographe la plus ancienne du mot, emprunté vers 1804 à l'anglais, et qui remonte à l'ancien français *route*, « compagnie ».

10 Sur le snobisme de Balzac, cf. Proust dans *CSB*, 211-212 ; sur son admiration pour Paris, cf. *Ibid.*, 214.

11 La liste des invités, qui varie d'ailleurs des brouillons au texte définitif, est largement empruntée aux *Secrets*. On voit figurer dans le « recueil des erreurs » de la princesse (VI, 14) : Maxime de Trailles, de Marsay, Rastignac, le marquis d'Esgrignon, le général Montriveau, les marquis de Ronquerolles et d'Ajuda-Pinto, le prince Galathionne, les ducs de Grandlieu et de Rhétoré, Lucien de Rubempré, le vicomte de Sérizy. Au second dîner de la marquise d'Espard, celui où d'Arthez doit être confondu, on trouve Rastignac, Blondet, le marquis d'Ajuda-Pinto, Maxime de Trailles, le marquis d'Esgrignon, les deux Vandenesse, du Tillet, le baron de Nucingen, Nathan, lady Dudley, « deux des plus perfides attachés d'ambassade » et le chevalier d'Espard. Le comte Adam Laginski apparaît surtout dans *La Fausse Maîtresse*, Octave de Camps dans *Madame Firmiani*. Sur le goût de Balzac pour ces scènes-revues à multiples personnages, voir ce que dit Proust dans *CSB*, 212-213.

12 Dans *Les Secrets*, la marquise d'Espard et la princesse de Cadignan sont à la fois des amies et des rivales.

13 Cf. *Secrets*, VI, 64 : « Quand elle entendit le pas de Daniel dans la salle à manger, elle éprouva une commotion [...] » On pense peut-être davantage encore au bruit mystérieux et effrayant des pas de Balthazar Claës, au moment de sa première apparition dans *La Recherche de l'Absolu* (IX, 486-487).

14 Cf. *CSB*, 203 : « Il [Balzac] va même jusqu'à appeler [ses personnages] tout d'un coup, et quand on a encore peu parlé d'eux, par leurs prénoms, que ce soit la princesse de Cadignan (« Certes, Diane ne paraissait pas avoir vingt-cinq ans »), Mme de Sérizy (« Personne n'aurait pu suivre Léontine, elle volait ») ou Mme de Bartas (« Biblique ? répondit Fifine étonnée »). Dans cette familiarité nous voyons un peu de vulgarité [...] »

15 Cf. *Secrets*, VI, 30 : « Après un moment de réflexion, madame d'Espard serra la main de la princesse d'un air d'intelligence. »

16 Cf. *Secrets*, VI, 29 : « Quand deux amies peuvent se tuer réciproquement, et se voient un poignard empoisonné dans la main, elles offrent le spectacle touchant d'une harmonie qui ne se trouble qu'au moment où l'une d'elles a, par mégarde, lâché son arme. »

17 Cf. *Secrets*, VI, 58-59 : « Le monde entier était la dupe des câlineries de ces deux amies. »

18 Victurnien d'Esgrignon, ancien amant de la princesse, est ainsi nommé « le petit d'Esgrignon » dans *Les Secrets* (VI, 18, 56). Mme de Cadignan raille dans ce même roman son mariage avec la fille d'un « forgeron » (en réalité un riche maître de forges), mariage qui a lieu dans *Le Cabinet des antiques* (IV, 463).

[19] Cf. *La Femme abandonnée.*

[20] Sur ces fiançailles, malgré la liaison de Lucien et de Mme de Sérizy, cf. *Splendeurs et Misères des courtisanes,* V, 719. Une situation analogue est celle de Mme de Beauséant vis à vis du marquis d'Ajuda-Pinto dans *Le Père Goriot* (II, 902).

[21] Dans *Les Secrets,* VI, 63, d'Arthez laisse de même toute la société présente en suspens sur un *mais* : « Jamais aucun des deux personnages auxquels répondait d'Arthez n'avait rien entendu de si fort. Sur ce *mais,* la table entière fut frappée, chacun resta la fourchette en l'air, les yeux fixés alternativement sur le courageux écrivain et sur les assassins de la princesse, en attendant la conclusion dans un horrible silence.
— Mais, dit d'Arthez avec une moqueuse légèreté, [...] »

[22] Cf. *La Maison Nucingen,* V, 607-608, et *Les Secrets,* VI, 15. Il s'agit du groom ramené de Londres par Godefroid de Beaudenord. Ce dernier est appelé par raillerie « feu Beaudenord » depuis sa ruine. Proust évoque longuement, dans *Swann,* « les héritiers des " tigres " de Balzac » attendant leurs maîtres devant l'hôtel de Saint-Euverte (*RTP,* I, 323). Dans un autre passage, il évoque, au Bois, parmi l'équipage de Mme Swann, « un petit groom rappelant le " tigre " de feu Beaudenord » (I, 419).

[23] MADAME, écrit entièrement en majuscules, désigne dans *Les Secrets* (VI, 14, 16, 17, 41) la duchesse de Berry.

[24] Le jargon du baron est imité de celui que Balzac prête à Nucingen et à Schmucke. Cf. *Secrets,* VI, 61. « *C'esde sans titte bir elle que fus néclichez la Jampre* », et *Une Fille d'Eve,* II, 151 sqq., où l'on retrouve les mots ou expressions : *vaudille, baufre, fitte, tuchurs, ma ponhire zera gomblette.*

[25] C'est chez la marquise d'Espard que, dans Balzac, Nucingen veut faire admettre sa femme (les brouillons de ce pastiche sont plus exacts sur ce point, cf. *supra*). Cf. *César Birotteau, Le Père Goriot, L'Interdiction, Le Député d'Arcis.*

[26] Cette allusion à Paul Morand, ajoutée pour l'édition définitive, et répondant surtout à des préoccupations amicales et mondaines, n'en utilise pas moins des formules balzaciennes. Cf. *Les Secrets,* VI, 61 : « deux des plus perfides attachés d'ambassade », et *Une Fille d'Eve,* II, 116 : « Mme d'Espard, l'une des femmes les plus impertinentes de ce temps [...] »

[27] Cf. *Secrets,* VI, 48, à propos de d'Arthez : « il avait froid dans le dos. » Proust relève cette expression comme un signe de vulgarité dans *CSB,* 196.

[28] Cf. *Secrets,* VI, 64 : Mme de Cadignan « souffrait dans son cœur et suait dans sa robe. » Et *Une Fille d'Eve,* II, 83 : « Elles furent jalouses du bonheur de Félix ; elles auraient volontiers donné leurs plus jolies pantoufles pour qu'il lui arrivât malheur. » Proust cite également cette dernière phrase comme un trait de la vulgarité de Balzac, *CSB,* 196.

[29] Cf. *Une Fille d'Eve,* II, 60 : « [...] Un boudoir tendu de ce velours bleu à reflets tendres et chatoyants que l'industrie française n'a su fabriquer

que ces dernières années. » Par ailleurs, Mme Firmiani a « le pied bien mignon » (*Madame Firmiani*, I, 1037).

[30] C'est Mme de Bargeton, née de Nègrepelisse, cf. *Illusions perdues*, notamment IV, 980-981.

[31] Cf. *CSB*, 209, où Proust cite cette expression parmi d'autres pour illustrer l'abus de la qualification chez Balzac .

[32] Raphaël et la Fornarina sont mentionnés dans *Les Secrets*, VI, 25, et dans *Splendeurs et Misères*, V, 699, 717. Cf. également cette phrase des *Secrets* (VI, 21) : « Ah ! les plus grands hommes y ont péri, ajouta la princesse avec un de ces fins sourires que le pinceau de Léonard de Vinci a seul pu rendre. »

[33] Cf. *Secrets*, VI, 38 : « Pour bien comprendre la subite transformation de cet illustre auteur, il faudrait savoir [...] »

[34] C'est ce que fait Nucingen dans *La Maison Nucingen*, V, 651.

[35] Ce paragraphe est une allusion précise à l'intrigue d'*Une Fille d'Eve*. Nathan, journaliste et amant de l'actrice Florine, avait tenté de séduire Mme de Vandenesse, belle-sœur de du Tillet. « La paix à tout prix » est une citation textuelle (II, 168).

[36] Ancien général de l'Empire, cf. *La Paix du ménage*, *Les Paysans*. *La Famille Beauvisage*, mentionnée dans *Le Figaro* seulement, est une des suites apocryphes du *Député d'Arcis* (cf. *supra*, note 7).

[37] Sur la théorie, chère à Balzac, des grands hommes à qui les circonstances favorables ont manqué, cf., dans la dernière lettre de Rubempré à Vautrin (*Splendeurs*, V, 1007), cette phrase que Proust relève dans *CSB*, (204) : « Quand Dieu le veut, ces êtres mystérieux sont Moïse, Attila, Charlemagne, Mahomet ou Napoléon ; mais quand il laisse rouiller au fond de l'océan d'une génération ces instruments gigantesques, ils ne sont plus que Pugatcheff, Robespierre, Louvel et l'abbé Carlos Herrera. » Tous les noms énumérés dans le pastiche sont balzaciens, qu'ils soient fictifs ou empruntés à l'histoire. Berthollet, Spallanzani, Volta sont cités ensemble dans *La Recehrche de l'Absolu*, IX, 518. Biren ou Biron de Courlande est cité dans *Illusions perdues*, IV, 1019.

[38] Pour tout ce paragraphe, cf. *Une Double Famille* et *Une Fille d'Eve*, *passim*.

II

L'AFFAIRE LEMOINE PAR GUSTAVE FLAUBERT

NOTICE

LA PUBLICATION. LES BROUILLONS

Le pastiche de Flaubert forme, avec celui de Sainte-Beuve, la deuxième série publiée par *Le Figaro*, le 14 mars 1908. Il est repris sans changement dans *Pastiches et Mélanges*, mais il passe de la cinquième à la seconde place, sans doute pour être rapproché de celui de Balzac. A la mort de Proust, *Le Figaro* (supplément littéraire) du 26 novembre 1922, reproduisant de larges extraits de l'œuvre du disparu, cite de nouveau intégralement ce pastiche, probablement considéré, et à juste titre, comme le meilleur de tous.

Rappelons d'abord que, quinze ans avant l'Affaire Lemoine, Proust a publié dans *La Revue blanche* de juillet-août 1893, un pastiche de Flaubert, *Mondanité de Bouvard et Pécuchet*, repris dans *Les Plaisirs et les Jours* (pp. 99-108) sous le titre *Mondanité et Mélomanie de Bouvard et Pécuchet*.

Les brouillons et le manuscrit du pastiche Lemoine sont riches d'enseignement sur l'enrichissement progressif et sur le travail du style. Comme pour Balzac, Proust tâtonne avant de trouver son début. Dès les premières lignes du brouillon 1 il a saisi les traits stylistiques fondamentaux qu'il veut mettre en relief : la mise sur le même plan des personnes et des choses, le rythme ternaire, le jeu de l'imparfait et du passé simple. Mais ce début, qui nous place en pleine audience dès les premiers mots, est un peu abrupt. Une autre esquisse du début, qui figure avec le brouillon 3 (f. 18 r°), semble être un second état, plus satisfaisant : la première phrase n'évoque plus que l'atmosphère, le rythme ternaire et amplificatoire se confirme. Dans le brouillon 2, qui fournit le début du texte définitif, Proust opte pour l'atmosphère de « chaleur étouffante » et non plus de fraîcheur ; il fond les trois premières phrases du fragment précédent en une seule, ample et rythmée. Le ton est trouvé.

Deux portraits sont intervertis. Dans le deuxième brouillon, la description de l'avocat de Werner passe au président ; mais l'avocat conserve néanmoins ses attitudes serviles, et gagne quelques traits d'éloquence. Le public, qui tout d'abord ne se manifestait qu'à la fin du texte, pour rêver de richesse, apparaît dans ce brouillon dès le début avec quelques-unes de ses figures caractéristiques : le réactionnaire, la dame au perroquet, une petite fille curieuse, les farceurs, un monsieur susceptible et les femmes rieuses ; mais tous sont évoqués très brièvement, au détour d'une phrase. Dans le texte définitif la scène s'enrichira du nègre, de l'ecclésiastique, de la douairière, tandis que la petite fille sera remplacée par deux jeunes gens persifleurs. Le discours de l'avocat de Werner, d'abord simple prétexte à courbettes et à nuages de poussière, est traité dans le brouillon 2 avec plus de majesté, et la sentimentalité s'y introduit, grâce au personnage de Nathalie. La description de la salle d'audience passe de deux lignes dans le brouillon 1 à sept dans le brouillon 2, puis à huit dans le texte définitif, avec apparition d'abord des détails réalistes, puis des traits comiques,

L'évocation des rêveries des spectateurs demande à Proust une longue recherche : il lui faut choisir parmi les trop nombreuses suggestions qui se présentent. Le thème de la vie sociale et de l'ambition semble éveiller tout de suite chez lui une sorte de fièvre, et ses bourgeois se voient pourvus en un instant de la légion d'honneur, d'un hôtel aux Champs-Elysées, d'un fauteuil à l'Académie, d'un yacht les conduisant aux colonies, à Java, puis au pôle, de milliards gagnés à la Bourse, de la présidence de la République, d'une place au Jockey-Club, des faveurs du pape, de la royauté même. Dans le brouillon 2, l'auteur met de l'ordre dans ce foisonnement et développe certains thèmes (le yacht, la spéculation boursière, les titres du pape). Dans le texte définitif, tous ces rêves sont repris, mais magnifiquement ordonnés en trois paragraphes solidement construits (« Pour les uns... A certains... Mais quelques uns... »), de dimensions croissantes. L'élément comique est largement développé. En revanche, le développement de quelques lignes sur les croisières des Amis des Sciences est biffé sur le manuscrit.

Encore plus élaboré que le reste est le dernier rêve des assistants, celui de la vie à la campagne avec une femme aimée. Il apparaît dans les trois brouillons, donc comme un élément permanent, et, dès le premier, quelques mots-clés sont notés : *caresses, défaillir,* ainsi que la dernière ligne qui ne variera pas, à trois mots près. Le brouillon 3 présente une série d'essais de phrases sur le bord de mer et la grappe de fleurs violettes, images dont la dernière, nous le verrons, possède chez Proust une véritable force obsessionnelle.

Nous constatons que l'élaboration de ce pastiche, à la différence de ce qui s'est passé pour Balzac, se fait moins par adjonction d'éléments nouveaux sans rapport avec le schéma initial, que par une meilleure intégration des éléments primitifs à l'ensemble. L'article est ordonné suivant un plan (la salle — les discours — les rêves des assistants) et selon une progression (du matériel au psychologique) ; les thèmes sont en nombre assez restreint et ils sont mis en œuvre plus pour le pastiche lui-même que pour leur référence aux œuvres de Flaubert. Dans le Balzac, le pasticheur pratiquait avant tout un système de références vers l'extérieur (vers les nombreux romans et personnages de *La Comédie humaine*). Le Flaubert forme un tout qui pourrait se suffire à lui-même. Les références sont beaucoup moins anecdotiques, et beaucoup plus de l'ordre de la vision esthétique et du style. Le comique apparaît surtout dans l'état définitif (c'était aussi le cas pour Balzac) : il y a donc une progression de l'attitude mimétique vers une attitude plus créatrice.

LES MODÈLES

Le cadre même du tribunal ne paraît pas emprunté à Flaubert. Proust a vraisemblablement fait appel à quelques souvenirs personnels, puisqu'il a assisté à des audiences de l'affaire Dreyfus. Dans *Jean Santeuil* (II, 116-117), il fait des juges des portraits peu flatteurs, raillant leur « tête spéciale » où l'intelligence n'est guère apparente, et leur air somnolent. Une source littéraire paraît également possible : le *Journal* des Goncourt qui, à la date du 26 juin 1860, relate une audience du tribunal correctionnel de Bar-sur-Seine, à laquelle les deux frères ont assisté. On trouve dans cette page une description satirique de la salle, du président, d'un avocat à l'air chafouin ; il y a aussi une araignée au plafond, et l'on assiste à une suspension d'audience. Proust pourrait avoir emprunté là un canevas et diverses indications.

Les allusions à l'œuvre de Flaubert sont plus diffuses que dans le cas de Balzac. Parfois, l'on peut rapporter un trait à un personnage précis : ainsi le personnage laid, qui est d'abord avocat, puis président, ressemble assez à l'abbé Bournisien de *Madame Bovary* (voir notes 1 et 3), le nègre et le perroquet sont empruntés à *Un Cœur simple* (cf. note 4), plusieurs personnages de *Madame Bovary* sont décrits courbés dans des révérences (cf. note 5). Les rêves absurdes de voyages lointains se trouvent en particulier dans *L'Education sentimentale* (cf. note 11). Les rêves d'amour à la campagne, les bateaux au bord de la mer, viennent de *Madame Bovary* (cf. note 14). Quant aux thèmes de l'eau fuyante, des fleurs qui descendent jusqu'à son cours, des teintes violettes, ils sont particulièrement fréquents chez Flaubert : ainsi la rivière qui baigne le jardin de Charles Bovary, les bords de la Seine à Nogent, sont associés aux promenades sentimentales et aux rêveries. Nous lisons dans *Madame Bovary*, lors de la promenade de l'héroïne avec Léon :

> [...] la berge plus élargie découvrait jusqu'à leur base les murs des jardins [...] Dans les briques, des ravenelles avaient poussé, et, du bord de son ombrelle déployée, madame Bovary, tout en passant, faisait s'égrener en poussière jaune un peu de leurs fleurs flétries,

ou bien quelque branche des chevrefeuilles et des clématites qui pendaient au dehors traînait un moment sur la soie, en s'accrochant aux effilés. (Ed. *Pléiade*, 2ᵉ partie, III, 411.)

Et dans *L'Education sentimentale*, lorsque Frédéric marche auprès de Louise :

> Des touffes de roseaux et des joncs bordent [la Seine] inégalement ; toutes sortes de plantes venues là s'épanouissaient en boutons d'or, laissaient pendre des grappes jaunes, dressaient des quenouilles de fleurs amarantes, faisaient au hasard des fusées vertes. (2ᵉ partie, V, 280.)

D'autres allusions sont plus vagues : notations d'atmosphère, de bruits de cloches, d'émois féminins, évocations d'oiseaux. Enfin, surtout à la fin du pastiche, apparaissent des détails empruntés par Proust à sa propre époque ; les rêves des spectateurs se confondent avec ceux qu'auraient pu avoir ses contemporains : présidence de la République, entrée au Jockey, etc. Le capitonnage de liège est un propre rêve de Proust depuis son installation boulevard Haussmann en 1906 ; il deviendra réalité en 1910.

L'ART DU PASTICHE

Bien qu'il emprunte peu de situations précises aux romans de Flaubert, Proust utilise quelques uns de ses grands thèmes : la vision « réaliste » des choses et des gens, qui accuse volontiers la laideur et la sottise, les notations d'atmosphère, le vague d'une sensibilité féminine « à la Bovary », les rêveries d'amour romantique, les rêves de grandeur des faibles et des niais.

C'est par-dessus tout le « style » de Flaubert qui est imité, si l'on définit avec Proust le style comme « la marque de la transformation que la pensée de l'écrivain fait subir à la réalité » (*CSB*, 207). Les textes de critique analytique de Proust nous fournissent une précieuse possibilité de comparaison avec le pastiche. *Contre Sainte-Beuve* n'entre pas dans les détails du style de Flaubert, mais, le comparant à celui de Balzac, il va droit à l'essentiel :

> Dans le style de Flaubert, par exemple, toutes les parties de la réalité sont converties en une même substance, aux vastes surfaces, d'un miroitement monotone. Aucune impureté n'est restée. Les surfaces sont devenues réfléchissantes. Toutes les choses s'y peignent, mais par reflet, sans en altérer la substance homogène. Tout ce qui était différent a été converti et absorbé. (p. 207)

Les détails de cette technique sont donnés dans *A propos du « style » de Flaubert* (cf. *Chr.*, 193-211) et dans *Pour un ami* (*Revue de Paris* du 15 novembre 1920, p. 270 sqq, devenu la préface à *Tendres stocks*, de Paul Morand), parfois dans la correspondance de la même époque. Rapprochés du pastiche, ils nous montrent que ce dernier repose bien sur une intelligence en profondeur de l'art du modèle.

La prose de Flaubert se déroule selon un rythme de phrase qui est souvent ternaire. Proust adopte systématiquement cette disposition dès le début du premier brouillon : « L'avocat général parlait depuis le début de l'audience, l'atmosphère devenait irrespirable, trois heures sonnèrent. » Très souvent, ce rythme de base est obtenu par l'antéposition d'un complément circonstanciel ou d'un groupe participial : « d'autres personnes, ne sachant pas si le journal arriverait jusqu'à elles, cherchaient une contenance ». Il est fréquemment élargi, au moment où le troisième groupe rythmique arrive à sa fin, par un rebondissement sur un *et*, un *tandis que* ou une conjonction équivalente, ayant perdu tout son sens temporel et n'étant plus qu'« un de ces artifices assez naïfs qu'emploient tous les grands descriptifs dont la phrase serait trop longue et qui ne veulent pas cependant séparer les parties du tableau » (*Chr.*, 200-201).

Ce style reçoit une forte cohésion de l'usage très abondant de la liaison thématique, « formule qui met en œuvre le rappel d'un terme précédent, et à une place telle qu'une continuité et une unité s'imposent à l'attention » (Cressot, *Le Style et ses Techniques*, p. 200). Il ne s'agit pas seulement de la reprise banale d'un pronom sujet au début d'une phrase, mais de tours plus unifiants, comme la reprise par des pronoms compléments, des démonstratifs ou des possessifs, surtout quand les groupes réunis tendraient, pour le sens, à diverger (développement nouveau, antithèse, fait inattendu) : « [...] il attesta les portraits des présidents Grévy et Carnot [...] ; et chacun, ayant levé la tête, constata que la moisissure les avait gagnés [...] ». Il peut en naître un effet comique, comme dans la phrase sur le perroquet.

Proust cite à plusieurs reprises dans ses articles la phrase que Flaubert préférait entre toutes : « Les vices d'Alexandre étaient extrêmes comme ses vertus ; il était terrible dans la colère ; elle le rendait cruel » (Montesquieu). Elle unit précisément le ternaire et la liaison thématique. La répétition de ces schémas rythmiques et grammaticaux donne une continuité et une homogénéité compacte au style. La disposition des périodes, massives et amples, évoque pour Proust l'art de Courbet et celui de Bossuet :

> C'est un peu lourd mais depuis cent ans toute innovation littéraire a été dans un sens un peu vulgaire, aux yeux des contemporains. Et il faut savoir gré à Flaubert, en instaurant une sorte de prose à la Courbet, d'avoir maintenu malgré cela la tradition de Bossuet. (A Léon Daudet, *LR*, n° 55, p. 141, [vers avril ? 1920].)

Mais ce n'est pas tout : Flaubert impose au discours un type de phrase et de période, mais il traite aussi la pâte même de ce discours. Il a un emploi à lui des temps verbaux : son « éternel imparfait » ne décrit pas seulement les situations stables, mais les actions des hommes, de sorte que Proust peut dire que, grâce à cet emploi, « *L'Education sentimentale* est un long rapport de toute une vie, sans que les personnages prennent pour ainsi dire une part active à l'action » (*Chr.*, 199) ; « cet imparfait [...] change entièrement l'aspect des choses et des êtres, comme font une lampe

qu'on a déplacée, l'arrivée dans une maison nouvelle » (*Ibid.*, 198-199).
Le pastiche illustre cet emploi : « les malins se plaignaient à haute voix du
manque d'air [...] ; d'autres personnes cherchaient une contenance [...]
Déjà les farceurs commençaient à s'interpeller [...] Les femmes [...]
s'étouffaient de rire [...] L'avocat de Werner commençait sa plaidoierie [...]
Nathalie ressentait ce trouble [...] etc. ». Le point de vue « sécant »
donné par l'imparfait, au lieu du point de vue enveloppant du passé simple,
fait participer les actions humaines au milieu ambiant, comme si elles se
fondaient en lui. Il en est de même des paroles et des pensées, grâce à
l'emploi du discours indirect libre : « Pourquoi n'avait-il pas dit vrai,
fabriqué du diamant, divulgué son intention ? [...] Pour les uns, c'était
l'abandon de leurs affaires [...] A certains, les millions ne suffisaient pas
[...] » Proust a remarqué aussi que Flaubert tirait des effets de l'emploi,
dans un récit au passé, du présent de généralité (*Chr.*, 199). Il l'imite sur
ce point aussi : « Et ses périodes se succédaient comme les eaux d'une
cascade, comme un ruban qu'on déroule » ; « [son discours] ne se distinguait plus du silence, comme une cloche dont la vibration persiste, comme
un écho qui s'affaiblit » ; « la batiste de son corsage se soulevait [...]
comme le plumage d'un pigeon qui va s'envoler ».

Un autre procédé de nivellement des choses et des gens consiste à
placer des noms de choses comme sujets des verbes d'action, et les noms
de personnes comme compléments (cf. *Chr.*, 196-197) : « ses favoris [...]
donnaient à sa personne [...] » ; « la moisissure les avait gagnés » ; « cette
salle [...] exhibait nos gloires » ; « une douceur l'envahit » ; « les gestes de
colère [...] le désignèrent ». Le même résultat est obtenu par les constructions verbales qui présentent les actions du point de vue du patient :
le passif et le pronominal : « les fenêtres ayant été fermées sur l'ordre du
président, une odeur de poussière se répandit » ; « la suspension d'audience
se prolongeait, des intimités s'ébauchèrent » ; « un silence s'établit » ;
« ses périodes se succédaient » ; « des bancs s'alignaient » ; « son cœur
s'étant soulevé », etc. : l'impression générale est que tous les êtres de la
création forment un milieu homogène et vivent en circuit fermé.

L'entreprise de transformation du donné en un matériau dépersonnalisé
se révèle encore dans l'emploi des articles indéfinis devant les noms
abstraits ; au lieu de présenter l'abstraction dans toute sa généralité
(« l'intimité »), ou appliquée à des cas particuliers (« l'intimité de X et de
Y »), on la présente comme un quelconque de ses aspects (ou plusieurs) :
« des intimités », « un silence », « une douceur », etc. L'emploi des pronoms
neutres va aussi dans le même sens : « ce qu'on pleure », « à quoi bon [...] »,
« que peut bien faire le pape ? », etc.

Peut-on citer encore l'entreprise de transformation du langage au niveau
des sonorités et de la valeur du rythmique des mots ? Proust, comme son
modèle, recherche les associations euphoniques (cf. la phrase qui lui
demande nombreuses retouches : « Par moment, la monotonie de son

discours était telle [...] comme un écho qui s'affaiblit », ou les dernières lignes du pastiche) ; il aime achever, comme lui, les groupes rythmiques et les phrases sur des sonorités consonantiques.

Ainsi, il montre par l'exemple comment, chez Flaubert, le donné est d'abord comme broyé, concassé, puis fondu et disposé de nouveau comme une matière recréée. Sans grâce et monotone, certes, mais exprimant avec force une vision particulière du monde :

> Et il n'est pas possible à quiconque est un jour monté sur ce grand *Trottoir Roulant* que sont les pages de Flaubert, au défilement continu, monotone, morne, indéfini, de méconnaître qu'elles sont sans précédent dans la littérature. (*Chr.*, 194.)

C'est à propos de ce modèle que Proust a le plus clairement proclamé « la vertu purgative, exorcisante du pastiche », parce que, à coup sûr (de nombreuses phrases de *Jean Santeuil* en sont la preuve), il se sentait tenté de céder à son « intoxication ». Le comique libérateur trouve un excellent prétexte dans l'excès d'application de Flaubert qui aboutit, lorsque le sujet abordé est mince, à la grandiloquence ; une note des *Carnets,* citée dans *Le Figaro* du 25 novembre 1939, nous montre que Proust avait été frappé par cette discordance :

> Depuis quarante ans, littérature dominée par contraste entre la gravité de l'expression et la frivolité de la chose dite (issue de *Mme Bovary*).

C'est sur cette constatation qu'il fonde ses effets. La mise en œuvre des procédés dépasse de loin la matière futile du contenu : la pompe oratoire s'accorde mal, par exemple, avec l'anecdote du nègre ou celle du perroquet. D'autres fois, les éléments que le style veut fondre sont manifestement hétérogènes : « Il avait débuté sur un ton d'emphase, parla deux heures, semblait dyspeptique » ; « qui exhibait nos gloires et sentait le renfermé » ; « faisait appel aux passions généreuses, ôtait à tout moment son lorgnon », etc.

LE DESTIN DES FLEURS VIOLETTES

L'un des thèmes anecdotiques de Flaubert, celui des grappes de fleurs violettes, dont nous avons montré les origines, se retrouve non seulement dans le pastiche, mais à maintes reprises dans l'œuvre de Proust. D'abord dans *Contre Sainte-Beuve* (p. 84) :

> Ainsi chacun de mes étés eut le visage, la forme d'un être et la forme d'un pays, plutôt la forme d'un même rêve qui était le désir d'un être et d'un pays que je mêlais vite ; des quenouilles de fleurs rouges et bleues dépassant d'un mur ensoleillé, avec des feuilles luisantes d'humidité, étaient la signature à quoi étaient reconnaissables tous mes désirs de nature, une année [...]

Puis dans *Swann* :

> C'est ainsi que pendant deux étés, dans la chaleur du jardin de
> Combray, j'ai eu, à cause du livre que je lisais alors, la nostalgie
> d'un pays montueux et fluviatile, où je verrais beaucoup de scieries
> et où, au fond de l'eau claire, des morceaux de bois pourrissaient
> sous des touffes de cresson : non loin montaient le long des murs
> bas des grappes de fleurs violettes et rougeâtres. Et comme le
> rêve d'une femme qui m'aurait aimé était toujours présent à ma
> pensée, ces étés-là ce rêve fut imprégné de la fraîcheur des eaux
> courantes ; et quelle que fût la femme que j'évoquais, des grappes
> de fleurs violettes et rougeâtres s'élevaient aussitôt de chaque côté
> d'elle comme des couleurs complémentaires. (*RTP*, I, 86.)
>
> Puis il arriva que sur le côté de Guermantes je passai parfois
> devant de petits enclos humides où montaient des grappes de fleurs
> sombres. Je m'arrêtais, croyant acquérir une notion précieuse, car
> il me semblait avoir sous les yeux un fragment de cette région
> fluviatile que je désirais tant connaître depuis que je l'avais vue décrite
> par un de mes écrivains préférés [...] Je rêvais que Mme de Guer-
> mantes m'y faisait venir, éprise pour moi d'un soudain caprice ;
> tout le jour elle y pêchait la truite avec moi. Et le soir, me tenant par
> la main, en passant devant les petits jardins de ses vassaux, elle me
> montrait, le long des murs bas, les fleurs qui y appuient leurs que-
> nouilles violettes et rouges et m'apprenait leurs noms. (*Ibid.*, I, 172.)

Et sous forme d'une allusion, dans *Le Côté de Guermantes* :

> [...] cette terre torrentueuse où la duchesse m'apprenait à pêcher
> la truite et à connaître le nom des fleurs aux grappes violettes et
> rougeâtres qui décoraient les murs bas des enclos environnants. (*Ibid.*,
> II, 13.)

Il semble bien que l'*écrivain préféré* de la deuxième citation soit
Flaubert, ainsi que nous l'avons montré. Cependant, une ébauche de
Swann (*Un des premiers états de « Swann »*, publié dans *La Table ronde*,
n° 2, avril 1945, pp. 5-33) contient, à propos de ces fleurs, une allusion
explicite, quoique hésitante, à Balzac et au *Lys dans la vallée* :

> D'autre part, certains romans que je lisais alors, peut-être le *Lys
> dans la vallée*, mais je n'en suis pas sûr, me donnaient un grand
> amour pour certaines fleurs en quenouille, dépassant verticalement
> de leur grappe aux sombres couleurs un chemin fleuri. Que de fois je
> les cherchais du côté de Guermantes, m'arrêtant devant quelque
> digitale, laissant mes parents me dépasser, disparaître à un coude
> de la Vivette pour que rien ne trouble ma pensée, me redisant la
> phrase aimée, me demandant si c'était bien cela qu'avait dépeint le
> romancier, cherchant à identifier au paysage lu le paysage contem-
> plé pour lui donner la dignité que déjà la littérature conférait pour
> moi à la réalité en me manifestant son essence et m'enseignant sa
> beauté.

Nous n'avons pas retrouvé dans le roman balzacien ces « fleurs en
quenouille », alors qu'elles figurent clairement dans *L'Education sentimen-*

tale. Néanmoins, un passage important du *Lys dans la vallée* (éd. de la Pléiade, t. VIII, pp. 855-859) est celui des bouquets composés par Félix pour déclarer son amour à Mme de Mortsauf : les fleurs choisies à cet effet sont bleues et blanches, et le message est parfaitement compris : « L'amour a son blason, et la comtesse le déchiffra secrètement ». Il semblerait donc que fusionnent dans l'esprit de Proust des souvenirs convergents de lectures distinctes, tendant à associer à la sentimentalité amoureuse les paysages aquatiques (pensons à la place de l'Indre dans *Le Lys*) et les fleurs bleues ou violettes, de préférence en grappes ou en quenouilles. L'intérêt essentiel du « *premier état* » de *Swann* cité plus haut ne réside d'ailleurs pas dans l'allusion incertaine au roman de Balzac, mais dans l'utilisation reconnue d'un matériau déjà littéraire, dans la confusion sciemment entretenue de la vie réelle du futur écrivain et de ses souvenirs de lectures (« identifier au paysage lu le paysage contemplé »), pour conférer à la vie une dignité esthétique tirée de la littérature. Nous montrerons également, dans la notice consacrée au pastiche de Henri de Régnier, que Proust a pu trouver un antécédent à *Du côté de chez Swann*, et probablement des éléments de son inspiration, dans *Le Trèfle blanc*, dans la mesure où ce récit coïncidait avec son expérience personnelle (cf. *infra*, p. 134).

En tout cas, le thème des fleurs violettes en grappes, qu'il soit totalement emprunté ou partiellement spontané, a quelque chose d'obsessionnel chez Proust. Nous ne pouvons qu'évoquer à cette occasion sa prédilection pour la couleur violette ou mauve, souvent associée à l'érotisme : qu'on songe à la découverte du plaisir dans le cabinet sentant l'iris, devant la fenêtre ornée par les branches d'un lilas ; aux catleyas d'Odette, à ses toilettes mauves, à la cravate mauve portée par Mme de Guermantes lorsque le Narrateur la voit pour la première fois et tombe amoureux d'elle. (Cf. sur ce sujet : Michel Butor, *Les Œuvres d'art imaginaires chez Proust*, in *Répertoire* II, p. 286 ; et Ninette Bailey, *Symbolisme et Composition dans l'œuvre de Proust, Essai de « lecture colorée » de RTP*, in *French Studies*, 3, July 1966, pp. 254-257.)

NOTE SUR LE TEXTE

L'état définitif est représenté par l'article du *Figaro* (supplément litté-raire) du 14 mars 1908, portant le numéro V, et par le pastiche n° II de *Pastiches et Mélanges*.

La Bibliothèque Nationale possède dans le « *Ms aut.* » des brouillons, numérotés par feuillets de 14 à 19, et 28-29, et le manuscrit définitif (feuillets 30 à 34). Elle possède également une coupure du *Figaro* (sur laquelle figurent deux corrections minimes, l'une portant sur le numéro du pastiche, l'autre sur une erreur typographique) préparée pour l'édition en volume, et un placard de cette édition, avec deux corrections purement typographiques.

Ce pastiche, très élaboré dès sa première publication, n'a donc subi aucun remaniement en 1919.

LES BROUILLONS

Les feuillets 14 à 19 sont du même papier à lettres que les brouillons du pastiche de Balzac.

Brouillon 1 : feuille double (f. 14 et 15) écrite dans l'ordre 14 r°, 15 r° ; 14 v° reste en blanc et 15 v° est occupé, dans le sens inverse, par une tête de femme desinée à la plume. Une deuxième feuille double (f. 16 et 17) fait suite, dans l'ordre 16 r°, 17 r°, les deux versos restant en blanc.

Brouillon 2 : il se compose de quatre feuilles doubles de grand format 20,5 × 31 cm, commencées d'une belle écriture autographe, puis abon-damment raturées par la suite. Ces feuilles constituent les ff. 28, 29, 29 bis et 29 ter du « *Ms. Aut.* » ; elles sont écrites au recto seulement, avec cependant, sur f. 29 v° retourné, une ligne appartenant au pastiche de Renan : « jaillissante, quelquefois d'une simple ondée. Dans *un* celui de ces petits poèmes ».

Brouillon 3 : petite feuille double (f. 18 et 19). F. 18 r° porte cinq lignes de belle écriture, sans rature, correspondant au début du pastiche : elles pourraient être une ébauche abandonnée, antérieure au brouillon 2, puisque ce dernier, comme le manuscrit définitif, reprend les thèmes des tourterelles et de la sonnerie ; le bas de la page est occupé par des dessins à la plume (un personnage coiffé d'un haut bonnet, deux arbres, une mai-son.) 18 v° et 19 r° restent en blanc. Sur 19 v°, dans le sens de la hauteur, d'abord occupé par l'inscription incomplète : « Nicolas est ven [?] », on trouve de nombreux griffonnages superposés, concernant les dernières phrases du pastiche. C'est là qu'on voit apparaître pour la première fois des thèmes comme la venue des brouillards et surtout les grappes de fleurs violettes.

LE MANUSCRIT

Cinq feuillets (un double, puis trois simples) numérotés par la Bibliothèque Nationale de 30 à 34, et de format 36 × 23 cm, le constituent. Il est écrit de la main de Proust jusqu'au bas du 31 r°, sauf les deux dernières lignes, et la suite est d'une autre écriture, calligraphiée, tandis que les ratures et les additions sont de Proust. 33 r°, comportant un long passage rayé et refait par l'auteur, est entièrement repris par le copiste, sans corrections, sur 34 r°. Tous ces feuillets ont été numérotés en haut de page par Proust, de 1 à 4, en doublant ce dernier numéro pour la page recopiée.

Plusieurs différences légères existant entre l'état définitif du *Ms.* et *Fig.* donnent à penser qu'il y a eu une étape intermédiaire, qui pourrait être une nouvelle copie de *Ms.* ou, plus probablement, des corrections sur épreuves du *Figaro*.

Nous reproduisons intégralement les brouillons, mais donnerons le manuscrit sous forme de variantes au bas du texte définitif ; pour la page recopiée, nous nous référons au premier état, de façon à faire apparaître le travail de mise au point de l'auteur.

BROUILLONS

BROUILLON 1

[**f. 14 r⁰**] L'avocat général *parlait depuis deux heures* | s *semblait ne plus* devoir | **I** parlait depuis le début de l'audience | l'atmosphère devenait irrespirable, *qu* trois heures sonnèrent : un pigeon *qui inclinait faisait palpiter* sur le rebord de la fenêtre s'envola ; et par moments un juge, levant sa manche noire *essuya du* essuyait ses yeux comme pour mieux *écouter* | i comprendre | . Puis l'avocat général *s'étant assis* | i ayant demandé à se reposer |, un silence se fit et les conversations particulières recommencèrent de banc à banc, quand une sonnette tinta, *le pré* | s une main frappa sur un pupitre | l'avocat de Werner avait une *mot à* requête à adresser. Il était petit, [**f. 15 r⁰**] *avec* | s *avait avait* | une *figure* | **s1** avec une figure *assez régulière* / **s2** hépatique et *malpropre* / **s3** mal *lavée* poilue / **s1** et se [illisible] sans cesse devant eux [2 ou 3 mots illisibles] quelque chose dans toute sa personne de décoratif et de *fripé* [?] / **s2** sérieux [?] /| **lp** peureuse | i et avait | un grand *mouchoir sale* ¹ *qu'il avait perpétuellement à la main,* | s énorme mouchoir taché de bile | **lp** et à tout *moment,* | i propos | interpellant « Monsieur le Président » il se tournait vers lui avec une inclinaison si profonde de tout le corps qu'on croyait à chaque fois qu'il allait + tomber. Il avait la mine + *insidieuse* | i *sale* arrogante et | retorse *et craintive,* une éloquence de commis-voyageur, des prétentions au latin ² ; et à tout moment interpellant etc. Parlant de l'accusé il parut ne pas pouvoir se contenir, et frappa *sur* sur la table qui était devant lui un coup si fort *qu'un* | sc que | *nuage de* | s de la | poussière s'envola, faisant éternuer le greffier *et* | s et |, montant comme un nuage *sous* vers la statue de la République et le portrait du pr. [**f. 16 r⁰**] Carnot dans cette salle officielle et nauséabonde, qui exibait [sic] nos gloires et sentait le renfermé. Alors ce ce fut le tour de Lemoine et tout de suite l'assistance s'émut, *et* les yeux des hommes se dilataient aux feux des diamants qu'ils croyaient *voir* | s manier. | + + + *Chacun* | s Tous | se *croyait* | sc croyaient | riches, si Lemoine avait dit vrai ; les uns auraient *eu le* | sc la | *pouvoir* | s légion d'honneur | *un appartement* | **s1** *hôtel de l'influence* un fauteuil / **s2** de l'influence *à l'Académie* / à l'Académie | **I1** *des maisons* / **I2** une maison de rapport / *aux Chps-Elysées* / **I2** avoisinant les Chps-Elysées / **lp** aux Champs-Elysées, *un* | i un | yacht qui les aurait *emmenés aux colonies* | i à Java | ; | i à | d'autres les millions ne suffiraient pas, ils | s les | auraient joués à la bourse, seraient devenus milliardaires, présidents de la République, | **s1** *membres du Jockey* | **s2** brasseurs [?] d'affaires | *princes* [?] du pape | s se seraient peut-être faits [sic] — | **I** pourquoi pas — élire rois | **lp** et d'autres | s semblant près de défaillir | pensaient seulement à une femme dont ils auraient pu connaître les caresses, | **i1** dans *leur* / **i2** une / simple *chambre* / **i2** chambre en bois blanc / à la campagne, *au* devant un jardin orné de boules de métal | **lp** semblaient [**f. 17 r°**] près de défaillir. Tous tendaient vers le poing vers *cet homme* | **s** l'accusé | comme s'il les avait frustrés *d'un bonheur* de la gloire, du *divertissement* la débauche, *chacun du* | **s** *un* | *rêve particulier* | **s** *inavoué* | *particulier,* bizarre secret + *qu'il n'avait* de ce que chacun recelait de profond et de doux dans la niaiserie particulière de son rêve.

BROUILLON 2

[**f. 28 r°**] La chaleur devenait étouffante, une cloche tinta, *deux* | **sc** des | *pigeons* | **s** tourterelles | s'envolèrent et les fenêtres ayant été fermées sur l'ordre du Président une odeur de poussière se répandit. Il était *petit* | **s** grand | avait une figure majestueuse, une robe trop étroite pour sa corpulence, des prétentions au latin ; et ses favoris égaux qu'un reste de tabac avait salis donnaient à toute sa personne quelque chose de décoratif et de vulgaire. Comme la suspension d'audience se prolongeait, des intimités *s'ébauchaient,* | **sc** s'ébauchèrent | **s** Certains tirèrent leur montre, et quelqu'un ayant *reconnu* assuré reconnaître le ministre de l'intérieur dans un monsieur qui venait d'entrer, un réactionnaire dit pauvre France. Déjà | *des* | **sc** *les* | bonbons commençaient à circuler, | **s1** *des oranges furent épluchées* | **s2** on sortit des oranges de leur sac [?] |, une dame enleva son chapeau. Un perroquet le surmontait, sans qu'on sut [sic] si c'était | **s** en souvenir d' | une bête *autrefois* aimée, ou par goût excentrique. | **s** Et une petite fille qui ne le quittait pas des yeux aurait voulu demander la permission de le toucher | Bientôt les farceurs commencèrent à s'interpeller à mi-voix d'un banc à l'autre, | **s1** *un monsieur* / **s2** *un vieillard* / *susceptible s'offensa* un *vieillard susceptible* mauvais coucher s'offensa | et les femmes regardant leur mari s'étouffaient de rire dans *un* | **s** *leur* | **I** un | mouchoir, quand un silence s'établit, le président parut s'absorber *dans un sommeil* | **s** pour dormir |, l'avocat de Werner *avait co s'était levé pour* | **s** prononçait | sa plaidoirie. *Comme elle* Il avait débuté sur un ton pathétique | **i** , parla deux heures, | et chaque fois qu'il disait « Monsieur le Président » *faisait* s'effondrait dans une révérence si profonde qu'on aurait dit une jeune fille *au bal* devant une douairière, un prêtre quittant l'autel. Il fut terrible pour *l'accusé* | **s** Lemoine | mais l'élégance des formules atténuait *l'atrocité* | **sc** la | **s** *dureté* | **I** âpreté de son discours | *des accusations* | **s** du réquisitoire. | Par moments la monotonie de *son discours* | **s** son *dis* | **I** sa *parole* parole | était telle qu'*on ne savait plus si on l'entendait, on ne pouvait plus* | **i** *hésitait à* | *le distinguer du silence* | **s1** *il* / **sc** *elle* / **s2** il / se distinguait à peine du silence |, **lp** comme une cloche dont la [**f. 29 r°**] vibration se prolonge, comme un écho qui s'affaiblit. En l'écoutant Nathalie ressentait ce trouble que procure l'éloquence ; | **s** une douceur l'envahit, | et, son cœur s'étant soulevé, la baptiste de son corsage palpitait, comme les herbes au bord d'une fontaine prête à sourdre, comme le plumage d'un pigeon qui va s'envoler. Pour finir il attesta les portraits des Présidents Grévy et Carnot. *Chacun leva* placés au dessus du tribunal ; *chacun leva* et chacun ayant levé la tête constata que la moisissure les avait gagnés dans cette salle officielle et

malpropre, qui exibait [sic] nos gloires et sentait le renfermé. Une large
baie *vitrée* | i cintrée | la divisait par le milieu, des bancs *sans dossiers
la traversaient des fenêtres au mur jusqu'au pied du tribunal* | s s'y succé-
daient jusqu'au pied du tribunal, | et on était obligé de l'aérer souvent à
cause du voisinage du calorifère, *et* | i quelquefois | d'une odeur plus
nauséabonde. Enfin le Président fit un signe, un murmure s'éleva, deux
parapluies tombèrent, on venait d'introduire l'accusé. Tout de suite *des*
| sc les | gestes de colère | s1 *des /* s2 *de tous les /* sc des / assistants |
le désignèrent ; *tous les assistants s'irritaient à la vue de cet homme* pourquoi n'avait-il pas dit vrai, *sa découverte leur aurait croyaient-ils, aurait
fait le plus pauvre ne leur avait-il pas appris à fabriquer du diamant.* | s
fabriqué vraiment des pierres précieuses, *trouvé ce secret, fait une décou-
verte réelle,* divulgué son invention. | **lp** *Tous* | s Chacun | et jusqu'au
plus pauvre *il leur eut* [sic] *donné* | s1 auraient su *en tirer — ils le croyaient
—* / s2 c'était certain // s3 *ils en étaient certains //* en tirer / | **lp** des
millions. *Chacun savait ce* | s *l'usage* | **I** Songeant à l'usage | qu'*il* |
sc ils | *en aurait* fait | s1 d'eux | s2 Et songeant à l'usage qu'il aurait fait
d'eux | **lp** *bien plus croyaient* | s1 *s'imaginaient* | les *posséder,* | s2 Et
songeant à l'usage qu'il aurait fait d'eux, il s'imaginait les manier |, **lp** dans
la violence du regret *qui fait croire qu'on tient encore* | s où l'on croit
posséder | ce qu'on pleure. Et tous *revivaient* | sc revécurent | s1 se
souvenant d'avoir entrevu / s2 *possédé* / la fortune à l'annonce de la / **I**
découverte / | **lp** les rêves qu'ils avaient formés, *quand ils avaient cru à*
| s en entrevoyant la fortune à l'annonce de | **lp** la découverte | s ils
avaient entrevu la fortune |, avant d'avoir dépisté l'escroq [sic]. |
s ils revirent les *rêves* | Pour *beaucoup* | s *quelques uns* | **I** *certains* les
uns | **lp** c'était l'abandon de leurs affaires, un *appartement* | s hôtel |
Avenue du Bois, de l'influence à l'Académie, et même un yacht qui les
aurait mené l'été dans des pays froids, pas au pôle pourtant qui est curieux
mais où la nourriture *est grossière* | s *sent* | **lp** *sent l'huile* | i est graisseuse
| **S** sent *l'huile* l'huile, et | **lp** *la* | sc le | *nuit* | i jour de 24 heures | **S**
est | **lp** *trop claire pour bien* | i doit *empêcher de* | **S** être gênant pour |
lp dormir. Et puis [**f. 29 bis rº**] Comment se garer des ours blancs ? *L'hiver*
| s *pour rentrer dans ses frais* | on *l'aurait loué à un* | i *quelque* | **S** un
| *richissime américain* | s *Pour rentrer* |, *plutôt à une naïve douairière.
Il y en a qui paient toute chose dix fois son prix, par dédain de grande
dame, absence de sens pratique, ou ostentation. Et l'on aurait pu alors* |
s alors | *embarquer* | s *embarquer* | *à bord d'un bateau des « Amis des
Sciences ». La nourriture y est mangeable des millionnaires le font bien.* |
i [entre les lignes précédentes, à partir de *richissime américain*] richissime
américain, à quelque *naïve* douairière qui l'aurait payé dix fois son prix
par dédain + + de l'argent, absence de sens pratique ou ostentation.
Ainsi on serait rentré dans ses frais et au-delà. Avec le surplus on aurait pu
s'embarquer / s1 *pendant embarquer //* s2 s'embarquer // **I1** *sur une des
croisières //* **I2** sur un des bateaux // *des amis des sciences. Pendant* Les
croisières des « Amis des Sciences », aussi sont commodes | **lp** la nourriture
y | i y | est mangeable, le prix des cabines modéré, l'expédition *organisée*
| s s'organise | d'avance sans qu'on ait à s'occuper de rien, *les* conférences

faites par un | s un élève de l'école normale fait | **I1** les prospectus
garantissent / **I2** le garantissent / des causeries [illisible] | **lp** élève de
l'école normale, et tout finit par un naufrage. A *d'autres* | s certains |
les millions ne suffisaient pas, tout de suite ils les auraient joué [sic] à la
bourse *et* — *un ami les aurait renseignés* — et *achèteraient* | sc acheté |
des valeurs au plus bas cours la veille du jour où elles remonteraient |
i — un ami les aurait renseignés — |, *centupleraient* | i auraient centuplé
| leur capital en quelques jours. Riches | s alors | comme Carnegie, ils se
garderaient *bien* de donner dans l'utopie humanitaire — d'ailleurs à quoi
bon ? un milliard partagé entre tous les français n'en enrichirait pas un seul
aucun, on | s l' | a *fait le compte* calculé —, mais, laissant le luxe aux
vaniteux, ne se refuseraient aucun confort, dormiraient jusqu'à onze
heures du matin, mangeraient des fraises en Janvier, auraient le long de
leurs murs *des* | i un | revêtements de liège qui *préservent du* | i amor-
tissent / sc amortit / **lp** le bruit des voisins. *Détenteurs d'une énorme* |
i1 D'autres / **i2** encore / si le procédé les eût enrichis n'auraient dans la
fortune recherché que | S l' | **lp** influence ils se feraient | **s1** *élire* |
s2 feraient nommer | **lp** — pourquoi pas ? — présidents de la République,
ambassadeur à Constantinople, administrateur du théâtre français. Ils *ne*
| sc n' | entreraient pas au Jockey Club, jugeant *les* | sc l' | *nobles*
| s aristocratie | à *leur* | s sa | *à leur* valeur. Un titre du pape les
attirait davantage. Peut-être pourraient *-ils* | i on | l'avoir sans payer. Mais
alors à quoi bon tant de millions ? Bref ils *verseraient   passeraient à la
caisse* | s grossiraient le denier | de St Pierre tout en blâmant l'institution.
Que peut | s bien | faire le pape de cinq millions de dentelles, tant de
curés de campagne meurent de faim. Mais quelques-uns en songeant que |
s *ils auraient* | la *fortune   richesse* aurait pu venir | s à eux | se *retiraient
au   se sentaient* | s sentaient | près de défaillir ; *ils voyaient   voyaient*
car ils l'auraient | s *s'ils avaient* | mise aux pieds de la femme qui les
avait *jusqu'ici* dédaignés | s jusqu'ici | et | **s1** + + qui leur *aurait* / **s2**
+ / enfin livré | **lp** l'auraient emmenée pour toujours à la campagne |
il auraient enfin connu *la saveur* | **i2** *secret* | [**f. 29 ter r⁰**] la saveur de
son baiser et les secrets de son corps, | s *à la campagne* | dans une chambre
toute *en bois blanc,* | **s1** *dont le balcon faisant* / **s2** *prolongé en* / *terrasse
dominerait quelque* grand fleuve | **lp** *accédait* | **il** *par un escalier exté-
rieur* | **i2** *de bois* | **lp** *à une terrasse ornée de boules de métal d'où l'on
aurait vue   accédait à une terrasse ornée de boules de métal, au pied de
laquelle coulerait, toujours au soleil, un grand fleuve.   accédant à une
terr   l'hiver dans une chambre* ; ils l'auraient emmenée pour toujours *à la
campagne* | **il** *en province* | **i2** à la campagne | **lp** *dans une mais   au bord
d'un grand fleuve* | s *au bord d'un grand fleuve* |, dans une maison *toute
en bois blanc, au bord d'un gr*   tout en bois blanc dont le jardin forme
terrasse sur l'eau | s *au-dessus* / **I** de l'eau / extérieure, au-dessus d'un
grand fleuve, | **lp** avec des pots de géraniums espacés et *des* | s et |
de grandes boules de métal | s où l'on peut se regarder |. A ceux-là l'excès
de leur détresse ôtait la force de *maudire* | s lever les poings comme les
autres vers | l'accusé *qu'ils détestaient* | i comme autres | *cependant,   +
tous lui reproc   comme tous lui reprochaient de les avoir frustrés, ceux-*

ci de la débauche   Mais tous   Mais tous le détestaient *pour* s'être vus
| s jugeant qu'il les avait | frustrés, *l'un* | s *tel* | *de* | sc du | la *gloire* |
il *célébrité* | i2   +   génie | S la débauche, de la | lp *l'autre de* |
s *tel de* | I1 celui-ci de | I2 *le repos* | lp *la débauche* | i du génie
| *du repos* | s *telle* des hommes, | *de tout but* | il *parfois* / i2 d'autres /
de chimères plus indéfinissables, | lp *et* | s de | ce que chacun | s d'eux
| recélait *d'* | sc de | *intime* | i *profond* | S *plus* profond | lp et de doux
dans la niaiserie particulière de son rêve.

[mig] Ils connaîtraient le cri des pétrels, les   +   couleurs de *l'aube* |
s l'aube | , le passage des navires, *et distingueraient le silence où se pré-*
pare le vent du sud, q   celui qui succède à l'orage, un autre encore dont
s'annonce l'automne et

[mid] ils l'auraient emmenée *pour toujours dans* à la campagne, dans une
maison tout en bois blanc, | s *loin de*   + | au bord *duquel*   un peu
triste *de quelque* | s *d'un* | grand fleuve. *Et leur chambre   ils seraient*
l'été ils seraient restés jusqu'au soir sur la terrasse, | s *à voir couler l'eau* /
I1 *courir* // I2 *couler* // lp *l'eau entre   sur une terrasse, une terrasse*
l'aurait dominée. Et souvent | s *longtemps* | I l'été ils seraient | lp ils
seraient restés | i *tous deux* | à le regarder couler, de la terrasse, *sous une*
tente légère | i *entre* devant les vases pleins de géraniums | dans des
fauteuils d'osier, sous une tente rayée de bleu, entre des *vases   vases*
pleins de géraniums | s1 *capucines* | s2 boules de métal | *et de grandes*
boules de métal, mirés dans des

BROUILLON 3

[f. 18 r°] Une fraîcheur s'éleva, des feuilles tombèrent, et le ciel s'étant
obscurci le tintement de la pluie commença. Sur un signe du président on
ferma les fenêtres. Aussitôt une odeur de poussière se répandit.

[f. 19 v°] Ils *connaîtraient* | s entendraient | le cri des pétrels, | s les tra-
vaux des calfats |, la venue de la marée, l'entrechoquement des amarres, et
sauraient distinguer le silence où se prépare le vent du sud, *ce. Un autre* |
i celui | qui succède à l'orage, un autre encore, | mg dont s'annonce l'au-
tomne et où tous les bruits semblent plus proches *et dépouillés   mais*
dépouillés comme dans une maison qu'on démeuble. |

   Ils connaîtraient le cri des pétrels, le *gémissement* | s clapotis | de la
houle, *le g* l'entrechoquement des amarres.

   Et ils imaginaient | s descendant vers l'eau qu'elles touchaient presque,
| une grappe de fleurs violettes, *descendant vers l'eau qui les* | i *qu'elles*
| *touchaient presque, dans la* pénombre d'une après-midi nuageuse, le long
d'un mur rougeâtre qui s'effritait.

   Il connaîtrait le cri du pétrel.

| md   Ils regardaient en face d'eux une grappe de fleurs violettes dans
la pal lueur *pâle* crue d'une après-midi nuageuse, le long d'un mur rou-
geâtre qui s'effritait. |

   L'hiver ils connaîtraient le cri des pétrels, les couleurs de l'aube, la
venue des brouillards.

II

L'AFFAIRE LEMOINE PAR GUSTAVE FLAUBERT

La chaleur devenait étouffante, une cloche tinta [3], des tourterelles s'envolèrent, et, les fenêtres ayant été fermées sur l'ordre du président, une odeur de poussière se répandit. Il était vieux, avec un visage de pitre, une robe trop étroite pour sa corpulence, des prétentions à
5 l'esprit ; et ses favoris égaux, qu'un reste de tabac salissait [4], donnaient à toute sa personne quelque chose de décoratif et de vulgaire. Comme la suspension d'audience se prolongeait, des intimités s'ébauchèrent ; pour entrer en conversation, les malins se plaignaient à haute voix du manque d'air, et, quelqu'un ayant dit reconnaître le ministre de l'in-
0 térieur dans un monsieur qui sortait, un réactionnaire soupira : « Pauvre France ! » En tirant de sa poche une orange, un nègre [5] s'acquit de la considération, et, par amour de la popularité, en offrit les quartiers à ses voisins, en s'excusant, sur un journal : d'abord à un ecclésiastique, qui affirma « n'en avoir jamais mangé d'aussi bonne ; c'est un excellent

---

Titre *Ms* :   Pastiches (fin)
                    V   L'Affaire Lemoine par
                          Gustave Flaubert
Coup. Fig. : [V biffé et remplacé par II.] « L'Affaire Lemoine » par Gustave Flaubert
Plac. : [Id., mais en majuscules et sans guillemets.]
2 *Ms.* : sur *l'ordre un signe* | s l'ordre | du Président
3 *Ms* : avec une *face* | i visage | de pitre
7 *Ms* : s'ébauchèrent, | s pour entrer en conversation, | *certains* | i les malins |
se plaignaient à haute voix du manque d'air *pour entrer en conversation, et
quelqu'un   un militaire* | s et quelqu'un | ayant dit reconnaître
Fig. [place un point-virgule après s'ébauchèrent. Toutes les fois que nous ne précisons pas le contraire, *Fig.* correspond exactement à *PM*.]
1 *Ms.* : En *sortant* | s tirant | *une orange*   de sa poche une orange, un nègre
2 *Ms.* : considération ;
3 *Ms.* : journal ;
– *Ms.* : à un ecclésiastique qui affirma « n' | s en | avoir *mangé* jamais *goûté
à une orange aussi* | s mangé d'aussi | bonne ; c'est un *fruit*   excellent fruit,
rafraîchissant ;

fruit, rafraîchissant » ; mais une douairière prit un air offensé, défendit
à ses filles de rien accepter « de quelqu'un qu'elles ne connaissaient
pas », pendant que d'autres personnes, ne sachant pas si le journal
arriverait jusqu'à elles, cherchaient une contenance : plusieurs tirèrent
5   leur montre, une dame enleva son chapeau. Un perroquet le surmontait. Deux jeunes gens s'en étonnèrent, auraient voulu savoir s'il avait
été placé là comme souvenir ou peut-être par goût excentrique. Déjà
les farceurs commençaient à s'interpeller d'un banc à l'autre, et les
femmes, regardant leurs maris, s'étouffaient de rire dans un mouchoir,
10   quand un silence s'établit, le président parut s'absorber pour dormir,
l'avocat de Werner prononçait sa plaidoirie. Il avait débuté sur un
ton d'emphase, parla deux heures, semblait dyspeptique, et chaque
fois qu'il disait « Monsieur le Président » s'effondrait dans une révérence si profonde [6] qu'on aurait dit une jeune fille devant un roi, un
15   diacre quittant l'autel. Il fut terrible pour Lemoine, mais l'élégance
des formules atténuait l'âpreté du réquisitoire. Et ses périodes se succédaient sans interruption, comme les eaux d'une cascade, comme un
ruban qu'on déroule. Par moment, la monotonie de son discours était
telle qu'il ne se distinguait plus du silence, comme une cloche dont
20   la vibration persiste [7], comme un écho qui s'affaiblit. Pour finir, il attesta les portraits des présidents Grévy et Carnot, placés au-dessus
du tribunal ; et chacun, ayant levé la tête, constata que la moisissure
les avait gagnés dans cette salle officielle et malpropre qui exhibait
nos gloires et sentait le renfermé. Une large baie la divisait par le
25   milieu, des bancs s'y alignaient jusqu'au pied du tribunal ; elle avait

---

1   *Ms.* : une *d matrone* | **s** douairière | prit un air offensé, *défendit* | **i** *rappela* |
    S défendit | à ses filles *de rien accepter de*   *qu'on* | **s** de rien | ne | **s** *doit rien* |
    accepter « *d'une* | **sc** de | *personne* | **s** quelqu'un | qu'*on* | **sc** elles | ne
    connaît | **s** connaissaient | pas » ;
3   *Ms.* : *quelques* | **s** d'autres | personnes,
4   *Ms.* : *quel*   plusieurs tirèrent
6   *Ms.* : deux *inconnus* [?] | **s** jeunes gens | s'en étonnèrent
7   *Ms.* : souvenir, ou
8   *Ms.* : d'un banc à l'autre, *à mi-voix ; un mauvais coucheur s'* | **sc** se | *offensa*
    | **i** *fâcha* | et les femmes,
9   *Ms.* : étouffaient
—   *Ms.* : dans *leur*   un mouchoir quand
12   *Ms.* : un ton *pathétique* d'emphase,
13   *Ms.* : Président » s'effondrait   *Fig.* : Président », s'effondrait
14   *Ms.* : devant *une douairière* | **s** la reine |, un diacre
15   *Ms.* : pour Lemoine mais
18   *Ms.* : Par moments la monotonie
19   *Ms.* : telle qu'on | **sc** il | *hésitait* ne se distinguait plus
20   *Ms.* : Pour finir il
22   *Ms.* : levé la tête constata
24   *Ms.* : le renfermé ; *une.* Une

de la poussière sur le parquet, des araignées aux angles du plafond,
un rat dans chaque trou, et on était obligé de l'aérer souvent à cause
du voisinage du calorifère, parfois d'une odeur plus nauséabonde.
L'avocat de Lemoine [8], répliquant, fut bref. Mais il avait un accent
5   méridional, faisait appel aux passions généreuses, ôtait à tout moment
son lorgnon. En l'écoutant, Nathalie ressentait ce trouble où conduit
l'éloquence ; une douceur l'envahit [9] et son cœur s'étant soulevé, la
batiste de son corsage palpitait [10], comme une herbe au bord d'une
fontaine prête à sourdre, comme le plumage d'un pigeon qui va s'en-
10   voler [11]. Enfin le président fit un signe, un murmure s'éleva, deux parapluies tombèrent : on allait entendre à nouveau l'accusé. Tout de suite
les gestes de colère des assistants le désignèrent ; pourquoi n'avait-il
pas dit vrai, fabriqué du diamant, divulgué son invention ? Tous, et
jusqu'au plus pauvre, auraient su — c'était certain — en tirer des
15   millions. Même ils les voyaient devant eux, dans la violence du regret
où l'on croit posséder ce qu'on pleure. Et beaucoup se livrèrent une
fois encore à la douceur des rêves qu'ils avaient formés, quand ils
avaient entrevu la fortune, sur la nouvelle de la découverte, avant
d'avoir dépisté l'escroc.
20   Pour les uns, c'était l'abandon de leurs affaires, un hôtel avenue
du Bois, de l'influence à l'Académie ; et même un yacht qui les aurait
menés l'été dans des pays froids, pas au Pôle pourtant, qui est curieux,
mais la nourriture y sent l'huile, le jour de vingt-quatre heures doit
être gênant pour dormir, et puis comment se garer des ours blancs [12] ?
25   A certains, les millions ne suffisaient pas ; tout de suite ils les

---

2   *Ms.* : chaque trou ;
4   *Ms.* : Lemoine, répliquant, fut   *Fig., Plac., PM* : Lemoine répliquant, fut
6   *Ms.* : En l'écoutant Nathalie
—   *Ms.* : *que procure* | **s** où conduit | l'éloquence
7   *Ms.* : s'étant   *Fig.* : s'était   *Coup. Fig.* : *s'était* | **mg** s'étant |
10   *Ms.* : Président
—   *Ms.* : s'éleva | **s** deux parapluies tombèrent, | on venait de faire rentrer l'accusé.
14   *Ms.* : *en* auraient su   .
15   *Ms.* : Même ils *s'imaginaient les manier* | **s** les voyaient devant eux |,
16   *Ms.* : Et *tous*   beaucoup
17   *Ms.* : formés, *à la nouvelle de la découverte*   quand ils avaient entrevu la
     fortune, *à* | **i** sur | *l'* | **sc** la | *annonce* | **s** nouvelle | de la découverte,
20   *Ms.* : escroc. Pour les uns c'était   *Fig.* : [Alinéa après escroc.]
22   *Ms.* : pourtant qui
23   *Ms.* : *un* | **sc** le | jour
24   *Ms.* : dormir ;
25   *Ms.* : [Cinq lignes biffées après « ours blancs » :] Les croisières « des Amis des
     Sciences », aussi, sont commodes. La nourriture est mangeable, la clientèle choisie,
     le   +   prix des cabines modéré, l'expédition s'organise d'avance sans qu'on
     ait à s'occuper de rien, un élève de l'école normale au dire du prospectus fait
     des conférences, et tout finit par un naufrage.
—   *Ms.* : *suffisaient* | **sc** suffiraient | pas, tout de suite il *les* les auraient

auraient joués à la Bourse ; et, achetant des valeurs au plus bas cours
la veille du jour où elles remonteraient — un ami les aurait renseignés
— verraient centupler leur capital en quelques heures. Riches alors
comme Carnegie, ils se garderaient de donner dans l'utopie humanitaire.
5 (D'ailleurs, à quoi bon ? Un milliard partagé entre tous les Français
n'en enrichirait pas un seul, on l'a calculé). Mais laissant le luxe aux
vaniteux, ils rechercheraient seulement le confort et l'influence, se
feraient nommer président de la République, ambassadeur à Constantinople, auraient dans leur chambre un capitonnage de liège qui amortit
10 le bruit des voisins. Ils n'entreraient pas au Jockey-Club, jugeant l'aristocratie à sa valeur. Un titre du pape les attirait davantage. Peut-être
pourrait-on l'avoir sans payer. Mais alors à quoi bon tant de millions ?
Bref, ils grossiraient le denier de saint Pierre [13] tout en blâmant l'ins-
titution. Que peut bien faire le pape de cinq millions de dentelles,
15 tant de curés de campagne meurent de faim ?

    Mais quelques-uns, en songeant que la richesse aurait pu venir à
eux, se sentaient prêts à défaillir ; car ils l'auraient mise aux pieds
d'une femme dont ils avaient été dédaignés jusqu'ici, et qui leur aurait
enfin livré le secret de son baiser et la douceur de son corps. Ils se
20 voyaient avec elle, à la campagne [14], jusqu'à la fin de leurs jours, dans

---

3 *Ms.* : *auraient* | **s** verraient | *centuplé* | **sc** centupler] leur capital en quelques
    jours | **s** heures |.
5 *Ms.* : humanitaire. D'ailleurs
— *Ms.* : un milliard
6 *Ms.* : *Mais* | **s** Mais |, *laissons* | **sc** laissant | le luxe aux vaniteux, *ne se refu-*
    seraient aucun confort, dormiraient jusqu'à onze heures du matin, mangeraient
    des fraises en janvier, auraient sur leurs murs un capitonnage de liège qui amortit
    le bruit des voisins. | **i** ils rechercheraient seulement le confort et l'influence, se
    feraient nommer président de la République, ambassadeur à Constantinople, auraient
    dans leur chambre un capitonnage de liège qui amortit le bruit des voisins. |
9 *Plac., PM* : qui amortît
10 *Ms.* : [après « voisins », cinq lignes rayées :] Dans l'infortune [*sic*] que leur
    aurait procurée l'invention de Lemoine d'autres ne voyaient qu'un moyen d'in-
    fluence. Ils se seraient fait nommer — pourquoi pas ? — président de la Répu-
    blique, ambassadeur à Constantinople, administrateur du Théâtre Français. Ils
    n'entreraient [ces deux derniers mots repris au-dessous de **lp**]
11 *Ms.* : du Pape   *Fig.* : id.   *Plac.* : du pape
13 *Ms.* : Bref ils
— *Ms.* : de St Pierre
14 *Ms.* : le Pape   *Fig.* : id.
16 *Ms.* : quelques uns en songeant que | **s** *par l'invention de Lemoine* | la richesse
18 *Ms.* : femme *qui les* | **s** dont ils | *avait* | **sc** avaient | **s** été | dédaignés
— *Ms.* : *et* | **s** et qui leur | *auraient* | **sc** aurait | enfin *connu* | **s** livré | *la*
    sc le | *saveur* | **s** secret | de son baiser et *les* | **sc** la | *secrets* | **s** douceur
    de son corps.
19 *Ms.* : Ils *se voyaient* | **s** imaginaient | avec elle

une maison tout en bois blanc, sur le bord triste d'un grand fleuve. Ils auraient connu le cri du pétrel, la venue des brouillards, l'oscillation des navires, le développement des nuées, et seraient restés des heures avec son corps sur leurs genoux [15], à regarder monter la marée et s'entre-choquer les amarres, de leur terrasse, dans un fauteuil d'osier, sous une tente rayée de bleu, entre des boules de métal. Et ils finissaient par ne plus voir que deux grappes de fleurs violettes, descendant jusqu'à l'eau rapide qu'elles touchent presque, dans la lumière crue d'un après-midi sans soleil, le long d'un mur rougeâtre qui s'effritait. A ceux-là, l'excès de leur détresse ôtait la force de maudire l'accusé ; mais tous le détestaient, jugeant qu'il les avait frustrés de la débauche, des honneurs, de la célébrité, du génie ; parfois de chimères plus indéfinissables, de ce que chacun recélait de profond et de doux, depuis son enfance, dans la niaiserie particulière de son rêve [16].

---

1   *Ms.* : [après « fleuve », neuf lignes biffées :] Ils auraient connu le cri du pétrel, les couleurs de l'aube, la venue des brouillards, l'oscillation des navires ; et seraient restés des heures à voir refluer la marée et s'entrechoquer les amarres, de leur terrasse, dans des fauteuils d'osier, sous une tente rayée de bleues [*sic*], entre des boules de métal. | **s** + | Là où il se resserre et vient battre les *maisons qui* fenêtres d'un hospice, ils avaient en face d'eux deux grappes de fleurs violettes qui descendent jusqu'à l'eau rapide qu'elles frôlent presque, dans la lumière *d'un* crue d'un après-midi sans soleil, | **s** le long | d'un mur rougeâtre qui s'effritait.

3   *Ms.* : navires | **s1** *le développement des nuages* | **s2** le développement des nuées | ;   *Fig.* : nuées ;   *Plac.* : nuées,

–   *Ms.* : des heures, | **s** avec son corps sur leurs genoux, | à voir

4   *Coup. Fig.* : sur *les* | **mg** leurs | genoux

–   *Ms.* : à voir refluer la marée

5   *Ms.* : dans *des* | **s** un | fauteuils d'osier sous une tente

–   *Coup. Fig.* : d'osier] **mg** , | sous

6   *Ms.* : *devant* | **s** entre | des boules

–   *Ms.* : métal. | **s** Et ils finissaient... qui s'effritait |

    [Dans cette phrase ajoutée en interligne, le verbe « touchaient » est à l'imparfait ; le copiste l'a recopié au présent sur le feuillet 34, et tous les textes imprimés le suivent.

    Le début de la phrase suivante : « A ceux là, l'excès de leur détresse ôtait » est biffé pour faciliter l'addition ci-dessus, et repris en interligne inférieur.]

1   *Ms.* : frustrés *des* de la débauche

3   *Ms.* : chacun | **s** *d'eux* | recélait

NOTES ET ÉCLAIRCISSEMENTS

Les références aux romans de Flaubert
sont faites d'après l'édition de la Bibliothèque de la Pléiade ;
Madame Bovary *se trouve dans le tome I,*
L'Education sentimentale *et* Trois Contes *dans le tome II*

BROUILLONS

1 Ce détail, comme plusieurs autres traits physiques du personnage, semble emprunté au portrait de l'abbé Bournisien dans *Madame Bovary* ; cf. 2ᵉ partie, ch. VI, p. 428 : « [...] en déployant son large mouchoir d'indienne, dont il mit un angle entre ses dents [...] ».

2 *Des prétentions au latin* : cf. *Un cœur simple,* ch. II, p. 552 : « [M. Bourais] respectait infiniment la magistrature, avait des prétentions au latin ». L'expression deviendra : « ...avait des prétentions à l'esprit. »

TEXTE ET VARIANTES

3 L'évocation des cloches est particulièremnt fréquente dans *Madame Bovary.* Cf. 2ᵉ partie, VI, p. 425, où la sonnerie de l'Angélus entraîne Emma dans une romantique rêverie.

4 Cf. le portrait de l'abbé Bournisien, *Madame Bovary,* 2ᵉ partie, VI, p. 427 : « Des taches de graisse et de tabac suivaient sur sa poitrine large la ligne des petits boutons, et elles devenaient plus nombreuses en s'écartant de son rabat, où reposaient les plis abondants de sa peau rouge ».

5 Le nègre et le perroquet sont inspirés de ceux que possède la sous-préfète d'*Un Cœur simple,* et qui sont des objets de curiosité et d'amiration à Pont-l'Evêque (ch. III, pp. 567-568).

6 Cf. *Madame Bovary,* 2ᵉ partie, ch. V, p. 419 : [le boutiquier Lheureux] : « Poli jusqu'à l'obséquiosité, il se tenait toujours les reins à demi courbés, dans la position de quelqu'un qui salue ou qui invite » ; et VIII, p. 453 : « Tuvache, courbé comme un arc, souriait aussi, bégayait, cherchait ses phrases, protestait de son dévouement à la monarchie, et de l'honneur que l'on faisait à Yonville. »

7 Cf. *L'Education sentimentale,* 3ᵉ partie, VI, p. 450 : « Quelquefois, vos paroles me reviennent comme un écho lointain, comme le son d'une cloche apporté par le vent. »

8 Dans la réalité, Lemoine fut défendu par Labori, avocat de Zola en 1898. Proust avait alors suivi le procès (cf. JS, II, ch. V).

9 Cf. *Madame Bovary,* 2ᵉ partie, VIII, p. 459 : « Alors une mollesse la saisit [...] ».

10 Cf. *Ibid.*, V, p. 423 : « Emma palpitait au bruit de ses pas. » et VII, p. 442 : « [...] le gonflement de l'étoffe se crevait de place en place, selon les inflexions de son corsage. »

11 Cf. *Ibid.*, VI, p. 425 : « Alors un attendrissement la saisit : elle se sentit molle et tout abandonnée comme un duvet d'oiseau qui tournoie dans la tempête » ; et VIII, p. 461 : « Rodolphe lui serrait la main, et il la sentait toute chaude et frémissante comme une tourterelle captive qui veut reprendre sa volée. »

12 Cf. *L'Education sentimentale*, 2ᵉ partie, ch. V, p. 282 : (à propos de Louise Roque) : « Il vint à parler des contrées lointaines et de grands voyages. L'idée d'en faire la charmait. Elle n'aurait eu peur de rien, ni des tempêtes, ni des lions. » Ce ton rappelle également, de façon certaine, *Bouvard et Pécuchet*.

13 Cf. *RTP* II, 294 : « [...] la prétendue comtesse de M. qui, malgré les conseils de Mme Alphonse Rothschild, refusa de grossir les deniers de saint-Pierre pour un titre qui n'en serait pas rendu plus vrai. »

14 Cf. *Madame Bovary*, 2ᵉ partie, XII, p. 504 : les rêves de fuite et d'amour de l'héroïne : « Ils habiteraient une maison basse à toit plat, [...] au bord de la mer. Ils se promèneraient en gondole, ils se balanceraient en hamac... » On songe aussi à la promenade en barque lors de la première fugue avec Léon (3ᵉ partie, ch. III), aux descriptions du port de Rouen.

15 Cf. *Ibid.*, 3ᵉ partie, V, p. 566.

16 Cf. *Madame Bovary*, 2ᵉ partie, XII, p. 507 : « Ils ne se parlaient pas, trop perdus qu'ils étaient dans l'envahissement de leur rêverie. »

CRITIQUE DU ROMAN DE M. GUSTAVE FLAUBERT SUR L'« AFFAIRE LEMOINE » PAR SAINTE-BEUVE, DANS SON FEUILLETON DU *CONSTITUTIONNEL*

NOTICE

LA PUBLICATION ET L'ÉLABORATION DU PASTICHE

Ce pastiche fait suite à celui de Flaubert, dans *Le Figaro* comme dans l'édition définitive. Il n'existe pas de différence notable entre ces deux états.

A l'origine, nous trouvons quelques notes des *Carnets*. En réalité, Proust a pris sur cet auteur un très grand nombre de notes, mais la plupart sont utilisées dans *Contre Sainte-Beuve,* et quelques-unes dans le second pastiche de Sainte-Beuve, que nous publions plus loin.

Les trois brouillons successifs ne recouvrent pas dans son entier le texte définitif. L'élaboration a été très soignée. Les deux premiers brouillons sont des ébauches du début, toutes deux très surchargées et raturées ; mais de l'un à l'autre, Proust ordonne et élague. Il reste encore très hésitant, à la fin du brouillon 2, sur la formulation du compliment réservé et tortueux décerné à Flaubert. Le brouillon 3 est plus aisé, mais inachevé. Le manuscrit définitif est bien plus riche, et laisse supposer un état intermédiaire : Proust élargit la critique, se réfère aux écrivains anciens et modernes, aux juristes illustres de la Normandie, aux relations de Sainte-Beuve, bref, il prend plus d'aisance et d'abondance.

LES MODÈLES

On sait de reste, par son œuvre entière, combien Proust connaît Sainte-Beuve : nos notes et éclaircissements s'efforcent de mentionner sans trop de lacunes les passages précis qui ont servi pour ce pastiche. On sait aussi combien il conteste cet auteur. Le *Contre-Sainte-Beuve* et les différentes études critiques (articles sur Flaubert et Baudelaire, préfaces à *De David à*

Degas et à *Tendres stocks*) forment la partie théorique de cette contestation. Les idées littéraires de Mme de Villeparisis, dans la *Recherche*, en sont l'illustration romanesque.

Le pastiche est imprégné des grands thèmes de la critique beuvienne, ou du moins de ceux que retient Proust : explication de l'œuvre par l'homme, conformisme social, place de choix faite aux relations personnelles du critique ; on les trouve plus particulièrement développés dans les *Nouveaux lundis*, dans l'étude *Chateaubriand jugé par un ami intime en 1803* (éd. Calmann-Lévy, 1878, t. 3, pp. 1-33). Néanmoins il y a un modèle précis : la série des articles du *Constitutionnel* des 8, 15 et 22 décembre 1862 sur *Salammbô* (repris au t. IV des *Nouveaux lundis*). L'étude de Sainte-Beuve a soixante-quatre pages. Proust en reprend, en les transposant, les principaux développements et arguments : l'amitié du critique pour Flaubert, et la connaissance de son père, ne l'empêcheront pas d'être impartial ; ce nouveau roman a surpris par le lieu de son action et par son thème ; Sainte-Beuve le résume et le commente en même temps ; il reproche l'excès de réalisme, la fausse précision des détails, l'abus de la couleur locale, l'absence d'un humanisme emprunté aux auteurs anciens, l'excès d'application de l'auteur ; il fait des rapprochements et des distinctions entre Flaubert et Chateaubriand. Proust emprunte aussi à cet article nombre de procédés formels et d'expressions, notamment le début de sa première partie : « Après le succès de *Madame Bovary*, après tout le bruit qu'avait fait ce remarquable roman et les éloges mêlés d'objections qu'il avait excités, etc. »

L'ART DU PASTICHE

Nous retrouvons, sous une forme très concentrée, tous les défauts d'expression que Proust critique dans *Contre Sainte-Beuve*. C'est d'abord un style « journalistique », c'est-à-dire facile, porté à trop de complaisance pour les tendances du lecteur, à une « habileté factice » formée par « les élégances, les finesses, les farces, les attendrissements, les démarches, les caresses de style » (*CSB*, 155). Il y fait entrer en abondance les tournures parlées : apostrophes, interrogations, exclamations, procédés « phatiques » (« que dis-je », « disons-le », « poursuivons », « je le déclare », etc.), images banales (les « pinceaux » de l'artiste, « faire sonner tant de cloches », « la flèche d'or ») ; l'abus des incidentes crée un double ton, une sorte de contrepoint entre ce qui est dit franchement et ce qui est dit sournoisement ; dans ces incidentes, le pseudo-Sainte-Beuve feint d'abord d'approuver à son corps défendant un jugement défavorable : « Mais cette fois-ci, il faut le reconnaître, cette volte-face [...], ce retour d'Egypte [...] n'ont pas paru très heureux, etc. ». Puis il apporte, inversement, une réserve à une opinion favorable : « Cet aimable fils — quelque opinion qu'on puisse d'ailleurs opposer à ce que des jeunes gens bien hâtifs ne craignent pas, l'amitié aidant, d'appeler déjà son talent — [...] ». Après l'introduction, d'une courtoisie perfide, les incidentes et les parenthèses deviennent beaucoup plus franchement hostiles : « ...comme si en vérité vous les aviez comptés ! », « ce qui suffit à désintéresser le lecteur ». Une note des *Carnets* remarque avec perspicacité : « Obscur quand il loue [...] et franc quand il blâme » (*Carnet 1*, f. 14 v°). Citons encore d'autres marques de réserve, comme l'emploi du conditionnel passé : « une scène qui [...] aurait pu donner [...] une idée assez favorable », ou les hypocrites formules d'acceptation, qui ne servent en fait qu'à préparer un surcroît de critique : « si l'on veut », « mais passons », « va pourtant pour », etc.

Une autre des « grâces » de Sainte-Beuve consiste à redoubler ses expressions et à en profiter souvent pour faire des rapprochements de mots inédits. Proust en relève un certain nombre d'exemples dans ses *Carnets* : « Chamfort cet homme distingué et controversable », « la touche et l'accent de l'enchanteur », « avec indignation et mépris », « est mieux conçue et contrastée », « profondément et plaisamment Henri IV », « l'ami aliéné et ulcéré », « quand il écrit il est nature et exquis », « M. Villemain savait la séduction et déployait les grâces ». On n'est donc pas surpris de trouver de ces réduplications presque à chaque ligne dans le pastiche, tantôt sous forme de simples redondances : « s'y cantonnant, s'y fortifiant », « le raffinement et la délicatesse invariable de son procédé », « ce genre tout immédiat et impromptu du croquis, de l'étude prise sur la réalité » ; de quasi-synonymes : « ses relations toujours sûres et parfaitement suivies », il semble plus naturel et plus convenable », « une expression si bizarre et si déplacée » ; de termes complémentaires : « le choix des armes et l'avantage du terrain », « dans sa profession et sa province sa trace et son rayon », « pays de fine chicane et de haute sapience » ; tantôt dans des rapprochements inattendus : « sa velléité et sa prédilection », « le gage et la fleur de l'urbanité de l'esprit », « un rayon qui pose sa lumière au fronton et éclaire le contraste », « dépourvu de circonstances et de détermination », « l'impulsion et le sel, là-propos et le colloque ». On ne peut que rappeler ce qu'écrit Proust sur l'abus de ce procédé :

> Un écrivain curieux cesse par cela même d'être un grand écrivain Chez un Sainte-Beuve, le perpétuel déraillement de l'expression, qui sort à tout moment de la voie directe et de l'acception courante, est charmant, mais donne tout de suite la mesure — si étendue d'ailleurs qu'elle soit — d'un talent malgré tout de second ordre. (Traduction de *SL*, p. 94, note.)

De même, le Narrateur de la *Recherche* trouve dans les emplois répétés, par Mme de Cambremer, des trois adjectifs en « diminuendo », « la même dépravation de goût — transposée dans l'ordre mondain — qui poussait Sainte-Beuve à briser toutes les alliances de mots, à altérer toute expression un peu habituelle ». (*RTP*, II, 1807.) Et lorsque ce même Narrateur envisage à son tour d'entreprendre une œuvre littéraire, il décide d'écarter « plus que tout » de son livre à venir

> ces paroles que les lèvres plutôt que l'esprit choisissent, ces paroles
> pleines d'humour, comme on en dit dans la conversation, [...] ces
> paroles toutes physiques qu'accompagne chez l'écrivain qui s'abaisse
> à les transcrire le petit sourire, la petite grimace qui altère à tout
> moment, par exemple, la phrase parlée d'un Sainte-Beuve, tandis que
> les vrais livres doivent être les enfants non du grand jour et de la
> causerie, mais de l'obscurité et du silence. (*RTP*, III, 897-898.)

Le comique de ce pastiche tient surtout à la condensation des traits du
style et de la pensée de Sainte-Beuve. Cette concentration est largement
facilitée par le fait que le texte critiqué est lui-même déjà un pastiche, aux
traits évidemment renforcés. Cette amplification du comique s'ajoute aux
effets de miroirs dans les références que nous signalions dans l'Introduction.

SAINTE-BEUVE, JUGE DE PROUST ?

Nous livrons à la curiosité des lecteurs ces deux brèves notes extraites
du *Carnet 2* ; elles sont l'amusante ébauche d'un possible pastiche de
« Sainte-Beuve, juge de Proust » :

[**f. 51, v⁰**] « Ste-Beuve sur moi — tout cela manque de fiction »
[**f. 54, v⁰**] « Ste-Beuve sur Swann — Mais là encore il y a insistance et
surcroît. On voudrait plus d'air et de relations ».

Ces notes prennent toute leur saveur si l'on songe que, beaucoup plus
tard, Daniel Halévy terminait un article, « Sur la critique de Sainte-Beuve »
(*La Minerve française*, 1ᵉʳ février 1920, pp. 291-296), qui était une défense
de Sainte-Beuve contre Proust, par cette phrase : « Je proposerai à M.
Marcel Proust ce thème assurément digne de son merveilleux don pour le
pastiche : *Lettre qu'écrivit Sainte-Beuve à Marcel Proust après avoir lu
A l'ombre des jeunes filles en fleurs* ».

BALZAC, PASTICHEUR DE SAINTE-BEUVE

Nous pouvons rapprocher ce pastiche de celui que fait Balzac du même
Sainte-Beuve dans *Un Prince de la Bohême* (1840). Il ne semble pas qu'il y
ait eu influence de ce texte sur Proust, non plus que de l'article virulent
de Balzac contre le critique dans *La Revue parisienne* du 25 août 1840
(« A Mme la Comtesse E. Sur M. Sainte-Beuve, à propos de Port-Royal »).
Nous reproduisons néanmoins en partie le passage du roman où le langage
de Sainte-Beuve est imité par Nathan devant la marquise de Rochefide.
Nous retrouvons là aussi la satire des assemblages verbaux trop ingénieux,
et des allusions à l'Antiquité :

> Tout cela, si vous me permettez d'user du style employé par
> monsieur Sainte-Beuve pour ses biographies d'inconnus, est le côté
> enjoué, badin, mais déjà gâté, d'une race forte. Cela sent son Parc-
> aux-Cerfs plus que son hôtel de Rambouillet. Ce n'est pas la race
> *des doux*, j'incline à conclure pour un peu de débauche et plus que je

n'en voudrais chez des natures brillantes et généreuses ; mais c'est galant dans le genre de Richelieu, folâtre et peut-être trop dans la drôlerie ; c'est peut-être les *outrances* du dix-huitième siècle ; cela rejoint en arrière les mousquetaires, et cela fait tort à Champcenetz ; mais *ce volage* tient aux arabesques et aux enjolivements de la vieille cour des Valois [...]

— Ah ! çà, mon cher Nathan, quel galimatias me faites-vous là ? demanda la marquise étonnée.

— Madame la marquise, répondit Nathan, vous ignorez la valeur de ces phrases précieuses, je parle en ce moment le Sainte-Beuve, une nouvelle langue française. [...] Ceci, toujours en se tenant dans les eaux de monsieur Sainte-Beuve, rappelle les Raffinés et la fine raillerie des beaux jours de la monarchie. On y voit une vie dégagée, mais sans point d'arrêt, une imagination riante qui ne nous est donnée qu'à l'origine de la jeunesse. Ce n'est plus le velouté de la fleur, mais il y a du grain desséché, plein, fécond, qui assure la saison d'hiver [...]

Je ne sais si les Romains, si les Grecs ont connu ce genre d'esprit. Peut-être Platon, en y regardant bien, en a-t-il approché, mais du côté sévère et musical...

— Laissez ce jargon, dit la marquise, cela peut s'imprimer, mais m'en écorcher les oreilles est une punition que je ne mérite point. (Ed. *Pléiade*, t. VI, pp. 827-831.)

NOTE SUR LE TEXTE

Ce pastiche, paru d'abord sous le numéro VI, en même temps que le pastiche de Flaubert, dans *Le Figaro* (supplément littéraire) du 14 mars 1908, a été repris sous le numéro III, avec quelques additions, dans *Pastiches et Mélanges*.

La Bibliothèque Nationale possède dans le « *M. aut.* » des brouillons (feuillets 20 à 27) et le manuscrit définitif (ff. 35 à 39) ; elle détient en outre une coupure du *Figaro* (comportant également le pastiche de Flaubert) sans autre correction que celle du numéro (VI biffé et remplacé par III), et les placards de l'édition définitive (placards 1et 2), comportant d'assez nombreuses additions marginales. D'autre part, des notes des *Carnets* inédits sur Sainte-Beuve ont servi à l'élaboration de ce pastiche.

LES NOTES DES CARNETS

Les *Carnets,* principalement le premier, contiennent de nombreuses notes sur Sainte-Beuve. La plupart d'entre elles sont utilisées dans *Contre Sainte-Beuve.* Quelques autres semblent avoir fourni des modèles aux pastiches.

LES BROUILLONS

Ils sont écrits sur le même papier à lettres que ceux du pastiche de Balzac.

Brouillon 1 : feuille double (ff. 20 et 21), dans l'ordre 20 r°, 21 r°, 20 v° (verticalement), 21 v° (vert.). Ebauche du début.

Brouillon 2 : feuille double (ff. 22 et 23), très déchirée, mais antérieurement à la rédaction, qui n'en est pas affectée ; l'ordre est : 22 r°, 22 v°, 23 r° (rien au v°). Reprise du début.

Brouillon 3 : d'abord feuille double (ff. 24 et 25), écrite dans l'ordre 24 r° (vert.), 25 v° (vert.), 25 r°, 24 r° (vert.). Puis feuillet simple n° 26, r° et v°, les deux verticalement ; et feuillet simple, n° 27, r° seulement, et verticalement. Ce texte fait suite à celui des deux brouillons précédents, il est mieux écrit et beaucoup moins raturé, mais ne va pas jusqu'à la fin du pastiche.

LE MANUSCRIT

Il est composé de cinq feuillets de format 31 × 20 cm, écrits recto seulement par l'auteur et paginés par lui de 5 à 9, tandis que la Bibliothèque Nationale les numérote ff. 35 à 39 de « Ms. aut. ».

Le f. 37 comporte au v°, en bas, une addition autographe de neuf lignes à insérer au bas de 38 r°. Ces lignes ont été entièrement biffées et recopiées par une autre main sur un papier quadrillé de format 20 × 10 cm, collé à 38 r°.

38 v° contient la copie, en caligraphie non proustienne, d'un passage du recto particulièrement raturé, de : « Sans remonter aux Anciens... » à « ...avec une suffisance qui prête à sourire, prétend tracer ».

39 v° porte, comme seule inscription, en calligraphie, le nom de Chaix d'Est-Ange.

> REMARQUE : La fin du f. 36 r°, à partir de « d'un président Jeannin », le f. 37 r° et le f. 38 r° jusqu'à « de l'impassibilité, en littérature, on l'acquiert » ont été recopiées sur une feuille simple quadrillée, de format 20 × 30 cm, par une autre main. Cette feuille isolée se trouve accidentiellement classée comme f. 47 de « *Ms aut.* », avec le manuscrit de Renan. La copie est si incomplète et si inexacte que nous avons dû renoncer à en tenir compte, comme elle a été négligée également par l'imprimeur. Outre de nombreux blancs, on y trouve « Flobert » pour « Flaubert », « des feuilles qu'il voudrait » pour « dans le public qu'il nous décrit », « A qui recommandez-vous cela » pour « A quoi reconnaissez-vous vela », « un ouvrage » pour « une orange », « ensemble » pour « usuelle », etc. Les pages 37 r° et 38 r° portent, inscrit au crayon dans leur marge supérieure, le nom de Boussenot. Peut-être est-ce celui du secrétaire piètre lecteur.

Dans ce pastiche, également, nous constatons quelques légères différences entre le *Ms.* et *Fig.*

Nous donnerons d'abord les notes des *Carnets* utilisées pour ce pastiche, puis les brouillons, enfin le texte et ses variantes.

NOTES DES CARNETS

Nous séparons par des tirets les différentes notes ou citations

CARNET 1

[**f. 14 v⁰**] qu'en savez-vous.

[**f. 15 r⁰**] Lundis, tome XIII, p. 191, si distingué par un ensemble de qualités qu'il a portées

[**f. 18 r⁰**] les flèches d'Apollon — la touche et l'accent de l'enchanteur — l'étendue du rayon — si j'ose dire

[**f. 21 r⁰**] sur Paul et Virginie : tomber sous le rayon.

[**f. 22 v⁰**] Flaubert — Bonnes gens il était parti pour Carthage

[**f. 24 v⁰**] Beyle autrement dit Stendhal

[**f. 25 r⁰**] il a rencontré *le rayon* *

[**f. 26 v⁰**] flèches d'or d'Apollon, Musset tome XIII — M. Villemain savait la séduction insinuante et déployait les grâces

[**f. 29 v⁰**] Très Ste-Beuve : « n'est-ce donc rien ? »

[**f. 33 r⁰**] Dernière page sur Parny et notamment « le rayon »

CARNET 2

[**f. 33 r⁰**] Ste-Beuve — dans ses lettres si fructueuses et intimes (je dirai un de ces esprits distingués et fructueux)

BROUILLONS

BROUILLON 1

[**f. 20 r⁰**]   Pendant qu'on discutait à Paris le roman Carthaginois de M. Gustave Flaubert, voici qu'il en fait paraître un autre d'un caractère tout différent, sur l'Affaire Lemoine, ce fameux escroc qui a occupé naguère
[une ligne en blanc]
L' | sc le | *émotion* | s bruit | — de mauvaises langues | s disons aussi l'ennui | !p *prétendent* | s *disent* | *que c'est surtout de* | s excité par [?] | l'ennui *qu'avait causé* | i *qu'avait* causé | lp le roman Carthaginois de M. Gustave Flaubert était à peine *calmée* | s dissipé | *que qu'il offrait* + à l'attention et à la malignité publiques un nouveau roman, d'une inspiration très différente sinon plus heureuse et dont le titre *dit* | s annonce | assez le sujet, le cadre, le genre : l'Affaire Lemoine. [griffonné entre les lignes précédentes, à partir de « dissipé » : s que reprenant ses pinceaux [1] + et pliant bagages il allait dresser son chevalet à deux pas d'ici en plein palais de justice dans la salle des appels correctionnels.] Ce titre qui dit tant de de [sic] choses à [sic] généralement surpris. Comment *l'auteur ét* quand nous cherchions l'auteur si loin, il était tout bonnement [2] [**f. 21 r⁰**] au Palais de Justice, dans la salle des appels correctionnels, à suivre l'affaire Lemoine. [au-dessus des deux lignes précédentes : s1 il aime plus que personne le dépaysement | s2 + + *pour comprendre* | s1 ce qui n'est que trop facile à comprendre pour qui a | s3 lu Mme Bovary | I *Sans doute y a-t-il trouvé* | lp Lui en plein Paris ! Nous le croyions encore à Carthage. *Ce prompt   J'entends bien, l'Afrique n'est   Ce* | sc Cette | *si prompt retour, cette soudain* volte-face si soudaine, ce prompt retour d'Egypte (ou *peu s'en faut* | s presque |), à la Bonaparte, sans qu'aucune victoire bien éclatante (tant s'en faut) soit venue le ratifier, n'ont pas été généralement bien accueillis. *Tout cela sent* | s Tout cela est pourtant bien dans la manière de M. Flaubert. *Il aime*   Incapable de + + [plusieurs mots illisibles] | lp Sans doute il n'est pas *mauvais* qu'un écrivain surtout à l'âge de M. Flaubert *fasse ainsi front de tout côté, ne craigne pas de donner prise à la critique* [en interligne à partir de *mauvais* :] i en cela [?] entièrement blamâble, et il n'est pas permis qu'un écrivain de son âge | lp *reste trop* | s tienne ainsi | prudemment *sur* la défensive, craigne *avant tout* | s seulement [?] | de donner prise à la critique *et pour* | s d'un vieux capitaine chevronné ; | ma part je ne crains pas | s beaucoup pour ma part | de voir un jeune talent multiplier ainsi les sorties, accepter [**f. 20 v⁰**] le défi sur *tous les* | sc des | terrains qui ne sont pas le sien, | s avec des armes *dont il n'a   qu'il ne* + qu'il n'a pas essayées | et fasse front en somme de tous les côtés. Mais cette fois-ci il a semblé qu'il y avait *plus* dans le cas de M. Flaubert plus | s même que | de | s la | jactance *que*

de courage, tranchons le mot un rien de mystification qui a déplu. L'Afrique n'est plus je le veux bien aussi loin | s de Paris | qu'elle pouvait l'être au temps d'Hannibal et des fameux mercenaires. N'importe *quand nous faisons* | s si nous consentons à faire | le voyage | s [2 mots illisibles] | nous voulons *que cela en* | s il en vaille la peine | vaille un peu la peine, et nous n'*admettons* pas | i *aimons* pas constater | S constatons sans plaisir | lp que l'auteur *nous* n'a pas eu seulement | s pris | la patience | s *j'y vois la même   la polit* | I *sans vouloir d'une précision* ou ne l'a pas voulu | lp de nous attendre et nous a comme on dit brûlé la politesse. *N'importe on*   On est allé jusqu'à prononcer, et non sans apparence de raison | s il faut l'avouer | le mot de gageure. | i on aurait pu donner [2 mots illisibles] à l'auteur [fin de phrase illisible] | N'im- [f. 21 v⁰] porte l'auteur l'a tenue avec la parfaite loyauté qu'*il fit* toujours | i on est toujours / S forcé de / lui reconnaître | lp en tout occasion, et quoique [sic] on pense de *cet eff* sa manière, *cette manière si laborieuse* [3], de ce que l'amitié aidant toute [sic] un petit clan appelle déjà, avec beaucoup d'exagération, | s à notre avis | son talent. Mais l'a-t-il gagnée ? C'est ce que nous allons nous demander en toute franchise, + *sans jamais cesser*   en nous rappelant cependant que l'auteur *est un jeune homme*   a droit à tous nos égards ; il est en effet de nos amis, jeune encore et ceux qui le suivent avec le plus de fatigue [4], le *plus d'ennui* moins de plaisir, et soyons francs, le plus d'agacement [?] de *Paris à* | i *Rouen* [5] | S Pont-l'Evêque | à Rome, de Rome à Carthage, de Carthage à Paris, ne peuvent contester la parfaite honorabilité de son caractère, bien digne en tous points [partie déchirée, manquent apparemment deux mots] *si* regrettable, et l'absolue délicatesse de ses procédés.

BROUILLON 2

[f. 22 r⁰] *Hier c'était Salammbô, aujourd*
L'Affaire Lemoine par M. Gustave Flaubert. *Le rapprochement des no* Rapproché du nom de l'auteur et si tôt après Salammbô, ce titre a généralement surpris. Comme le peintre | i avait déjà dressé son chevalet | *était* là si près de nous, en plein palais de justice, dans la salle des appels correctionnels... On le croyait encore à Carthage. Sans doute *il n'est* | s on ne demande | pas *mauvais* | s + | qu'un jeune écrivain *se tie*   une fois *cantonné* | s passé | maître d'une position s'y cantonne et s'y fortifie, *tenant* [?] dans une perpétuelle défensive, *se craignant seulement* cherchant seulement à offrir le moins de prise possible à la critique. | s Bien au contraire | Je ne trouve pas mauvais | s pour ma part | au [f. 22 v⁰] contraire qu'il *fa* multiplie | s ainsi | les sorties, fasse front de tous côtés, *accept* tienne tous les défis d'où qu'ils viennent et ne revendique ni le choix des armes ni l'avantage du terrain. Il n'en est pas moins vrai que la part de M. Flaubert | s *et* et dans | ce brusque retour d'Egypte — ou peu s'en faut — à la Bonaparte, et qu'aucune victoire bien éclatante *n'est venue* | s ne devait | ratifier, *a paru n'a pas été très bien accueilli.* On a vu, | s *quelque jactance et* | tranchons le mot, comme un rien de mystification qui a déplu. Sans doute ces brusques départs, ces voltes faces [sic] que rien ne faisait prévoir sont bien dans la manière de M. Flaubert. Personne plus que lui n'éprouve le besoin du dépaysement, ce qui est assez

explicable puisqu'il n'y a pas de pays et de gens qu'il ne voie en laid.
N'importe il faut reconnaître que l'opinion n'a pas été pour lui cette fois.
[**f. 23 r⁰**] On a été jusqu'à prononcer le mot de gageure. *Du moins M.
Flaubert fit-il*   Mais M. Flaubert l'a tenue avec cette loyauté qu'il faut toujours reconnaître + chez lui même quand on résiste à *son artifice, à* +
talent | **i** *cet* / **sc** *ces* / *artifice* artifices laborieux que l'amitié aidant quel-
ques *jeunes gens* / **mi** zélés pour lui *appellent déjà* ne craignent pas
d'appeler déjà son talent./ | **lp** L'a-t-il | **s** Cette gageure | au moins gagnée.
C'est ce que nous allons examiner sans ménager la vérité à l'auteur ni même
ses vérités, mais en ayant toujours pour lui les égards qu'il mérite de *toutes
façons* | **s** à tant de titres | puisqu'il est jeune, parce qu'il est notre ami, |
s parce qu'il rappelle et jusque dans les traits *de son visage* un père très
regrettable + + | , *parce qu'il se montre en tout* · toujours digne *de son
père* | **s** *d'un père* | *regrettable, et cela au moment même   par la sûreté
de ses relations* | **s** *et c'est un témoignage que lui donnent ceux mêmes
très   qui ne* + *pas* | *par la franchise et la délicatesse de son procédé —*
parce que chez lui l'homme — et c'est un témoignage que *sont* doivent lui
rendre ceux là même qui ont le moins de goût pour l'écrivain — est de
relations *parfaitement* | **s** *extrêmement* [?] | franches | **s** et suivies
|, *d'humeur* [?] *aimable et* bien *digne en cela d'un père regrettable,* | **s**
d'une bonhomie parfaite | et toujours *délicat* | **i** simple | dans | **s** ses
manières et dans son | son procédé, lui qui l'est si peu quand il prend la
plume.
   Le roman commence par une scène qui a *semble conduite à qu*

BROUILLON 3

[**f. 24 r⁰**]   Le roman commence par une scène qui semble d'abord *menée* |
s conduite | avec quelque vivacité. C'est au palais de justice, pendant une
suspension d'audience. Le président fait fermer les fenêtres. Je ne croyais
pas à vrai dire que *le Président* ces choses-là fussent du ressort du Président
qui doit être si je ne me trompe disparu dans une pièce à côté aussitôt que
l'audience a été suspendue. Le détail | **s** dira-t-on | est de peu d'importance.
Mais quelle créance voulez-vous que nous accordions, ô inflexible théoricien
de la vérité et du naturisme en art, à vos prétendues reconstitutions des
moindres bruits [?] des maisons [?] Carthaginoises quand un point si
voisin de nous, *si facile* où la vérité est si facile à savoir vous commettez de
telles bévues. Mais notre M. Flaubert *voulait* avait besoin que le président
fut [sic] là pour pouvoir nous dire tout de suite qu'il avait « un visage de
pitre des prétentions à l'esprit. » Un visage de pitre passe encore, nous
savons que l'école dont se réclame, assez impudemment parfois, M. Gustave
Flaubert ne voit des choses que le laid. *Mais des prétentions à l'esp*   Peut-
être [**f. 25 v⁰**] on aurait pu penser que M. Flaubert bas normand *si* s'il en
fut, de ce pays de robe et de haute sapience qui a produit tant d'austères
magistrats aurait pu s'honorer [?] de nous en donner un portrait. Cela
n'eut [sic] | **i** pas | manqué d'une certaine grandeur, et cela aussi eut été
dans la vérité. *Mais*   Mais passons. Quant à « prétentions à l'esprit » je
le demande, qu'est-ce que l'auteur en peut savoir puisque ce magistrat n'a
pas encore ouvert la bouche. D'ailleurs ce n'est pas sur le président c'est *sur*

le public que M. Flaubert avait hâte de peindre nous allons voir com-
ment il y a réussi. *Ce public à vrai dire paraît* | s est | *assez bigarré*. « *En
tirant de sa poche une orange, un nègre* ... » *O voyageur comme on vous
reconnaît tout de suite, comme sans* | s avec | *ces grands   tout   cette
ces théories de vérité, d'« objectivité »* dont *vous faites profession, j'allais
dire parade, vous ne serez jamais un*   +   « Comme la suspension d'audience se prolongeait, *les* des intimités s'ébauchèrent, *les malins se se
plaignaient du manque d'* | i pour entrer en conversation les malins (la |
[**f. 25 r°**] belle malice en vérité !) se plaignaient du manque d'air... « un
réactionnaire dit Pauvre France ». Il est clair que l'auteur s'amuse qu'il
entasse les détails inventés à souhait. Un réactionnaire, qu'en savez-vous.
Mais ce n'est rien encore. « En tirant une orange de sa poche un nègre
s'ac... » De mieux en mieux. O voyageur, *vous n'avez à la bouche que les
mots* | i vous n'avez *qu* à la bouche que les mots de vérité, *d'objec*   d'ob-
jectivité, vous en faites profession, disons-le vous en faites parade, mais
comme | **lp** comme on vous reconnaît tout de suite | i tout de suite par
votre peinture prétendue irréprochable | à cette orange, à ce nègre, *tout à
l'heur*e à ce perroquet | s aussi que nous verrons tout à l'heure | *fraîche-
ment* à tout [sic] ces *ba* accessoires un peu bariolés convenez-en *que vous
avez rapportés tout fraîchement* | i rapportés tout incontinent d' | Afrique,
fraîche débarqués d'hier au soir et que vous vous empressez de « plaquer »
[**f. 24 v°**] ici *pour* | s et qui | ajoutent *une* | s quelques | notes *plus*
éclatantes je le veux bien à un *tableau* mais font perdre toute vérité, toute
couleur parisienne et réelle au tableau. Que Furetière en usait autrement
dans son roman bourgeois dont vous auriez beaucoup à apprendre mais
revenons au nègre. « En tirant une orange de sa poche un nègre s'acquit de
la considération ». De la considération. En tirant une orange de sa poche !
En vérité la chose est facile. Non ce n'est pas ainsi qu'on s'acquiert de la
considération. On ne l'acquiert, M. Flaubert sera plus sensible à notre allusion car il est bon fils, *sensible et n'est,* fils pieux, *diro*   peut-on dire, et
n'est de l'école de l'insensibilité, de l'impassibilité qu'en littérature, par une
vie toute d'honneur, de dévouement à la science, à l'humanité. Les lettres
telles qu'elles étaient pratiquées autrefois *comme* pouvaient y conduire aussi.
+ + *ouvrage*   L'ouvrage même que M. Flaubert [**f. 26 r°**] a publié
l'année dernière aurait même pu *en procurer* en apporter à M. Flaubert,
de la considération, s'il avait su justement y montrer à côté de la cruauté et
du vice quelque figure de proportions tout humaines, s'il avait su résister à
un penchant malsain pour la corruption. J'entends bien qu'ici l'auteur plaisante et qu'il a voulu montrer — remarque d'ailleurs assez juste —
combien dans une foule quelqu'un qui a avec soi + un petit élément de
bien-être que les autres ont négligé *devient tout de suite* apparaît tout de
suite comme d'un rang supérieur, un Mr qui passe directement au contrôle
pendant que les autres font la queue, qui boit dans un verre en wagon
quand les autres boivent à même la bouteille, qui tire de sa poche un
journal etc. Mais que l'expression de considération est donc bizarre. Prenant [?] les choses comme elles sont M. Flaubert n'a pas été fâché d'indiquer justement par là que la considération est au fond quelque chose de
parfaitement ridicule, que c'est une forme assez niaise de l'envie pour des

biens *sans*   qui ne méritaient pas de l'exciter. M. Flaubert est de l'école de
ceux qui en toute occasion et fut-ce [sic] par un adjectif [?] [**f. 26 v⁰**]
de déposer leur petite boule, *leur ex* au pied de quelque idée morale
enracinée au cœur des hommes. Eh bien lui dirons-nous ce n'est ni bon ni
juste. Non puisque la considération est autre chose que cela.

    Après   Une fois que le nègre a fini de manger son orange M. Flaubert
qui ne nous fait grâce d'aucun détail tient à nous faire savoir qu'un
ecclésiastique l'a trouvée bonne, | s mais | qu'une douairière l'a refusée,
sans doute voit-il quelque trait profond de psychologie sociale là-dedans,
une dame ôte un chapeau orné d'un perroquet (M. Flaubert dit *surmonté*
assez bizarrement surmonté) et deux jeunes gens « auraient voulu savoir »
s'il avait été placé là (lisez sur le chapeau) *par* comme souvenir ou par
goût excentrique. C'est une *noble* curiosité *la seule d'ailleurs* | i qui n'a
rien de très insolite [?] | S D'ailleurs | **lp** M. Flaubert n'en connaît pas
d'autre. Celle que Lucrèce [?] a décrit [sic] avec magnificence est absente
de ses livres. Mais je crois que je pourrais la contenter assez facilement.
Ce goût excentrique ô naïfs jeunes gens [**f. 27 r⁰**] c'est tout simplement
le goût de M. Flaubert. *Et l'excentrique comme*   Et le souvenir mais c'est
le souvenir du perroquet *d'assez* | sc de | mémoire un peu bien fâcheuse,
qui *remp*   *jouait,* dans un Cœur simple était assimilé avec assez peu de con-
venance à la Colombe du Saint-Esprit. Nous avions appris sans trop de
chagrin à la fin de ce conte que le perroquet était mangé des vers. Qu'à
cela ne tienne, M. Flaubert l'a fait rempailler *avec assez*   à peu de frais
et le voilà qui recommence à figurer avec honneur sur le chapeau d'une
Comtesse de Pimbêche quelconque. Mais l'audience est reprise et nous
entendons l'avocat de Werner qui chaque fois qu'il s'adressait au Président
[sic]. *Et*   Pour M. Flaubert *tous les pr*   un président a forcément une
figure de pitre, un avocat ne peut être qu'un plat valet de la cour et du
ministère public. Oh ! qu'il n'en va pas [?] ainsi dans la réalité. Et

CRITIQUE DU ROMAN DE M. GUSTAVE FLAUBÉRT
SUR L'« AFFAIRE LEMOINE » PAR SAINTE-BEUVE,
DANS SON FEUILLETON DU *CONSTITUTIONNEL*

L'Affaire Lemoine... par M. Gustave Flaubert ! Sitôt surtout après *Salammbô*, le titre a généralement surpris. Quoi ? l'auteur avait dressé son chevalet en plein Paris, au Palais de justice, dans la chambre même des appels correctionnels... : on le croyait encore à Carthage !

5   M. Flaubert — estimable en cela dans sa velléité et sa prédilection — n'est pas de ces écrivains que Martial a bien finement raillés [6] et qui, passés maîtres sur un terrain, ou réputés pour tels, s'y cantonnent, s'y fortifient, soucieux avant tout de ne pas offrir de prise à la critique, n'exposant jamais dans la manœuvre qu'une aile à la fois. M. Flaubert,

10 lui, aime à multiplier les reconnaissances et les sorties, à faire front de tous côtés, que dis-je, il tient les défis, quelques conditions qu'on propose, et ne revendique jamais le choix des armes ni l'avantage du terrain. Mais cette fois-ci, il faut le reconnaître, cette volte-face si précipitée, ce retour d'Egypte [7] (ou peu s'en faut) à la Bonaparte, et

15 qu'aucune victoire bien certaine ne devait ratifier, n'ont pas paru très

---

Titre   [*Fig.* : titre en minuscules ; « Constitutionnel » entre guillemets et en caractères romains.]
1   *Ms.* : [L'affaire Lemoine non souligné ; de même Salammbô à la 1. 2.]
2   *Ms.* : [point simple après Flaubert.]
—   *Ms.* : surpris ;
3   *Ms.* : Justice,
4   *Ms.* : correctionnels... ? on
5   *Ms.* : M. Flaubert — *tout à fait* estimable
6   *Ms.* : écrivains *qui* | **sc** que | *me* Martial a bien finement raillés, et qui passés
7   *Ms.* : pour tels — s'y *fortifient* cantonnent, s'y fortifient,
9   *Ms.* : dans la manœuvre et au feu
—   *Ms.* : Monsieur Flaubert, lui, | **s** aime à | multiplier les sorties | **s** et les | **I** reconnaissances, | **s** à | *fait* | **sc** faire | front de tous côtés *à la fois*, que dis-je,
12   *Ms.* : et ne *se ré*   revendique
13   *Ms.* : cette fois-ci *son* il faut le reconnaître *son retour d'Egypte* | **s** *dans* | cette volte-face
14   *Ms.* : (ou peu s'en faut),

heureux ; on y a vu, ou cru y voir, disons-le, comme un rien de mystification. Quelques-uns ont été jusqu'à prononcer, non sans apparence de raison, le mot de gageure [8]. Cette gageure, M. Flaubert, du moins, l'a-t-il gagnée ? C'est ce que nous allons examiner en toute franchise [9],

5 mais sans jamais oublier que l'auteur est le fils d'un homme bien regrettable, que nous avons tous connu, professeur à l'Ecole de médecine de Rouen, qui a laissé dans sa profession et dans sa province sa trace et son rayon ; et que cet aimable fils — quelque opinion qu'on puisse d'ailleurs opposer à ce que des jeunes gens bien hâtifs ne craignent

10 pas, l'amitié aidant, d'appeler déjà son talent — mérite, d'ailleurs, tous les égards par la simplicité reconnue de ses relations toujours sûres et parfaitement suivies [10] — lui, le contraire même de la simplicité dès qu'il prend une plume [11] ! — par le raffinement et la délicatesse invariable de son procédé.

15 Le récit débute par une scène qui, mieux conduite, aurait pu donner de M. Flaubert une idée assez favorable, dans ce genre tout immédiat et impromptu du croquis, de l'étude prise sur la réalité. Nous sommes au Palais de justice, à la chambre correctionnelle, où se juge l'affaire Lemoine, pendant une suspension d'audience. Les fenêtres viennent

20 d'être fermées sur l'ordre du président. Et ici un éminent avocat m'assure que le président n'a rien à voir, comme il semble en effet plus naturel et convenable, dans ces sortes de choses, et à la suspension même s'était certainement retiré dans la chambre du conseil. Ce n'est

---

1 *Ms.* : voir, *tranchons le mot* | **i** disons-le, | comme
2 *Ms.* : prononcer le mot de gageure. *Du moins* | **i** *si gageure il y eut* | *M. Flaubert l'a-t-il tenue avec* M. Flaubert, du moins l'a-t-il gagnée ?
5 *Ms.* : que *Monsieur Flaubert* | **s** l'auteur | est le fils
6 *Ms.* : que nous avons | **s** tous | connu
7 *Ms.* : province, sa trace et son rayon ; — et que
9 *Ms.* : des *amis* | **i** jeunes gens | bien hâtifs
10 *Ms.* : pas | **s** l'amitié aidant | d'appeler
— *Ms.* : d'ailleurs | **s** et force honorablement | tous les égards *par une parfaite* | **s1** *honorable* | **s2** bien dus à la | simplicité | **i** reconnue | **S** de ses relations toujours sûres et parfaitement suivies | **lp** lui *qui en a si peu* | **i1** le contraire *précisément* / **i2** même / de la simplicité | **lp** dès qu'il prend une plume ! — *dans* dans *des relations toujours sûres et parfaitement suivies, par la franchise* | **s** au | **I** raffinement | **lp** et à la délicatesse | **i** invariables | de son procédé.
15 *Ms., Fig.* : [chiffre romain en milieu de ligne : I .] *Plac.* : [ligne en blanc.]
— *Ms.* : qui mieux conduite aurait
18 *Ms.* : Palais de Justice, dans la salle où *on* | **s** se | juge
20 *Ms.* : Président [la majuscule est constante dans *Ms.*]
— *Ms.* : Et ici quelqu'un qui fréquente au Palais plus que *moi* je ne fais, m'assure
22 *Ms.* : en effet | **i** plus | naturel
— *Ms.* : et qu'*avant* | **sc** à | la suspension, *d'audience* il *a* | **sc** avait | **i** certainement | **lp** quitté la salle *d'audience*. Ce n'est

qu'un détail si l'on veut. Mais vous qui venez nous dire (comme si en vérité vous les aviez comptés !) le nombre des éléphants et des onagres dans l'armée carthaginoise [12], comment espérez-vous, je vous le demande, être cru sur parole quand, pour une réalité si prochaine, si
5   aisément vérifiable, si sommaire même et nullement détaillée, vous commettez de telles bévues ! Mais passons : l'auteur voulait une occasion de décrire le président, il ne l'a pas laissée échapper. Ce président a « un visage de pitre [[(ce qui suffit à désintéresser le lecteur)]], une robe trop étroite pour sa corpulence (trait assez gauche et qui ne
10   peint rien), des prétentions à l'esprit ». Passe encore pour le visage de pitre ! L'auteur est d'une école qui ne voit jamais rien dans l'humanité de noble ou d'estimable [13]. Pourtant M. Flaubert, bas Normand s'il en fut, est d'un pays de fine chicane et de haute sapience qui a donné à la France assez de considérables avocats et magistrats, je ne veux point
15   distinguer ici. Sans même se borner aux limites de la Normandie, l'image d'un président Jeannin [14] [[sur lequel M. Villemain [15] nous a donné plus d'une indication délicate,]] d'un Mathieu Marais [16], d'un Saumaise [17], d'un Bouhier [18], voire de l'agréable Patru [19], de tel de ces hommes distingués par la sagesse du conseil et d'un mérite si néces-
20   saire, serait aussi intéressante, je crois, et aussi vraie que celle du président à « visage de pitre » qui nous est ici montrée. Va pourtant

---

1	*Ms.* : détail, si
—	*Ms.* : nous dire comme si en vérité vous les aviez *vus* comptés, le nombre des *béliers* | **s** éléphants | et des *scorpions* | **s** onagres ˋ| *de* | **sc** dans | l'armée carthaginoise,
3	*Ms.* : espérez-vous | **s** , je le demande, | *que nous* être crus [sic]
4	*Ms.* : *sur* | **s** pour | une réalité
5	*Ms.* : et *peu* | **s** non | détaillée,
7	*Ms.* : il *n'* | **sc** ne *l'* | a pas *voulu la laisser* | **sc** laissé | échapper.
8	*Ms., Fig.* : de pitre, une robe
—	*Plac.* : de pitre | **md** (ce qui suffit à désintéresser le lecteur) | une robe
10	*Ms.* : *Passe* | **s** Passe | encore
11	*Ms.* : est *de l'* | **sc** d'une | école
—	*Ms.* : l'humanité *qu'on puisse admirer ou* | **s** de noble et d' | *estimer* | **sc** estimable |.
12	*Ms.* : bas normand
13	*Ms.* : d'un*e province* pays
14	*Ms.* : considérables | **s** avocats et | magistrats | **s** je ne veux point distinguer ainsi. | Sans même
15	*Ms.* : *à* | **i** aux limites de | la Normandie, *la figure* | **sc** l' | **s** image | **lp** d'un Président
16	*Plac.* : Jeannin | **mg** sur lequel M. Villemain nous a donné plus d'une indication délicate, | d'un Mathieu Marais
18	*Ms.* : agréable *et bien distingué* Patru, *pour ne pas citer tous* | **s** de tel de | ces hommes
20	*Ms.* : nécessaire, *sont* | **s** serait | aussi | **s** intéressante je crois, et aussi | *vrais* | **sc** vraie | *je pense,* que *le* | **s** celle du | Président
21	*Ms.* : ici montrée *ici.* | **s** Va pourtant pour visage de pitre ! | *Quant Pour* Mais s'il a *Plac.* | **mg** *bien qu'aussitôt le lecteur* |

pour visage de pitre ! Mais s'il a des « prétentions à l'esprit », qu'en
savez-vous [20], puisque aussi bien il n'a pas encore ouvert la bouche ?
Et de même, un peu plus loin, l'auteur, dans le public qu'il nous
décrit, nous montrera du doigt un « réactionnaire ». C'est une désignation assez fréquente aujourd'hui. Mais ici, je le demande encore
à M. Flaubert : « Un réactionnaire ? à quoi reconnaissez-vous cela à
distance ? Qui vous l'a dit ? Qu'en savez-vous ? » L'auteur, évidemment,
s'amuse, et tous ces traits sont inventés à plaisir. Mais ce n'est rien
encore, poursuivons. L'auteur continue à peindre le public, ou plutôt
de purs « modèles » bénévoles qu'il a groupés à loisir dans son atelier :
« En tirant une orange de sa poche, un nègre... » Voyageur ! vous
n'avez à la bouche que les mots de vérité, d'« objectivité », vous en
faites profession, vous en faites parade ; mais, sous cette prétendue
impersonnalité, comme on vous reconnaît vite, ne serait-ce qu'à ce
nègre, à cette orange, tout à l'heure à ce perroquet, fraîchement débarqués avec vous, à tous ces accessoires *rapportés* que vous vous
dépêchez bien vite de venir *plaquer* sur votre esquisse, la plus bigarrée,
je le déclare, la moins véridique, la moins ressemblante où se soit
jamais évertué votre pinceau.
  Donc le nègre tire de sa poche une orange, et ce faisant, il... « s'attire de la considération » ! M. Flaubert, j'entends bien, veut dire que
dans une foule quelqu'un qui peut faire emploi et montre d'un avan-

---

2   *Ms.* : qu'en savez-vous *je le demande*, puisque
—   *Ms.* : ouvert la bouche. | **s** Et De même | Un peu plus loin l'auteur, | **s** dans
     le public qu'il nous décrit, | nous montrera *dans le public* | **i** du doigt | un
     « réactionnaire ».
5   *Ms.* : Mais ici je le demande encore à *l'auteur* | **s** M. Flaubert | : « *Qu'en s*
     Un réactionnaire ? Qu'en savez-vous ? Qui vous l'a dit ? | **s** Un réactionnaire ? |
     lp A quoi reconnaissez-vous cela | **s** à distance ? Qui vous l'a dit ? | **lp** L'auteur
     évidemment s'amuse et
9   *Ms.* : [en interligne inférieur, après « poursuivons » :] *L'auteur continue à décrire*
     le public, qu'il a d'ailleurs groupé à souhait L'auteur continue à peindre le public,
     ou plutôt de purs « modèles » *d'atelier* bénévoles qu'il a groupés à loisir dans
     son atelier :
11   *Ms.* : O voyageur, *tout frais débarqué d'Afrique*, vous n'avez | **s** à la bouche |
     que les mots de vérité, d'« objectivité », *à la bouche*, vous
13   *Ms.* : mais comme sous cette prétendue impersonnalité | **s** comme | on vous
     reconnaît vite [point d'exclamation biffé], ne
15   *Ms.* : perroquet, *que vous* | **s** fraîchement | débarqués *ce matin d'Afrique*
     avec vous,
17   *Ms.* : que vous vous *êtes* | **s** dépêchez | bien vite *hâté*
—   *Ms.* : sur *le* votre esquisse, la plus bigarrée je le
18   *Ms.* : la moins *vraie*, | **s** véridique, | la moins ressemblante, *qui soit jamais*
     sortie où se soit jamais évertué votre pinceau. Donc [sans alinéa]
20   *Ms.* : faisant, | **s** *il* | **lp** [rajouté entre deux mots] il... | « s'attire
21   *Ms.* : L'auteur, j'entends
22   *Ms.* : foule, *une personne* | **s** *le* quelqu'un | qui *possède une*   tire de sa
     poche *quelq*   une chose même tout usuelle que les autres n'ont point à ce

tage, même usuel et familier à chacun, qui tire un gobelet par exemple
quand près de lui on boit à la bouteille ; un journal, s'il est le seul qui
ait pensé à l'acheter, que ce quelqu'un-là est aussitôt désigné à la
remarque et à la distinction des autres. Mais avouez qu'au fond vous
5   n'êtes pas fâché, en hasardant cette expression si bizarre et déplacée
de considération, d'insinuer que toute considération, jusqu'à la plus
haute et la plus recherchée, n'est pas beaucoup plus que cela, qu'elle
est faite de l'envie que donnent aux autres des biens au fond sans
valeur. Eh bien, nous le disons à M. Flaubert, cela n'est pas vrai ; la
10   considération, — et nous savons que l'exemple vous touchera, car vous
n'êtes de l'école de l'insensibilité, de l'*impassibilité*, qu'en littérature,
— on l'acquiert par toute une vie donnée à la science, à l'humanité.
Les lettres, autrefois, pouvaient la procurer aussi, quand elles n'étaient
que le gage et comme la fleur de l'urbanité de l'esprit, de cette dis-
15   position tout humaine qui peut avoir, certes, sa prédilection et sa visée,
mais admet, à côté des images du vice et des ridicules, l'innocence
et la vertu. Sans remonter aux Anciens [21] (bien plus « naturalistes » que

---

moment | s peut faire *montre* emploi et montre d'un avantage même usuel et
familier à chacun |, un *verre* | s qui tire un gobelet par exemple | quand près
d'elle | sc de | i lui | lp *on* | i tout le monde | boit à la bouteille, un journal
si l'on n'en voit pas d'autre | s s'il est le seul qui ait pensé à l'acheter, | i que
ce quelqu'un-là | lp est aussitôt *remarqué* | i *et distingué* | S désigné à |
I la remarque et à la distinction des autres. | lp Mais avouez

5   *Ms.* : si bizarre*ment ici* et déplacée de « considération »,
6   *Ms.* : *la* | s toute | considération | s jusqu'à la plus haute et la plus recher-
chée | ce n'est pas beaucoup plus que cela, | s qu'elle est faite | lp de l'envie
de biens sans valeur réelle | s que donnent aux autres des biens au fond sans
valeur. | Eh bien,
—   *Plac.* : recherchée, *ce* n'est pas
9   *Ms.* : nous | s le | disons
—   *Ms., Fig.* : ce n'est pas vrai ;   *Plac.* : *ce* | md cela | n'est
10   *Ms., Fig.* : la considération, on l'acquiert — et
—   *Plac.* : *on l'acquiert*
—   *Ms.* : et *ce* nous savons
—   *Ms.* : vous touchera car
11   *Ms.* : impassibilité, [non souligné]
13   *Ms.* : Les lettres autrefois pouvaient la *donner* | s procurer | aussi,
14   *Ms.* : gage *le plus certain,* | s et comme | la fleur *et le fruit* de *l'* | s l' | urbanité
15   *Ms.* : avoir | i, certes, | sa prédilection et sa visée, *ce* mais admet à côté des
images du *crime* | s vice | et *de* | sc des | *la laideur* | s ridicules
17   *Ms.* : Sans remonter [...] prétend tracer : [passage très raturé et surchargé,
recopié au verso par une autre main. Nous donnons le premier état, et signalons
par *Ms. 2* les différences propres à la copie.]
—   *Ms.* : remonter jusqu'aux Anciens   *Ms. 2* : remonter aux anciens
—   *Ms.* : Anciens, bien plus « *réels* » *que*   « *réalistes* » | s « naturalistes » | que
vous | s ne serez jamais | , mais qui *sur le tableau font toujours descendre* | s
jouer, | sur le tableau *familier le rayon tombé d'en haut* | s découpé *dans le vif*
dans un cadre réel font toujours descendre, à l'air libre et comme à ciel ouvert

vous ne serez jamais, mais qui, sur le tableau découpé dans un cadre
réel, font toujours descendre à l'air libre et comme à ciel ouvert un
rayon tout divin qui pose sa lumière au fronton et éclaire le contraste),
sans remonter jusqu'à eux, qu'ils aient nom Homère ou Moschus, Bion
5 ou Léonidas de Tarente, et pour en venir à des peintures plus prémé-
ditées, est-ce autre chose, dites-le nous, qu'ont toujours fait ces mêmes
écrivains dont vous ne craignez pas de vous réclamer ? Et Saint-Simon
d'abord, à côté des portraits tout atroces et calomniés d'un Noailles
ou d'un Harlay, quels grands coups de pinceau n'a-t-il pas pour nous
10 montrer, dans sa lumière et sa proportion, la vertu d'un Montal, d'un
Beauvillier, d'un Rancé, d'un Chevreuse ? Et, jusque dans cette « Comédie humaine », ou soi-disant telle, où M. de Balzac, avec une suffisance qui prête à sourire, prétend tracer des « scènes [[(en réalité toutes
fabuleuses)]] de la vie parisienne et de la vie de province » (lui, l'hom-
15 me incapable d'observer s'il en fut), en regard et comme en rachat
des Hulot, des Philippe Bridau, des Balthazar Claes, comme il les
appelle, et à qui vos Narr'Havas et vos Shahabarims n'ont rien à envier,
je le confesse, n'a-t-il pas imaginé une Adeline Hulot, une Blanche
de Mortsauf, une Marguerite de Solis ?
20   Certes, on eût bien étonné, et à bon droit, les Jacquemont [22], [[les

---

un rayon tout divin | **lp** qui *vient poser* | **sc** pose | sa lumière | **i** au fronton |
et *faire jouer* | **s** éclaire | le contraste, | **s** et pour en venir à des peintures plus
préméditées, | **I** sans remonter jusqu'à eux qu'ils aient nom Homère ou Moschus,
Bion ou Léonidas de Tarente, | **lp** est-ce autre chose dites-le nous,

— *Ms. 2* : descendre à l'air libre

7 *Ms.* : réclamer ? | **s** Et Saint-Simon d'abord | *A* | **sc** a | côté des portraits
tout horribles et calomniés

— *Ms. 2* : d'abord. A côté

9 *Ms.* : quel grand coup de pinceau *chez Saint-Simon* | **s** n'a-t-il pas, | pour
peindre | **s** nous montrer, dans sa lumière et sa proportion, | la vertu d'un Montal,
d'un | **i** Beauvilliers, d'un Rancé, d'un Chevreuse. | Et | **i** jusque | dans cette
« Comédie Humaine » ou [sur l'orthographe de Beauvillier, cf. p. 294, note 35]

— *Ms. 2* : quels grands coups de pinceau

13 *Ms.* : qui *prête à* | **i** *ferait* | **S** prête à | sourire, *joue à l'* | prétend tracer
[*Ms. 2* s'achève sur ce dernier mot.]

— *Ms.* : ces « scènes de la vie   *Plac.* : « scènes | **md** (en réalité toutes fabu-
leuses) | de la vie

14 *Ms.* : Province « lui, l'homme incapable *de rien* | **sc** d' | observer *avec exac-*
titude | **s** *exactement* |, s'il en fut, *à côté* | **s** en regard et comme en rachat |
des *monstres, des*   Hulot

17 *Ms.* : appelle, | **s1** et qui *valent bien avouez-le* / **s2** n'ont rien à envier je le
confesse / à   vos *Spendius* / **s2** Nar Havas / et vos Shahabarim | **lp** n'a-t-il
pas *placé* | **s** imaginé | une   + | **i** Adeline | Hulot, une   + | **i**
Blanche | de Mortsauf

20 *Ms.* : [Addition d'un paragraphe, sur le f. 37 v°, entièrement biffée, puis recopiée
au net d'une autre écriture. Cf. la note sur le texte :] Certes... vous ne le sentez
donc pas ? [Nous désignons par *Ms. 2* le passage recopié.]

— *Plac.* : Jacquemont, | **mg** les Daru | les Mérimée

Daru [23],]] les Mérimée, les Ampère [24], tous ces hommes de finesse et d'étude qui l'ont si bien connu [[et qui ne croyaient pas qu'il y eût besoin, pour si peu, de faire sonner tant de cloches,]] si on leur avait dit que le spirituel Beyle [25], à qui l'on doit tant de vues claires [[et
5   fructueuses,]] tant de remarques appropriées, passerait romancier de nos jours. Mais enfin, il est encore plus *vrai* que vous ! Mais il y a plus de vérité dans la moindre étude, je dis de Sénac de Meilhan [26], de Ramond [27] ou d'Althon Shée [28], que dans la vôtre, si laborieusement inexacte ! Tout cela est faux à crier, vous ne le sentez donc pas ?
10   Enfin l'audience est reprise [[(tout cela est bien dépourvu de circonstances et de détermination),]] l'avocat de Werner a la parole, et M. Flaubert nous avertit qu'en se tournant vers le président il fait, chaque fois, « une révérence si profonde qu'on aurait dit un diacre quittant l'autel ». Qu'il y ait eu de tels avocats, et même au barreau
15 de Paris, « agenouillés », comme dit l'auteur, devant la cour et le ministère public, c'est bien possible. Mais il y en a d'autres aussi — cela, M. Flaubert ne veut pas le savoir — et il n'y a pas si longtemps que nous avons entendu le bien considérable Chaix d'Est-Ange [29] (dont les discours publiés ont perdu non certes toute l'impulsion et le sel, mais
20 l'à-propos et le colloque) répondre fièrement à une sommation hautaine

---

1   *Ms.* : et *de goût* | **s** d'étude | qui
2   *Plac.* : connu | **md** et qui ne croyaient pas qu'il y eut [sic] besoin pour si peu de faire sonner tant de cloches| si
4   *Plac.* : claires | **mg** et fructueuses |, tant
5   *Ms.* : *serait* passerait romancier
6   *Ms.* : vrai   *Ms. 2* : *vrai* ° [souligné]
7   *Ms.* : la moindre *fiction* | **s** étude | *Ms. 2* : la moindre *nouvelle* | **s** étude |
—   *Ms.* : étude de Champfleury ou d'Althon Shée que dans la vôtre, si laborieusement + + inexacte.
9   *Ms., Fig.* : Mais tout   *Plac.* : *Mais tout* | **md** Tout | cela
10 *Ms.* : [Quatre lignes de texte entièrement biffées ; il n'est pas fourni pour elles de copie au net. Voici ces lignes :] *Mais* | **s** Enfin | l'audience est reprise, *on entend* l'avocat de Werner | **i** a la parole | *et l'auteur nous dit que* | **s** Mais M. Flaubert nous avertit que nous dit l'auteur, | « chaque fois qu'*il se* | **sc** *en* | *disait* | **i** *se tournant vers* | **S** qu'il se tournait vers | **lp** le Président il *semblait* faisait | **s** chaque fois | une révérence si profonde etc » Qu'il y ait | **s** eu | de tels avocats | **s** et même | au barreau de Paris « agenouillés » comme dit M. Flaubert | **i** l'auteur | devant la cour et le ministère public,
—   *Plac.* : reprise | **mg** (tout cela est bien dépourvu de circonstances et de détermination) |, l'avocat
16 *Ms.* : [Suite des lignes précédentes, non biffées, sur le f. 39 r° :] | **s1** c'est / **s2** bien / possible. | **lp** Mais il n'y *a* | **sc** en | *pas si longtemps* | **s** a d'autres | **lp** aussi —
18 *Ms.* : le *spirituel* | **s** bien considérable | Chaix d'Estange | **s** (dont les discours publiés ont perdu non certes tout l'ardent, la flamme et le sel, mais l'à-propos et la riposte) | répondre
20 *Ms.* : sommation *un peu brutale* | **s** hautaine | du

du ministère public : « Ici, à la barre, M. l'avocat général et moi, nous sommes égaux, au talent près ! » [[Ce jour-là, l'aimable juriste qui ne pouvait certes trouver autour de lui l'atmosphère, la résonance divine du dernier âge de la République, avait su pourtant, tout comme
5   un Cicéron, lancer la flèche d'or.]]
Mais l'action, [[un moment déprimée,]] se motive et se hâte. L'accusé est introduit, et d'abord, à sa vue, certaines personnes regrettent (toujours des suppositions !) la richesse qui leur aurait permis de partir au loin avec une femme aimée jadis, à ces heures dont parle le poète,
10 seules dignes d'être vécues et où l'on s'enflamme parfois pour toute la vie, *vita dignior ætas* [30] ! Le morceau, lu à haute voix, [[— et bien qu'y manque un peu ce ressentiment d'impressions douces et véritables, où se sont laissés aller avec bien de l'agrément un Monselet [31], un Frédéric Soulié [32] —]] présenterait assez d'harmonie et de vague :
15 « Ils auraient connu le cri des pétrels, la venue des brouillards, l'oscillation des navires, le développement des nuées ». Mais, je le demande, que viennent faire ici les pétrels ? L'auteur visiblement recommence à s'amuser, tranchons le mot, à nous mystifier. On peut n'avoir pas pris ses us en ornithologie et savoir que le pétrel est un

---

1   *Ms.* : Ici, *devant la Cour, mon* | **i** à la barre | Monsieur
2   *Ms., Fig.* : près ! « Mais l'action
—   *Plac.* : près ! » | **md** Ce jour-là l'aimable juriste, *et bien qu'il n'y eut pas* / **s** qui ne pouvait certes trouver / autour de lui l'atmosphère, la résonnance [*sic*] divine du dernier âge de la République, avait su / **s** pourtant /, tout comme un Cicéron, lancer la flèche *d'or d'or* / **i** d'or. / |
6   *Plac.* : l'action, | **mg** , un moment *déprimée* déprimée | se motive
—   *Ms.* : et *s'anime* | **sc** se | **s** hâte. |
7   *Ms.* : introduit et *par* | **s** , d'abord à sa vue, | certaines personnes *redisent (toujours des suppositions !)* regretient | **s** (toujours des suppositions !) | *de ne pas avoir gagné   que Lemoine   la fortune* richesse qui
8   *Ms., Fig., Plac.* : permis d'aller vivre au loin
9   *Ms.* : une femme | **s** aimée |. Le morceau, lu
—   *Fig.* : une femme aimée dès la jeunesse, à ces heures dont parle le poète, seules dignes d'être vécues et où l'on s'enflamme parfois pour toute la vie, *vita dignior ætas* [*] ! Le morceau, lu
—   *Plac.* : aimée *dès la jeunesse* | **mg** jadis | à ces heures
1   *Ms.* : voix, présente *une* | **s** *assez* assez d' | harmonie *assez touchante* | **s1** *heureuse* | **I** vague | **s2** et de vague. |
—   *Fig.* : voix, présenterait
—   *Plac.* : voix, | **md** — et bien qu'y manque [...] Frédéric Soulié | présenterait
5   *Ms.* : [pas d'alinéa.] « *Non* Ils auraient connu *la mélancolie* | **sc** le | **s** cri des pétrels, | **I** la venue des brouillards, | **lp** *le* | **sc** l' | oscillation
6   *Ms.* : nuées « *le cri des*. Mais je le demande que viennent faire ici les pétrels.
7   *Ms.* : visiblement | **s** recommence à | s'amuser *encore une fois* | **s** , tranchons le mot, à nous mystifier. | *Il n'est pas besoin d'* | **i** on peut n' | être *bien versé* | **s** *pas grand* n'avoir pas ses us | en ornithologie *pour* | **s** et | savoir

oiseau fort commun sur nos côtes, et qu'il n'est nul besoin d'avoir découvert le diamant et fait fortune pour le rencontrer. Un chasseur qui en a souvent poursuivi m'assure que son cri n'a absolument rien de particulier et qui puisse si fort émouvoir celui qui l'entend. Il est clair que l'auteur a mis cela au hasard de la phrase. Le cri du pétrel, il a trouvé que cela faisait bien [[et, dare-dare, il nous l'a servi.]] M. de Chateaubriand est le premier qui ait ainsi fait entrer dans un cadre étudié des détails ajoutés après coup et sur la vérité desquels il ne se montrait pas difficile [33]. Mais lui, [[même dans son annotation dernière,]] il avait le don divin, le mot qui dresse l'image en pied, pour toujours, [[dans sa lumière et sa désignation,]] il possédait, comme disait Joubert, le talisman de l'Enchanteur. Ah ! postérité d'Atala, postérité d'Atala, on te retrouve partout aujourd'hui, jusque sur la table de dissection des anatomistes [34] ! etc.

---

1   *Ms.* : fort *connu* | **s** commun | sur

—   *Ms.* : et *qu* | **s** qu' | il n'est *nulle*   nul besoin

     Ms. : *Quelqu'un* | **s** Un chasseur | qui *a* en | **s** *les* a souvent | *beaucoup chassé le pétrel* | **s** souvent *rencontré tué*   poursuivi | **lp** m'assure que *leur* | **s** son | cri n'a absolument

5   *Ms.* : au hasard | **s** de la phrase |. Le

6   *Plac.* : bien | **mg** *et, dare-dare* | **md** et — dare-dare — il nous l'a servi. | M. de Chateaubriand

7   *Ms.* : ainsi *ajouté* | **i** fait entrer | *à* | **i** dans | un *tableau* | **s** *prémédité* | **I** cadre étudié | dans les détails *faits* ajoutés

9   *Plac.* : Mais lui, | **md** , même dans son annotation dernière, | il

10   *Ms.* : le *don* | **s** mot | divin qui fait *tout oublier* | **s** fait image |, *le talisman* | **i** et |, comme disait Joubert le talisman de l'Enchanteur ...

—   *Plac.* : le don divin, le mot qui dresse l'image en pied, pour toujours, | **mg** dans sa lumière et *sa désignation*   sa désignation | et, comme disait

14   *Ms.* : jusque | **i** *dans le laboratoire*   que dis-je | sur la table | **s** de | dissection

NOTES ET ÉCLAIRCISSEMENTS

BROUILLONS

1 L'image des pinceaux apparaît au moins à trois reprises dans l'article original de Sainte-Beuve.

2 Cf. *Constitutionnel* du 8-12-1862 : « [...] bonnes gens, vous en êtes pour vos frais, il était parti pour Carthage. »

3 Cf. *Ibid.* : « [...] dans ce livre d'un art laborieux [...]. »

4 *Ibid.* : « Toute la peine qu'il s'est donnée pour faire [ce livre], il nous la rend. » (22-12-1862.)

5 *Ibid.* : « On l'attendait sur le pré chez nous, quelque part en Touraine, en Picardie ou en Normandie encore. » (8-12-1862.)

TEXTE ET VARIANTES

6 *Ibid.* : « Martial, dans une de ses épigrammes, classe les œuvres de son temps en deux catégories : les œuvres considérables, dites sérieuses, qu'on estime fort et qui attirent peu ; et les autres, celles dont on fait fi, et que chacun veut lire. M. Flaubert a voulu tâter à toute force et nous faire tâter des deux genres. Voilà tout. » (22-12-1862.)

7 *Ibid.* : « [...] il était allé choisir exprès un pays de monstres et de ruines, l'Afrique, — non pas l'Egypte [...] » (8-12-1862.)

8 *Ibid.* : « L'impossible, et pas autre chose, le tentait. »

9 *Ibid.* : « Nous oublierons notre liaison avec l'auteur, notre amitié même pour lui, et nous rendrons à son talent le plus grand témoignage d'estime qui se puisse accorder, celui d'un jugement attentif, impérial et dégagé de toute complaisance. » *Constitutionnel* du 15-12-1862 : « Que si je semble disposé, cette fois, à ne rien passer à un auteur si distingué et qui est de mes amis [...] »

10 *Ibid.* : « [...] mais comme nous connaissons tous M. Flaubert très vivant, que nous l'aimons et qu'il nous aime, qu'il est cordial, généreux, bon, une des meilleures et des plus droites natures qui existent, je dis hardiment : il y a là un défaut de goût et un vice d'école. »

11 Cf. *Constitutionnel* du 8-12-1862 : « [...] ce livre d'un art laborieux [...] tout son talent et tout son effort, également visibles [...] », et *Constitutionnel* du 22-12-1862 : « Je dirai donc : son ouvrage est un poème ou ou roman historique, comme il voudra l'appeler, qui sent trop l'huile et la lampe. »

12 Cf. *Constitutionnel* du 15-12-1862 : « Et puis c'est une plaisanterie trop forte que de nous dire à un endroit, en nous parlant de la disposition de l'armée carthaginoise, que, « grosse de onze mille trois cent quatre-vingt

seize hommes, elle semblait à peine les contenir, car elle formait un carré long, etc. ». Que dites-vous de ce chiffre excédant de trois cent quatre-vingt seize hommes, ni plus ni moins ? » et *Constitutionnel* du 22-12-1862, où Sainte-Beuve raille l'énumération des machines de siège dans *Salammbô* : « [...] soixante carrobalistes, quatre-vingts onagres, trente scorpions, cinquante tollénones, douze béliers, etc. »

13 Cf. *Constitutionnel* du 8-12-1862 : « [...] un pinceau que la réalité, quelle qu'elle soit, attire, mais qui, tout en cherchant, en poursuivant partout le vrai, paraît l'aimer surtout et le choyer s'il le rencontre affreux et dur. »

14 Pierre Jeannin (1540-1623) : magistrat, et ministre de Henri IV. Il signa l'alliance entre la France et la Hollande (1608) et travailla à la conclusion d'une trêve de douze ans avec l'Espagne (1609).

15 Abel-François Villemain (1790-1870) : critique et homme politique, auteur de nombreux ouvrages d'érudition.

16 Mathieu Marais (1665-1737) : jurisconsulte et littérateur, collabora au *Dictionnaire* de Bayle.

17 Claude de Saumaise (1588-1653) : philologue et juriste réformé ; fut avocat à Dijon, puis enseigna à l'Université de Leyde et écrivit de nombreux ouvrages d'érudition et de polémique.

18 Jean Bouhier (1673-1746) : magistrat et érudit dijonnais, possesseur d'une bibliothèque remarquable.

19 Olivier Patru (1604-1681) : avocat. Inaugura à l'Académie française, en 1640, la tradition du discours de remerciement. L'un des principaux rédacteurs du *Dictionnaire* de Richelet.

20 Cf. *Constitutionnel* du 15-12-1862 : « D'où le savez-vous ? qui vous l'a dit ? »

21 Cf. *Constitutionnel* du 22-12-1862 : tout un paragraphe énumère des auteurs anciens, différents de ceux que nomme Proust, et dont l'exemple donnerait plus d'humanité à l'œuvre de Flaubert. Et Sainte-Beuve commente : « L'auteur s'est refusé là un beau contraste et une lumière ».

22 Victor Jacquemont (1801-1832) : botaniste et voyageur, auteur notamment d'un *Voyage dans l'Inde,* posthume.

23 Napoléon, comte Daru (1807-1890) : homme politique et historien. Ministre des Affaires Etrangères en 1870.

24 Jean-Jacques Antoine Ampère (1800-1864) : fils du savant ; écrivain et historien.

25 Proust s'en prend vivement aux jugements purement mondains de Sainte-Beuve sur Stendhal, cf. *CSB*, pp. 137-139 ; *Chr.*, pp. 207-208, et *RTP*, I, pp. 710-711 (où c'est Mme de Villeparisis qui porte ces mêmes jugements).

26 Gabriel Sénac de Meilhan (1736-1803) : intendant sous l'Ancien Régime, émigré et auteur d'études sur les mœurs de son époque.

27 Louis Ramond de Carbonnières (1757-1827) : homme politique et géologue, servit sous l'Empire et sous la Restauration. Auteur de *Naturel et Légitime,* écrit politique, et d'ouvrages sur les Pyrénées.

28 Edmond de Lignières, comte d'Alton Shée (1810-1874) : homme politique et journaliste, auteur de *Mémoires*.

29 Gustave Chaix D'Est-Ange (1800-1876) : jurisconsulte, magistrat et homme politique. Avocat célèbre sous la Restauration et le Second Empire. Un autre mot d'esprit du personnage est cité dans *RTP*, II, 592 : (le duc de Guermantes à propos du duc de Montmorency, créé par Napoléon III) : « Cela n'a pas empêché Chaix d'Est-Ange faisant allusion à votre oncle Condé, de demander au procureur impérial s'il avait été ramasser le titre de duc de Montmorency dans les fossés de Vincennes. »

30 C'est Chateaubriand qui est pastiché dans ces lignes ; cf. *MOT*, X, 3 : « Allons-nous en, avant d'avoir vu fuir nos amis, et ces années que le poètes trouvait seules dignes de la vie : Vita dignior aetas. » La citation latine est de Virgile, *Enéide*, IX, 212.

31 Charles Monselet (1825-1888) : auteur de comédies, vaudevilles, livrets d'opéra, d'ouvrages historiques, bibliographies et critiques, d'études et d'articles de journaux.

32 Frédéric Soulié (1800-1847) : auteur de comédies, de drames et de romans historiques. L'énumération de ces auteurs médiocres est une satire du goût de Sainte-Beuve pour les « biographies d'inconnus ».

33 A plusieurs reprises, Sainte-Beuve relève dans son article l'influence de Chateaubriand sur Flaubert dans *Salammbô*, ainsi que la supériorité du modèle : « [...] mais, dans Chateaubriand, il y a de temps en temps l'enchanteur qui passe avec sa baguette et son talisman : ici l'enchanteur ne paraît nulle part. » (*Constitutionnel* du 22-12-1862). Flaubert se défendit d'ailleurs de cette imitation dans sa réponse à l'article de Sainte-Beuve.

34 Cf. les dernières phrases de l'article sur *Madame Bovary* (*Le Moniteur* du 4 mai 1857) : « Fils et frère de médecins distingués, M. Gustave Flaubert tient la plume comme d'autres le scalpel. Anatomistes et physiologistes, je vous retrouve partout ! »

IV

PAR HENRI DE RÉGNIER

NOTICE

PROUST ET RÉGNIER

Ce pastiche est un peu à part : c'est le seul que Proust ait jugé digne d'être publié, parmi tous ceux qu'il a préparés à la fin de 1908 et au début de 1909. Il laisse les autres inachevés. Celui-ci lui paraît plus réussi, et il aura en 1915 un mot de satisfaction à son égard, comme à l'égard du Sainte-Beuve : « Je ne crains pas de faire dire des choses pas trop mal à Sainte-Beuve ou à Henri de Régnier (ce sont je crois mes deux moins mauvais) » (*A un ami*, lettre LXXIX, p. 244).

Il manifeste, dès le début de sa carrière, une admiration sincère pour Régnier. Il consacre une note élogieuse à *Tel qu'en songe* dans *Le Banquet* de novembre 1892 (cf. *Chr.*, 175-176). Dans une ébauche recueillie dans *Les Nouveaux mélanges* (*CSB*, 436-437), il indique les ressemblances et les différences qu'il se sent avec lui. Il « se retrouve dans Régnier », dit-il, « non pas seulement pour le fond véritable [...] mais pour [...] la manière de l'exprimer, la manière de quelqu'un, qui n'est pas romancier, à [sic] essayer de couler ses impressions en roman ». Il veut parler d'une communauté d'inspiration et d'un style orienté vers la prose poétique.

Dans *Contre Sainte-Beuve* (p. 305), il compare Régnier et Anatole France : tous deux partent d'une même culture et d'une même idée de l'art ; mais ils l'expriment dans une prose très différente. « Régnier, méticuleux et approfondi, [...] répand en son œuvre sa pensée, sa phrase s'allonge, se précise, se tortille, sombre et minutieuse comme une ancolie ». N'est-ce pas une définition qui conviendrait aussi bien à la phrase proustienne ? Quant à « répandre en son œuvre sa pensée », ou encore, comme Proust l'écrit dans la même page, considérer que « les choses ont le visage de nos songes », c'est un des caractères du symbolisme, mais aussi un héritage de Flaubert. Cette filiation est affirmée explicitement dans un passage des cahiers d'ébauches contemporain du *Contre Sainte-Beuve* et commentant le style de Flaubert :

> M. Henri de Régnier si original doit à Flaubert comme nous tous quand nous allumons du feu nous devons au 1er homme qui alluma du feu quand il dit constamment des choses comme ceci (ainsi de M. d'Amercœur dans l'île de Cordic ou bien les Six femmes de Barbe-bleue). Et aussi pour une certaine concomitance de la nature avec les choses de l'âme (Me Bovary allant au cimetière). Régnier prendre un exemple dans M. d'Amercœur ou dans le Trèfle blanc ou n'importe où. (*Cahier* XXIX, f. 52 r°.)

L'intérêt principal de cette ébauche elliptique et confuse est que nous y trouvons cités les titres des romans de Régnier utilisés systématiquement dans le pastiche. Nous vérifions une fois encore le parallélisme des pastiches et de la réflexion critique.

Un autre point, plus doctrinal, rapproche Proust de Régnier. Ce dernier a écrit un article, *Le Buste de Boulogne*, recueilli dans *Figures et Caractères* (1901), qui est un *Contre Sainte-Beuve* avant la lettre ; il reproche au critique d'avoir avant tout assouvi ses haines et méconnu la plupart des grands écrivains de son siècle. Même si Proust n'a pas lu cet article, ce qui paraît douteux, cette identité de jugement des deux écrivains est frappante.

Mais l'admiration de Proust n'est pas sans réserve. Pour lui, Régnier a un goût excessif de l'archaïsme, du « caractère », du « trait » qui rejoint sa « naturelle complication » (*CSB, Nx Mél.*, 436-437). Sa syntaxe est enchevêtrée, par suite d'un emploi obscur des pronons, et alourdie par les réduplications (*A un ami*, lettre XLIX, p. 170, [mars 1909]).

L'ART DU PASTICHE

Ces remarques critiques brèves et dispersées, le pastiche les met magistralement « en action », et nous révèle avec quelle exactitude et quelle richesse de connaissances Proust a noté les thèmes, les mots, les procédés de Régnier. Les allusions renvoient à des œuvres nombreuses, mais deux de celles-ci ont été utilisées de façon très précise : d'abord *La Canne de jaspe* (1897), recueil réunissant *Monsieur d'Amercœur*, récit assez fantastique de la vie d'un aventurier esthète, *Le Trèfle noir* et les *Contes à soi-même*, suites de contes imprégnés de symbolisme. L'autre source principale est *Le Trèfle blanc* (1899), récit, d'allure autobiographique, du séjour d'un jeune garçon à la campagne : ce texte présente des correspondances étonnantes avec ceux que Proust consacre au même sujet dans *Jean Santeuil, Journées de lecture* (cf. *P.M.*, pp. 225 sqq.) et la *Recherche* ; on y trouve la même atmosphère familiale et bourgeoise, les mêmes rites du dimanche, un curieux personnage de servante experte à tuer les volailles, et certains thèmes psychologiques très voisins de ceux de Proust, comme l'exaltation du jeune garçon dans ses jeux avec les petites filles, et son indifférence devant la mort de son grand père.

Deux recueils de poèmes ont également fourni des modèles au pastiche : *Poèmes anciens et romanesques* (1890) et *Les Médailles d'argile* (1900). Curieusement, les œuvres récentes de Régnier, les plus nombreuses pourtant, ont été négligées : c'est sa première manière, la plus symboliste, que Proust a retenue.

Nous présenterons maintenant, dans leur ordre d'apparition dans le texte, les éléments d'emprunt appartenant à des thèmes constants de Régnier. Ils sont particulièrement nombreux dans le premier paragraphe.

Les pierres précieuses (sujet rituel de la poésie symboliste) apparaissent fréquemment, les opales surtout, dans les *Poèmes anciens et romanesques*, associées aux thèmes du crépuscule et de la nuit, de la magie et de la mort :

> Le jeu gemmal de l'oiseau bleu disperse et flûte
> Une suprême opale opaline et pâlie
> Où bleuit comme un reflet mort de lune occulte.
> . . . .
> Le Bois crépusculaire abonde en pierreries !
> . . . .
> Mon rêve qui fut toi fleurit en tes mains pâles
> Qui cueillaient tour à tour la rose et l'ancolie
> Du mensonge changeant de leurs leurres d'opales.
> . . . .
> ... Je fus l'hôte de ta magie éternelle,
> Toi le Songe, toi l'Opale, toi la Chimère...
> . . . .
> Je chanterai vers l'ombre et les étoiles mortes
> Jusqu'à l'aube où bleuit l'opale du lac mort...
>
> (*Le Songe de la forêt. Poèmes anciens et romanesques.*)

Emblématique revient particulièrement souvent dans *Hertulie ou les Messages*, l'un des contes du *Trèfle noir*. Tout le pastiche vise d'ailleurs, comme les contes de Régnier, à produire l'impression d'une vie mystérieuse des choses, d'un sens symbolique qu'elles possèdent, d'une réalité à double face.

C'est pourquoi nous trouvons dans le pastiche toute une série d'adjectifs exprimant la dualité : *alternatif, ambigu, équivoque, double, successif*. Ils sont caractéristiques de Régnier, comme l'est son goût pour tout ce qui est double : êtres mythologiques mi-hommes, mi-animaux, couples d'amis ou d'amies, amours ambiguës. Les titres de nombreuses pièces des *Médailles d'argile*, par exemple, sont révélateurs de cette obsession : *Effigie double, Philénis et Eucrate, Les Deux frères, Strophes alternées, La Hache et le Filet, Portrait double, Les Deux sœurs*. Cette tendance s'exprime également, comme nous le verrons, dans des structures syntaxiques binaires.

Taciturne est plus qu'un mot-clé de Régnier, qui lui permet d'attribuer aux humains des pensées cachées, et aux choses une vie spirituelle, c'est un véritable tic : *La Canne de jaspe* contient en cent cinquante pages dix emplois de ce terme rare. En voici des exemples, où il est appliqué aux choses : « le lieu était taciturne », (p. 218), « à travers la Nuit taciturne » (p. 233), « un grand meuble taciturne craqua » (p. 271), « un vase fragile, compliqué et taciturne » (p. 236), « [le portrait] est taciturne mais il n'est pas muet » (p. 288).

Hermas est le nom d'un personnage d'« Hertulie ou les Messages » (*Le Trèfle noir*). Sa maison est solitaire et mystérieuse, précédée d'une cour aux pavés inégaux, pourvue d'un dédale de corridors et de chambres, où, cependant, « les parquets en mosaïque de bois ne craquaient pas sous le pied » ; car si ce type de demeure apparaît dans tous les contes de Régnier, c'est sur son mystère que l'auteur insiste, non sur son inconfort. Elle est, en outre, toujours située au fond d'un vieux jardin aux allées de sable, plus ou moins envahi par la mousse et les herbes, et orné de pièces d'eau et de statues. La saison préférée pour décrire ces jardins est l'automne. Dans son article de 1907 sur *Les Eblouissements* de Mme de Noailles (cf. *Chr.*, pp. 183-184) Proust évoque aussi le jardin-type de Régnier :

> « Le jardin d'Henri de Régnier, Dieu sait si je l'aime. C'est peut-être le premier que j'aie connu ; chaque année écoulée me l'a rendu plus admirable, et il ne s'en passe guère où je ne retourne plusieurs fois le visiter, soit chez M. d'Amercœur, M. de Heurteleure ou la princesse de Termiane, plus souvent à Pont-aux-Belles, et jamais alors sans pousser ma pointe de pèlerinage jusqu'au Fresnay. Quant à Bas-le-Pré, dès que, encore loin du jardin, je reconnais dans le ciel pluvieux ses tourelles pointues, j'éprouve un peu du tressaillement qui saisit M. de Portebize quand les lui décrit M. d'Oriocourt. Mais, sauf peut-être chez Mme de Néronde et Mme de Néry, la beauté des jardins n'est pas pour M. de Régnier une beauté purement naturelle [...] »

(M. d'Amercœur, M. de Heurteleure, la princesse de Termiane sont des personnages de *La Canne de jaspe*, MM. de Portebize et d'Oriocourt de *La Double maîtresse*, où figurent Pont-aux-Belles, le Fresnay et Bas-le-Pré ; Mmes de Néronde et de Néry sont des personnages du *Trèfle blanc*.)

Les paons sont aussi un accessoire traditionnel de la poésie symboliste (R. de Montesquiou leur consacre un recueil de poèmes en 1901), et Régnier en peuple ses parcs. Proust aussi, encore tout imprégné de ses lectures, en fait les oiseaux favoris de la duchesse de Réveillon, dans *Jean Santeuil* (II, ch. IV). Mais Régnier, dans l'un des *Contes à soi-même,* « Manuscrit trouvé dans une armoire », en fait des animaux fatidiques et même les instruments du destin, puisqu'ils crèvent les yeux d'un personnage : « Noirs et fatidiques, n'ont-ils pas l'attitude de veiller sur un tombeau ? ... » (p. 249).

Les cloches et leurs sonneries font partie du décor des contes pastichés, et plus spécialement de « La Sixième femme de Barbe-Bleue » (*Contes à soi-même*), du « Signe de la clef et de la croix » (*Monsieur d'Amercœur*) et du *Trèfle blanc*.

Les colombes, compagnes obligées des paons, sont qualifiées par Proust de *votives*. C'est encore un adjectif-clé du modèle, qui revient souvent dans *Les Médailles d'argile* : la première partie de ce recueil a d'ailleurs pour titre *Médailles votives*.

Le tribut que les oiseaux laissent tomber sur le gravier a ses correspondants chez Régnier :

> [Trois petits chiens d'agrément]... qui, au départ, laissèrent sur le parquet trois minuscules flaques et une crotte crayeuse. (*Le Trèfle blanc*, p. 41.)

> Les croupes solides luisaient. L'une d'elles laissa tomber un crottin doré comme une médaille à quelque effigie souveraine. (*Le Bon Plaisir*, p. 118.)

Mais Proust n'est pas en reste. On verra dans le brouillon 1 qu'il s'est exercé sur les thèmes scatologiques avec complaisance.

Comme celui de l'Hermès de marbre, le sourire des statues est habituel chez Régnier. Citons parmi les exemples des contes :

> [...] le sourire des statues à visage de marbre [...] (*Monsieur d'Amercœur*, p. 117) ;

> [...] seules les statues ont souri à la belle visiteuse [...] (*Ibid.*, p. 119) ;

> L'une représentait un homme qui riait en versant une amphore de bronze [...] (le *Trèfle noir*, p. 135) ;

> [...] cette fontaine où souriait une statue singulière [...] (*Ibid.*, p 140).

La description minutieuse et, comme le montrent les brouillons, longuement travaillée de la morve de Lemoine est hautement proustienne. Elle est à rapprocher des scènes solitaires dans le petit cabinet sentant l'iris (*CSB*, pp. 64-65 ; *RTP*, I, 158). Mais Régnier fournit lui-même nombre d'éléments. Il ne déteste pas évoquer l'ordure, et même s'en servir comme d'un « ornement » métaphorique ; ainsi dans « Hertulie ou les Messages » (p. 164) : « [...] au-dessus [du jardin] pourrissaient les restes d'un couchant oxydé de cuivre et vitrifié de salives sanguinolentes et tièdes. » Le même conte fournit un modèle plus direct à Proust ; c'est la description de lustres à pendeloques dont les pièces de verre semblent être des cristaux de glace :

> Des lustres de vieux cristal, compliqués et scintillants, pendaient des plafonds hauts par des cordes de soie ou des chaînes d'argent ; leurs adamantines couronnes gélives sacraient l'absence de quelque majesté invisible, et leur lumineuse congélation glaçait le silence et gelait la solitude où s'allongeaient les pendeloques de leur artificielle stalactite. Certains s'irisaient de phosporescences comme par allusion au couchant qui teignait le ciel au dehors ; ils assimilaient aux imaginaires couleurs d'automne leurs fructifications cristallines (p. 163).

Enfin la dernière phrase du pastiche semble s'inspirer, pour l'emploi des mots-thèmes de *pierreries* et *d'emblème,* et pour le rythme reposant sur des procédés de suspension, de la phrase finale de « Manuscrit trouvé dans une armoire » (*Contes à soi-même,* p. 255) :

> [les paons, après avoir crevé les yeux d'Eurydice] rouèrent épanouissant, à leur insu, l'extraordinaire prodige qu'ils étaient devenus, car leurs plumes portaient, dès lors et à jamais, au lieu de leur blancheur, en ocellures d'imaginaires et vindicatrices pierreries, l'emblème véridique des yeux sacrés dont ils avaient profané le mortel sommeil...

Les thèmes et les mots de Régnier forment donc dans ce pastiche un tissu serré, bien que nulle part Proust n'ait copié directement une expression, une phrase, une situation. Si ces pages semblent faites de l'étoffe même du style pastiché, cela tient aussi à l'imitation de la syntaxe.

Régnier, c'est vrai, « enchevêtre les pronoms » : leurs antécédents sont difficiles à retrouver parce qu'ils sont trop éloignés, ou non déterminés, ou différemment marqués en nombre, ou postposés :

> On cherchait par une sorte d'émulation stupide à se surpasser les uns les autres en excès où le plaisir de les faire entrait pour moins que la vanité de les avoir faits. (*Monsieur d'Amercœur,* p. 122.)

> Leur reflet [des arbres et des statues] se métallisait dans une eau calme où celui des statues semblait se dissoudre à demi, se fondre en une sorte d'aspect d'outre-vie, moins leur image que leur nombre. (*Le Trèfle noir,* p. 136.)

> Aussi fut-elle à son insu en mesure de servir son mari auprès de beaucoup de gens qui surent à leurs dépens ce qu'il coûta à leur complaisance d'avoir profité de la sienne. (*La Double maîtresse,* p. 16.)

> Il devint célèbre et recherché, car il y a une secrète et lâche douceur, pour ceux qu'elle repousse, à fréquenter au moins les amants heureux de la femme qu'on désire. (*Le Trèfle noir,* p. 183.)

Ce système compliqué de renvois se combine souvent avec des constructions binaires : parallélismes, antithèses, alternatives, constructions comparatives, qui visent à exprimer le caractère double ou équivoque de la réalité, mais donnent à la longue une impression lassante d'artifice :

> A la science de la bâtisse il joignait l'entente des jardins [...] Derrière l'aspect des façades il agençait le secret des appartements [...] Le heurt des bêches se mêlait au bruit des marteaux ; la poutre équarrie croisait la pierre taillée [...] Sa manie, d'accord avec mon désir [...] Les doigts velus des hommes se crispaient sur les tapis où s'allongeaient les mains diamantées des femmes. L'attente y haletait sur des lèvres charmantes ou y bavait sur des bouches hideuses ; la perte s'attristait en moues gracieuses ou en lippes renfrognées [...] Les rois barbus ricanaient aux valets glabres.

La hallebarde des uns se croisait au glaive des autres [...] (*Monsieur d'Amercœur,* ch. VIII, *passim.*)

Je croyais moins à la vertu de cette bizarrerie que je n'en goûtais la singularité. (*Ibid.,* p. 120.)

Aussi se dissertait-il mieux qu'il ne se fût rêvé à l'improviste et son éloquence produisait plus d'agrément que de surprise. (*Le Trèfle noir,* p. 140.)

C'est sur ces mêmes schémas de phrases, et avec les mêmes ambiguïtés, que Proust construit une bonne partie de son pastiche :

Le peu qu'il en ajoute à celle des visages est moins un effet de la sienne qu'un reflet de la leur. [...]

Nous ne nous divertissons pas tant des couleurs qu'elles nous présentent que nous ne sommes touchés du songe que nous nous y représentons. [...]

La maison que nous habitions valait plus pour la beauté du site que pour la commodité des êtres. [...]

Le bruit des cloches empêchait d'en trouver pendant la matinée, à défaut de celui qu'on ne goûte bien qu'avant le jour, un second qui répare au moins dans une certaine mesure la fatigue d'avoir été entièrement privé du premier. [Il s'agit du sommeil.]

Sans doute cet emploi abusif des anaphoriques par Régnier est-il un héritage, porté jusqu'à l'excès, du style de Flaubert, qui lie solidement ses périodes de l'intérieur grâce à la liaison thématique. Cet héritage se reconnaît aussi dans l'emploi de l'imparfait, et dans celui des noms de choses comme sujets des verbes d'action. Proust a bien reproduit ces traits.

Régnier affectionne l'usage des séries d'adjectifs, souvent ternaires, et en tire des effets variés. Il apporte tantôt des précisions successives :

« une surface humide, moisie et spongieuse » (*Le Trèfle noir,* p. 164) ;

« [des laquais] arrogants, obséquieux et coquets » (*Ibid.,* p. 190) ;

tantôt une opposition :

« leur unique, multiple et alternatif Amant » (*Monsieur d'Amercœur,* p. 48) ;

« C'était à la fois grandiose, coquet et triste » (*Le Trèfle Noir,* p. 161) ;

tantôt une discordance :

« un vase fragile, compliqué et taciturne » (*Contes à soi-même,* p. 236) ;

« il était fin, expert et corrompu » (*La Double maîtresse,* p. 15).

De même lisons-nous dans le pastiche :

« une boule fade, écailleuse et grise »
« une masse juteuse, convulsive, transparente et durcie »
« cette gelée instable, corrosive et vivante. »

Nous tenons-là, sans doute, l'un des modèles (Saint-Simon en étant un autre) des séries d'adjectifs de la *Recherche* jouant sur des effets de discordance et de surprise, depuis le « tintement timide, ovale et doré » de la clochette du jardin de Combray, jusqu'au marquis de Palancy, « vénérable, soufflant et moussu » (*RTP*, II, 43), et aux trois adjectifs en *diminuendo* de Mme de Cambremer (*Ibid.*, 945-946).

L'ÉLABORATION DU PASTICHE

Quelques fragments des brouillons ont été abandonnés : les allusions à l'évêque, à la châtelaine, la description de la ville au soleil, de la fillette montrant son derrière. Nous avons relevé dans les *Notes et éclaircissements*, quand il y avait lieu, les sources de ces passages. Quelques noms propres disparaissent également : M. de Sommendres (un personnage de *Monsieur d'Amercœur* se nomme M. de Simandre), M. Guerlin de Véronèse. Il y a eu, au niveau des thèmes développés, une condensation par rapport au brouillon 1.

Les passages les plus raturés, donc les plus élaborés, sont, comme toujours, le début, puis les passages sur les paons, les cloches, les colombes, et la fin évoquant la morve emblématique.

Le brouillon 2 ne comporte qu'une reprise du début et de la fin, ce qui confirme le soin que Proust apporte à réussir ces deux extrémités. Le titre de ce brouillon : « Pastiche de Buncht (suite). L'Affaire Lemoine VIII par Henri de Rougnier », est écrit dans le « lansgage » qu'emploient entre eux Proust et Reynaldo Hahn (cf. *LRH*). Ce détail semble indiquer que le musicien ne fut pas étranger à l'élaboration de ce pastiche.

Une lettre de Proust à Georges de Lauris nous apprend que Régnier salua aimablement le pastiche : « [...] J'ai reçu un mot très gentil de Régnier. Il n'a pas l'air mécontent, il déclare se trouver ressemblant » [1].

Reboux et Müller ne bénéficièrent pas de la même aménité à l'occasion du pastiche qu'ils firent à leur tour de lui l'année suivante, dans la deuxième série des *A la manière de...* Le poète cessa définitivement de leur adresser la parole [2].

---

1. *A un ami*, lettre XLIX.
2. Préface de P. Reboux à : Georges-Armand Masson, *A la façon de...*, p. 21.

NOTE SUR LE TEXTE

Le « *Ms. Aut.* » de la Bibliothèque Nationale ne contient strictement rien sur ce pastiche. En revanche, on en trouve deux brouillons dans les cahiers du fonds Proust numérotés II et V. On peut en outre consulter une coupure du *Figaro* (supplément littéraire) du 6 mars 1909, et le placard annoté pour l'édition définitive.

LES BROUILLONS

Le cahier n° II présente un brouillon, sans titre, du feuillet 1 v° au feuillet 5 v°. Le début se trouve en 2 r°, mais, rendu illisible par de multiples ratures et additions, il est repris en 1 v°, en vis-à-vis. Le brouillon se continue dans l'ordre : 3 r°, 4 r°, 5 r°, 5 v°. On a de plus les quatre premières lignes d'une rédaction au net, f. 10 r°.

Ce cahier contient par ailleurs le brouillon du pastiche de Ruskin (ff. 10 v° à 16 v°) et des fragments de *Contre Sainte-Beuve*.

Le cahier n° V présente une reprise du début du brouillon précédent, et de sa fin (brouillon 2), sur les ff. 2 r° et 5 r°. Un titre est inscrit en tête : *Pastiches de Buncht (suite). L'affaire Lemoine VIII par Henri de Rougnier.* Ce cahier contient en outre des fragments de *Contre Sainte-Beuve*, un fragment d'étude sur Gustave Moreau, un morceau inédit sur Padoue et Vérone, et des fragments utilisés pour *A la recherche du temps perdu*.

Les quatre lignes isolées du cahier II, f. 10 r°, étant plus élaborées que les fragments correspondants des autres esquisses, nous les considérons comme l'état le plus récent et, malgré leur place, nous les désignerons par *Brouillon 3.*

LA COUPURE ANNOTÉE DU « FIGARO »

L'article porte le numéro VIII. Proust a biffé ce chiffre et l'a remplacé par VII, biffé à son tour, puis par IV. La coupure ne présente pas d'autre modification.

LE PLACARD

Ce pastiche figure sur le placard 2 de *Pastiches et Mélanges,* avec une seule correction marginale portant sur quelques mots.

BROUILLONS

BROUILLON 1

[**Cahier II, f. 2 r⁰**] [Les premières lignes, rendues presque illisibles par les surcharges et les ratures, sont impossibles à reproduire de façon intelligible. Les deux premières phrases seront donc données transcrites en clair.]

Je n'ai jamais aimé le diamant. La valeur qu'il garde aux yeux de ceux qui croient lui en trouver une est plutôt de suppléer à toute autre, dans un signe des richesses qu'il figure plutôt qu'un effet de la figure propre qu'il a.

[reprise de ces deux phrases en **msg**] *Je n'ai jamais pu n'ai jamais aimé le diamant.* Le diamant *me plaît* ne me plaît guère. Je ne lui trouve *pas* | s *peu* | **I** pas | de beauté. *Le peu que lui accordent ceux qui lui en reconnaissent quelqu'une Celle que* Le peu *que* | sc qu' | *lui en accordent ceux qui lui en reconnaissent quelqu'une* + *semble être la sienne propre qu'on est obligé de reconnaître qu'il ajoute* ⌐ s il ajoute ⌐ à celle des femmes *qui en sont* | i *qui s'en par* ⌐ *parées* | s qui le portent | **lp** *est moins un effet de la sienne propre qu'* | i est *plus* moins un effet de la sienne propre | qu'un reflet qu'il garde de la leur [suite en **mi**] et *que le* | s *un reste* | **I** qu'une | **lp** part *qu'on accorde* reçoit, *dans toute fête,* ce qui | s de celle que toute fête accorde à ce qui | **lp** *ce qui y est un signe des riches* | s y *supplée* fait présumer | **lp** les richesses qu'on n'y montre pas, et rend plus significatif [sic] celles qu'on laisse voir. [fin de l'addition en **mi**].
lp *Il est fois deux fois* | s Je le trouve | vénal et bourgeois. Il n'a ni la transparence marine de l'émeraude, ni *la splendeur* | sc le | velours azuré du saphir.

[reprise de tout ce début sur la page en regard, **1 v⁰**] Le diamant ne me plaît guère. Je ne lui trouve *pas guère* pas de beauté. Le peu qu'il en ajoute à celle des *femmes* | s visages | qui *le portent est* | s s'en couronnent | est moins un effet de la sienne, qu'un reflet qu'il garde de la leur. La plus certaine qu'on puisse lui reconnaître | s dans une fête | lui vient *de suppléer* | s *dans une fête* | **lp** *de ce qu'il est dans une fête* | s *d'y être pour ceux* | **I** d'être | **lp** le signe des richesses qu'on n'y veut point point [sic] faire voir, et de rendre plus significatives | s aux autres | celles qu'on montre *plus* volontiers. Il vaut plutôt si l'on peut dire par la grande figure qu'il fait faire que par la figure propre qu'il a. *Je ne lui tro Il n' Le* Il manque aussi bien de la transparence marine de l'émeraude que du velours azuré du saphir. [ici s'achève la reprise sur **1 v⁰**.]
[**2 r⁰, suite**] Je lui préfère le rayon jaune de la topaze, *et* | s et même | le sortilège crépusculaire *de l'* | sc des | opales. *Elle est emblématique et*

double. Si le clair de lune brille déjà dans une moitié de *son* | sc leur | eau qu'il irise, le soleil caché semble teindre l'autre de reflets roses et verts. Elle *est* | s sont | emblématiques et doubles. *Le plaisir qu'elle nous* Nous aimons | s pas [?] | moins les couleurs qu'elles nous présentent que le songe que nous nous y représentons. Il y en avait de toutes sortes dans la ville où Hermas me conduisit. La maison que nous y habitions valait *plus moins* | s plus | par la beauté de son site que par la commodité de ses êtres. Il était plus *aisé* | i agréable | d'y rêver, qu'il n'était aisé d'y dormir. Elle était plus *poétique* | i pittoresque | que confortable. *Les par* Les parquets que *monsieur* M. de Sommendres avait rapportés des îles étaient *géo* + multicolores et disjoints, glissants et géométriques. Leur mosaïque était brillante et inégale. *Elle offrait plutôt à l'œil* | i Mais je reconnais plus volontiers qu'il peut faire grande figure + | Ses dessins | s *tantôt* tantôt | rouges et | s tantôt | noirs *présentaient* | i offraient | plutôt aux yeux un spectacle *q* plaisant, que *ses couches* | s *son b* | I sa boiserie | *rompues* ici *rompues* | s exhaussée |, là *exhaussées* | s rompue |, lp *n'offraient au pas* ne *présentaient* | i présentait | aux pas un sol *assuré* assuré.

[**f. 3 r⁰**] | s Devant | La porte close, monumentale et verdie un Hermès *de marbre* | s sculpté | faisait tourner tout le jour son ombre *morose,* sournoise, caducéenne et noire. *Des* | sc Les | *feuilles des* | s ormes des | *tombaient* | s1 *envolées* | s2 *tombaient* | I *détachées* | lp des *ormes* parcs voisins *venaient tournoyer* | s *laissaient tomber* et leurs feuilles des-cendaient en | lp tournoyant jusqu'*aux* | sc *à* | i *ses talons* | S aux | ailes de | s de | ses talons de marbre où elles venaient poser leurs ailes d'or. *Des pa Réfugiés tous le j pendant la chaleur du jour dans une grange où on ne pouvait apercevoir.* Les | sc Le | *paons qui accablés par la chaleur restaient invisibles le jour ne cessaient pas la nuit de pousser leur cri fatidique* | s cri fatidique et narquois que les paons poussaient toute la nuit | lp *poussaient toute la nuit des* | i *un* | S *leur* | lp *cris narquois et fatidique qui* était plus *favorable* | s propice | à la rêverie qu'il n'était *propice* | s favorable | au sommeil . *Des* | sc Le | s bruit des | cloches empêchaient de goûter pendant la matinée | s à défaut de | celui qu'on n'avait pas pu trouver | s *pendant* | la nuit et qui *est plus* | s1 *donnait le repos* | s2 qui donne un repos | lp profond quand il n'est pas troublé, un *autre* | s second | qui *sans le vouloir remplacer* | s *supplée entièrement* |, *y supplée moins que remplacer entière donner remplacer entière-ment le repos qu'il donne, répare du moins la fatigue que son dé manque en* répare du moins dans une certaine mesure la fatigue d'avoir été entièrement privé du premier. *La majesté des cérémonies auxquelles leurs sonneries conviaient quelquefois n'empêchaient pas l'import* Leurs sonneries incessantes étaient évocatrices et bruyantes. La majesté des cérémonies *auxquelles elles conviaient* | s dont elles annonçaient l'heure ne | lp ne compensait pas l'importunité d'être réveillé en pensant à celle où il est *préfé* | i nécessaire | de [**f. 4 r⁰**] dormir si l'on veut ensuite profiter des autres. *La seule ressource é Ell* Comme elles n'en laissaient pas le loisir, si elles semblaient parfois en donner le conseil, la seule ressource la nuit était de se promener dans la maison.

L'entreprise si elle *en offrait* | i avait | des charmes, n'en présentait pas moins des dangers. Elle | s n' | était *plus* agréable sans laisser d'être périlleuse. On aimait autant en répudier le plaisir, qu'en *soutenir* poursuivre l'aventure. La cour n'était ouverte que dans la journée. Elle était spacieuse et nauséabonde. *Le théâtre qu* | sc La | promenade qu'elle offrait était plus vaste que les parfums qui nous y suivaient n'étaient engageants. Nous y descendions vers midi. Le soleil chauffait les pavés, ou la pluie coulait des toits. Quelquefois le vent faisait crier la girouette. Des colombes y qui s'y perchaient le plus souvent en faisaient tomber *parfois* | s de temps en temps | une *fiente* boule fade, écailleuse et grise. Elle descendait lentement et venait *s'offr* aplatir *aux pieds   sur les* | s sur les *pelouses* graviers ou sur le gazon | *du* + sa masse *poisseuse et soumâtre qui*   sa masse étalée et saumâtre *qui écaillait ses restes dans l'herbe* qui *salissait* | s poissait | de l'herbe | s *et du grain* | qu'elle avait été, *celui et celle* | i celle | dont abondait *le jardin* | s *gazon* | sc la | I pelouse | *de M. de Sommendres* et dont ne manquait pas l'allée du jardin de M. de Sommendres. C'est dans ce jardin que je vis pour la 1ère fois Lemoine. Son habit n'en faisait pas plus *le moine* | sc l' | i ecclésiastique | *que* | s dont ⌈ son nom *présentait à l'imagination* | i déclinait la qualité, | *que* | sc qu' | *le savant* | i il ne convenait au savant dont [f. 5 r⁰] dont le bruit de sa découverte assurait le prestige. Sa veste de laine râpée s'approchait plutôt de la souquenille du valet qu'elle ne faisait de l'habit du moine ou de la robe du chimiste. *Une colombe   Un fort gros diamant   Trois heures venaient   A la main* qu'il venait de tendre à M. de Sommendres j'aurais contemplé | s longtemps | le diamant qui *aurait mieux convenu à celle   porté peut-être par l'* | i moins bien placé peut-être qu'à *l'annulaire de l'* | *évêque* | sc des | s prélats | ou sur les gants de la châtelaine, *plaisait pourtant* | s lui *convenait* / s2 + / pourtant en considération de tous ceux | lp en faisant penser à tous ceux qu'elle avait fabriqués, si *une colombe placée posée* | i immobile | sur la girouette au-dessous de laquelle il *venait* | i *était* | S venait | *de* de *passer* s'arrêter, une colombe votive et fidèle n'avait *déposé* | i accordé | *sur   son tribut* | s1 son tribut   +   et   + / s2 mou /| sur la pierre fascinatrice. *Trois   Vê*   On sonnait pour *vêpres* | s un enterrement [1]. | Des petits enfants achevaient d'étirer [?] leurs gants, pendant que leur mère *faisait*   en quittant *le seuil* | s l'ombre | de l'hôtel ou de la boutique, faisaient craquer leur ombrelle en la déployant au soleil. *Une odeur*   Les déjeuners finissaient. Une odeur de confitures et de café entrait par la fenêtre ouverte [2]. La voiture de l'évêque passa [3]. *Unue guêpe* + . La rue retentit du *roulement* piaffement de son cheval et s'obscurcit de l'ombre de son panonceau. Une femme fit le signe de la croix, une petite fille montrait son derrière. *Aux pieds de l'Hermès immobile souriait* | i *semblait sourire* | + *mystérieuse et narquoise l'ombre caducéenne. Lemoine embarrassé de son diamant*   Il était *rose* | s rose | et rond avec une petite tache humide et brune qui prouvait que le soin que la vieille femme qui était là avait pris de le torcher n'*était* | i avait | pas | i été | inutile mais était resté insuffisant, et qui l'avivait d'une mouche *fraîche* étroite et fraîche, faite précisément [f. 5 v⁰] avec *la matière qui altère* | s ce qui altère d'ordinaire | l'essence des autres [4].

Le ciel s'était voilé ; *une* un vent frais passa *chassant* + | **i** *faisant envoler* |
agitant au pied de l'Hermès mystérieux *et qui semblait sourire* la petite
ombre caducéenne et noire qui *sembla bouger* sembla vivre, bougea, et
s'envola. Les lèvres du Dieu semblaient sourire. Lemoine demanda son
manteau. Il avait froid. Un peu de morve avait coulé de son nez, *transpare*
sans qu'il s'en aperçût sur *sa veste* | **sc** son | **s** *rabat   habit* rabat |,
où elle avait arrêté, au *coin du bouton* | **s** *milieu de la cravate* |, son
glissement imperceptible et | **s** sa *masse glis   visqueuse* | **I** masse vis-
queuse | **lp** transparente | **s** et tiède |. *Le soleil la touch* . M. *Guerlin de
Véronèse le lui indiqua.* Le soleil *le   qui le touchait le faisait briller* |
i en le traversant | semblait | **s** en | *fondre le noyau* la viscosité tandis
qu'étincelait sa frange *plus* liquide, et *tremblante* dans *le tremblotement
de sa gelée bleuâtre   l'oscillation de sa gelée* | **s** *éphémère éclat et
tremblant* éclat | **I1** éclat *instable / I2 éphé et /* menteur | **lp** *instable
bleuâtre et vivante* | **s** *instable corrosive et bleuâtre* | *qui scintillait, elle*
semblait présenter *victorieusement* | **s1** *ironiquement* | **s2** *victorieusement*
| **lp** *comme un diamant irréel, éblouissant d* | **i** *moucheté* sorti tout |
chaud *sorti du four dont* | **s** *et scintillant dont* | **lp** dont elle décorait en
ce moment *l'étoffe* le vêtement de l'inventeur elle semblait *présenter* |
i y épingler | victorieusement comme un diamant | **s** moucheté | sorti si
l'on peut dire tout chaud du four, et dont *sa masse* | **sc** la | **s** *gelée* |
I gelée | *saumâtre* | **s** instable |, corrosive et *vivante* | **s** *brillante* |
I vivante | qu'elle était pour un instant encore, semblait présenter à la
fois la moquerie et l'emblème.

BROUILLON 2

[**Cahier V, f. 2 r⁰**] Pastiches de Buncht [5] (suite).
L'Affaire Lemoine VIII par Henri de Rougnier.

Le diamant ne me plaît guère. Je ne lui trouve pas de beauté. Le
peu qu'il en ajoute à celle des visages *qui s'en parent* est moins un effet de
la sienne qu'un reflet de la leur. [Sept lignes entièrement biffées : la
plus certaine qu'on puisse lui accorder *est* | **il** encore | *de servir* | **i2**
est de servir dans toute fête | **S** *lui vient qu'il s* | **lp** *dans une* | **s** *toute
| fête à être le* | **s** *il sert de* d'être le | signe | **i** *dans tout* | aux richesses
qu'on *n'* | **sc** ne | *y veut point* | **s** *aime pas à* | montrer | **s** pas volontiers
| *, et de* | **s** comme de | rendre plus significatives celles qu'on | **s1** *y* |
s2 aime à | *laisse* | **sc** laisser | voir. Il vaut plutôt si l'on peut dire par la
grande figure qu'il aide à faire, que par la figure propre qu'il fait.] Il n'a ni
la transparence marine de l'émeraude ni l'azur équivoque du saphir. Je lui
préfère le rayon saumâtre de | **s** la | topaze, *ou* | **s** mais surtout
| le sortilège crépusculaire des opales. | **s** Elles sont emblématiques et
doubles. | Si le clair de lune *illumine* | **s** irise | une moitié de leur face,
les feux roses et verts du couchant semblent teindre l'autre. *Elles sont em-
blématiques et doubles.* Nous *n'* | **sc** ne | *aimons* | **s** nous divertissons
| pas tant des couleurs qu'elles nous présentent, que nous ne sommes
touchés du songe que nous nous y représentons. *Il y en avait de toutes
sortes dans la ville où Hermas me* | **s1** A *ceux* qui ne *savent /* **sc** sait /

rencontrer *au-delà d'eux-mêmes* / s2 au-delà de lui- // s3 soi- // même / s1 que   la forme de *leur* / s2 son / destin | **I1** elles en *présentent* / **I2** montrent / le visage alternatif et taciturne. Elles se trouvaient | [de **2 v⁰** à **5 r⁰**, on trouve sur les pages du cahier seulement quelques griffonnages sans rapport avec le pastiche]

[**f. 5 v⁰**] garantissait mieux du vent que le serre-tête de soie de l'autre. Lemoine s'enrhumait. | s De son nez qu'il oubliait de moucher | Un peu de morve avait coulé | s *de son nez* | sur le *bouton   linge du* | s le | rabat et sur *le drap de* l'habit. *Elle y avait arrêté*   Son noyau visqueux et tiède *y* avait *adhéré, et tenait en suspens dans le vide la frange argentée et transparente* glissé sur le linge du *premier* | s *l'un* premier | mais avait adhéré au drap *du* | sc de | *second* | s *l'autre* du second | et tenait en suspens la frange argentée et *transparente* | s fluente | qui en dégouttait. [Nous ne pouvons donner que l'état premier de la phrase suivante, les additions étant illisibles.] Le soleil *les traversait toutes*   traversait la masse gluante de l'un comme *le* | sc la | *liquide* liqueur diluée de l'autre. [Parmi les additions non biffées, on discerne : une seule masse juteuse, convulsive, transparente et durcie.] Et dans l'éphémère éclat dont *toutes deux* | s elle | *décoraient* | sc décorait | *le savant* habit *du* | sc de | *savant* | s Lemoine, elles *semblaient* | sc semblait | *y* avoir fixé | s *l'allégorie et l'emblème d'* | **I** l'allégorie d' | **lp** un diamant momentané, encore chaud si l'on peut dire du four dont il était sorti, et dont *la* | i cette | gelée instable, corrosive et vivante qu'elle était pour un instant encore, semblait *présenter le mensonge* à la fois *la moquerie et l'emblème* dans sa beauté *trompeuse* | s1 *naturelle* | s2 menteuse | et fascinatrice, | s présenter | la moquerie et l'emblème.

BROUILLON 3

[**Cahier II, f. 10 r⁰**] Pastiches (Suite)
L'Affaire Lemoine : VIII, par Henri de Régnier.

Le diamant ne me plaît guère. Je ne lui trouve pas de beauté. Le peu qu'il en ajoute à celle des visages est moins un effet de la sienne, qu'un reflet de la leur. Il n'a ni la transparence marine de l'émeraude

IV

PAR HENRI DE RÉGNIER

Le diamant ne me plaît guère. Je ne lui trouve pas de beauté. Le peu qu'il en ajoute à celle des visages est moins un effet de la sienne qu'un reflet de la leur. Il n'a ni la transparence marine de l'émeraude, ni l'azur illimité du saphir. Je lui préfère le rayon saure de la topaze,

5   mais surtout le sortilège crépusculaire des opales. Elles sont emblématiques et doubles. Si le clair de lune irise une moitié de leur face, l'autre semble teinte par les feux roses et verts du couchant. Nous ne nous divertissons pas tant des couleurs qu'elles nous présentent, que nous ne sommes touchés du songe que nous nous y représentons. A

0   qui ne sait rencontrer au delà de soi-même que la forme de son destin, elles en montrent le visage alternatif et taciturne.

Elles se trouvaient en grand nombre dans la ville où Hermas me conduisit. La maison que nous habitions valait plus par la beauté du site que par la commodité des êtres. La perspective des horizons y

5   était mieux ménagée, que l'aménagement des lieux n'y était bien entendu. Il était plus agréable d'y songer qu'il n'était aisé d'y dormir. Elle était plus pittoresque que confortable. Accablés par la chaleur pendant le jour, les paons faisaient entendre toute la nuit leur cri fatidique et narquois qui, à vrai dire, est plus propice à la rêverie qu'il

0   n'est favorable au sommeil. Le bruit des cloches empêchait d'en trouver pendant la matinée, à défaut de celui qu'on ne goûte bien qu'avant le jour, un second qui répare au moins dans une certaine mesure la fatigue d'avoir été entièrement privé du premier. La majesté des cérémonies dont leurs sonneries annonçaient l'heure, compensait mal le contre-

5   temps d'être réveillé à celle où il convient de dormir, si l'on veut ensuite pouvoir profiter des autres. La seule ressource était alors de quitter la toile des draps et la plume de l'oreiller pour aller se promener

---

itre : *Fig.* : « L'affaire Lemoine » : VIII, par Henri de Régnier.

–   *Coup. Fig.* : [VIII biffé ; puis VII biffé ; puis IV.]

7   *Plac.* : de leur face, | **md** l'autre semble teinte par | les feux roses et verts du couchant *semblent teindre l'autre.*

dans la maison. L'entreprise, à vrai dire, si elle offrait du charme, présentait aussi du danger. Elle était divertissante sans laisser d'être périlleuse. On aimait encore mieux en répudier le plaisir que d'en poursuivre l'aventure. Les parquets que M. de Séryeuse avait rapportés
5   des îles étaient multicolores et disjoints, glissants et géométriques. Leur mosaïque était brillante et inégale. Le dessin de ses losanges, tantôt rouges et tantôt noirs, offrait aux regards un plus plaisant spectacle que la boiserie ici exhaussée, là rompue, ne garantissait aux pas une promenade assurée.
10   L'agrément de celle qu'on pouvait faire dans la cour n'était pas acheté par tant de risques. On y descendait vers midi. Le soleil chauffait les pavés, ou la pluie dégouttait des toits. Parfois le vent faisait grincer la girouette. Devant la porte close, monumentale et verdie, un Hermès sculpté donnait à l'ombre qu'il projetait la forme de son ca-
15   ducée. Les feuilles mortes des arbres voisins descendaient en tournoyant jusqu'à ses talons et repliaient sur les ailes de marbre leurs ailes d'or. Votives et pansues, des colombes venaient se percher dans les voussures de l'archivolte ou sur l'ébrasement du piédestal, et en laissaient souvent tomber une boule fade, écailleuse et grise. Elle venait
20   aplatir sur le gravier ou sur le gazon sa masse intermittente et grenue, et poissait de l'herbe qu'elle avait été celle dont abondait la pelouse et dont ne manquait pas l'allée de ce que M. de Séryeuse appelait son jardin.
         Lemoine venait souvent s'y promener .
25   C'est là que je le vis pour la première fois. Il paraissait plutôt ajusté dans la souquenille du laquais qu'il n'était coiffé du bonnet du docteur. Le drôle pourtant prétendait l'être et en plusieurs sciences où il est plus profitable de réussir qu'il n'est souvent prudent de s'y livrer.
         Il était midi quand son carrosse arriva en décrivant un cercle devant
30   le perron. Le pavé résonna des sabots de l'attelage, un valet courut au marchepied. Dans la rue, des femmes se signèrent. La bise soufflait. Au pied de l'Hermès de marbre, l'ombre caducéenne avait pris quelque chose de fugace et de sournois. Pourchassée par le vent, elle semblait rire. Des cloches sonnèrent. Entre les volées de bronze d'un bourdon,
35   un carillon hasarda à contretemps sa chorégraphie de cristal. Dans le jardin, une escarpolette grinçait [6]. Des graines séchées étaient disposées sur le cadran solaire. Le soleil brillait et disparaissait tour à tour. Agatisé par sa lumière, l'Hermès du seuil s'obscurcissait plus de sa disparition qu'il n'eût fait de son absence. Successif et ambigu, le visage marmoréen
40   vivait. Un sourire semblait allonger en forme de caducée les lèvres expiatrices. Une odeur d'osier, de pierre ponce, de cinéraire et de marqueterie s'échappait par les persiennes fermées du cabinet et par la porte entr'ouverte du vestibule [7]. Elle rendait plus lourd l'ennui de l'heure. M. de Séryeuse et Lemoine continuaient à causer sur le

perron. On entendait un bruit équivoque et pointu comme un éclat
de rire furtif. C'était l'épée du gentilhomme qui heurtait la cornue de
verre du spagirique[8]. Le chapeau à plumes de l'un garantissait mieux
du vent que le serre-tête de soie de l'autre. Lemoine s'enrhumait. De
5   son nez qu'il oubliait de moucher, un peu de morve avait tombé sur
le rabat et sur l'habit. Son noyau visqueux et tiède avait glissé sur
le linge de l'un, mais avait adhéré au drap de l'autre et tenait en
suspens au-dessus du vide la frange argentée et fluente qui en dégouttait. Le soleil en les traversant confondait la mucosité gluante et la
10 liqueur diluée. On ne distinguait plus qu'une seule masse juteuse,
convulsive, transparente et durcie ; et dans l'éphémène éclat dont elle
décorait l'habit de Lemoine, elle semblait y avoir immobilisé le prestige d'un diamant momentané, encore chaud, si l'on peut dire, du four
dont il était sorti, et dont cette gelée instable, corrosive et vivante
15 qu'elle était pour un instant encore, semblait à la fois, par sa beauté
menteuse et fascinatrice, présenter la moquerie et l'emblème.

NOTES ET ÉCLAIRCISSEMENTS

Les ouvrages de Régnier cités dans la notice et dans les notes sont :
— *Poèmes anciens et romanesques,* Mercure de France, 1890.
— La *Canne de jaspe,* Mercure de France, 1897.
— Le *Trèfle blanc,* Mercure de France, 1899.
— Les *Médailles d'argile,* Mercure de France, 1900.
— La *Double maîtresse,* Mercure de France, 1900.
— *Figures et Caractères,* Mercure de France, 1901.
— Le *Bon plaisir,* Mercure de France, 1902.

BROUILLONS

1 *Le Trèfle blanc* évoque l'enterrement du grand-père du narrateur. Ce dernier, enfant, a été envoyé chez des amis pendant la cérémonie, et il joue à se balancer dans un hamac avec des fillettes, au son et au rythme du glas funèbre (p. 105).

2 Cf. *Le Trèfle blanc,* pp. 21-22 : « On finissait de m'habiller pour la messe que les cloches annonçaient et dont la sonnerie entrait par la fenêtre ouverte. Mes tantes se tenaient debout dans la chambre déjà prêtes à partir [...] En sortant elles ouvrirent leurs ombrelles, l'une rose, l'autre verte. La double soie bombée craqua au soleil [...] Il y avait au seuil des portes des petits garçons avec des cols blancs et des petites filles avec de minces nattes. Les mères achevaient d'enfiler des gants de filoselle [...] »

3 Un personnage d'évêque figure dans *La Double maîtresse,* peut-être est-ce à lui que l'allusion est faite.

4 Aucune trace d'une semblable description n'apparaît dans les œuvres de Régnier antérieures à 1909.

5 Buncht est l'un des surnoms par lesquels Proust et Reynaldo Hahn ont coutume de s'appeler dans leur correspondance (on trouve aussi Guncht, Gruncht, Buninuls, Burnuls, Binchnibuls, Irnuls, Cormouls, Cornouls, etc.) Cf. la *Notice,* p. 140.

TEXTE ET VARIANTES

6 Allusion au jeu dans un hamac, rythmé par la sonnerie du glas, dans *Le Trèfle blanc,* Cf. note 1.

7 L'odeur humide et composite qui s'échappe de la maison est plutôt un trait de sensibilité proustienne, qu'on retrouve, largement développé, dans JS (II, pp. 230-231), l'odeur d'une maison au bord de la mer étant ce qui ramène à la mémoire de Jean les souvenirs de toute une période de

sa vie, et dans *RTP,* avec l'odeur des chambres de Combray, celle du petit cabinet sentant l'iris ou celle du chalet des Champs-Elysées.

8 Le mot rare et ancien de *spagirique* (c'est-à-dire alchimiste) est employé dans *Le Bon plaisir.* Le personnage ainsi désigné est, comme Lemoine, un imposteur : « Il avait, à son arrivée, exhibé les diplômes nécessaires, bien qu'il n'eût été ni philiâtre, ni licienciende à la faculté de Paris et qu'il n'y eût point soutenu la thèse et l'acte pastillaire, non plus que reçu le bonnet de docteur à Montpellier. » (pp. 60-61). La cornue du spagirique évoque, outre ce personnage du *Bon plaisir,* un adolescent passionné de chimie et se livrant à des expériences, dans *Le Trèfle blanc.*

V

DANS LE « JOURNAL DES GONCOURT »

NOTICE

L'ÉLABORATION ET LA PUBLICATION

Dernier publié de la première série du *Figaro*, ce pastiche fut augmenté de moitié dans l'édition en volume. Les additions portent sur le portrait de Marcel Proust et son prétendu duel avec Zola, sur l'œuvre de Lucien Daudet, et sur quelques détails comiques. Ce sont les meilleures parties.

A l'origine, nous possédons le brouillon 1, seul datant de 1908 : il nous révèle les tâtonnements habituels de Proust lorsqu'il commence un texte, sa recherche d'une « attaque » typique (« Dîner avec Lucien Daudet ») et d'une forte densité d'expressions caractéristiques placées dès le début (« un rien de verve blagueuse », « bébête », « nerveux », « notation artiste », « langue faite », etc.). La suite du brouillon subira de nombreuses suppressions : ainsi disparaîtront les lignes sur l'extraction pénible du diamant, sur Galilée, sur l'industrie au Japon, sur Tony Johannot, Geffroy, *Charles Demailly*. Proust veut probablement éviter de faire un pastiche trop documentaire. Cependant, il développera le passage sur le ministre du Japon, qui comprend de nouveaux traits d'exotisme, et une allusion à la vanité des deux frères.

Les *Carnets* 3 et 4 contiennent des notes reproduisant des expressions des Goncourt, utilisées pour les additions tardives du pastiche Lemoine et pour le pastiche inséré dans *Le Temps retrouvé*. Le brouillon 2 concerne le portrait de Proust, rajouté tardivement.

PROUST ET LES GONCOURT

Bien que Proust ait quelque peu connu personnellement Edmond de Goncourt, les deux frères ne font pas partie des auteurs qu'il a longuement ou fréquemment commentés dans ses œuvres. Le lecteur peut être tenté de considérer le présent pastiche comme un pur divertissement, et celui du *Temps retrouvé* comme une excroissance gratuite du roman. En réalité, il n'en est rien. La correspondance nous montre Proust comme un lecteur familier du *Journal*. Il partage les jugements des Goncourt sur de nombreux écrivains, sur une certaine lourdeur de Flaubert, sur la faiblesse littéraire de Sainte-Beuve, Renan et Taine (cf. *Journal* du 8 avril 1890). Cet accord, au moins partiel, tient à ce qu'ils adoptent comme lui, dans leurs appréciations, uniquement des critères esthétiques, et non moraux, sociaux ou rationnels. Il leur emprunte même des images de critique littéraire : la fameuse distinction entre observation au *microscope* et observation au *télescope,* dont il fait le plus grand usage pour expliquer son roman à partir de 1912, lui vient du *Journal* (29 janvier 1890) :

> Ce matin, Poictevin entre chez moi, me jetant par la porte : « Hier, Huysmans me disait en dînant : Zola voit les choses avec un télescope, Daudet avec un microscope, l'un en grand, l'autre en petit : il n'y a que Goncourt qui donne l'impression de la grandeur juste. »

En revanche, Proust ne manque aucune occasion de railler leur vanité d'auteurs (dont la citation précédente nous fournit un bel exemple), tout en ressentant lui-même des tentations semblables. Il écrit à propos de *Swann :*

> Si mon livre a du succès en Angleterre (encore plus « Journal des Goncourt » de le croire), c'est tout simplement parce que [...] votre patronage m'y a imposé [...] Je ne voudrais pas avoir l'air plus Journal des Concourt que le journal lui-même en reparlant sans cesse de « Swann », mais j'ai reçu des lettres très curieuses. (*Autour de soixante lettres...,* lettre VII, pp. 93 et 95 [février 1914]).

Et, à propos des *Jeunes filles en fleurs :*

> J'aurais l'air de copier mon propre pastiche des Goncourt en vous disant qu'elles sont sur toutes les tables en Chine et au Japon. Et c'est pourtant en partie vrai. Pour la France et les pays voisins, ce n'est pas en partie vrai, cela l'est tout à fait. Je n'ai pas un banquier qui ne les ait trouvées sur la table de son caissier, aussi bien que je n'ai pas d'amies voyageant qui ne les ait vues chez ses [sic] amies dans les Pyrénées ou dans le Nord, en Normandie ou en Auvergne. (*Lettres à la NRF,* p. III, [2 décembre 1919].)

Quant au style Goncourt, il le pastiche déjà dans une lettre de 1895 à Reynaldo Hahn :

> Dîner hier chez les Daudet, avec mon petit genstil [c'est à dire R. Hahn], M. de Goncourt, Coppée, M. Philippe, M. Vacquer. Constaté avec tristesse 1° l'affreux matérialisme, si extraordinaire chez les gens « d'esprit » [...] 3° Phrases de Daudet (dans le jardin du directeur) extrêmement Daudet [...] 4° Madame Daudet charmante, mais combien bourgeoise [...] » (*LRH,* XXV, pp. 41-43, [15 novembre ? 1895].)

Cette lettre nous confirme que Proust a bien rencontré Edmond de Goncourt, et contient déjà le grief de matérialisme contre l'école naturaliste.

Un autre pastiche des Goncourt, non retrouvé, a été écrit en 1912 dans l'album de Mme de Lauris. Proust signale après coup à cette personne qu'il y a commis une erreur sur un titre nobiliaire, et s'en excuse en rappelant que « Goncourt [...] était toujours aussi inexact que méticuleux » (*A un ami*, p. 258, lettre du 10 juillet 1912). Dans différentes lettres (*CG*, II, p. 135 ; *Autour de soixante lettres...*, p. 231, etc.), il signale à ses correspondants certains tours « très Goncourt » qui lui échappent ou leur échappent.

Dans le présent pastiche, Proust se réfère à la dernière partie du *Journal*, celle qu'Edmond a rédigée seul après 1870 : Zola ne commence d'y paraître qu'en 1868, Rodenbach en 1889 ; Vallès meurt en 1885 ; Lucien Daudet n'est en âge de dîner avec Edmond qu'à partir de 1894 (cf. note 1).

L'ART DU PASTICHE

Le thème principal que nous reconnaissons, c'est le regard esthète porté sur toutes choses, sur les situations humaines, propres à fournir des sujets littéraires, et sur les personnes, considérées comme de « curieux êtres », c'est-à-dire exactement comme des objets. D'où les allusions à tout ce qui a valeur artistique : la peinture, l'art du Japon et de l'Inde, une langue « savoureuse », la société de la princesse Mathilde (mais il faut reconnaître que dans leur *Journal* les Goncourt se montrent moins éblouis par les noms et les titres brillants que ne l'est Proust lui-même).

Le pastiche fait apparaître aussi les « petits côtés » d'Edmond : le rôle important qu'il donne aux repas, aux séances de déshabillage, à ses malaises, son orgueil naïf et sa susceptibilité d'auteur dramatique sifflé, sa superstition.

C'est aux Goncourt que s'appliquerait le mieux « le faire miniaturé de son dire ». L'écriture « artiste » est imitée dans tous ses aspects. Par l'emploi de mots rares ou techniques : *le faire, le dire, miniaturé, embué, in pace* ; d'hapax, formés par dérivation suffixale, ou par composition sur des schémas anciens : *bondieusement, geignardement, avortonné, chiquage, envestonné, s'artistiser, lèse-bijouterie* ; d'archaïsmes : *à l'encontre de, calamiteux* ; de la dérivation impropre : *le faire, la notation artiste* ; de métaphores soulignant le négligé esthète : *jeter* une parole ; de rapprochements inédits : *l'épellement savoureux, un émoi rageur, l'expansion enfiévrée*, etc. ; de vulgarismes chers aux écrivains « réalistes ».

Nous reconnaissons aussi la gymnastique imposée à la syntaxe, et la prédominance marquée du style nominal : une subordonnée relative est remplacée par un participe passé (« un frac rendu nécessaire » ou présent

(« plus prêtant à l'artiste évocation d'un milieu » : remarquons encore l'emploi inhabituel d'une marque de comparatif devant le participe pourvu d'un complément) ; un verbe à la forme composée est réduit au seul participe (« Diné avec Lucien Daudet ») ; le mode personnel est remplacé par l'infinitif de narration (« Alors Rodenbach de me confesser ») ou par une construction semi-nominale avec *c'est* (« c'est de ma part une révolte chuchotée ») ; la proposition infinitive est remise en honneur (diamants dits [...] être malgré tout une pierre bourgeoise », « le dénouement [...] raconté être le vrai ») ; les noms sont souvent repris comme moyens de liaison (« [...] des diamants fabuleux, diamants dits par Lucien [...] » : nous en trouvons sept exemples dans le pastiche). Par ailleurs, certains tours représentent des raccourcis d'expression (« révolte chuchotée à Rodenbach ») ou des changements de préposition (« contenir ma déception à Rodenbach »).

Le comique tient à la concentration de tous ces traits d'emprunt, à la mesquinerie appuyée du narrateur, à des trouvailles burlesques (« le bondieusement de certains paysages », la lecture des romans des Goncourt à Hong-Kong et chez les Honolulus) et à l'irruption inattendue dans cette aventure du personnage de Proust, présenté comme un rêveur et un exalté. Ce dernier détail est à peine un anachronisme, puisque entre 1894 et 1896, Proust a eu l'occasion de voir Edmond et qu'à ce moment Zola vivait encore. Elle aurait, à peu de chose près, pu se produire, n'était que Proust n'a jamais eu de rapports directs avec Zola.

LE PASTICHE DU « TEMPS RETROUVÉ »

Sans entrer dans une comparaison détaillée des deux pastiches Goncourt, rappelons que celui de la *Recherche* est à peu près contemporain, pour la rédaction, des additions apportées au premier. On y retrouve, surtout dans son début, l'imitation très dense des mêmes traits formels et des mêmes thèmes. Mais peu à peu, ces ressemblances deviennent plus diffuses : le second pastiche a moins de prétentions métalinguistiques et comiques. Il présente, en revanche, un plus grand intérêt littéraire et théorique. Littéraire, parce qu'il met en scène, sous un jour nouveau, des personnages du roman déjà bien connus, et s'intègre par là à l'ensemble de l'œuvre. Théorique, en illustrant par l'exemple l'esthétique des Goncourt, pour la comparer à celle du Narrateur, c'est-à-dire en fait à celle de Proust lui-même. Elles s'opposent comme un art des apparences et un art des relations profondes. Aussi cet épisode prend-il place à juste titre, comme repoussoir, dans l'exposé de principes qu'est *Le Temps retrouvé*. Nous avons insisté sur ce point dans l'*Introduction*.

Comme les autres écrivains dont nous avons étudié les pastiches, les Goncourt ont eu une certaine influence sur Proust, ou du moins représentent une tentation qu'il a éprouvée. Quelques traits de la *Recherche* sont assez

Goncourt, comme l'emploi de certains tours ou expressions (*RTP*, II, 93 :
« le perpétuel *lancé* de son monocle » ; III, 840 : « in pace »), ou la
création de quelques hapax. La tentation est celle de l'idolâtrie esthétique,
à laquelle Proust eut à échapper lui aussi, et dans laquelle il laisse s'anéantir
les personnages de Swann et de Charlus. Néanmoins, il prend nettement ses
distances par rapport aux Goncourt. Sa méthode d'observation, qu'elle porte
sur les caractères ou, comme dans le pastiche, sur l'art des écrivains, est
fondamentalement différente de la leur. Ces paroles du Narrateur expriment
exactement son point de vue :

> [...] ce qui m'intéressait, c'était non ce qu'ils voulaient dire, mais la
> manière dont ils le disaient, en tant qu'elle était révélatrice de leur
> caractère ou de leurs ridicules. (*RTP*, III, 718.)

NOTE SUR LE TEXTE

La Bibliothèque Nationale ne possède pas, pour ce pastiche, de manuscrit au net, mais des notes des *Carnets*, des brouillons, une coupure annotée du *Figaro* (supplément littéraire) du 22 février 1908 et des placards annotés de *Pastiches et Mélanges*.

LES NOTES DES CARNETS

On trouve, relevées dans les *Carnets 3* et *4*, un certain nombre d'expressions des Goncourt, destinées à être employées, ou utilisées comme modèles, dans les *Pastiches*. Certains se retrouvent dans le brouillon 2, puis dans les additions faites au pastiche de 1908, d'autres dans le pastiche incorporé au *Temps retrouvé*.

LES BROUILLONS

Le « *Ms. aut.* » contient :
— un brouillon complet (*brouillon 1*) sur des feuilles du même papier à lettres que les précédents. Il s'agit des feuillets 48 à 51, soit deux feuilles doubles, écrites dans l'ordre 48 r°, 48 v°, 49 r°, 49 v°, 50 r°, 51 r°, 50 v° (verticalement) ;
— un brouillon partiel (*brouillon 2*) correspondant à la troisième addition de *Coup. Fig.* (voir ci-dessous), et écrit au recto, dans le sens de la hauteur, sur une feuille coupée de 17,5 × 11,5 cm (f. 52, r°).

LA COUPURE ANNOTÉE DU « FIGARO »

Elle présente une modification du numéro du pastiche : IV dans le journal, rectifié à la main en VI, puis biffé et corrigé en V.

Une feuille de papier blanc de 11,5 × 27 cm est collée à la coupure, et comporte quatre additions manuscrites au texte de l'article ; nous les numérotons dans l'ordre :
— *addition 1* (3 lignes) : « à l'épellement ... supérieur »
— *addition 2* (5 lignes) : « nous jette ... Me de Nadaillac, qu'un »
— *addition 3* (30 lignes) : « Un curieux être ... à toute réconciliation ».
— *addition 4* (9 lignes) : « *l'aimable lettré* ... me dit gracieusement avoir été ».

LES PLACARDS

Ce pastiche est réparti sur les placards 2 et 3 de *Pastiches et Mélanges*. On trouve une addition manuscrite de 28 lignes sur le placard 2 et quatre modifications d'un seul mot sur le placard 3.

Nous donnons successivement les notes des *Carnets*, les brouillons, puis le texte définitif avec en notes les variantes de *Coup. Fig.* et de *Plac.*

NOTES DES CARNETS

CARNET 3

[**f. 29, v°**] Goncourt   —   qui sent + la domesticité + —   la tête de St-Jean que la peinture italienne offre à Hérodiade   —   le coloriage artiste   —   une bouche où il y a comme l'épellement heureux du nom

[**f. 30, r°**] Goncourt   —   soutenant   —   déclarant

CARNET 4

[**f. 30 r°**] Goncourt   —   un faire miniaturé   —   Cha... de St-Charlemagne [1]   —   tout l'embuissonné d'un rosier

[**f. 30 v°**] Goncourt   —   suite la rose ... une rose à l'enroulement lâche au tuyautage desserré au contournement mourant, une rose où il y a dans le dessin comme l'évanouissement d'une syncope, une rose névrosée, la rose décadente des vieux siècles [2]. *Bout Carafes* | **s** Huiliers | qui sont des cathédrales de cristal blanc et bleu (c'est de moi et pas Goncourt sauf le mot cathédrale pour des carafes. [3])
Goncourt   —   fichtre !

[**f. 31, r°**] Goncourt   —   à l'encontre du jugement de   —   Goncourt   —   en homme à la large face   , aux favoris aux lèvres minces d'un fermier anglais
Goncourt   —   se détachant sur l'*à plat* * d'un mur [4] —
Goncourt   —   donnant, pour le regardeur, le crayeux du pastel   —   le gouaché de son dessin.

BROUILLON 1

[**f. 48 r°**] Dîner avec Lucien Daudet qui *raconte* | **s1** *assure* + | **I1**
raconte | **s2** nous décrit dans une fort jolie langue ma foi les diamants
admirés sur les épaules de Me D. | **I2** *nous décrit avec un rien de verve*
blagueuse | **I3** nous parle et décrit l'emploi [?] un peu bébête de ces
pierres dans une fort jolie | **lp** qu'un certain Lemoine aurait trouvé le secret
de la fabrication du diamant.

| [Plusieurs ébauches d'additions dans **ms** :] **msg** et à la fin du dîner
Lucien nerveux nous jette ceci avec un rien de verve blagueuse et dans une
fort jolie langue ma foi, à la notation | **msd** langue légèrement faite [?],
à la notation toujours artiste des moindres reflets que le peintre subtil
qu'est Lucien démêle jusqu'à l'ultra-violet dans une fort jolie langue ma foi,
langue à la notation toujours *artiste* / **s** juste / de nuances *ultra-violettes*
rares que *l'artiste* subtil qu'est Lucien démêle avec un rien de verve bla-
gueuse, |

lp Ce serait, | **s** *d'après lui* d'après Lucien, | dans le monde *de la bourse*
des affaires | **s** tout | un émoi rageur à la pensée de cette dépréciation
soudaine de *toute* la *bijouterie* | **s1** *pierre* | *bébête* | **s2** tout le stock de
diamant attendant dans les boutiques, dans les mines |, émoi qui pour-
rait bien finir par peser sur la magistrature et amener *l'internement* | **s**
ensevelissement | de *l'inventeur* | **s** Lemoine avec son secret | dans
quelque in pace pour crime de lèse bijouterie. Un beau sujet de pièce
que *j'écrirai peut-être* | **i** achevais aussitôt me donnant la sensation de ma
cervelle désengourdie | : un inventeur trouvant le moyen de *faire pour*
rien une pierre supprimer la pénible extraction du diamant, extraction
ayant coûté coûtant depuis des siècles des *millions et tuant les* | **i** milliers
de vies humaines, brûlant aussi les yeux de ceux qui résistent | [**f. 48 v°**]
yeux des hommes. Et *l'invention* | **sc** inventeur | *reçue non av non* |
s est non pas | *décoré,* statufié, mais enfermé *par l'ordre d'un* | **s** pour |
I le reste de ses jours |. C'est plus fort que l'histoire de Galilée, plus
contemporain | **s** moderne |, plus prêtant à toute l'artiste évocation
d'un milieu, avec tout le temps le scintillement de la pierre sur tout cela.
Un beau livre où il pourrait y avoir de fortes choses sur la puissance de
la haute industrie | **s** d'aujourd'hui n'étant plus du tout celle du gant [?]
au xviiiᵉ siècle et qu'on me dit survivre au Japon | maintenant puissance
menant au fond le gouvernement et la *magistrature* | **s** justice |. Comme
bouquet on apporte à Lucien la nouvelle | **s** me donnant le dénouement
tout fait de la pièce | que son ami Marcel Proust se serait tué sur la
nouvelle de la baisse des valeurs diamantifères *dépréciées* | **s** dégringolées

nos [**f. 50 vº**] poursuites en correctionnelle, l'échec voulu par la presse de Henriette Maréchal, le petit bouton que j'ai eu sur la langue et qui m'a | par le diamant de Lemoine, baisse anéantissant presque toute sa fortune. Allons voilà qui finira à merveille la pièce ce suicide montrant la répercussion jusque dans les milieux artistes de [**f. 49 rº**] ce qu'il y a de calamiteux dans toute grande invention. Je quitte la réunion la tête tout échauffée, |s comme si on me versait comme dans un dessin de Tony Johannot [5] vu chez Geffroy des cuillerées de cervelle dans le crâne | tout heureuse *de ce rayon de littérature qui vient luire.* Et dans l'escalier je rencontre + le nouveau ministre du Japon qui me dit | i aimablement | avoir été longtemps en mission chez les Honolulus où | s la lecture de | nos livres à mon frère et à moi seraient la seule chose | i pour | *que* | sc quoi | les indigènes | s sont capables de | renoncer aux plaisirs du *caviar* *, lecture se prolongeant très avant dans la nuit *qui là-bas est étrangement claire avec non de grands* | s en fumant de grands cigares comme il m'en montre un *enveloppés* entourés de verre pour les protéger contre une certaine maladie que leur donne la mer pendant la traversée | entre de grandes chandelles *comme il y en a dans le tout à fait comparables à celles du* + *de Charles Demailly* [6], *chandelles faites avec des tripes d'écureuil en putréfaction.*

[**f. 49 vº**] 19 Janvier. — Je me réveille avec le pressentiment d'une mauvaise nouvelle, ayant rêvé que la dent qui m'a fait tant souffrir quand on me l'a arrachée il y a cinq ans avait repoussé. Et aussitôt Pélagie *me jette* | s entre avec | cette nouvelle apportée par Lucien, nouvelle qu'elle n'est pas venue me dire pour ne pas troubler mon cauchemar. Marcel Proust ne s'est pas tué, Lemoine n'est qu'un escroc qui n'a rien trouvé, même pas habile, une espèce de Robert Houdin manchot. C'est bien ma guigne. Pour une fois que la vie + plate, embourgeoisée d'aujourd'hui s'était faite artiste, *nous* me jetait une pièce toute prête, ce n'était qu'un canard | i empoisonné |. De mauvaise [**f. 50 rº**] | s Je suis de mauvaise | humeur | s pour | toute la journée. *Rencontré* | s Et voici que | Rodenbach | s vient me voir | à qui je ne peux contenir ma déception, me reprenant à m'animer, à trouver de beaux traits, déjà tout écrits, au récit de la fausse nouvelle | s de la découverte de Lemoine |, fausse nouvelle plus artiste, plus vraie que la vérité bébête, le dénouement optimiste et *public* *, le dénouement pour Sarcey, raconté être le vrai ce matin par Lucien à Pélagie. Et c'est, douloureusement, tout un retour [?] *presque pleuré* | s larmoyant | que je *marmonne* | s chuchote à Rodenbach | pendant une demie [sic] heure à Rodenbach, sur cette guigne [**f. 51 rº**] qui nous a toujours poursuivis mon frère et moi, toutes *la vie, circonstances, politique, gouvernement, jusqu'aux épidémies et aux divorces* | i les circonstances de la révolution d'un peuple au rhume d'un *suppléant* libraire | faisant front contre la marche en avant de nos livres. Il faut que cette fois *tout* le syndicat de la bijouterie et les spéculateurs sud-africains *soient* + *ligués* | s se lèvent | contre nos livres. Alors Rodenbach de me *faire remarquer* | s dire le fond de son idée qui serait | que ce mois de décembre *où selon Lucien l'affaire Lemoine aurait éclaté a toujours été calamiteux si* | i nous a toujours été calamiteux | nous ayant amené dit-il empêché de prononcer le seul discours que j'aie dû faire de ma vie, tout un ensemble de fatalités *que* | sc qui | dit superstitieusement | s l'homme du nord artiste qu'est | Rodenbach devrait me faire éviter de rien entreprendre *le* au mois de Décembre. Alors moi, *au* interrompant ses théories cabalistiques pour *aller m'habiller   passer* | s l'endossement d' | un habit, *habit nécessaire* | sc nécessité | par le dîner chez la Princesse | s à 7 heures ½ | je lui jette en le quittant | s à la porte de mon cabinet de toilette | : « Alors Rodenbach, vous me conseillez de réserver ce mois-là pour ma mort. »

BROUILLON 2

[en haut et à gauche : Un curieux être *assure Lucien que ce Marcel Proust,* un être un peu avortonné, assure Lucien, que ce Ma [Au centre gauche : Un curieux être, *un être un peu* | s assure Lucien | que ce Marcel Proust, un être un peu avortonné, *vivant* | i qui vivrait | tout à fait dans l'enthousiasme de certains paysages, | s dans le *bondieusement* * | de certains livres, | s un être qui serait | absolument énamouré des romans de Léon. Et Lucien nous cite ce trait | s qui *fait res*   ressort joliment dans le faire miniaturé de son dire | : un jour un Monsieur rendait un immense service à Marcel Proust. | s Celui-ci pour le remercier l'emmenait à la campagne |. Mais voici qu'en causant ensuite, le Monsieur ne voulait | s *fichtre* | absolument pas reconnaître qu'il n'y avait eu en France *que* | sc qu' | *deux* | s un seul grand | écrivain*s* *tout à fait supérieurs St-Simon et Léon* en dehors de St-Simon   et que cet écrivain était Léon.
[au centre droit] Sur quoi | s fichtre ! |, *le Monsieur se fâchant,* Proust oubliant la reconnaissance qu'il *lui* devait | s au Monsieur | l'envoyait d'une paire de claques, rouler dix pas plus loin les quatre fers en l'air. Le [en haut et à droite] lendemain on se battait *mais* et malgré l'entremise de Ganderax, Proust refusait bel et bien de se réconcilier.

V

DANS LE « JOURNAL DES GONCOURT »

21 décembre 1907.

Dîné avec Lucien Daudet [7], qui parle avec un rien de verve blagueuse [8] des diamants fabuleux vus sur les épaules de Mme X..., diamants dits par Lucien dans une fort jolie langue, ma foi, à la notation
toujours artiste [9], [à l'épellement [10] savoureux de ses épithètes décelant
l'écrivain tout à fait supérieur,] être malgré tout une pierre bourgeoise,
un peu bébête [11], qui ne serait pas comparable, par exemple, à l'émeraude ou au rubis. Et au dessert, Lucien nous jette [12] [de la porte que
Lefebvre de Béhaine [13] lui disait ce soir, à lui Lucien, et à l'encontre
du jugement [14] porté par la charmante femme qu'est Mme de Nadaillac [15],] qu'un certain Lemoine aurait trouvé le secret de la fabrication
du diamant. Ce serait, dans le monde des affaires, au dire de Lucien,
tout un émoi rageur devant la dépréciation possible du stock de diamants encore invendu, émoi qui pourrait bien finir par gagner la
magistrature, et amener l'internement de ce Lemoine pour le reste de
ses jours en quelque *in pace* [16], pour crime de lèse-bijouterie. C'est
plus fort que l'histoire de Galilée, plus moderne, plus prêtant à l'artiste
évocation d'un milieu, et tout d'un coup je vois un beau sujet de pièce
pour nous, une pièce où il pourrait y avoir de fortes choses sur la
puissance de la haute industrie d'aujourd'hui, puissance menant, au
fond, le gouvernement et la justice, et s'opposant à ce qu'a de calamiteux
pour elle toute nouvelle invention. Comme bouquet, on apporte à
Lucien la nouvelle, me donnant le dénouement de la pièce déjà ébau-
chée, que leur ami Marcel Proust se serait tué, à la suite de la baisse

---

Fig. : dits, par Lucien, dans
Plac. : dits, par Lucien dans
Fig., *Plac.*, *PM* : une forte jolie langue,
Coup. Fig. : [addition 1] | **md** à l'épellement savoureux de ses épithètes décelant
l'écrivain tout à fait supérieur, | être
Coup. Fig. : [addition 2] *nous jette* | **md** nous jette ... Me de Nadaillac, qu'un |
qu'un certain Lemoine

des valeurs diamantifères, baisse anéantissant une partie de sa fortune.
[Un curieux être [17], assure Lucien, que ce Marcel Proust, un être qui
vivrait tout à fait dans l'enthousiasme, dans le *bondieusement* [18] de
certains paysages, de certains livres, un être par exemple qui serait
complètement énamouré [19] des romans de Léon [20]. Et après un long
silence, dans l'expansion enfiévrée de l'après-dîner, Lucien affirme :
— Non, ce n'est pas parce qu'il s'agit de mon frère, ne le croyez pas,
monsieur de Goncourt, absolument pas. Mais enfin il faut bien dire
la vérité. Et il cite ce trait qui ressort joliment dans le faire miniaturé
de son dire : Un jour, un monsieur rendait un immense service à
Marcel Proust, qui pour le remercier l'emmenait déjeuner à la campagne. Mais voici qu'en causant, le monsieur, qui n'était autre que
Zola [21], ne voulait absolument pas reconnaître qu'il n'y avait jamais
eu en France qu'un écrivain tout à fait grand et dont Saint-Simon seul
approchait, et que cet écrivain était Léon. Sur quoi, fichtre [22] ! Proust
oubliant la reconnaissance qu'il devait à Zola l'envoyait, d'une paire
de claques, rouler dix pas plus loin, les quatre fers en l'air. Le lendemain on se battait [23], mais, malgré l'entremise de Ganderax [24], Proust
s'opposait bel et bien à toute réconciliation. »] [[Et tout à coup, dans
le bruit des *mazagrans* qu'on passe, Lucien me fait à l'oreille, avec
un geignardement comique, cette révélation : « Voyez-vous, moi, monsieur de Goncourt, si, même avec la *Fourmilière* [25], je ne connais pas
cette vogue, c'est que même les paroles que disent les gens, je les *vois*,
comme si je peignais, dans la *saisie* d'une nuance, avec le même *embué* [26]
que la Pagode de Chanteloup [27] ». Je quitte Lucien, la tête tout échauffée par cette affaire de diamant et de suicide]], comme si on venait

---

2   *Coup. Fig.* : [addition 3] | **md** Un curieux être assure Lucien que ce Marcel
Proust, ... à toute réconciliation. | Je quitte Lucien sur
5   *Coup. Fig.* : Et *Lucien nous cite ce tr*   après un long silence,
6   *Coup. Fig.* : de l'après-dîner Lucien *dit* | **s** affirme | « Non ce n'est
9   *Coup. Fig.* : la vérité » et il cite
11   *Coup. Fig.* : à Marcel Proust, *à Marcel Proust* qui pour
12   *Coup. Fig.* : le Monsieur qui
14   *Coup. Fig.* : St-Simon *seulement* approchait et que
16   *Coup. Fig.* : à Zola, l'envoyait d'une
19   *Coup. Fig.* : Proust *refusait* | **s** s'opposait | bel et bien *de se réconcilier* à toute
réconciliation
—   *Plac.* : réconcilation ». *Je quitte Lucien, la tête tout échauffée* | **md** *Et Lucien*
Et tout à coup, ... et de suicide | comme si on venait
20   *Plac.* : **md** Lucien me *dit* | **s** *fait* | **I** fait | à l'oreille,
21   *Plac.* : **md** comique : « *Voyez-vous*, | **s** *moi*, | *Monsieur de Goncourt, si même*
avec la Fourmilière, cette révélation :
23   *Plac.* : **md** les paroles *des gens* que disent les gens,
—   *Plac.* : **md** je les *vois* * *en couleur* comme si
24   *Plac.* : **md** le même *embué* *   **PM** : la même *embué* *
25   *Plac.* : **md** la tête *tout* tout échauffée

de m'y verser des cuillerées de cervelle²⁸. Et dans l'escalier je rencontre le nouveau ministre du Japon²⁹ qui, [de son air un tantinet
avortonné et *décadent,* air le faisant ressembler au samouraï tenant,
sur mon paravent de Coromandel³⁰, les deux pinces d'une écrevisse,]
5   me dit gracieusement avoir été longtemps en mission chez les Honolulus où la lecture de nos livres, à mon frère et à moi, serait la seule
chose capable d'arracher les indigènes aux plaisirs du caviar, lecture
se prolongeant très avant dans la nuit, d'une seule traite, aux inter-
mèdes consistant seulement dans le chiquage de quelques cigares du
10 pays enfermés dans de longs étuis de verre, étuis destinés à les protéger pendant la traversée contre une certaine maladie que leur donne
la mer. Et le ministre me confesse son goût de nos livres, avouant
avoir connu à Hong-Kong une fort grande dame de là-bas qui n'avait
que deux ouvrages sur sa table de nuit : *La Fille Elisa*³¹ et *Robinson*
15 *Crusoé.*

22 décembre.

Je me réveille de ma sieste de quatre heures avec le pressentiment
d'une mauvaise nouvelle, ayant rêvé que la dent qui m'a fait tant
souffrir quand Cruet me l'a arrachée³², il y a cinq ans, avait repoussé.
20 Et aussitôt Pélagie³³ entre, avec cette nouvelle apportée par Lucien
Daudet, nouvelle qu'elle n'était pas venue me dire pour ne pas troubler
mon cauchemar : Marcel Proust ne s'est pas tué, Lemoine n'a rien
inventé du tout, ne serait qu'un escamoteur pas même habile, une
espèce de Robert Houdin³⁴ manchot. Voilà bien notre guigne ! Pour
25 une fois que la vie plate, envestonnée d'aujourd'hui, *s'artistisait,* nous
jetait un sujet de pièce ! A Rodenbach³⁵, qui attendait mon réveil, je
ne peux contenir ma déception, me reprenant à m'animer, à jeter des
tirades déjà tout écrites, que m'avait inspirées la fausse nouvelle de
la découverte et du suicide, fausse nouvelle plus artiste, plus *vraie,*
30 que le dénouement trop optimiste et *public,* le dénouement à la
Sarcey³⁶, raconté être le vrai par Lucien à Pélagie. Et c'est de ma part
toute une révolte chuchotée pendant une heure à Rodenbach sur cette

2   *Coup. Fig.* : Japon qui *me dit aimablement* | **md** [addition 4] *l'aimable lettré*
     qu'est le nouveau ministre du Japon, un lettré un tantinet avortonné et qui a
     l'air / **s** *décadent* / *d'un Samouraï qui* / **s** *saisissant* / *sur notre paravent de*
     Coromandel saisit les deux pinces d'une écrevisse, qui me dit gracieusement   qui,
     de son air un tantinet avortonné et *décadent* °, air le faisant ressembler au samouraï
     tenant, sur mon paravent de Coromandel les deux pinces d'une écrevisse, me dit
     gracieusement avoir été | **lp** avoir été longtemps
11   *Fig., Plac.* : que leur donnait
24   *Fig.* : Voilà bien   *Plac.* : *Voici* | **mg** Voilà | bien
25   *Plac.* : plate, *embourgeoisée* | **mg** *envestonnée* ° | d'aujourd'hui
32   *Fig.* : à Rodenbach, sur

guigne qui nous a toujours poursuivis, mon frère et moi, faisant des
plus grands événements comme des plus petits, de la révolution d'un
peuple comme du rhume d'un souffleur, autant d'obstacles levés contre
la marche en avant de nos œuvres. Il faut cette fois que le syndicat
5   des bijoutiers s'en mêle ! Alors Rodenbach de me confesser le fond
de sa pensée, qui serait que ce mois de décembre [37] nous a toujours
été malchanceux, à mon frère et à moi, ayant amené nos poursuites
en correctionnelle [38], l'échec voulu par la presse d'*Henriette Maréchal* [39],
le bouton que j'ai eu sur la langue à la veille du seul discours que
10   j'aie jamais eu à prononcer [40], bouton ayant fait dire que je n'avais
pas osé parler sur la tombe de Vallès, quand c'est moi qui avais
demandé à le faire ; tout un ensemble de fatalités qui, dit supersti-
tieusement l'homme du Nord artiste qu'est Rodenbach, devrait nous
faire éviter de rien entreprendre ce mois-là. Alors moi, interrompant
15   les théories cabalistiques de l'auteur de *Bruges la Morte*, pour aller
passer un frac [41] rendu nécessaire par le dîner chez la Princesse [42],
je lui jette, en le quittant à la porte de mon cabinet de toilette :
« Alors, Rodenbach, vous me conseillez de réserver ce mois-là pour
ma mort ! »

---

14   *Fig.* : Alors moi, interrompant   *Plac., PM* : Alors, moi interrompant
16   *Plac.* : un *habit, habit* | **mg** *frac* ° | rendu
—   *Fig.* : Princesse   *Plac., PM* : princesse
19   *Fig.* : ma mort ! » comme *Plac.* : la | **mg** ma | mort ! »

NOTES ET ÉCLAIRCISSEMENTS

CARNETS

1 Utilisé dans *RTP*, III, 711.

2 Utilisé dans *RTP*, III, 714 (pris dans *Le Journal*, 26 mai 1887).

3 On trouve également dans les notes sur Saint-Simon un souci de distinguer les reconstitutions des citations.

4 Le mot est utilisé (à propos d'assiettes de porcelaine) dans *RTP*, III, 711.

BROUILLONS

5 Tony Johannot (1803-1852) : dessinateur de l'époque romantique.

6 *Charles Demailly* : ce roman des Goncourt parut d'abord en 1860, sous le titre *Les Hommes de lettres*, puis sous celui de *Charles Demailly* en 1868.

TEXTE ET VARIANTES

7 Une foule de paragraphe du *Journal* commencent d'une manière semblable. Les anecdotes vécues ou entendues au cours des repas de la petite société des Goncourt sont collectionnées avec passion.
   Lucien Daudet, fils d'Alphonse Daudet et ami de Proust. Né en 1879, il connu effectivement Edmond de Goncourt, qui était très lié avec son père. Mais ce n'est que dans les toutes dernières années du vieil écrivain, et rarement, qu'il prit des repas en tête à tête avec lui : le *Journal* y fait allusion le 29 mars 1894 et le 17 mai 1896. Ce sont les parents de Lucien, et son frère aîné Léon, qui sont les plus souvent cités dans le *Journal*.

8 La « blague » est l'une des expressions triviales chères aux Goncourt. Cf. 23 mai 1883 : « Le voici [A. Daudet] qui me raconte son duel avec cette jolie blague méridionale » ; 13 septembre 1883 : « Mme de Girardin a une drôlerie un peu bruyante, un peu tapageuse, mais spirituellement blagueuse » ; 25 mars 1889 : « Ce soir, Daudet, d'une voix moitié blagueuse, moitié désolée, [...] disait [...] » ; 6 février 1890 : « C'est une parole blagueuse, coupée de rires gamins et de remuements », etc.

9 Cet emploi adjectival est constant chez les créateurs de l'« écriture artiste ».

10 Cf. *Carnet* 3, f. 29, v° : « l'épèlement heureux du nom ».

11 Vulgarisme un peu plus rare que « blagueur ». Cf. *Journal*, 14 février 1892 : Armand Charpentier est appelé « gogo », « innocent », « ingénu », « provincial », « bébête », et il est « cruellement blagué » par les Parisiens.

12 Ce verbe, continuellement employé par les Goncourt, est caractéristique de ce qu'ils recherchent dans la conversation : uniquement la *saillie*.

13 Edouard Lefebvre de Behaine (1829-1897) : cousin et ami d'enfance des deux frères, ambassadeur auprès du Vatican de 1882 à 1896. Proust fait-il un rapprochement ironique entre cette fonction et le nom de Lemoine ? Il n'est pas interdit de le penser.

14 Cf. *Carnet* 3, f. 31, r°.

15 Mme de Nadaillac, née Cécile Delessert (1825-1887). Elle semble n'être nommée qu'une fois dans le *Journal* (6 juin 1885), comme une connaissance d'Edmond aperçue dans un dîner, sans plus.

16 In pace : cachot d'un couvent, où l'on enfermait à perpétuité certains coupables scandaleux.

17 Cf. brouillon 2, passage rajouté sur épreuves. Pour les premiers mots, cf. *Journal*, 5 mai 1888 : « Il y a un dîneur que j'ai déjà rencontré [...] Un curieux être, un amoureux, un passionné notateur des bruits musicaux de la nature. » Seul ce qui est *curieux* intéresse les Goncourt (et moins les personnes que les *êtres*.)

18 Cf. des créations voisines dans le *Journal*, 22 mai 1885 : [Le peuple français] « Vient-il de *débondieuser* le christianisme, aussitôt il *bondieuse* Hugo et proclame l'hugolâtrie. » 9 novembre 1893 : « [...] la légion *bondieusante* et mystique, dont Veuillot avait le commandement. »

19 Cf. *Journal*, 29 janvier 1890 : « ce pauvre *énamouré de littérature*. »

20 Léon Daudet (1867-1942) était déjà un romancier connu et un polémiste redouté quand Lucien parvint à l'adolescence.

21 Zola : disciple et ami redouté des Goncourt (car il les plagiait) depuis 1868. Le *Journal* ne signale pas de duel de Zola, qu'il dépeint comme plutôt pleutre.

22 Cf. *Carnet* 3, f. 30, v°. Il semble que dans le *Journal* cette interjection revienne de préférence dans des propos prêtés à Zola (20 juin 1881 : « J'ai écrit douze pages de mon roman... Douze pages, fichtre !... ») ou quand il est question de lui (11 octobre 1887 : « Zola, sur lequel je me suis trouvé nez à nez sur la scène et auquel, fichtre, j'ai fait grise mine [...] »).

23 Proust fait probablement une allusion à son lointain duel, le 6 juillet 1896, avec le critique Jean Lorrain qui l'avait, dans un article sur *Les Plaisirs et les Jours*, presque ouvertement accusé de relations homosexuelles avec Lucien Daudet.

24 Louis Ganderax (1855-1940) : ami d'Edmond de Goncourt, critique dramatique de *La Revue des deux mondes*, puis directeur littéraire de *La Revue de Paris*.

25 *La Fourmilière* : roman « provincial » de Lucien Daudet, Flammarion, 1909.

26 L'embué : l'étalement et l'imprécision des couleurs bues par la toile d'un tableau. Le terme usuel est l'*embu*.

27 La Pagode de Chanteloup : Choiseul s'était fait construire en 1765, dans la forêt d'Amboise, un magnifique château, puis un jardin anglo-chinois

et, vers 1770, une pagode du même style. Vendus plusieurs fois après la mort de Choiseul, le château et le domaine passèrent en 1823 à des marchands de biens qui détruisirent les constructions, sauf la pagode, et vendirent le parc par lots. Le monument chinois inspira les peintres ; une gouache anonyme du xviiie siècle le représentant est reproduite dans une monographie : Jehanne d'Orliac, *Chanteloup du 13e au 20e siècle*, Paris J.O. Fourcade, et Tours, Arrault et Cie, 1929.

28 Le mot de *cervelle*, pour désigner le cerveau, mais aussi la pensée, est fréquent chez les Goncourt et fait partie de leur arsenal « naturaliste ». A propos des *cuillerées*, cf. brouillon 1, p. 161. La phrase primitive, qui a été presque entièrement supprimée, reprenait le passage suivant du *Journal* (6 juin 1893) : « Je ne sais dans quel livre illustré par Tony Johannot, un être fantastique, juché derrière un monsieur tranquillement assis, et sans qu'il s'en doute le moins du monde, lui retire, du haut du crâne mis à découvert, des cuillerées de cervelle. Cette image me donne un peu l'idée de l'effet produit par l'action de l'eau ici [à Vichy] sur l'intelligence. »

29 Peut-être allusion à un passage du *Journal* du 20 mai 1887 : [le Japonais Hayashi] « En descendant l'escalier, il me jette d'en bas : [...] ».

30 Cf. *Journal*, 14 décembre 1894 : « Deux panneaux de Coromandel, ces riches panneaux de paravents à intailles coloriées, où des fleurs et des poissons ressortent si bien du noir glacé de la laque. » La côte de Coromandel est la côte orientale de l'Inde.

31 *La Fille Elisa* : roman des Goncourt de 1877. Proust a raillé une fois de plus la vanité littéraire de ses modèles dans son pastiche du *Temps retrouvé* (*RTP*, III, 711) : « J'aurais en Galicie et dans tout le nord de la Pologne une situation absolument exceptionnelle, une jeune fille ne consentant jamais à promettre sa main sans savoir si son fiancé est un admirateur de *La Faustin*. ».

32 Cf. *Journal*, 1er janvier 1890 : allusion à un mal de dents.

33 Pélagie Denis, entrée au service des Goncourt en mai 1868. Elle y restera jusqu'à la mort d'Edmond. Ce personnage n'est pas sans évoquer parfois, par son langage, par la présence auprès d'elle de sa fille, par le genre de rapports qui s'instituent entre un célibataire et sa gouvernante, la Françoise de la *Recherche*.

34 Robert Houdin : célèbre prestidigitateur et illusionniste. Cf. *Journal*, 10 février 1880.

35 Georges Rodenbach (1855-1898) : ce poète et romancier belge était l'ami d'Edmond de Goncourt depuis 1889. Il apparaît dans le *Journal* à partir du 8 août 1889. Son roman de *Bruges la morte* date de 1892.

36 Sarcey : une des cibles constantes des sarcasmes d'Edmond, dans le *Journal*.

37 Cf. *Journal*, 15 décembre 1865 : « Je remarque que ma date de naissance est toujours marquée par un événement dans notre vie. Il y a une dizaine d'années, notre poursuite en police correctionnelle avait lieu à propos d'un article paru le 15 décembre. Aujourd'hui, notre pièce est supprimée. »

38 Cf. *Journal*, 20 février 1853 et suivants. C'était au sujet d'un article jugé licencieux.

39 La pièce fut représentée au Théâtre-Français le 5 décembre 1865. Les Goncourt accusèrent la presse et les cabales de son échec (Cf. *Journal* du 5 au 31 décembre 1865).

40 Edmond en prononça au moins un, lors de la remise au maire de Croisset d'un buste de Flaubert offert par ses amis. En tout cas, il ne fut jamais question qu'il en prononçât un sur la tombe de Vallès (mort en février 1885) ; sa seule oraison funèbre sur l'ancien communard est : « Enfin, en ce moment, on est en train de canoniser les mufles ! » (*Journal*, 15 février 1885 ».)

41 Comme les repas et les sommeils, la toilette et l'habillage tiennent une place importante dans le *Journal*. Cf. 6 février 1890 : [L'actrice Réjane tombe] « ce matin, dans ma toilette du matin, presque dans mon déculottage [...] » Proust a horreur de ces détails inutiles et ne les laisse pas échapper dans sa satire. De même, dans le pastiche du *Temps retrouvé* (III, 709) : « Tandis que je m'habille pour le suivre, c'est, de sa part, tout un récit [...] ».

42 C'est la princesse Mathilde (1820-1904), cousine de Napoléon III, chez qui les deux frères sont invités régulièrement depuis 1862, et Edmond jusqu'à sa mort. Elle tient un salon littéraire et artistique, qui ne connaît qu'une brève interruption après le désastre de 1870.

VI

« L'AFFAIRE LEMOINE » PAR MICHELET

NOTICE

Troisième de la première série du *Figaro*, ce pastiche recule, dans l'édition définitive, jusqu'à la sixième place. Il ne reçoit pas d'additions. Comme le suivant, c'est un texte un peu mineur.

Proust veut y faire tenir hâtivement, dans un espace restreint, les thèmes de Michelet qui l'ont frappé. Néanmoins, nous constatons qu'il connaît bien son œuvre, si vaste soit-elle, et il n'est guère de partie de cet imposant ensemble qui n'ait fourni matière à allusion. Dans l'ordre du texte, nous relevons d'abord le thème de la vitesse (« Le salut n'est que dans la vitesse ») développé dans la préface de l'*Introduction à l'histoire universelle* (p. 3) :

> [La France] est désormais le pilote du vaisseau de l'humanité. Mais ce vaisseau vole aujourd'hui dans l'ouragan ; il va si vite, si vite, que le vertige prend aux plus fermes, et que toute poitrine en est oppressée [...] Je voudrais dans ce rapide passage obtenir quelques moments du tourbillon qui nous entraîne [...]

Le thème des Juifs et des persécutions qu'ils subissent au Moyen-Age est développé à plusieurs reprises dans le tome III de l'*Histoire de France* ; celui du nationalisme, manifesté en particulier par l'anglophobie et la germanophobie, apparaît dans l'*Histoire du XIXe siècle* et sa préface. Moins historique et plus personnel est celui des conditions météorologiques, dont Michelet avait eu à souffrir certains hivers, et qu'il ne manque jamais de décrire à l'occasion des grands événements : ainsi de l'hiver 1788-1789, dans l'*Histoire de France*, de l'hiver 1870-1871 dans *La France devant l'Europe* :

> J'ai écrit ce petit volume dans l'obscurité de décembre sous le grand linceul de neige qui couvrait toute l'Europe. Sombre hiver où l'antique période glaciaire paraissait recommencer. (*La France devant l'Europe*, p. 492).

Le thème de l'absolutisme royal apparaît dans l'*Histoire de la révolution française*. Celui de l'admiration des créatures et des phénomènes naturels a inspiré les petits livres de *L'Oiseau* (1856), *L'Insecte* (1858), *La Mer* (1861), *La Montagne* (1868).

Proust retrouve, en outre, l'attitude générale de Michelet historien, qui ne s'intéresse pas à des événements réduits à des lignes abstraites, mais fait entrer à flots dans ses ouvrages la vie des époques décrites (cf. la préface de 1869 à l'*Histoire de France,* où il expose son projet de « résurrection de la vie intégrale »), et la sienne propre, sous forme d'allusions et de jugements personnels.

Dans une page de *La Prisonnière* sur les grands écrivains du XIXe siècle (*RTP, III,* 160), qui ont tous une attitude d'autocontemplation envers leur ouvrage, Proust remarque à propos de Michelet qu'il ne faut pas tant chercher ses plus grandes beautés dans son œuvre même « que dans les attitudes qu'il prend en face de son œuvre, non pas dans son *Histoire de France* ou dans son *Histoire de la révolution,* mais dans ses préfaces à ces deux livres ».

Dans le même passage de son roman, Proust voit le meilleur de Michelet dans « quelques phrases commençant d'habitude par un " Le dirai-je ? " qui n'est pas une précaution de savant, mais une cadence de musicien. ». De fait, nous retrouvons cette exclamation à valeur rythmique dans les préfaces citées :

> Je l'ai aimé et beaucoup admiré. Cependant, le dirai-je ? ni le matériel, ni le spirituel, ne me suffisait dans son livre. (Préface à l'*Histoire de France,* p. V.)

> Dirai-je qu'en 1815, trop faciles à louer la force, à prendre le succès pour le jugement de Dieu, ils ont eu, au fond de leur cœur, sous leur douleur et leur colère, un misérable argument pour amnistier l'ennemi. Beaucoup se sont dit tout bas : « Il est fort, donc il est juste. » (Préface de 1847 à l'*Histoire de la Révolution française,* pp. 4-5.)

> Et pour plaire à l'ennemi, il a renié l'ami... Que dis-je ? son propre père, le grand dix-huitième siècle. (*Ibid.*)

Le pastiche, lui, emploie, avec la même valeur, la variante « Faut-il le dire ? ». De telles expressions ont une valeur psychologique de « modus » portant sur l'affirmation qui suit (modus indiquant une fausse hésitation et destiné en réalité à attirer l'attention), et leur valeur rythmique, signalée par Proust, consiste dans un effet d'intonation fortement montante, suivi généralement de pause, et créateur lui aussi d'une « attente » dans la phrase.

Michelet joue abondamment des exclamations et des interrogations portant sur de courtes phrases nominales de jugement ; il confère ainsi à son style un caractère personnel et lui donne de nombreux moyens de relance rythmique :

Inoubliables jours ! Qui suis-je pour les avoir contés ? Je ne sais pas encore, je ne saurai jamais comment j'ai pu les reproduire. (*Histoire de la révolution française,* préface de 1868, p. VI.)

Triste époque ! c'étaient les dernières années de l'Empire. (*Le Peuple,* p. 6.)

Et nous lisons dans le pastiche :

Touchante immolation du juif au long des âges.

Grave leçon ; fort tristement la méditais-je souvent [...]

Ainsi est démarqué un style oratoire non périodique, mais au contraire haché, coupé constamment par des discours directs, des prosopopées, des allégories (« Courage, encore un coup de pioche, je suis à toi »), des parenthèses ; ces dernières ne sont d'ailleurs pas moins nombreuses chez le modèle que dans le pastiche :

[A propos de Louis-Napoléon Bonaparte en 1848] Les joueurs, les désespérés, poursuivis (près d'être arrêtés), brusquèrent tout, eurent de l'audace pour lui. On assure qu'il hésitait (le 4) pour le massacre. Dans une note bien prudente (aujourd'hui publiée), il se rejette sur Morny, qui aurait changé ses ordres, ajouté le mot *fusiller*.
Un tel acte (horreur du monde) l'entourait nécessairement de la bande qui l'avait commis [...] (*La France devant l'Europe,* p. 438.)

Ces deux pages suffisent à Proust pour reproduire un bon nombre de traits propres à Michelet et pour évoquer sa « musique » particulière.

Nous présentons à la suite du brouillon une autre ébauche de pastiche de Michelet, qui n'a pas été retenue. Lemoine y est présent comme un martyr du fanatisme religieux, condamné pour avoir usurpé « le brevet de Dieu, seul inventeur ». Nous reconnaissons dans ces quelques lignes le ton violent des imprécations de l'écrivain contre l'Église.

NOTE SUR LE TEXTE

La Bibliothèque Nationale possède, pour ce pastiche, à défaut d'un manuscrit au net, un brouillon, une coupure annotée du *Figaro* (supplément littéraire) du 22 février 1908 et le placard de l'édition définitive.

LE BROUILLON

Il figure sur les feuillets 53 et 54 du « *Ms. aut.* », dans l'ordre 53 r°, 54 r°, 54 v° (verticalement), 53 v° (verticalement). La fin (suite du 53 v°) se trouve mêlée à l'un des brouillons de Balzac, sur le feuillet 2 v° retourné. Cf. Balzac, note sur le texte.

Les feuillets 53 et 54 sont formés par une feuille double du papier à lettres habituel pour les brouillons.

L'ébauche de pastiche non retenue par Proust figure, sans titre dans « *Ms. aut.* », sur une petite feuille de papier à lettre, classée f. 70, parmi les brouillons du Renan. Nous donnons ce texte successivement en clair et dans l'état du manuscrit.

LA COUPURE ANNOTÉE DU « FIGARO »

L'article est numéroté III et intitulé : *Par Michelet*. III est biffé à l'encre et remplacé par IV, à son tour biffé et remplacé par VI. En addition supérieure au titre : L'Affaire Lemoine.

La coupure ne présente pas d'autre modification.

LE PLACARD

C'est le placard n° 3 qui contient ce pastiche. Le titre tient compte de l'adjonction faite sur *Coup. Fig.* et place des guillemets encadrant : *L'Affaire Lemoine*.

Il n'y a aucune modification au texte.

BROUILLON

[**f. 53 r⁰**] Le diamant lui ne se peut extraire que de terre, à d'étranges profondeurs (1 300 mètres). *Quand un filon se découvre le royaume sombre en est tout illuminé. Sombre royaume qu'illumine seule la pierre, ébloui de ces seuls rayons. L'homme pourrait-il ne* Pour en ramener la pierre *plus* | s fort | brillante *mille fois* que les rayons du jour | s qui seule peut soutenir le feu d'un regard de femme |, que le regard de la femme (en (Afghanistan diamant se dit : *reg* œil de flamme) *toujours* sans fin faudrait-il descendre au royaume sombre. *Grave* | i Touchant | problème. Que d'Orphées s'y égareront avant de ramener *au jour* | sc à | s la | I1 lumière du | I2 jour de pâle [?] Eurydice. [**f. 54 r⁰**] *Que* | s bien | des vies s'y épuisèrent au moyen âge. *Il se pos* Plus durement se pose-t-il au commencement du xxᵉ siècle (*avec sans* décembre 1906 - février 1907). *J'écrirai* | sc Je | i raconterai | quelque jour cette magnifi [sic] affaire Lemoine dont aucun contemporain n'a soupçonné la grandeur, je montrerai ce petit homme *au poil court, aux yeux ruinés* aux yeux perdus, aux mains brûlées par la terrible recherche, sujet à d'étranges malaises ; juif probablement (*La Libre parole* [1] M. Drumont l'a prétendu non sans vraisemblance ; aujourd'hui encore les Lemoutiers (contraction de monastère) ne sont pas rares en Dauphiné, terre d'élection d'Israël) menant pendant trois mois toute la politique [**f. 54 v⁰**] de l'Europe, *forçant* | s courbant | l'orgueilleuse Angleterre | s jusqu'à | nous consentir | s1 *en échange de l'* + | I1 pour sauver ses compagnies | I2 menacées, ses mines en discrédit | lp un traité de commerce ruineux comme elle. Que nous lui livrions l'homme, *que* | s Shylock [2] avare comme au temps de Shakespeare | elle le payerait *comme Shylock* au poids de sa chair. La liberté provisoire — la plus grande conquête du droit moderne, Sayous, Batbie — fut obstinément refusée. L'allemand reprit courage (révision du procès Harden, loi polonaise, refus du chancelier de répondre au Reichstag), | s bien | trop tard, l'anglais nous avait assuré *donné la liberté* la liberté au Maroc, du coup nous y prenions l'offensive. Touchante immolation du juif à tous les âges : Tu me *dis traître* | s calomnies obstinément m'accuses de trahison |, sur terre, sur mer (affaire Dreyfus, affaire Ullmo) eh ! bien je te donne mon or (voir le grand essor des banques juives à la fin du xixᵉ siècle, et plus que l'or, ce qu'au poids de l'or tu ne pourrais pas toujours *payer* acheter, *la pierre a* le diamant... *Profonde leçon* | i Une [?] leçon | [**f. 53 v⁰**] Dure leçon. Fort tristement la méditais-je souvent dans cet hiver de 1908 où la méchanceté, fort douceureusement, se faisait perfide. *Pas de* La nature même s'y harmonisait. Pas de grands froids cet hiver-là. De pâles brouillards *avec* | i dans | une température fort douce | s — d'autant plus meurtrière — | qui invite à la promenade. Qui résisterait

à parcourir cette | **il** à *cette apparition* / sc l' / **i2** appel / **il** de la |
lp ville *indécise,* fantôme, ayant à peine dépouillé le doux suaire blanc
qui çà et là l'enveloppe encore, *s'irise au soleil linges* | s langes |
irisés. *Ch Chaque jour j'allais* Beaucoup de morts — plus que dans
les dix années précédentes — et en Janvier les violettes se montraient déjà
sous la neige. *Chaque jour j'allais* L'esprit fort troublé de cette affaire
de la fabrication du diamant, chaque jour j'allais au Louvre où le peuple,
plus que devant la Joconde de Vinci, s' + | sc arrête [?] | devant les
diamants de la couronne. Souvent j'avais peine à approcher. Sévères études
où je n'avais plus pour me soutenir la flexibilité pensive de la fleur qui
au plus âpre de la recherche d'une attitude plus *confiante* tendre nous
encourage, imperceptiblement semble nous dire courage, ne crains rien,
tu es [**f. 2 v⁰**] encore dans l'histoire, dans la vie, presque dans la pensée.
Ici la vie au contraire est faite d'immobilité, des lois immobiles — fort
belles aussi dans leur sévère grandeur — de la cristallisation.

ÉBAUCHE NON RETENUE

Contre Lemoine, une fois de plus la coalition de mensonge et d'intérêts fut reformée. Sur la parole romaine qui déclare déloyale la concurrence de l'homme à Dieu, le brevet de Dieu, seul inventeur, fut contresigné une fois de plus par les gouvernements d'injustice et de peur dans le sang du rebelle. Les hommes dont le blasphème se réclame des mains percées du Galiléen livrèrent une fois de plus sur la croix d'abjection le juste ligotté. Et pour un temps indéfini fut arrêtée, [ ], l'hésitante évolution des mentalités libérées. Courage, cependant! Non du marbre seul, mais de nos cœurs plus durs, exigeons la statue future docile aux propositions de l'histoire [?].

[**f. 70 r°**] *Une fois de plus la coali*
Contre Lemoine, une fois de plus la coalition de mensonge et d'intérêts fut reformée. Sur *une parole* | **s** *l'* / **sc** la / *ordre* parole | romaine qui *défend déclare déloyale* | **s** *depuis deux mille ans a défendu à l'homme* déclare déloyale | **I1** *défend à l'homme* | **I2** *depuis deux mille ans à l'homme* | **Ip** la concurrence | **i** de l'homme à Dieu | *à un Dieu seul inventeur, et fait dit fit contresigner à Dieu le brevet* le brevet de Dieu, seul inventeur, *reconnu,* fut contresigné une fois de plus par les gouvernements d'injustice et de peur dans le sang du rebelle. Les hommes *qui se ré* dont le blasphème se réclame *du Ga* des mains percées du Galiléen livrèrent une fois de plus sur la croix | **i** d'abjection | le juste ligotté. Et pour un temps indéfini fut arrêtée, sous la main [? lecture extrêmement douteuse] l'hésitante évolution des mentalités libérées. Courage, cependant | Non du marbre seul mais de nos cœurs plus durs exigeons la statue future docile aux propositions de l'histoire [?].

VI

« L'AFFAIRE LEMOINE » PAR MICHELET

Le diamant, lui, se peut extraire à d'étranges profondeurs (1 300
mètres). Pour en ramener la pierre fort brillante, qui seule peut soutenir le feu d'un regard de femme (en Afghanistan, diamant se dit
« œil de flamme »), sans fin faudra-t-il descendre au royaume sombre.
5   Que de fois Orphée s'égarera avant de ramener au jour Eurydice !
Nul découragement pourtant. Si le cœur faiblit, la pierre est là qui,
de sa flamme fort distincte, semble dire : « Courage, encore un coup
de pioche, je suis à toi. » Du reste une hésitation, et c'est la mort.
Le salut n'est que dans la vitesse. Touchant dilemme. A le résoudre,
10 bien des vies s'épuisèrent au moyen âge. Plus durement se posa-t-il
au commencement du vingtième siècle (décembre 1907-janvier 1908).
Je raconterai quelque jour cette magnifique affaire Lemoine dont
aucun contemporain n'a soupçonné la grandeur, je montrerai ce petit
homme, aux mains débiles, aux yeux brûlés par la terrible recherche,
15 juif probablement (M. Drumont [3] l'a affirmé non sans vraisemblance ;
aujourd'hui encore les Lemoustiers — contraction de Monastère — ne
sont pas rares en Dauphiné, terre d'élection d'Israël pendant tout le
moyen âge), menant pendant trois mois toute la politique de l'Europe,
courbant l'orgueilleuse Angleterre [4] à consentir un traité de commerce
20 ruineux pour elle, pour sauver ses mines menacées, ses compagnies
en discrédit. Que nous lui livrions l'homme, sans hésiter elle le paye-
rait au poids de sa chair [5]. La liberté provisoire, la plus grande conquête des temps modernes (Sayous [6], Batbie [7]), trois fois fut refusée.
L'Allemand fort déductivement devant son pot de bière [8], voyant
25 chaque jour les cours de la De Beers baisser, reprenait courage (révi-
sion du procès Harden [9], loi polonaise, refus de répondre au Reichstag).
Touchante immolation du juif au long des âges ! « Tu me calomnies,
obstinément m'accuses de trahison contre toute vraisemblance, sur

---

Coup. Fig. : [Numéro et titre. Cf. note sur le texte.]
21   *Fig.* : Que nous lui livrions.   *Plac., PM* : nous qui livrions [coquille évidente]

terre, sur mer (affaire Dreyfus, affaire Ullmo [10]) ; eh bien, je te donne
mon or (voir le grand développement des banques juives à la fin du
XIXe siècle), et plus que l'or, ce qu'au poids de l'or tu ne pourrais pas
toujours acheter : le diamant. » — Grave leçon ; fort tristement la
méditais-je souvent durant cet hiver de 1908 [11] où la nature même,
abdiquant toute violence, se faisait perfide. Jamais on ne vit moins
de grands froids, mais un brouillard qu'à midi même le soleil ne par-
venait pas à percer. D'ailleurs, une température fort douce, — d'autant plus meurtrière. Beaucoup de morts — plus que dans les dix
années précédentes — et, dès janvier, des violettes sous la neige.
L'esprit fort troublé de cette affaire Lemoine, qui très justement m'apparut tout de suite comme un épisode de la grande lutte de la richesse
contre la science, chaque jour j'allais au Louvre où d'instinct le peuple,
plus souvent que devant la *Joconde* du Vinci, s'arrête aux diamants
de la Couronne. Plus d'une fois j'eus peine à en approcher. Faut-il le
dire, cette étude m'attirait, je ne l'aimais pas. Le secret de ceci ? Je
n'y sentais pas la vie. Toujours ce fut ma force, ma faiblesse aussi, ce
besoin de la vie. Au point culminant du règne de Louis XIV, quand
l'absolutisme semble avoir tué toute liberté en France, durant deux
longues années — plus d'un siècle — (1680-1789), d'étranges maux de
tête me faisaient croire chaque jour que j'allais être obligé d'interrompre
mon histoire. Je ne retrouvai vraiment mes forces qu'au serment du
Jeu de Paume (20 juin 1789). Pareillement me sentais-je troublé devant
cet étrange règne de la cristallisation qu'est le monde de la pierre.
Ici plus rien de la flexibilité de la fleur qui, au plus ardu de mes recherches botaniques, fort timidement — d'autant mieux — ne cessa jamais
de me rendre courage : « Aie confiance, ne crains rien, tu es toujours
dans la vie, dans l'histoire [12]. »

---

3   *Fig.* : du dix-neuvième siècle   *Plac.*, *PM* : du XXIe siècle [coquille probable
pour XIXe siècle.]
25   *Fig.* : qui, au plus ardu   *Plac.*, *PM* : qui au plus ardu

Les références aux œuvres de Michelet sont faites d'après les éditions suivantes :
— *Introduction à l'histoire universelle,* Hachette, 1831 ;
— *Histoire de France,* Lacroix et Cie, 1876 ;
— *Le Peuple,* 2ᵉ éd., Hachette-Paulin, 1846 ;
— *Histoire de la Révolution française,* 2ᵉ éd., Lacroix, Verboeckhoven et Cie, 1868 ;
— *Histoire du XIXᵉ siècle,* Flammarion, 1872 ;
— *La France devant l'Europe,* Calmann-Lévy, 1899 (à la suite des *Légendes démocratiques du Nord*).

BROUILLON

[1] Cf. note 3.

[2] Dans l'*Histoire de France,* t. III, pp. 72-74, Michelet cite ce personnage du *Marchand de Venise* comme le type du prêteur juif au Moyen-Age.

TEXTE ET VARIANTES

[3] Edouard Drumont (1844-1917) : le polémiste antisémite et nationaliste. Auteur de *La France juive* (1886), fondateur du journal *La Libre parole,* et l'un des principaux antidreyfusistes.

[4] C'est ainsi que Michelet, très anglophobe, qualifie cette nation dans sa revue des divers pays européens, cf. l'*Introduction à l'histoire universelle.*

[5] Allusion à Shylock, cf. note 2.

[6] Nom de deux historiens protestants du xixᵉ siècle. Le père, Pierre Sayous (1808-1870) s'intéressa surtout aux écrivains protestants et à la littérature française à l'étranger. Edouard, son fils (1822-1898), étudia les Hongrois et les déistes anglais.

[7] Anselme Batbie (1828-1887) : jurisconsulte, économiste et homme politique français. Professeur d'économie politique et de droit administratif. Fut ministre de l'Instruction publique dans le gouvernement du duc de Broglie.

[8] Cf. *La France devant l'Europe* (éd. 1899, p. 416) : « Pour comprendre le fait, il faut se mettre au point de vue de là-bas, comprendre les fumeuses pensées qui remplissent un cerveau du Nord entre le poêle, le tabac et la bière. »

[9] Allusion à l'affaire Eulenburg (fin 1907-1908). Le journaliste allemand de droite Maximilien Harden (1861-1927) déclencha dans son journal satirique *die Zukunft* une campagne contre le prince francophile Philip

von Eulenburg, conseiller de l'empereur Guillaume II, l'accusant d'homo-sexualité. Poursuivi en justice, Harden réussit néanmoins à faire soup-çonner, puis plus tard inculper son adversaire et à briser sa carrière politique. On trouve encore des allusions à cette affaire dans *LRH* (p. 153) et dans *RTP*, II, 947 : elles sont dans les deux cas favorables à Eulenburg.

10 Benjamin Ullmo, officier de marine à Toulon, fut arrêté en 1907 pour espionnage.

11 Cet hiver fut rude, au contraire.

12 Cf. les phrases finales de la préface du *Peuple* où est développé le même thème de la participation à la vie par l'histoire : « Qu'est-ce que je craindrais maintenant, mon ami, dites-le moi ? moi, qui suis mort tant de fois, en moi-même, et dans l'histoire. — Et qu'est-ce que je désirerais ? ... Dieu m'a donné, par l'histoire, de participer à toute chose ». (p. 31).

VII

DANS UN FEUILLETON DRAMATIQUE DE M. EMILE FAGUET

NOTICE

Par rapport au Sainte-Beuve, pastiche d'un pastiche, le Faguet pousse plus avant l'art de l'indirect : c'est le pastiche d'une pièce qui n'a pas la moindre existence. Commenter quelque chose qui n'existe pas, cela montre bien que le contenu d'un texte importe moins que la manière de l'auteur, et à quel point le pastiche est un art formel.

PROUST ET FAGUET

On ne peut guère croire qu'en imitant Faguet, Proust a imité l'un de ses maîtres ou le représentant d'une de ses tendances personnelles. Il a plutôt saisi une occasion de railler un disciple de Sainte-Beuve et un critique de théâtre, un de ces hommes dont le talent reste employé à des tâches littéraires superficielles et soumises au goût du public. Déjà en janvier 1897, la *Silhouette d'artiste* publiée dans *La Revue d'art dramatique* (cf. *Chr.*, pp. 11-13) était une satire de cette sorte de critique. Dans *Contre Sainte-Beuve* (pp. 239-240), l'auteur oppose à la manière de Sainte-Beuve et de Faguet, qui « distinguent et démêlent » à l'intérieur d'un même ouvrage ou entre les différentes œuvres d'un même écrivain, pour approuver telle partie et rejeter telle autre, sa propre manière de lire, qui saisit comme un tout non seulement le livre isolé, mais l'œuvre entière d'un auteur. A la fin de sa vie encore, Proust s'amuse à imiter les tics du Faguet puriste et pédant :

> Vous voyez d'ici les pirouettes que Faguet eût faites là-dessus :
> « *L'Education sentimentale* — c'est à savoir *Madame Bovary* — est le premier roman de Flaubert. C'est aussi le roman français dont le titre est le plus cair — après *Le Rouge et le Noir* s'entend, lequel comme vous savez est eau de roche, etc. » (*LR*, n° 55, à Léon Daudet, p. 140, [vers avril ? 1920].)

J'ai fait, pour vous et pour moi, un pastiche idiot de Faguet
sur votre livre, mais je ne sais pas ce qu'il est devenu. Cela commence ainsi.
« Bien entendu on ne pourrait trouver un titre plus clair et plus
ambitieux. Car tout le monde comprend bien que M. Boulenger n'a
pas fait une œuvre critique, mais une œuvre d'art. Aussi dit-il en
manière d'excuse l'Art est difficile. De quoi il n'avait pas besoin, son
livre étant un chef-d'œuvre et de grand art. S'il avait écrit un livre
de critique, alors la citation eût été modeste. Elle reste détestable à
cause des règles de l'élision que vous avez apprises au collège, je
pense, etc. » (CG, III, lettre XX à Jacques Boulenger, p. 245, [17
mai 1921].)

Sans doute, à l'époque où Proust devenait publiquement un grand
critique, éprouvait-il un malicieux plaisir à marquer ses distances avec les
pratiques traditionnelles.

L'ART DU PASTICHE

Ce n'est pas le Faguet des *Notes sur le théâtre contemporain,* des *Propos
de théâtre* ou des *Propos littéraires* que Proust a suivi ici, mais celui des
feuilletons dramatiques donnés chaque lundi, depuis 1896, au *Journal des
Débats* (où il succédait à Jules Lemaître). Si la cible choisie est une pièce
de Henry Bernstein, ce n'est pas que Proust ait jamais manifesté la
moindre hostilité envers celui-ci, mais plutôt parce que ses pièces les plus
récentes, notamment *La Rafale* (1905) et *Samson* (1907) présentent certaines
analogies de situations avec l'affaire Lemoine : un procès de correctionnelle, un personnage de bijoutier dans *La Rafale* ; un coup de Bourse et des
escrocs dans *Samson.* Les feuilletons consacrés à ces pièces semblent avoir,
plus que d'autres, pu inspirer Proust. Faguet reproche surtout au dramaturge l'invraisemblance des intrigues, ses « rébus ». Le pastiche fait songer
au début de l'article sur *La Rafale,* avec ses compliments mêlés de
réserve :

La *Rafale* de M. Henry Bernstein qui fut jouée (et admirablement)
avant-hier au Gymnase est une pièce assez difficile à analyser et à
apprécier, parce que, malgré une marche très directe et très rapide,
elle ne laisse pas d'avoir des obscurités qui déconcertent ou du
moins font hésiter le spectateur. (*Journal des Débats,* 23 octobre
1905.)

Le Faguet du pastiche, comme le critique en personne, cherche avant
tout dans une pièce une intrigue bien faite, vraisemblable en tout point,
satisfaisante pour le bon sens. Il veut pouvoir « marcher ». Or l'affaire
Lemoine est par excellence une aventure incroyable. Son autre grand
principe, qui apparaît dans la mercuriale sur le « lord anglais », est le
purisme grammatical.
Proust souligne encore deux aspects opposés de sa manière : le style
parlé et le pédantisme. Le style parlé est hérité de Sainte-Beuve, mais va

encore plus loin dans la platitude (« c'est très finement pensé », « quelques
vers sont d'un joli tour », « si je n'étais pas en humeur de réticence... »,
in *Journal des Débats* de 1907, *passim*) et dans la familiarité volontiers
vulgaire (« Notez bien cela », « Il s'assoit au coin du feu, oh ! pour un
petit quart d'heure », « Tu en as de bonnes », « joli coco », « apache »,
« ça soulage un peu », « des trucs », « Il n'y a pas à dire le contraire, ni
même la moitié du contraire », *Ibid., passim*).

Cet artifice ne sert qu'à faire passer auprès du public une érudition qui
aime à s'étaler sous forme d'archaïsmes (nous avons relevé au hasard, dans
les articles de 1907 : « ce nonobstant », « il conste », « tant y a que »,
« conculquer ») et de citations françaises et latines.

Bref, Proust a fait ressortir, fonctionnant presque à vide puisque un
véritable texte d'appui faisait défaut, les caractères d'une critique orientée
vers le détail, guidée par le bon sens, et faisant usage d'ornements et
d'appâts variés pour divertir le lecteur.

Nous avons retrouvé, parmi les brouillons du Balzac, une ébauche non
retenue de pastiche de Faguet. Celui-ci ne se présenterait pas comme un
feuilleton dramatique, mais comme une critique d'allure plus générale.
Si nous lui attribuons Faguet comme modèle, bien que nous n'ayons pas
identifié de point de départ précis, c'est par le style, sa bonhomie forcée,
ses vulgarismes, et par l'allusion à Brunetière.

NOTE SUR LE TEXTE

La bibliothèque Nationale, à défaut de manuscrit au net, possède des brouillons, une coupure du *Figaro* (supplément littéraire) du 22 février 1908 et le placard de l'édition définitive.

LES BROUILLONS. UNE ÉBAUCHE NON RETENUE.

Le « *Ms. Aut.* » présente trois feuilles doubles (ff. 55 à 60) du papier à lettres habituel, contenant les brouillons de ce pastiche. Il est difficile de décider si la deuxième feuille offre la simple continuation de la première, leurs contenus se recouvrant partiellement. Nous en parlerons comme de deux brouillons distincts, quoiqu'il soit très vraisemblable que le second soit une suite, reprenant une partie du début. La troisième feuille double est une reprise de l'ensemble.

L'ordre de la rédaction est :
— *brouillon 1* : 55 r°, 55 v°, 56 r°, 56 v° ;
— *brouillon 2* : 57 r°, 58 r°, 57 v° (verticalement) 58 v° (verticalement) ;
— *brouillon 3* : 59 r°, 60 r°, 59 v° (verticalement), 60 v° (verticalement).

Une ébauche non retenue, sans titre, figure, dans « *Ms. Aut.* », sur une feuille double de papier à lettre qui a servi également à un brouillon du pastiche de Balzac. Ce texte occupe les feuillets 9 r° (à partir de la troisième ligne), 10 r° et 9 v° (verticalement).

Nous donnons, superposés, le texte en clair et l'état du manuscrit.

LA COUPURE ANNOTÉE DU « FIGARO »

L'article, était d'abord numéroté II. Ce chiffre est biffé et remplacé par VII.

La coupure ne présente pas d'autre modification ; seul est écrit à la main un mot rendu illisible par une déchirure.

LE PLACARD

Ce pastiche figure sur le placard n° 3. Il comporte une addition manuscrite marginale d'une phrase.

BROUILLON

BROUILLON 1

[**f. 55 r⁰**] *L'auteur de « le Détour »* et *de Le Marché*   Le Gymnase vient de représenter *une pièce qui est allée* avec un *très grand succès* * une pièce de l'auteur de le *détour* | **i** voleur | et de le Marché. *Cette pièce* | **s** « L'affaire Lemoine » | qui est allée je ne dirai pas par-dessus les nues, mais enfin qui est allée aux nues *et qui sans doute* | **s** et qui | n'est pas | **s** sans doute | un de ces ouvrages dont s'honore l'esprit humain, mais encore *est un ouvrage tout à fait considérable* | **s** considérable | *et orné d'un rare mérite, cet ouvrage* s'appelle l'Affaire Lemoine. L'affaire Lemoine serait un chef-d'œuvre non pas de [**f. 55 v⁰**] tout à fait premier ordre, mais encore fort au-dessus du second, du moins en ses quatre premiers actes car le cinquième comme vous verrez ne vaut pas le diable ¹ — si le point de départ *n'en était outré* | **s1** *porté* | **s2** porté comme à souhait | *comme à plaisir* et fort au-delà *des limites*   *bornes* limites de la crédulité du spectateur, laquelle *pourtant* | **s** par définition | est illimitée. *Lemoine a voulu faire croire qu'il avait trouvé le secret de la fabrication du diamant.   Naturellement   L'auteur ayant voulu nous montrer un escrocq* [sic] *vendant le faux* | **i1** *prêt* | **i2** *prétendu* | *secret de la fabrication du diamant voulait* | **s** « Je vais donc en deux mots vous raconter la chose » | Un escroc ayant [**f. 56 r⁰**] trouvé profitable de prétendre avoir découvert le secret de la fabrication du diamant afin de vendre ce secret, qui n'est vous le supposez bien qu'une sorte de poudre de perlimpinpin, l'auteur a voulu que la dupe, *l'ache* celui qui achète le secret et que Lemoine s'achète fut [sic] précisément... un des plus grands propriétaires de mines de diamant du monde : *le nommé* le nommé Werner. *Cela c'est* un peu fort | **s** *cel* | comme invraisemblance | **s** cela |. Oui mais sans cela il n'y aura plus de pièce. D'accord, mais encore est-il qu'il fallait trouver autre chose. Cela nous gênera pendant tout le temps de la pièce de penser que la dupe est l'homme le [**f. 56 v⁰**] moins fait pour être dupé. Lemoine en le choisissant a vraiment voulu jouer la difficulté, se donner toutes les chances d'être pincé, et l'autre est comme on dit plus bête que nature. Mais cela ne suffit pas à M. Bernstein. *Dans son orgueil d'aller jusqu'au* | **s** Dans le fond il est enchanté de l'effet *de* produit *se retourne pour voir* [quelques mots indéchiffrables] comme vous allez voir. | Les diamants *prétendus* que Lemoine *ex* fera sortir de sa poche en disant à Werner : voilà ce que je viens de fabriquer et que vous allez me payer un million, ce sont précisément des diamants extraits de la mine de Werner. Un peu trop fort | **i** tout de même | cela, *tout*. Il semble que M. Bernstein par cette exagération ait voulu faire lui-même la critique de sa donnée, en montrer toute l'invraisemblance.

BROUILLON 2

[**f. 57 r⁰**] Seulement *c'est cela* nous n'avons pas le choix, c'est cela qu'il nous donne et pas autre chose. Rien n'est bon que les épinards dit quelqu'un. — Mais je ne les aime pas. — Mais | s encore | si vous les aimiez vous les adoreriez. — Oui mais je ne les aime pas c'est le fait : *Tenons-nous en donc au fait qui est peut-être après tout* + . *Donc Werner achète les diamants de Werner 25 000 francs et les lui revend (les mêmes!) un million et demi. Ils ont encore pourtant encore la marque du bijoutier. Tout coup vaille!* | s Donc ce seront les diamants *de Lem* mêmes de Werner, nous vous croyons sur l'honneur, Monsieur. Tout coup vaille! | Un défaut plus grave vient de l'incertitude où est laissé le spectateur | i pendant tout le 1ᵉʳ acte | sur la réalité de [**f. 58 r⁰**] la découverte de Lemoine et sur la sincérité de Lemoine. On nous dit que Lemoine a découvert a découvert [sic] le secret de la fabrication du diamant. Après tout pourquoi pas? Nous vou₋ons bien, | i après tout | nous marchons. | S Nous n'en savons rien, nous, on nous le dit, cela marche tant mieux. | Werner grand connaisseur en diamant a marché, et Werner *grand spé* financier retors a casqué. | s Un million huit cents mille francs s'il vous plaît | I et à un moment où les diamants ne se vendent pas. | Nous marchons de plus en plus. Un grand savant anglais mi   +   *industriel* | s mi-physicien | mi-grand seigneur, une espèce de Lavoisier, de duc de Guiche [2], un *nommé Lord* Armstrong [3] (un lord anglais comme dit l'autre, mais non madame tous les lords sont anglais, donc lord anglais est un pléonasme, ne recommencez pas, personne ne vous a entendue) *déclare* | i jure | que Lemoine [**f. 57 v⁰**] a découvert la pierre philosophale. On ne peut pas plus marcher que nous ne marchons. Patatras, *Lemoine* | s voilà les | les bijoutiers reconnaissant | i1 dans les diamants *prétendument* / i2 fabriqués / lp les diamants qu'ils ont vendus à Lemoine | [entre les lignes précédentes, I] que Lemoine n'a rien inventé   que Werner retire sa subvention   que le lord anglais en est pour sa courte honte | lp (*avec* avec *leurs* les marques qu'ils ont faites eux, les bijoutiers (un peu gros cela, A ce diamant marqué qui sort ainsi du four

Je ne| reconnais pas l'auteur de le Détour)).

Lemoine est arrêté. | s Du coup | Nous ne marchons plus et comme | s cela arrive | toujours | s en pareil cas | nous *regrettons* | s sommes furieux *d'avoir marché* | d'avoir marché et nous passons notre mauvaise humeur sur... eh parbleu l'auteur est là pour quelque chose je pense. D'où incertitude *qui* (n° 1) *car il y* | s en | *aura beaucoup* | I il y aura beaucoup de nᵒˢ) | qui jointe à l'invraisemblance [**f. 58 v⁰**] n° 1 (voir plus haut) ne laissera pas de donner un certain malaise. Mais voici que l'incertitude n° 2 entre en scène, se mêlant à l'incertitude n° 2 comme les deux thèmes d'une symphonie ou comme «

[après un espace en blanc] *Lemoine*

BROUILLON 3

[**f. 59 r⁰**] *Le Gymnase vient de représenter avec un très* | i *assez* | *grand succès une pièce*

L'auteur de le Détour et de le Marché — c'est à savoir M. Henry Berns-

tein — vient de *donner au* | s faire représenter par les comédiens | I du |
Gymnase *une comédie* | sc un | i1 drame ou plutôt un ambigu de *drame
/ i2 tragédie /* i1 et de vaudeville / i3 *dans la manière de Letourneur* [4] / |
lp qui *est* n'est peut-être pas son Athalie ou son Andromaque, *son Eventail* [5], son l'Eventail ou son les Sentiers de la Vertu, mais *qui* encore qui est
si vous voulez | s quelque chose comme | sa Bérénice *je* qui n'est point
comme vous savez *peut* | i sans doute | une pièce tout à fait méprisable et
| i qui n'est point le déshonneur de l'esprit humain. | *La pièce* | i Tant
est que la pièce | est allée je ne dirai pas par-dessus les nues mais enfin
est allée aux nues, où il y a peut-être un peu d'exagération | s mais d'un
succès | fort *raisonnable* | i fort | S *mérité* légitime |, comme la pièce de
[f. 60 rº] M. Bernstein fourmille d'invraisemblances mais sur un *fond de
vérité* *. C'est en quoi l'Affaire Lemoine diffère de la Rafale et en général
des tragédies de | s M. | Bernstein qui | s *elles* | *fourmillent de vérités
sur un fond d'invraisemblance. Tout coup vaille.* Comme une bonne moitié
des des celles | s comédies | d'Euripide pour ne pas dire de toutes les
comédies d'Euripide — sauf Hippolyte couronné qui n'est pas une comé-
die — fourmille *d'* | sc de | *invrai* vérités mais sur un fond d'invraisem-
blance. Tout coup vaille ! | s Voici d'abord les invrai- | [se continue sur le
feuillet vis-à-vis, **59 vº**, en bas et à droite] semblances, telles à vrai dire
qu'elles semblent porter la / s donnée de la / pièce au-delà des limites de
la crédulité du spectateur qui par définition est illimitée | [retour à **60 vº**]
lp Donc l'escroc Lemoine voulant faire une dupe avec sa prétendue *fabri-
ca* découverte de la fabrication du diamant s'adresse à ... un propriétaire
de mines de diamants. Et d'une *invraisemblance qui* . Au moins peut-on
[f. 59 vº] penser que si Lemoine a été assez bête pour s'adresser précisément à la personne qui ne pouvait être sa dupe, *la victime désignée* cette
personne prendra même pas connaissance des *la* propositions de Lemoine
et tout à des affaires plus sérieuses, lui répondra comme Néhémie travaillant au haut des remparts de Jérusalem à ceux qui lui tendaient une échelle :
Non possum descendere magnum opus facio. Eh ! bien oui. Lemoine
s'empresse de saisir l'échelle qu'on lui tend, la seule différence avec
Néhémie est qu'au lieu d'y descendre il y grimpe. Nouvelle invraisemblance et de deux. *Par* Mais cela ne suffit pas à M. Bernstein : les
diamants que Lemoine [un mot effacé] montrer à Werner comme étant
frabriqués par lui Lemoine, seront précisément des diamants provenant de
la mine même de Werner. Et de [f. 60 vº] trois. Même les diamants porte-
ront encore la marque du bijoutier. Tout de même un peu gros cela

> Au diamant marqué qui sort ainsi du four
> Je ne
> Admirez mes bontés et le peu qu'on vous vend
> Ce trésor merveilleux que ma | i main vous | dispense.

ÉBAUCHE NON RETENUE

Je pourrais vous dire tout bonnement que je vous parle de l'Affaire Lemoine parce qu'on m'a demandé de le faire. Mais aussi bien je ne sais si ce sujet-là est aussi étranger que vous pourriez croire à la littérature. Un grand inventeur, et surtout l'inventeur de quelque chose en somme d'aussi beau qu'une pierre précieuse, c'est à peu près, sauf erreur, la même chose qu'un grand poète. Que l'invention soit réelle ou non, mon Dieu, aux yeux de la critique littéraire, il n'y a là, comment dirais-je ? qu'un détail. Et même on pourrait soutenir que si cette invention n'a été en somme qu'un beau charme [?], ait [sic] fait passer devant nos yeux comme les feux de pierreries qui n'existaient pas, elle n'en est que plus primitive [?], proche encore des beaux mensonges des poètes. Il n'y a rien qui ressemble tant à l'âme d'un grand poète que, si j'ose dire, l'âme d'un grand fumiste. Et puis,

---

[**f. 9 r°**] *Je* | **s** *En* | *vous parlant aujourd'hui de l'Affaire Lemoine, je*   +   Je pourrais vous dire tout bonnement que je vous parle de l'Affaire Lemoine parce qu'on m'a demandé de le faire. Mais *au fond je ne sais, mon Dieu si j'aurais à m'excuser tant que cela de traiter un sujet qui* n'est qu'en apparence, si vous voulez bien y songer, *de si él est éloigné étranger à la littérature.* | **s1** aussi bien je ne sais si ce sujet là est aussi étranger que vous / **s2** pourriez / *croyez* / **sc** croire / à la littérature. | *Un grand inventeur Il n'y a rien de si près* Un grand inventeur, et surtout l'inventeur de quelque chose en somme d'aussi beau, *d'aussi qu'*une pierre précieuse, c'est à peu près | **s** sauf erreur, | la même chose qu'un | **s** grand | poète. Que l'invention soit réelle ou non, mon Dieu, aux yeux [**f. 10 r°**] de la critique littéraire, *qu* | **s** il n'y a là | comment dirais-je qu'un détail. Et même *à tout   sauf erreur* on pourrait soutenir *l'inven* que   *en fait que* | **s** si | cette invention *ait* | **s** n'a | été en somme *qu'* [?] un beau charme [?], ait | **s** fait | passé | **sc** passer | devant *notre imagination* | **s** nos yeux | comme les feux de pierreries qui *en réalité* n'existaient pas, *le rend plus* | **i** elle n'en est que plus primitive [?] | proche encore des *inventions*, des beaux mensonges des poètes. Il n'y a rien qui *re* ressemble tant *plus* à l'âme d'un grand poète *si* que, si j'ose dire, l'âme d'un grand fumiste. | **s** [en plusieurs interlignes] Et puis que *quelqu   qu'on   quelqu'un* dans l'un de nos contemporains vive encore *pour ainsi parler   ce* +   + proprement   +   + l'âme de Raymond Lulle voilà *quelque* sans doute une assez précieuse trouvaille [?] | **lp** Mon Dieu | **s** je ne me fais pas d'illusion | avoir | **i** prétendu | trouvé | **sc** trouver | le secret | **s** de la fabrication | du diamant, ce n'est pas avoir inventé la légende des siècles. Mais enfin c'est déjà *quelque chose* | **s** *somme toute* | **I** quelque chose | de pas mal, *où il y a* | **s1** une *conception* / **s2** pensée / | **lp** de *l'inventi   idée, et de la beauté, quelque con   du* | **s** comme | fond | **s** et comme imagination plastique | et *de la* | **i** comme | forme *com* pour parler comme ferait l'excellent Brunetière, quelque chose *d'* à la fois de très [**f. 9 v°**] ingénieux et comme qui dirait de très esthétique, *etc.*, etc.

que dans l'un de nos contemporains vive encore proprement l'âme de Raymond Lulle, voilà sans doute une assez précieuse trouvaille. Mon Dieu, je ne me fais pas d'illusion, avoir prétendu trouver le secret de la fabrication du diamant, ce n'est pas avoir inventé *La Légende des Siècles*. Mais enfin c'est déjà quelque chose de pas mal, comme fond et comme imagination plastique, et comme forme, pour parler comme ferait l'excellent Brunetière, quelque chose à la fois de très ingénieux et comme qui dirait de très esthétique, etc.

DANS UN FEUILLETON DRAMATIQUE DE
M. EMILE FAGUET.

L'auteur de *le Détour* et de *le Marché* [6] — c'est à savoir [7] M.
Henri Bernstein — vient de faire représenter par les comédiens du
Gymnase un drame, ou plutôt un ambigu de tragédie et de vaudeville,
qui n'est peut-être pas son *Athalie* ou son *Andromaque,* son *l'Amour*
5 *veille* ou son *les Sentiers de la vertu* [8], mais encore est quelque chose
comme son *Nicomède,* qui n'est point, comme vous avez peut-être
ouï-dire, une pièce entièrement méprisable et n'est point tout à fait
le déshonneur de l'esprit humain. Tant est que la pièce est allée,
je ne dirai pas par-dessus les nues [9], mais enfin est allée aux nues,
10 où il y a un peu d'exagération, mais d'un succès légitime, comme la
pièce de M. Bernstein fourmille d'invraisemblances, mais sur un fond
de vérité. C'est par où *l'Affaire Lemoine* diffère de *la Rafale,* et, en
général, des tragédies de M. Bernstein, comme aussi d'une bonne
moitié des comédies d'Euripide, lesquelles fourmillent de vérités, mais
15 sur un fond d'invraisemblance. [[De plus c'est la première fois qu'une
pièce de M. Bernstein intéresse des personnes, dont il s'était jusqu'ici
gardé. [10]]] Donc, l'escroc Lemoine, voulant faire une dupe avec sa
prétendue découverte de la fabrication du diamant, s'adresse ... au
plus grand propriétaire de mines de diamants du monde. Comme
20 invraisemblance, vous m'avouerez que c'est une assez forte invraisemblance. Et d'une. Au moins, pensez-vous que ce potentat, qui a
dans la tête toutes les plus grandes affaires du monde, va envoyer
promener Lemoine, comme le prophète Néhémie disait du haut des
remparts de Jérusalem à ceux qui lui tendaient une échelle pour
25 descendre : *Non possum descendere, magnum opus facio* [11]. Ce qui
serait parler de cire. Pas du tout, il s'empresse de prendre l'échelle.
La seule différence est qu'au lieu d'en descendre, il y monte. Un peu
jeune, ce Werner. Ce n'est pas un rôle pour M. Coquelin le cadet,
c'est un rôle pour M. Brulé [12]. Et de deux. Notez que ce secret,

[Titre] *Coup. Fig.* : [*II* biffé et remplacé par VII.]
11   *Fig., Plac., PM* : un fonds de vérité
15   *Plac.* : d'invraisemblance. | **md** De plus c'est la première fois qu'une pièce de
      M. Bernstein intéresse des personnes, dont il s'était jusqu'ici gardé. | Donc,
27   *Fig,. Plac., PM* : est, qu'au lieu

qui n'est naturellement qu'une poudre de perlimpinpin insignifiante, Lemoine ne lui en fait pas cadeau. Il le lui vend deux millions et encore lui fait comprendre que c'est donné :

> Admirez mes bontés et le peu qu'on vous vend
> Le trésor merveilleux que ma main vous dispense.
> O grande puissance
> De l'orviétan !

Ce qui ne change pas grand'chose, à tout prendre, à l'invraisemblance n° 1, mais ne laisse pas d'aggraver considérablement l'invraisemblance n° 2 [13]. Mais enfin, tout coup vaille [14] ! Mon Dieu, remarquez que jusqu'ici nous suivons l'auteur qui, en somme, est bon dramatiste. On nous dit que Lemoine a découvert le secret de la fabrication du diamant. Nous n'en savons rien, après tout ; on nous le dit, nous voulons bien, nous marchons. Werner, grand connaisseur en diamants, a marché, et Werner, financier retors, a casqué. Nous marchons de plus en plus. Un grand savant anglais, moitié physicien, moitié grand seigneur, un lord anglais, comme dit l'autre (mais non, madame, tous les lords sont Anglais, donc un lord anglais est un pléonasme [15] ; ne recommencez pas, personne ne vous a entendue), jure que Lemoine a vraiment découvert la pierre philosophale. On ne peut pas plus marcher que nous ne marchons. Patatras ! voilà les bijoutiers qui reconnaissent dans les diamants de Lemoine des pierres qu'ils lui ont vendues et qui viennent *précisément de la mine de Werner* [16]. Un peu gros, cela. Les diamants *ont encore les marques qu'y avaient mises les bijoutiers.* De plus en plus gros :

> Au diamant marqué qui sort ainsi du four,
> Je ne reconnais plus l'auteur de *le Détour.*

Lemoine est arrêté, Werner redemande son argent, le lord anglais ne dit plus mot ; du coup, nous ne marchons plus, et comme toujours, en pareil cas, nous sommes furieux d'avoir marché et nous passons notre mauvaise humeur sur ... Parbleu ! l'auteur est là pour quelque chose, je pense. Werner aussitôt demande au juge de faire saisir l'enveloppe où est le fameux secret. Le juge y consent immédiatement. Personne de plus aimable que ce juge. Mais l'avocat de Lemoine dit au juge que la chose est illégale. Le juge renonce aussitôt ; personne de plus versatile que ce juge. Quant à Lemoine, il veut absolument aller se balader avec le juge, les avocats, les experts, etc., jusqu'à Amiens [17] où est son usine, pour leur prouver qu'il sait faire du diamant. Et chaque fois que le juge aimable et versatile lui répète qu'il a escroqué Werner, Lemoine répond : « Laissons ce discours et voyons ma ballade. » A quoi le juge pour lui donner la réplique : « La ballade, à mon goût, est une chose fade. [18] » Personne de plus versé dans le répertoire moliériste que ce juge. Etc.

NOTES ET ÉCLAIRCISSEMENTS

BROUILLONS

¹ Cf. *CSB*, pp. 239-240, et ci-dessus p. 231.

² Il s'agit de l'ami de Proust, mentionné également dans le pastiche de Saint-Simon.

³ Cf., dans notre *Introduction : La véritable Affaire Lemoine.*

⁴ Vraisemblablement Pierre Letourneur, dit Valville, qui donna en 1864 *Le Dépit amoureux* de Molière, remis en deux actes.

⁵ *L'Eventail* : comédie en quatre actes de Flers et Caillavet (1907).

TEXTE ET VARIANTES

⁶ Henry Bernstein (1876-1953) avait, avant 1908, fait représenter et publié *Le Marché* (1900), *Le Détour* (1902), *La Rafale* (1905), *Le Voleur* (1906), *Samson* (1907) ; en 1908 : *Israël.* Proust semble avoir entretenu au moins des rapports de courtoisie avec lui, comme le montre une lettre de [1908] traitant d'un échange de renseignements sur des titres nobiliaires (cf. *LR*, p. 81). Bernstein écrivit dans *Le Sport belge* du 3 mai 1914 un paragraphe élogieux sur *Swann* (cf. *LR*, p. 104, n. 10.)

⁷ Cf. *Le Journal des débats*, 28 janvier 1907 : « Le théâtre Réjane a donné deux reprises très agréables de pièces célèbres, c'est à savoir de *Ma Cousine* et de *La Souris* » et 11 novembre 1907 : « M. Bernstein est presque l'inventeur d'un genre un peu oublié depuis 1825, c'est à savoir le genre frénétique ».

⁸ *L'Amour veille* : comédie en quatre actes de Flers et Caillavet (1907).
  Les Sentiers de la vertu : comédie en trois actes des mêmes auteurs (1903), publiée en 1904.

⁹ Cette métaphore, d'ailleurs fort banale, est plutôt familière à Sarcey.

¹⁰ Phrase rajoutée sur épreuves en 1919. L'archaïsme dans l'emploi du relatif, fréquent également dans le pastiche de Saint-Simon, est signalé par Proust comme typique de Faguet dans une lettre à J.L. Vaudoyer (*CG*, IV, lettre I, p. 36, 1910.)

¹¹ La citation exacte est : « Opus grande ego facio, et non possum descendere » (*Néhémie*, VI, 3). Elle semble tenir à cœur à Proust, car nous la retrouvons dans les cahiers d'ébauches (*Cahier* LVII, f. 9 v°) et dans une lettre à Gallimard de 1921 (*Lettres à la NRF*, p. 174.)

¹² Coquelin le Cadet : acteur fort connu. Il avait soixante ans en 1908. Cf. note 18 du pastiche de Renan. Brulé : acteur spécialisé dans les rôles de jeune premier et de séducteur.

13 Ce genre de distinctions, avec numéros à l'appui, se lit par exemple dans les rubriques du *Journal des Débats* du 18 novembre 1907 et du 16 décembre 1907.

14 *Cf. Le Journal des Débats* du 23 décembre 1907, où se trouve la même expression.

15 Faguet est un puriste très méticuleux. Il commente longuement (*Journal des débats* du 21 janvier 1907) le titre du *Philosophe sans le savoir* pour montrer que c'est « un solécisme doublé d'une amphibologie ». Il traite à plusieurs reprises, à partir du 11 février 1907, de la défense du subjonctif imparfait.

16 *Cf. Le Figaro* des 12 et 14 janvier 1908, et notre Introduction, p. 17.

17 Proust fait une erreur constante (cf. le pastiche de Renan) sur l'emplacement de l'usine de Lemoine. Il ne s'agit pas d'Amiens, mais d'Arras (Hautes-Pyrénées). Cf. notre *Introduction*, p. 16.

18 Cf. Molière, *Femmes savantes*, v. 1005-1006.

VIII

PAR ERNEST RENAN

NOTICE

LA PUBLICATION DU PASTICHE

C'est le plus long, et le dernier paru, des pastiches publiés en 1908 : il devait clore la série. Il prend dès l'article du *Figaro* sa forme définitive. Les brouillons conservés sont peu développés, et se présentent comme des morceaux sans lien entre eux. Le manuscrit est altéré : une page est en partie arrachée ; la fin manque et le texte s'arrête au cours d'une phrase ; un passage (les souvenirs de jeunesse) est traité sur une feuille séparée. Les lacunes de ce manuscrit par rapport au texte du *Figaro* sont donc pour la plupart explicables par ces accidents, et Proust exagère sans doute lorsqu'il écrit à Robert Dreyfus (cf. *Introduction*, p. 38) qu'il a « ajouté sur les épreuves des pages entières à la colle ». De même, quand il affirme qu'il n'a « pas fait une correction dans le Renan », les brouillons et le manuscrit sont là pour prouver le contraire, à moins qu'il ne veuille là encore parler de corrections sur les épreuves du *Figaro*. En tout cas, l'aisance qu'il proclame dans la même lettre (« j'aurais pu écrire dix volumes comme cela ») est parfaitement confirmée par la longueur relative du texte, le plus développé de 1908-1909, par la multiplicité des œuvres de Renan qu'il pastiche, et par le caractère « facile » du style de l'écrivain.

PROUST ET RENAN

Incontestablement, ce texte révèle une connaissance très vaste d'une œuvre et d'un style. L'influence de Renan était très forte à la fin du XIXe siècle. Il est certain que Darlu, professeur de philosophie de Proust à Condorcet, se référait souvent à lui (cf. Henri Bonnet, *Alphonse Darlu, maître de philosophie de Marcel Proust*, Nizet, 1961). Le jeune Proust rend visite au vieux maître en 1889, et lui fait dédicacer un exemplaire de la *Vie de Jésus* ; « A Marcel Proust, pour qu'il se souvienne un jour de moi », écrit-il sur la première page, sans se douter de la manière dont son souhait sera exaucé (cf. *Marcel Proust and his time,* Wildenstein Gallery, Londres, 1955, pièce 360). Beaucoup plus tard, dans un article du *Figaro* du 4 janvier 1904, *Le Salon de la comtesse d'Haussonville* (repris dans *Chr.,* pp. 47-54), Proust fait encore état d'un engouement pour Renan dans les cercles mondains : il cite, parmi les ouvrages qui connaissent la faveur, les *Souvenirs d'enfance et de jeunesse,* les *Drames,* les *dialogues philosophiques,* les *Feuilles détachées,* le *Discours de réception à l'académie française, La Réforme intellectuelle et morale* ; il commente un extrait du *Discours de réception,* et pastiche même l'écrivain en imitant le style évangélique.

Il ne manifeste dans cet article qu'une légère ironie. Mais l'attitude critique est déjà forte dans une note à la traduction de *Sésame et les Lys* (p. 224 ; se retrouve dans *PM,* p. 134), à propos des emprunts et des références à la Bible : Ruskin conserve aux expressions bibliques leur caractère sacré, mais Renan « se plaît à traduire, sous une forme terre à terre et actuelle, des paroles sacrées ou seulement classiques. L'œuvre de Renan est sans doute une grande œuvre, une œuvre de génie. Mais par moments on n'aurait pas beaucoup à faire pour voir s'y esquisser comme une sorte de *Belle Hélène* du Christianisme ». Ce n'est qu'en 1920, dans *Pour un ami* (*Remarques sur le style*), pp. 271-272, que Proust exprimera de façon détaillée son opinion sur Renan. Il lui conserve son estime pour « la juste expression des vérités morales », l'appelle « écrivain de haute valeur », parle de « génie » : vingt-huit ans après la mort du destinataire, il ne peut s'agir d'éloges de circonstance. En revanche, il attaque vivement son style : « la couleur détonne » dans ses derniers ouvrages, les tout premiers sont « semés de points d'exclamation et d'une perpétuelle effusion d'enfant de chœur », les « belles *Origines du Christianisme* » unissent la pompe au « style de Baedeker », recherchent « de ces images de bon élève qui ne naissent nullement d'une impression » ; enfin Proust reprend sa comparaison avec l'opérette d'Offenbach.

Sa dernière marque d'intérêt pour Renan est encore un pastiche, qu'il prétend, dans une lettre de mars 1922 à Jacques Boulenger (*CG,* III, lettre XXXVII, p. 284) avoir fait à l'intention de son correspondant, sans le lui envoyer.

L'ART DU PASTICHE

Ce qui frappe tout d'abord, c'est la revue presque générale qui est faite des œuvres de Renan. La *Vie de Jésus* a prêté ses descriptions idylliques de la Galilée, qui sont appliquées à la Picardie. Les *Souvenirs d'enfance et de jeunesse* fournissent l'évocation de l'ascendance bretonne, des études ecclésiastiques, mais aussi l'allusion aux jeunes gens réservés et l'appel à l'Humanité. *L'Antéchrist,* les passages sur l'*Apocalypse.* Les allusions sont claires aux études du *Cantique des cantiques* et de *L'Ecclésiaste.* Divers éléments proviennent encore du *Discours de réception à l'académie,* des *Questions contemporaines,* de *La Réforme intellectuelle et morale.*

C'est aussi une revue des thèmes : l'idéalisme et la critique du « matérialisme grossier », la critique philologique, la veine biographique, le ton bucolique des évocations de la campagne, l'éloge de l'esprit français. Proust y ajoute diverses allusions à des contemporains de Renan et aux siens, et même à sa propre personne.

Il reproduit surtout une manière particulière de voir les choses, partagée entre un idéalisme éthéré et naïf et le doute systématique : d'un côté un attrait pour les formes de sensibilité les plus épurées, une affectation de gaucherie, une admiration pour les anciens maîtres trop humble et trop totale pour être sincère ; de l'autre, la remise en question intransigeante de toutes les traditions dans les études bibliques et théologiques, mais parfois en prêtant aux hommes des époques anciennes des mentalités toutes modernes.

Proust accentue ces tendances jusqu'à la plus grande bouffonnerie. Il nous entraîne au-delà de *La Belle Hélène,* jusqu'au niveau du café-concert, nous fait poursuivre des lavandières avec des plumes de paon et jouer aux bulles de savon. Il souligne complaisamment le côté artificiellement naïf des *Souvenirs,* le côté « disciple attardé de saint Tudual et de saint Colomban ». Il tire des effets de comique appuyés de l'application à la littérature moderne des commentaires philologiques : d'abord par la multiplication des réserves, hésitations, hypothèses, qui sont le lot de l'érudit scrupuleux (« rien ne nous autorise à affirmer », « un mot qui a pu prêter au contre-sens », « selon toute apparence », « cette dernière hypothèse », « on peut se demander », etc.), mais aussi parce que ces doutes sont manifestés sur des faits indubitables. Par ce moyen, il suggère soit que Renan conteste systématiquement, soit que sa méthode n'est guère probante, malgré son apparente rigueur, et qu'elle ne lui permet pas de mieux juger des livres bibliques qu'il ne le fait de Victor Hugo ou de Mme de Noailles. D'autres effets de comique proviennent du rapprochement brutal des textes anciens avec les réalités actuelles, de la cité de l'*Apocalypse,* par exemple, avec le Paris du baron Haussmann, ou du christianisme primitif avec les progrès de la chirurgie encéphalique. Aspect plaisant d'un reproche plus sérieux, nous l'avons vu.

Proust multiplie les citations bibliques : elles sont loin de se trouver toutes chez Renan. Cette érudition pourrait surprendre, si l'on oubliait qu'elle fut déjà amplement mise en œuvre dans les commentaires sur Ruskin. Dans les notes de ses traductions, Proust fournit de nombreuses citations scripturaires, et donne presque toujours les références de celles du texte, en recourant directement à la Bible (cf. l'Avant-propos à la traduction de *BA,* p. 12).

Fidèle à son habitude, il introduit dans son pastiche des personnages contemporains. A commencer par lui-même, auteur, dit-il, d'une traduction de Ruskin « d'une platitude pitoyable » : il est piquant de le voir s'adresser le reproche même qu'il fait à Renan. Puis il applique sa verve à Mme de Noailles, qu'il ne cesse pourtant, dans la réalité, d'accabler des éloges les plus outrés. Certes, les reproches qu'il fait ici viennent du pseudo-Renan, mais les vers ridicules qu'il cite sont bien d'elle. La comparaison avec le lointain *Ecclésiaste* et avec le piètre Béranger n'a rien qui puisse flatter la comtesse. Quant à sa vie « simple et retirée », les contemporains savaient bien qu'elle n'était qu'une fiction poétique. Le trait final, qui oppose la jovialité du chanteur Polin au sérieux du *Livre de la sagesse* et de Jérémie, illustre de façon burlesque la situation incommode de Renan, tiraillé entre des tendances morales opposées.

Le pastiche souligne la faiblesse des images, défaut impardonnable aux yeux de Proust. Il les présente comme un tissu de clichés : « un véritable jardin », « une broderie de fleurs », des bulles qui « perlent », « une goutte de rosée aussi étincelante que le diamant », « une source murmurante », la « barque apostolique » des saints bretons, « sauter aux yeux ». « désarmer les rigueurs de l'Administration ». Plus banal encore est le choix des adjectifs qualificatifs, qui appartiennent au style journalistique le plus usé, celui des fameuses « louchonneries » qui faisaient se gausser Proust et ses amis (cf. *Autour de soixante lettres....* p. 30-31) : les eaux transparentes, une délicatesse ravissante, le plus exquis des régals, les délicieuses couleurs, une platitude pitoyable, une poésie enchanteresse, les dissipations mondaines, un rang distingué, le brillant superficiel, etc. Toutes ces associations relèvent d'automatismes verbaux, et l'on comprend aisément qu'une fois en possession de ses thèmes, Proust pouvait écrire ainsi des pages et des pages.

La composition présente un trait remarquable, que la longueur du texte permet de mieux discerner que dans les précédents, et qui sera encore plus net dans le Saint-Simon : le pastiche est fait de « morceaux rapportés » et ne se présente pas selon une continuité respectueuse des transitions. Les brouillons sont déjà des ébauches sur des thèmes différents. Le texte définitif ne cherche pas à lier davantage ses parties : l'on passe brusquement ment de la Picardie à l'onomastique, puis à « une société où la femme belle, etc. », aux souvenirs bretons, à la ville de l'*Apocalypse,* etc. sur un simple *d'ailleurs, au reste,* ou *sans doute.* Ce procédé, personnel à Proust, est conforme à son esthétique du discontinu : il nous montre successivement et presque sans les relier entre eux les différents thèmes de Renan. C'est ce qu'il fera pour Saint-Simon, et ce qu'il pratiquera, à beaucoup plus grande échelle, dans son roman.

RENAN, L'UN DES MODÈLES DE LEGRANDIN

Renan a certainement inspiré en partie le portrait de Legrandin dans la *Recherche*. Peut-être le snobisme de l'ingénieur, visitant les duchesses tout en s'en défendant, est-il à rapprocher de celui du vieil écrivain qui, à en croire les Goncourt, avait le même défaut. La ressemblance est plus nette dans l'affectation de délicatesse et d'idéalisme :

> Tâchez de garder toujours un morceau de ciel au-dessus de votre vie, petit garçon [...] Vous avez une jolie âme, d'une qualité rare, une nature d'artiste, ne la laissez pas manquer de ce qu'il lui faut. (*RTP*, I, 68.)

> Vous savez que j'estime la jolie qualité de votre âme [...] La vérité est que je n'appartiens guère à cette terre où je me sens si exilé [...] Je suis d'une autre planète [...] (*Ibid.*, II, 154.)

> Il m'a fait l'effet d'un sensible, d'un cœur bien cultivé. (*Ibid.*, III, 666.)

Legrandin, lui aussi, émaille ses propos de nombreuses allusions bibliques, par exemple lorsqu'il évoque les fleurs de l'adolescence qui entourent la présence du jeune Narrateur : « la fleur du jour de la Résurrection, la pâquerette », le « lis digne de Salomon », « la première rose de Jérusalem » (I, 126). Le même Marcel se voit reprocher d'être trop mondain et de rendre contre son propre avenir « la condamnation, la damnation du Prophète » ; aussi entend-il une exhortation évangélique : « Allons, tâchez de vous rappeler quelquefois la parole du Christ : Faites cela et vous vivrez » (II, 154).

L'ingénieur se plaît encore à évoquer la Bretagne, Balbec où « près de ces lieux sauvages, il y a une petite baie d'une douceur charmante », non loin de « terribles rochers », d'un « rivage funèbre, fameux par tant de naufrages, où tous les hivers bien des barques trépassent au péril de la mer ». (I, 130).

A vrai dire, le personnage de Legrandin est composite : on reconnaît également dans ses propos des éléments fortement symbolistes, d'autres tirés d'Anatole France. Signalons enfin qu'il n'est pas le seul, dans la *Recherche,* à recevoir des traits de Renan : c'est le cas aussi de l'érudit Brichot, surtout lorsqu'il commente des noms de lieux ou de personnes.

NOTE SUR LE TEXTE

La Bibliothèque Nationale possède, pour ce pastiche, différents brouillons, plusieurs feuillets appartenant à un manuscrit, une coupure du *Figaro* (supplément littéraire) du 21 mars 1908, et des placards annotés de *Pastiches et Mélanges*.

LES BROUILLONS

Ils sont fragmentaires, et se trouvent sur les feuillets 61 à 67 de « *Ms. aut.* ».

Brouillon 1 :

Feuille simple (f. 61) de papier à lettres, de format 17,5 × 11,5 cm, écrite au recto puis au verso dans le sens vertical. Il concerne le paragraphe de *PM* : « S'allonger au bord de la rivière... », y compris la note sur le chant populaire.

Brouillon 2 :

Feuille double de papier à lettres du format habituel (ff. 62 et 63), écrite dans l'ordre 62 r°, 63 r°, 62 v° (verticalement), 63 v° (verticalement). Il concerne le contenu des paragraphes : « ...Une société où la femme belle... », « Sans doute des cités comme Paris... » (partiellement), et « Patience, donc, Humanité ... » qui forment une continuité.

Brouillon 3 :

Feuille double du même papier à lettres (ff. 66 et 67), écrite sur 66 r°, puis sur 67 v° (verticalement). Classé à la troisième place parce que le contenu de f. 66 r°, figurant également sur 64 r°, est moins élaboré et développé, donc vraisemblablement plus ancien que celui de cette dernière page. F. 66 r° contient l'ébauche des premières lignes du paragraphe : « Au reste, qu'on apprenne demain à fabriquer le diamant ... », et f. 67 v° la phrase commençant par « Pour moi, les seules pierres précieuses ... »

Brouillon 4 :

Feuille double du même papier (ff. 64 et 65), écrite sur 64 r° et, pour quelques mots, sur 65 r°. Le reste est en blanc. Développe le même thème que f. 66 r°.

Sont également classés dans « *Ms. aut.* » parmi les brouillons de Renan les ff. 68-69 (feuille double du même papier) qui représentent en fait un manucrit au net, et le f. 70 (feuille simple du même papier) qui est un brouillon d'un pastiche de Michelet, cf. p. 177.

LE MANUSCRIT

Il est très incomplet. Il se compose :

1° *des ff. 40 à 46,* ainsi répartis :

— *ff. 40 et 41* : feuille double de grand format (20 × 31 cm) écrite par Proust sur les rectos seulement. F. 40, paginé par l'auteur *11* (biffé) puis 10, va du début du pastiche à « un véritable jardin, planté de peupliers et de saules, »... F. 41, paginé *12* (biffé), puis 11, présente la suite, mais est déchiré aux deux tiers du texte et s'arrête à « ... ne voulut jamais dire autre chose » ... : ainsi manque le passage correspondant à *PM* : « Il semble qu'il ait voulu ... revêtues au loin des fleurs roses des arbres fruitiers, se déploient... » (p. 209-210 de la présente édition).

— *f. 42 rº* : feuille simple de papier quadrillé, de format à peu près identique (19,5 × 30,5 cm), calligraphiée d'une autre main (sauf quelques mots autographes à la fin de la dernière ligne), paginée *13* (biffé), puis 12. Le début est la copie au net des premières lignes du feuillet autographe 43, toutes biffées, et qui faisaient à l'origine suite à f. 41 (« sur le bleu du ciel ... vient vraiment diamanter. ») ; mais la suite du f. 42 développe un passage qui ne figure pas sur f. 43 (quoique on trouve son ébauche dans le brouillon 1) : « S'allonger au bord de la rivière ... » à « la légère ivresse du vin de champagne parut trop grossière encore, où l'on ne ... » Dans l'apparat critique, nous appellerons *Ms. 1* la partie biffée de f. 43, et *Ms. 2* le texte recopié de f. 42.

— *f. 43 rº* : feuille simple de format 20 × 31 cm, autographe, paginée *14* (biffé), puis 13, à l'angle supérieur droit, et 5 (biffé) en haut et au centre. Entre les premières lignes biffées, Proust a écrit la fin de la phrase interrompue au bas de f. 42 : « ... demande plus la gaîté qu'à la vapeur ... faiblement minéralisée. » L'ordre de la lecture du manuscrit est donc : début biffé de f. 43, f. 42 en entier, début de 43 en interligne, enfin suite de ce même f. 43. Cette page va jusqu'à : « Coquelin Cadet, sans qu'on puisse savoir s'il existait... » (p. 212).

— *f. 44 rº* : feuille simple (20 × 31 cm), autographe, paginée *15* (biffé), puis 14 en haut et à droite, et 6 (biffé) en haut et au centre. Le texte fait normalement suite à f. 43 : « ...entre eux une différence d'âge bien réelle »... à « ...des gouttelettes qui ruissellent d'une source... » Cette dernière phrase coïncide assez gauchement avec le début de f. 45 ; nous trouvons sa fin véritable au vº de f. 29 (brouillon de Flaubert), dans cette ligne isolée : « jaillissante, quelquefois d'une simple ondée. Dans *un* celui de ces petits poèmes ».

— *ff. 45 et 46 rº* : fragments autographes, de 23 × 18 cm environ chacun, découpés et ajustés par Proust de façon à former une seule grande feuille, qu'il a paginée en haut et à droite *16* (biffé), puis 15. La Bibliothèque Nationale a coté séparément les deux fragments. Le texte fait, approximativement, suite à f. 44 : « d'une simple ondée. Dans une sorte de petite romance érotique... » à « ... la vertu du libre-penseur ne vaudrait guère davantage le jour où elle résulterait nécessairement du succès d'une ». Mais il manque deux passages du texte définitif : le paragraphe « Au reste, qu'on apprenne demain à fabriquer le diamant... », et le passage : « De plus en plus le *" fundabo te "*... le prolongement du boulevard Haussmann ». La limite de f. 45 et de f. 46 passe entre « transport au cerveau » (p. 215) et « Patience donc ! ». On ne possède pas la suite de ce manuscrit.

Au verso, f. 46 porte, de la main d'un copiste, l'inscription : *mulverin coronoleris* * déformation, par suite d'une mauvaise lecture, de : *veni, veni, coronaberis* *.

2° *du f. 68 rº*, première page d'une feuille double de papier à lettres de format 11,5 × 18 cm, autographe et d'une très belle écriture. Elle correspond au paragraphe : « Au reste, qu'on apprenne demain... », du moins jusqu'à : « Pour moi les seules pierres précieuses ».

La Bibliothèque Nationale a classé par erreur avec le manuscrit de Renan le f. 47, feuille simple (de 20 × 30 cm) de papier quadrillé, et copie très mauvaise d'un passage autographe destiné au pastiche de Sainte-Beuve (f. 36 rº). Nous renvoyons, pour ce feuillet, à notre page 113 (*Remarque*).

LA COUPURE DU « FIGARO »

L'en-tête est : « Pastiches, suite et fin ». Le numéro du pastiche, VII, est biffé et corrigé en VIII. La première ligne du titre : « L'Affaire Lemoine », est biffée. Il n'y a pas de corrections manuscrites. La coupure s'arrête à la fin de la troisième colonne, sur : « " Compensation ", ce mot qui ».

LES PLACARDS

Ce pastiche est réparti sur les placards 2 et 3. Sur le premier figurent six corrections d'un mot ou d'un signe de ponctuation. Sur le placard 3, une correction d'un mot et la copie en marge (53 lignes) de la dernière note de l'article du *Figaro*, qui avait été sautée à l'impression (cf. pp. 217-218).

Nous présentons les brouillons intégralement. Les variantes sont celles du manuscrit, du *Figaro* et des placards.

BROUILLONS

BROUILLON 1

[**f. 61 r⁰**] *Se* | sc s' | allonger au bord de la rivière, saluer de ses rires une barque qui raye de son sillage la soie changeante des eaux, distraire quelques bribes d'azur de ce gorgerin de saphir qu'est le col du paon, en poursuivre gaiement quelques blanchisseuses | s jusqu'à leur lavoir | en chantant un refrain populaire, *enfiler quelques perles qui n'étaient peut-être que de simples bulles de verre, souffler dans   tremper des brins t   tailler dans le chaume des tubes,* y tremper dans la mousse de savon un tube, taillé dans le chaume à la façon de la flûte de paon [sic], y voir perler ces bulles *ayant* | i unissant | les couleurs | i délicieuses | de l'écharpe d'Iris, | s et | appeler cela enfiler des perles, former des chœurs parfois en se tenant par la main, écouter chanter le rossignol, voir se lever l'étoile du berger, tels étaient sans doute les plaisirs auxquels Lemoine comptait convier en guise de démonstration les magistrats de la cour d'appel, plaisirs d'une [**f. 61 v⁰**] race vraiment idéaliste où tout finit par des chansons, où dès le xɪxᵉ siècle la légère ivresse du vin de Champagne paraît trop grossière encore, où l'on ne demande plus la gaieté qu'à la vapeur légère + + + qui, de profondeurs parfois incalculables, monte à la surface d'une source minérale.

1. Quelques uns de ces chants *populaires* | s d'une délicieuse naïveté | nous ont été conservés. *Le refrain seul   Les mots zizi*   C'est généralement un *petit récit* | i court tableau | *que le*   que le chanteur   +   retrace gaiement. Seuls les mots Zizi Pampan qui les coupent *habituellement* | s presque toujours | à intervalles réguliers ne présentent à l'esprit qu'un sens assez vague. C'étaient sans doute de pures indications rythmiques destinées à marquer la mesure pour une *l'* oreille qui eut [sic] été tentée sans cela de l'oublier, peut-être simplement une exclamation *joyeu* d'admiration *joyeuse à la vue* devant *les merveilleuses incrustations* la traîne *pleine d'incrustations étincelantes* | i incrustée *de pierreries se rapportant* devant | l'oiseau de Junon, comme tendraient à le faire croire ces mots *mille* | i plusieurs | fois répétés : « les plumes du paon » qui le suivent à peu d'intervalle.

---

1. [Aucun appel de note n'est discernable dans le texte qui précède.]

BROUILLON 2

[**f. 62 r⁰**] Une société où la femme belle, où le noble de naissance porteraient de vrais diamants serait + vouée à une grossièreté | **i** irrémédiable | *irré* *Même au* De tels *usages* | **s** usages | ont pu exister | **s** dans le passé |. On ne les reverra pas. *Même au temps de Lemoine* Des siècles avant Lemoine ils *n'en* étaient déjà plus | **i** probablement | *ainsi* | **S** *certainement oubliés* tombés en désuétude |. Le plat recueil de contes sans vraisemblance qui porte *Le* le titre de Comédie Humaine de Balzac et *dont le* | **s1** que son | **s2** n'est peut-être pas l'œuvre d'un *même* / **s3** seul / auteur ni même d'une même époque. Pourtant son | **lp** style *tout* | **i1** *encore* | **i2** toujours | **lp** *élémentaire* [?] | **i** informe | **lp** *les* | **sc** ses | idées encore empreintes d'un absolutisme suranné nous permettent *de placer bien avant Voltaire* d'en placer la publication *bien avant les Lettres de* | **s** deux cents ans au moins avant | Voltaire. Or déjà Me de Beauséant | **i1** dans ces fictions d'une / **i2** insipide / sécheresse | **lp** *type* type de la femme | **i** parfaitement | distinguée [**f. 63 r⁰**] laisse avec mépris aux femmes des financiers enrichis de paraître en public *avec* | **s** parées | de pierres précieuses. Par quoi *les* remplaçait-*on* ? | **i1** étaient ils | **i2** au temps de Lemoine | **S1** les *bijoux* | **S2** joyaux *pierres* | **s3** *démodés* passés de mode étaient-ils | **lp** il est permis de croire que la femme soucieuse de plaire *préférait* mêlait à sa chevelure des feuillages *lui* où tremblaient encore quelques gouttes de rosée, plus étincelantes que le diamant le plus rare. | **s** Dans | Le recueil appelé chansons des rues et des bois et qui est communément attribué à Victor Hugo quoique il soit probablement plus ancien, les mots de diamant, de perle sont constamment employés pour *signifier* peindre l'éclat des gouttelettes qui ruissellent d'une source murmurante, parfois | **s** même | d'une simple ondée. Dans une sorte de *chant* de [**f. 62 v⁰**] romance *passionnée* | **s** érotique | qui rappelle celles du Cantique des Cantiques la fiancée dit en propres termes à l'époux qu'elle ne veut d'autres diamants que les gouttes de la rosée. Nul doute que dans *cet* | **sc** ce | chant tout populaire elle n'exprime une *croyance* | **i1** *habi* | **i2** préférence | **S** idée | généralement admise alors. La parfaite banalité de ce petit poème *nous permet* d'affirmer | **s** interdit de supposer | qu'il ne s'agit pas *ici* | **s** *là* | *d'une pré* | **sc** de | **s** d'un | goûts *personnels* | **s** individuel |. Sans doute *la cité qui apparaît à St* *nos modernes* des cités comme Paris, | **s** comme | Londres, *New-York* | **s** comme Bucarest |, rappelleront de moins en moins la ville qui apparut à St-Jean et qui était bâtie de saphir, de turquoise et de jaspe. Mais la vie dans une telle cité nous ferait vite bâiller d'ennui et qui sait d'ailleurs si *ce monde* | **i1** la contemplation / **i2** constante / d'un monde | qui *répondrait* [**f. 63 v⁰**] tel que celui qui *se déroule dans* | **s** au milieu duquel se déroule | le IVè Evangile ne risquerait pas de *frapper* faire périr l'univers *par la méningite* dans un transport au cerveau. Patience, donc, Humanité ! patience ! *chauffe* | **i1** *rallume* | **i2** *rallume* | *sans te décourager tes creusets. Une pierre qu'on ne peut fabriquer est d'autant plus précieuse.* Rallume *de nouveau* | **s** *pour la millième* | **I** *sans fin* encore de nouveau | le *nouveau* four éteint déjà mille fois où tu n'arriveras pas à faire sortir le diamant ; *affine encore* complique encore la cornue où tu *feras* | **i** porteras | inutilement *chauffer* le carbone à des températures inconnues de Lemoine et de Berthelot ; ton histoire est désormais entrée dans une voie d'où les *écarts* sottes fantaisies du vaniteux | **i** et de l'aberrant | ne pourront plus *te faire sortir* | **i** à t'écarter |. Le jour où Lemoine *a tenu* par un scrupule exquis a tenu à appeler pierre précieuse des gouttes d'eau | **i** pure | qui ne valaient que par leur fraîcheur et l'aridité du lieu où elles scintillaient le procès de l'idéaliste a été éternellement gagné ici-bas.

BROUILLON 3

[**f. 66 r⁰**] *La découverte de Lemoine si elle eut é   La découverte   La possibilité   découverte   Ce jour-là on peut   Le jour où le secret de la fabrication du diamant* on aura trouvé le moyen de fabriquer
   Si on trouve | **s** Si l'on apprend qu'on a | demain le moyen de fabriquer du diamant, il y aura peut-être quelque émotion dans le monde de la bijouterie, de la haute banque cosmopolite. *La même nouvelle eut été accueillie* à Tréguier, à Lannion, parmi tous ces disciples attardés de Saint Tudual et Saint Colomban qui [**f. 67 v⁰**] Pour moi les seules *pierres précieuses* | **s1** *joyaux* | **s2** pierres précieuses | qui seraient | **s** encore | capables de me faire encore quitter | **i** malgré les rhumatismes | le Collège de France et prendre la mer, si seulement un de mes vieux saints bretons voulait me *prendre* | **s** m'emmener | avec lui sur sa barque apostolique, ce sont celles que les pêcheurs de St-Michel en Grève aperçoivent parfois au fond de la mer, les jours de calme, là où s'élevait jadis la ville d'Is, enchâssées dans les vitraux *des* de ses cent cathédrales englouties.

BROUILLON 4

[**f. 64 r⁰**] *Au reste j'étais*
Peut-être suis-je du reste une des personnes les moins faites pour *attacher* apprécier *l'importance que*   émotion que pourraient éprouver *demain* un certain nombre de personnes si *l'* l'on *venait à savoir*   apprenait demain qu'on a découvert le moyen de fabriquer du diamant. Une telle nouvelle serait évidemment mal accueillie dans le monde des bijoutiers, de la haute banque cosmopolite. On ne peut imaginer   +   avec quelle indifférence, peut-être | **s** aussi [?] | quel dédain mal dissimulé elle *eut été* | **i** serait | accueillie | **s** *il y a seul* | par mes *tantes* [?] *mes oncles* | **i** *parents* | *et mes pro*   +   à Lannion, à Tréguier, par tous ces disciples attardés de St-Tudual [**f. 65 r⁰**] et de St-Colomban.

PAR ERNEST RENAN

Si Lemoine avait réellement fabriqué du diamant, il eût sans doute
contenté par là, dans une certaine mesure, ce matérialisme grossier
avec lequel devra compter de plus en plus celui qui prétend se mêler
des affaires de l'humanité ; il n'eût pas donné aux âmes éprises d'idéal
5   cet élément d'exquise[1] spiritualité sur lequel, après si longtemps,
nous vivons encore. C'est d'ailleurs ce que paraît avoir compris avec
une rare finesse le magistrat qui fut commis pour l'interroger. Chaque
fois que Lemoine, avec le sourire que nous pouvons imaginer, lui
proposait de venir à Lille[2], dans son usine, où l'on verrait s'il savait
10   ou non faire du diamant, le juge Le Poittevin[3], avec un tact exquis,
ne le laissait pas poursuivre, lui indiquait d'un mot, parfois d'une
plaisanterie un peu vive (1), toujours contenue par un rare sentiment
de la mesure, qu'il ne s'agissait pas de cela, que la cause était ailleurs.
Rien, du reste, ne nous autorise à affirmer que même à ce moment où
15   se sentant perdu (dès le mois de janvier, la sentence ne faisant plus

(1) *Procès*, tome II *passim*, et notamment pages, etc.

Titre *Ms.* :   Pastiches *(Fin)*
                            VII   L'Affaire Lemoine
                            VII par Ernest Renan
          Coup. Fig. : *VII*   VIII   *L'Affaire Lemoine*   par Ernest Renan
1   *Ms.* : avait | **s** *su* | réellement fabriquér
—   *Ms.* : il eut sans doute *donné satisfaction* | **s** contenté | par là
2   *Ms.* : *à* ce matérialisme
4   *Ms.* : il n'eut pas donné
6   *Ms., Fig.* : compris, avec une rare finesse,   *Plac.* : compris avec une rare finesse,
8   *Ms.* : Lemoine avec
9   *Ms.* : où on verrait s'il *fallait* savait ou non
10   *Ms.* : exquis, *un sentiment inné de la mesure,* ne le
14   *Ms.* : Rien *d'ailleurs* | **s** , du reste, | ne
16   *Ms.* : *Procès* ° I, XVII, 41 *et suivantes*   tome II *passim* °, et notamment pages
         25, 26, 97 et 122.
         Fig. : *Procès* °, tome II *passim* °, et notamment pages, etc.
         Plac. : et notamment *pays, etc.* | **md** pages etc. | [*PM* ne fait pas la cor-
         rection, et conserve « pays ».]

de doute) l'accusé s'attachait naturellement à la plus fragile planche
de salut, Lemoine ait jamais prétendu qu'il savait fabriquer le diamant.
Le lieu où il proposait aux experts de les conduire et que les traductions
nomment « usine », d'un mot qui a pu prêter au contresens, était situé
à l'extrémité de la vallée de plus de trente kilomètres qui se termine
à Lille. Même de nos jours, après tous les déboisements qu'elle a subis,
c'est un véritable jardin, planté de peupliers et de saules, semé de
fontaines et de fleurs [4]. Au plus fort de l'été, la fraîcheur y est délicieuse.
Nous avons peine à imaginer aujourd'hui qu'elle a perdu ses bois de
châtaigniers, ses bosquets de noisetiers et de vignes, la fertilité qui
en faisait au temps de Lemoine un séjour enchanteur. Un Anglais qui
vivait à cette époque, John Ruskin, que nous ne lisons malheureusement
que dans la traduction d'une platitude pitoyable que Marcel Proust
nous en a laissée [5], vante la grâce de ses peupliers, la fraîcheur glacée
de ses sources. Le voyageur sortant à peine des solitudes de la Beauce
et de la Sologne, toujours désolées par un implacable soleil [6], pouvait
croire vraiment, quand il voyait étinceler à travers les feuillages leurs
eaux transparentes, que quelque génie, touchant le sol de sa baguette
magique, en faisait ruisseler à profusion le diamant. Lemoine, probablement, ne voulut jamais dire autre chose. Il semble qu'il ait voulu,
non sans finesse, user de tous les délais de la loi française, qui permet-
taient aisément de prolonger l'instruction jusqu'à la mi-avril, où ce
pays est particulièrement délicieux [7]. Aux haies, le lilas, le rosier sauvage,
l'épine blanche et rose sont en fleurs et tendent au long de tous les
chemins une broderie d'une fraîcheur de tons incomparable, où les
diverses espèces d'oiseaux de ce pays viennent mêler leurs chants. Le

---

Ms. : plus de doute) l'accusé s'attachait ... salut,   *Fig., Plac., PM* : [la parenthèse,
et la virgule suivant « salut », sont interverties]

Ms. : prétendu faire croire qu'il savait

Ms. : *à l'extrémité* | **s** à l'extrémité | de la vallée *qui s'étend d'Amiens* | **i**
de plus de trente kilomètres | **S** qui se termine | à Lille.

Ms. : Même aujourd'hui, après

Ms. : *Même en été* | **s** Au plus fort de l'été | la fraîcheur

Ms. : délicieuse. *Nous avons peine à imaginer aujourd'hui qu'elle a perdu ses
bois de châtaigniers, ses bosquets de noisetiers et de vignes*   *Un*   Nous avons
peine

Ms. : ses *riants* bosquets

Ms. : *à l'époque* | **s** au temps | de Lemoine

Ms. : laissée vante

Ms. : voyageur *qui venait* | **s** sortant à peine | des solitudes *désolées* de la
Beauce

Ms. : vraiment quand il

Ms. : génie *ayant touché le sol* | **s** touchant le sol | de sa

Ms. : ruisseler | **i** a profusion | *des* | **s** le | diamants.

Ms. : Lemoine probablement ne

Ms. : chose. [La suite de *Ms.* manque jusqu'à ... « sur le bleu du ciel ».]

Fig. : tons vraiment incomparable   *Plac.* : tons *vraiment* incomparable

loriot, la mésange, le rossignol à tête bleue, quelquefois le bengali, se répondent de branche en branche. Les collines, revêtues au loin des fleurs roses des arbres fruitiers, se déploient sur le bleu du ciel avec des courbes d'une délicatesse ravissante. Aux bords des rivières
5 qui sont restées le grand charme de cette région, mais où les scieries entretiennent aujourd'hui à toute heure un bruit insupportable, le silence ne devait être troublé que par le brusque plongeon d'une de ces petites truites [8] dont la chair assez insipide pourtant est pour le paysan picard le plus exquis des régals. Nul doute qu'en quittant la
10 fournaise du Palais de justice, experts et juges n'eussent subi comme les autres l'éternel mirage de ces belles eaux que le soleil à midi vient vraiment diamanter [9]. S'allonger au bord de la rivière, saluer de ses rires une barque dont le sillage raye la soie changeante des eaux, distraire quelques bribes azurées de ce gorgerin de saphir qu'est le
15 col du paon, en poursuivre gaiement de jeunes blanchisseuses jusqu'à leur lavoir en chantant un refrain [10] populaire (1), tremper dans la

_____

(1) Quelques-uns de ces chants d'une délicieuse naïveté nous ont été conservés [11]. C'est généralement une scène empruntée à la vie quotidienne que le chanteur retrace gaiement. Seuls les mots de *Zizi Pan-*
20 *pan* [12], qui les coupent presque toujours à intervalles réguliers, ne pré-

_____

3   *Ms.* : *1* : [texte complet ; entièrement biffé. Cf. la Note sur le texte. Seuls figurent en italiques les passages biffés préalablement à l'ensemble] : sur le bleu du ciel avec des courbes d'une finesse ravissante. | **i1** Au bord des rivières qui *sont* / **i2** *étaient* sont restées / le grand charme de *ce* / **sc** cette / *pays* / **i2** région / **i1** mais où | **msd** des scieries et des plâtreries entretiennent un bruit insupportable | **lp** Le silence *n'est* | **i** ne devait être | troublé | **i** alors | que par le brusque plongeon d'une de ces petites truites dont la chair assez insipide pourtant est pour le paysan picard *un* | **s** le plus exquis des | régals *exquis*.
[reprise du début en **ms.**, également biffé :] Sur le bleu du ciel avec des courbes d'une finesse ravissante. Au bord des rivières qui sont restées le grand charme de cette région mais où les scieries entretiennent aujourd'hui à toute heure un bruit insupportable, le silence ne devait être troublé |
lp [biffé] Nul doute qu'*en s*   en quittant la fournaise du palais de justice, experts et juges n'eussent subi comme les autres l'éternel mirage de ces belles eaux que le soleil à midi vient vraiment diamanter. [entre les lignes de cette dernière phrase se trouve, écrite de la main de Proust, non biffée, la fin de la phrase interrompue au bas de f. 42 :] demande plus la gaîté qu'à la vapeur qui de profondeurs parfois incalculables monte à la surface d'une source faiblement minéralisée. | **lp** Le nom de Lemoine ne doit pas d'ailleurs
4   *Plac.* : d'une *finesse* | **mg** délicatesse | ravissante
10   *Ms. 2* : palais de justice   *Fig.* : Palais de justice
12   *Ms. 2* : S'allonger ... [A partir d'ici et jusqu'à ... « trop grossière encore, où l'on ne » (p. 211, l. 9), *Ms. 2* est l'unique manuscrit.]
13   *Ms. 2* : qui raye de son sillage   *Fig.* : dont le sillage vient rayer
—   *Plac.* : dont le sillage *vient rayer* | **mg** raye |
18   *Ms. 2* : une *court tableau* | **i** scène empruntée à la vie quotidienne | que
19   *Ms. 2* : les mots Zizi. Panpan   *Fig.* : les mots de *Zizi, Panpan* °
20   *Ms. 2, Fig.* : intervalles réguliers ne présentent

mousse du savon un pipeau taillé dans le chaume à la façon de la
flûte de Pan, y regarder perler des bulles qui unissent les délicieuses
couleurs de l'écharpe d'Iris et appeler cela enfiler des perles, former
parfois des chœurs en se tenant par la main, écouter chanter le rossignol,
voir se lever l'étoile du berger [14], tels étaient sans doute les plaisirs
auxquels Lemoine comptait convier les honorables MM. Le Poittevin,
Bordas [15] et consorts, plaisirs d'une race vraiment idéaliste [16], où tout
finit par des chansons, où dès la fin du dix-neuvième siècle la légère
ivresse du vin de Champagne paraît trop grossière encore, où l'on ne
demande plus la gaieté qu'à la vapeur qui, de profondeurs parfois
incalculables, monte à la surface d'une source faiblement minéralisée.

Le nom de Lemoine ne doit pas d'ailleurs nous donner l'idée d'une
de ces sévères obédiences ecclésiastiques qui l'eussent rendu lui-même
peu accessible à ces impressions d'une poésie enchanteresse. Ce n'était
probablement qu'un surnom, comme on en portait souvent alors, peut-
être un simple sobriquet que les manières réservées du jeune savant,
sa vie peu adonnée aux dissipations mondaines, avaient tout naturellement amené sur les lèvres des personnes frivoles [17]. Au reste il ne
semble pas que nous devions attacher beaucoup d'importance à ces
surnoms, dont plusieurs paraissent avoir été choisis au hasard, proba-

---

sentent à l'esprit qu'un sens assez vague. C'était sans doute de pures
indications rythmiques destinées à marquer la mesure pour une oreille qui
eût été sans cela tentée de l'oublier, peut-être même simplement une exclamation admirative, poussée à la vue de l'oiseau de Junon, comme tendraient
à le faire croire ces mots plusieurs fois répétés *les plumes de paon* [13], qui
les suivent à peu d'intervalle.

---

1   *Ms. 2* : *y* tremper dans la mousse du savon un *tube* chalumeau
–   *Fig.* : un pipeau
2   *Ms. 2* : flûte de Paon [sic], y voir perler
–   *Plac.* : y *voir* | **md** regarder | perler
3   *Ms. 2* : former des chœurs parfois
8   *Ms. 2* : xixe siècle
    Ms. 2 : parut trop grossière encore ou [sic] l'on ne   [fin de *Ms. 2* ; la suite
    de cette phrase est écrite par Proust sur le feuillet suivant (f. 43 r°), en interligne,
    dans le passage de *Ms. 1* raturé. (cf. supra p. 210, note sur *Ms. 1*)]
0   *Ms., Fig.* : qui de profondeurs parfois incalculables monte
2   *Ms.* : nous *faire supposer* | s donner l'idée | *qu'il ait été astreint jusque-là à
    une* | s d'une de ces sévères | obédiences
3   *Ms.* : qui l'*eut* | sc eussent | rendu | s lui-même | peu
5   *Ms.* : surnom comme | s on | en portait   *Plac.* : surnom, comme
0   *Ms.* : dont *beaucoup étaient* | i plusieurs paraissent avoir été | choisis tout à
    fait *par* au hasard,   *Fig. Plac.* : choisis tout à fait au hasard
4   *Ms. 2, Fig.* : *PM* : tendrait
5   *Ms. 2* : répétés « les plumes de paon » [la citation et les mots qui la suivent sont
    de la main de Proust.]
–   *Fig.* : répétés : *les plumes de paon* °

blement pour distinguer deux personnes qui sans cela eussent risqué
d'être confondues. La plus légère nuance, une distinction parfois tout
à fait oiseuse, conviennent alors parfaitement au but que l'on se propose.
La simple épithète d'*aîné*, de *cadet*, ajoutée à un même nom, semblait
5   suffisante. Il est souvent question dans les documents de cette époque
d'un certain *Coquelin aîné* [18] qui paraît avoir été une sorte de personnage proconsulaire, peut-être un riche administrateur à la manière de
Crassus ou de Murena. Sans qu'aucun texte certain permette d'affirmer
qu'il eût servi en personne, il occupait un rang distingué dans l'ordre
10 de la Légion d'honneur, créé expressément par Napoléon pour récom-
penser le mérite militaire. Ce surnom d'aîné lui avait peut-être été
donné pour le distinguer d'un autre Coquelin, comédien de mérite,
appelé *Coquelin cadet,* sans qu'on puisse savoir s'il existait entre eux
une différence d'âge bien réelle. Il semble qu'on ait voulu seulement
15 marquer par là la distance qui existait encore à cette époque entre
l'acteur et le politicien, l'homme ayant rempli des charges publiques.
Peut-être tout simplement voulait-on éviter une confusion sur les
listes électorales.
     ...Une société où la femme belle [19], où le noble de naissance pare-
20 raient leurs corps de vrais diamants serait vouée à une grossièreté
irrémédiable. Le mondain, l'homme à qui suffisent le sec bon sens,
le brillant tout superficiel que donne l'éducation classique, s'y plairait
peut-être. Les âmes vraiment pures, les esprits passionnément attachés
au bien et au vrai y éprouveraient une insupportable sensation d'étouf-
25 fement. De tels usages ont pu exister dans le passé. On ne les reverra
plus [20]. A l'époque de Lemoine, selon toute apparence, ils étaient depuis

---

1   *Ms.* : *auraient* | **s** eussent | risqué
4   *Ms.* : de *cadet* * | **i** , ajoutées à un même nom, | semblaient parfois suffisantes.
     Fig., Plac. : ajoutée à un même nom, semblait parfois suffisante.
5   *Ms.* : dans les *ouvrages* | **i** documents | de
6   *Ms.* : Coquelin aîné   *Fig.* : *Coquelin aîné* *
7   *Ms.* : proconsulaire, *une* peut-être
—   *Ms.* : à la manière de Labienus ou de Catilina
9   *Ms.* : d'affirmer s'il avait servi en personne
10   *Ms.* : légion d'honneur,
12   *Ms.* : autre Coquelin, *appelé lui cadet,* comédien de mérite, appelé *lui* | **s**
     Coquelin | Cadet,
13   *Ms.* : savoir *s'il* s'il
15   *Ms.* : seulement *indiquer* | **i** marquer | par là
16   *Ms.* : entre *le* | **sc** l' | *comédien* | **i** acteur | et *l'homme*] **i** le politicien,
     l'homme | ayant rempli des charges | **i** publiques |.
19   *Ms.* : naissance *porteraient* pareraient leur corps de vrais diamants, serait
21   *Ms.* : à qui suffit
24   *Ms.* : au vrai, y éprouveraient
—   *Ms.* : une insupportable | **i** sensation d' | étouffement
26   *Ms.* : ne les reverra pas : | **sc** A | *Au temps* | **i** l'époque | de Lemoine, *ils*
     étaient dep selon toute apparence,

longtemps tombés en désuétude. Le plat recueil de contes sans vraisemblance qui porte le titre de *Comédie humaine* de Balzac n'est
peut-être l'œuvre ni d'un seul homme ni d'une même époque. Pourtant
son style informe encore, ses idées tout empreintes d'un absolutisme
5   suranné nous permettent d'en placer la publication deux siècles au
moins avant Voltaire. Or, Mme de Beauséant qui, dans ces fictions d'une
insipide sécheresse, personnifie la femme parfaitement distinguée, laisse
déjà avec mépris aux femmes des financiers enrichis de paraître en
public ornées de pierres précieuses. Il est probable qu'au temps de
10 Lemoine la femme soucieuse de plaire se contentait de mêler à sa
chevelure des feuillages où tremblait encore quelque goutte de rosée,
aussi étincelante que le diamant le plus rare. Dans le centon de poèmes
disparates appelé *Chansons des rues et des bois,* qui est communément
attribué à Victor Hugo, quoiqu'il soit probablement un peu postérieur,
15 les mots de diamants, de perles, sont indifféremment employés pour
peindre le scintillement des gouttelettes qui ruissellent d'une source
murmurante, parfois d'une simple ondée. Dans une sorte de petite
romance érotique qui rappelle le *Cantique des Cantiques* [21], la fiancée
dit en propres termes à l'Epoux qu'elle ne veut d'autres diamants que
20 les gouttes de la rosée. Nul doute qu'il s'agisse ici d'une coutume généralement admise, non d'une préférence individuelle. Cette dernière
hypothèse est, d'ailleurs, exclue d'avance par la parfaite banalité de

---

2   *Ms.* : Comédie Humaine   *Fig.* : *Comédie Humaine* °
3   *Ms.* : ni d'un seul homme, ni d'une même époque
5   *Ms.* : suranné, nous
6   *Ms.* : Or *déjà à ce moment* Madame de Beauséant qui dans
—   *Fig.* : Or, Mme de Beauséant, qui ...sécheresse,
7   *Ms.* : sécheresse *est*   personnifie
8   *Ms.* : enrichis, de paraître   *Fig.* : enrichis de paraître
—   *Plac.* : enrichis **|** **mg** , **|** de paraître
10   *Ms.* : tremblait **|** **i** encore **|** quelques gouttes de rosée, *plus* **|** **i** aussi **|**
     étincelante
12   *Ms.* : **| s** Dans **|** Le *recueil* centon
13   *Ms.* : *Chansons des Rues et des Bois* ° qui
14   *Ms.* : Hugo quoiqu'il
15   *Fig., Plac.* : de perles sont
16   *Ms.* : [**f. 44 r°**] d'une source [**f. 45 r°**] d'une simple ondée. [En fait, la phrase
     interrompue par la fin de f. 44 r° se termine sur le f. 29 v° retourné, qui a été
     employé pour le manuscrit du pastiche de Flaubert : « jaillissante, quelquefois
     d'une simple ondée. Dans *un* celui de ces petits poèmes » (cf. Flaubert, Note
     sur le texte, p. 92). Sans doute Proust, après avoir égaré le f. 29, a-t-il repris
     son développement sur une autre feuille, de façon approximative.]
19   *Ms.* : ne veut *pour* **|** **i** d'autres **|** diamants
20   *Ms.* : qu'il *ne* s'agisse ici *d'* d'une *opinion* **|** **i** *mode* **|** **S** coutume **|** généralement
     admise, *un et,* non *pas* d'une préférence *individuelle* **|** **s** *originale* **|** **I** indivi-
     duelle **|** . *La banalité   parfaite banalité* Cette dernière hypothèse est d'ailleurs
     exclue

ces petites pièces qu'on a mises sous le nom d'Hugo en vertu sans
doute des mêmes considérations de publicité qui durent décider Cohélet
(l'*Ecclésiaste*) [22] à couvrir du nom respecté de Salomon, fort en vogue
à l'époque [23], ses spirituelles maximes.

5   Au reste, qu'on apprenne demain à fabriquer le diamant, je serai sans
doute une des personnes les moins faites pour attacher à cela une
grande importance. Cela tient beaucoup à mon éducation. Ce n'est
guère que vers ma quarantième année, aux séances publiques de la
Société des Etudes juives, que j'ai rencontré quelques-unes des per-
10   sonnes capables d'être fortement impressionnées par la nouvelle d'une
telle découverte. A Tréguier [24], chez mes premiers maîtres, plus tard
à Issy, à Saint-Sulpice [25], elle eût été accueillie avec la plus extrême
indifférence, peut-être avec un dédain mal dissimulé. Que Lemoine eût
ou non trouvé le moyen de faire du diamant, on ne peut imaginer à
15   quel point cela eût peu troublé ma sœur Henriette, mon oncle Pierre,
M. Le Hir ou M. Carbon [26]. Au fond, je suis toujours resté sur ce
point-là, comme sur bien d'autres, le disciple attardé de saint Tudual
et de saint Colomban [27]. Cela m'a souvent conduit à commettre, dans
toutes les choses qui regardent le luxe, des naïvetés impardonnables [28].
20   A mon âge, je ne serais pas capable d'aller acheter seul une bague
chez un bijoutier. Ah ! ce n'est pas dans notre Trégorrois que les jeunes

---

1   *Ms.* : *des* | **s** de ces | petites pièces
—   *Ms.* : d'Hugo *parce que probablement   pour   parce que* | **i**1 en vertu *des
      mêmes considération* | **i**2 *par le même artifice* | ce nom était à la *vente* mode,
      pour la vente, *absolument comme l'Ecclésiaste a pris le nom de Salomon fort
      en honneur à son époque* | **s**1 en vertu sans doute des mêmes considérations de
      publicité qui / **s**2 *durent* / **s**3 durent / décider Cohélet (l'*Ecclésiaste* *) | **lp** à
      couvrir du nom *fort en vogue* | **s** respecté | de Salomon, fort en vogue à l'époque,
      ses *charmantes* | **s** spirituelles | maximes | **i** *ses grains de bon sens un peu grossier,
      assez analogues à ceux qu'offre chaque jour M. Haudin aux lecteurs du Matin.* |
5   *Ms.* : [le f. 45 r⁰ de « *Ms. aut.* » passe directement et sans alinéa] à : Sans doute
      des cités comme Paris... [Le ms. au net (et partiel) du paragraphe commençant
      par : « Au reste ... » se trouve sur une feuille isolée, d'un autre format, f. 68 r⁰
      (cf. Note sur le titre).]
7   *Ms.* : beaucoup *au pays où je suis né et* à mon *éducation* éducation.
8   *Ms.* : vers la quarantième année
11   *Ms.* : d'une | **i** telle | découverte *de ce genre.*
12   *Ms.* : à St Sulpice,
13   *Ms.* : Que *Lemo* Lemoine
15   *Ms.* : point *cette question* | **s** cela | *en eussent été* | **s** eut | peu troublés
17   *Ms., Fig.* : point-là comme sur bien d'autres le disciple
—   *Ms.* : de Saint Tudual et de St Colomban.
19   *Ms.* : naïvetés incroyables. A mon âge je
21   *Ms., Fig.* : notre pays que *Plac.* : notre *pays* | **md** Trégorrois | que
—   *Ms.* : filles *demandent* | **s** reçoivent | *à* | **i** de | leur fiancé « *annulos* | **s**
      comme la Sulami | **I** *comme la Sulamite* | « *annulos et gemmas in fronte pen-
      dentes* », ou des colliers de perles serties *d'argent* « *vermiculatas argento* »   *des*

filles reçoivent de leur fiancé, comme la Sulamite [29], des rangs de
perles, des colliers de prix, sertis d'argent, « vermiculatas argento » [30].
Pour moi, les seules pierres précieuses qui seraient encore capables de
me faire quitter le Collège de France, malgré mes rhumatismes, et
prendre la mer, si seulement un de mes vieux saints bretons consentait
à m'emmener sur sa barque apostolique [31], ce sont celles que les
pêcheurs de Saint-Michel-en-Grève aperçoivent parfois au fond des
eaux, par les temps calmes, là où s'élevait autrefois la ville d'Ys,
enchâssées dans les vitraux de ses cent cathédrales englouties [32].

...Sans doute des cités comme Paris, Londres, Paris-Plage, Bucarest [33],
ressembleront de moins en moins à la ville qui apparut à l'auteur
présumé du IVe Evangile [34], et qui était bâtie d'émeraude, d'hyacinthe,
de béryl, de chrysoprase, et des autres pierres précieuses, avec douze
portes formées chacune d'une seule perle fine [35]. Mais l'existence dans
une telle ville nous ferait vite bâiller d'ennui, et qui sait si la contem-
plation incessante d'un décor comme celui où se déroule l'*Apocalypse*
de Jean ne risquerait pas de faire périr brusquement l'univers d'un
transport au cerveau ? De plus en plus le « *fundabo te in sapphiris et
ponam jaspidem propugnacula tua et omnes terminos tuos in lapides
desiderabiles* » [36] nous apparaîtra comme une simple parole en l'air,
comme une promesse qui aura été tenue pour la dernière fois à Saint-
Marc de Venise. Il est clair que s'il croyait ne pas devoir s'écarter des
principes de l'architecture urbaine tels qu'ils ressortent de la Révélation
et s'il prétendait appliquer à la lettre le « *Fundamentum primum calce-
donius..., duodecimum amethystus* » [37], mon éminent ami M. Bouvard [38]
risquerait d'ajourner indéfiniment le prolongement du boulevard
Haussmann.

---

rangs de perles, comme la Sulamite, des rangs de perles, des colliers de prix
sertis d'argent, « vermiculatas argento ».
2 *Fig., Plac.* : « *vermiculatas argento* » *.   PM* : vermiculata [le texte biblique
est bien « murenulas aureas... vermiculatas argento », *Cantique des Cantiques,* 1,
10.]
3 *Ms.* : Pour moi les seules pierres précieuses [fin de *Ms.* pour ce paragraphe].
8 *Fig., Plac.* : au fond de la mer,
0 *Ms.* : maximes. Sans doute des cités   [sans alinéa]
1 *Ms.* : *ressembleront* rappelleront de moins en moins la ville
– *Ms.* : *à Saint-Jean et qui était* | s l'auteur présumé du IVe Evangile. | Mais
l'existence
5 *Ms.* : d'ennui | s et qui sait | si la contemplation constante
6 *Ms.* : d'un *monde* | i *cadre* | S décor | tel que celui
– *Ms.* : se déroule le *IVe Evangile* | s l'*Apocalypse* * de Jean | ne risquerait pas
de *faire périr* compromettre *l'avenir de la Terre* en nous *faisant* | sc faire |
brusquement mourir de méningite | s1 mourir *l'univers des*   + | s2 d'un
transport au cerveau |.
8 *Ms.* : [Après cerveau, le ms. porte une croix, et le feuillet 45 s'achève. Le f. 46
commence, sans alinéa, mais avec le sigle □, par : Patience donc ! Humanité...]

Patience donc ! Humanité, patience [39] ! Rallume encore demain le
four éteint mille fois déjà d'où sortira peut-être un jour le diamant !
Perfectionne, avec une bonne humeur que peut t'envier l'Eternel, le
creuset où tu porteras le carbone à des températures inconnues de
5 Lemoine et de Berthelot [40]. Répète inlassablement le *sto ad ostium et
pulso* [41], sans savoir si jamais une voix te répondra : « *Veni, veni,
coronaberis* » [42]. Ton histoire est désormais entrée dans une voie d'où
les sottes fantaisies du vaniteux et de l'aberrant [43] ne réussiront pas à
t'écarter. Le jour où Lemoine, par un jeu de mots exquis [44], a appelé
10 pierres précieuses une simple goutte d'eau qui ne valait que par sa
fraîcheur et sa limpidité, la cause de l'idéalisme a été gagnée pour
toujours [45]. Il n'a pas fabriqué de diamant : il a mis hors de conteste
le prix d'une imagination ardente [46], de la parfaite simplicité de cœur,
choses autrement importantes à l'avenir de la planète. Elles ne per-
15 draient de leur valeur que le jour où une connaissance approfondie des
localisations cérébrales et le progrès de la chirurgie encéphalique
permettraient d'actionner à coup sûr les rouages infiniment délicats
qui mettent en éveil la pudeur, le sentiment inné du beau. Ce jour-là,
le libre penseur, l'homme qui se fait une haute idée de la vertu,
20 verrait la valeur sur laquelle il a placé toutes ses espérances subir un
irrésistible mouvement de dépréciation. Sans doute, le croyant, qui

1   *Ms., Fig.* : Humanité, patience !   *Plac.* : patience, Rallume   *PM* patience.
     Rallume
2   *Ms.* : mille fois éteint déjà
3   *Ms.* : | s *Ne cesse pas de* | Compliquer *encore* avec une bonne *volonté* | s
     humeur | *charmante* | i *inlassable* | S1   +   que *l'Eternel peut* / S2 *doit* /
     t'envier l'Eternel, | **lp** la cornue où tu
—   *Fig., Plac.* : l'Eternel le creuset
5   *Ms.* : Berthelot ; | s Répète ... *coronaberis* ° | ton histoire
8   *Ms.* : d'où les *sottes fantaisies* | i *écarts impuissants* | S sottes fantaisies |
     du vaniteux
9   *Ms.* : par un *scrupule* | i jeu de mots | exquis a appelé
10   *Ms.* : une *caillou* simple goutte
11   *Ms.* : *le* | **sc** la | *procès*   cause
12   *Ms.* : hors de *contestation* | **sc** conteste | *la fraîcheur* | s le prix | *de l'* | s
     d'une | imagination | **s1** *fraîche* | **s2** ardente | *et la* | s de la parfaite |
     simplicité de cœur,
14   *Ms.* : planète. *Une époque* | **s1** *Les*   +   / **s2** *hommes* / **s1** *d'un même
     temps* | *voit* | **sc** *voient* | *entre les différentes personnalités qui tour à tour
     sollicitent l'* | i *leur* | S *l'* | *attention publique des différences qu'elle* | s
     ils | *croit* | **sc** *croient* | *énormes.* [La suite du texte manuscrit est écrite
     au-dessus de cette phrase biffée et se continue plus bas, en écriture serrée,
     dans **mi** : « Elles ne perdraient de leur valeur ... nécessairement du succès
     d'une ». Ce passage interrompu marque la fin de f. 46 r° et aussi celle du Ms.
     de Renan.]
18   *Ms.* : le sentiment pointilleux de l'honneur. Ce jour-là le libre
21   *Ms.* : Sans doute le catholique qui

espère échanger contre une part des félicités éternelles une vertu qu'il
a achetée à vil prix avec des indulgences, s'attache désespérément à
une thèse insoutenable. Mais il est clair que la vertu du libre penseur
ne vaudrait guère davantage le jour où elle résulterait nécessairement
du succès d'une opération intracranienne.

Les hommes d'un même temps voient entre les personnalités
diverses qui sollicitent tour à tour l'attention publique des différences
qu'ils croient énormes et que la postérité n'apercevra pas. Nous
sommes tous des esquisses où le génie d'une époque prélude à un
chef-d'œuvre qu'il n'exécutera probablement jamais. Pour nous, entre
deux personnalités telles que l'honorable M. Denys Cochin [47] et
Lemoine les dissemblances sautent aux yeux. Elles échapperaient
peut-être aux *Sept Dormants* [48], s'ils s'éveillaient une seconde fois du
sommeil où ils s'endormirent sous l'empereur Décius et qui ne devait
durer que trois cent soixante-douze ans. Le point de vue messianique
ne saurait plus être le nôtre. De moins en moins la privation de tel
ou tel don de l'esprit nous apparaîtra comme devant mériter les
malédictions merveilleuses qu'il a inspirées à l'auteur inconnu du
Livre de Job. « Compensation », ce mot, qui domine la philosophie
d'Emerson, pourrait bien être le dernier mot de tout jugement sain,
le jugement du véritable agnostique. La comtesse de Noailles, si
elle est l'auteur des poèmes qui lui sont attribués, a laissé une œuvre
extraordinaire, cent fois supérieure au Cohélet, aux chansons de
Béranger [49]. Mais quelle fausse position ça devait lui donner dans
le monde [50] ! Elle paraît d'ailleurs l'avoir parfaitement compris et
avoir mené à la campagne, peut-être non sans quelque ennui (1),

(1) On peut se demander si cet exil était bien volontaire et s'il ne
faut pas plutôt voir là une de ces décisions de l'autorité analogue à
celle qui empêchait Mme de Staël de rentrer en France, peut-être en vertu
d'une loi dont le texte ne nous est pas parvenu et qui défendait aux femmes
d'écrire. Les exclamations mille fois répétées dans ces poèmes avec une

---

1   *Ms.* : une *valeur*   vertu qu'il a achetée
11   *Fig., Plac.* : l'honorable M. Bérenger et Lemoine
19   *Coup. Fig.* : ce mot, qui   [la coupure conservée avec les papiers des *Pastiches*
     à la Bibliothèque Nationale s'arrête là, au bas de la troisième colonne.]
26   *Fig.* : quelque ennui (1), une vie   *Plac.* : quelque ennui | **mg** En note (1) |
     une vie   [la note, placée dans *Fig.* non à la fin même de l'article, mais au bas
     de la dernière colonne, et séparée du texte par un autre article, n'a pas été aperçue
     lors de la composition du placard de *PM* ; l'appel a même été supprimé. Aussi
     Proust a-t-il recopié cette note, avec quelques légères variantes et des ratures,
     dans la marge gauche du placard.]
30   *Plac.* : d'une *loi* loi dont
31   *Fig.* : mille fois répétées dans ces petits poèmes, avec une insistance significative
     et qui ne laisse pas d'être un peu monotone :
—   *Plac.* : (**mg**) : mille fois *dont le texte ne nous est par parvenu et qui défendait*

une vie entièrement simple et retirée, dans le petit verger qui lui
sert habituellement d'interlocuteur. L'excellent chanteur Polin [51], lui,
manque peut-être un peu de métaphysique ; il possède un bien plus
précieux mille fois, et que le fils de Sirach [52] ni Jérémie ne connurent
5   jamais : une jovialité délicieuse, exemple de la plus légère trace
d'affectation [53], etc.

---

insistance si monotone : « Ah ! partir ! ah ! partir ! prendre le train qui
siffle en bondissant ! » (*Occident.*) « Laissez-moi m'en aller, laissez-moi m'en
aller. » (*Tumulte dans l'aurore.*) « Ah ! Laissez-moi partir. » (*Les héros.*)
10   « Ah ! rentrer dans ma ville, voir la Seine couler entre sa noble rive. Dire à
Paris : je viens, je te reprends, j'arrive ! » etc., montrent bien qu'elle n'était
pas libre de prendre le train. Quelques vers où elle semble s'accommoder de
sa solitude : « Et si déjà mon ciel est trop divin pour moi », etc., ont été
évidemment ajoutés après coup pour tâcher de désarmer par une soumission
15   apparente les rigueurs de l'Administration.

---

aux femmes d'écrire. Les exclamations répétées dans ces *poèmes* | s poèmes |,
avec une insistance si monotone :
8   *Plac.* : (**mg**) : *Laisse* | sc Laissez | -moi
9   *Fig.* : (*Tumulte* dans *l'Aurore* *.) ... (*les Héros* *)
10   *Plac.* : (**mg**) : dans *une* | s ma | ville
—   *Plac.* : (**mg**) : sa noble *ville* rive !
11   *Fig.* : je te reprends
—   *Plac.* : (**mg**) : je reprends | s te reprends | [*P.M.* ne tient pas compte de cette
correction, qui rétablit l'alexandrin.]
—   *Plac.* : (**mg**) : *montre* | s montrent | bien
12   *Plac.* : (**mg**) : Quelques vers *ici* où elle
13   *Plac.* : (**mg**) : Et si déjà déjà mon ciel [*Fig.* place les guillemets après etc.]
14   *Plac.* : (**mg**) : évidemment *inspirés* ajoutés
15   *Fig.* : de l'administration.

NOTES ET ÉCLAIRCISSEMENTS

Les références renvoient aux œuvres suivantes de Renan :
— *Vie de Jésus*, Calmann-Lévy, 1883 (19ᵉ éd. revue et augmentée) ;
— *L'Ecclésiaste*, Calmann-Lévy, 1882 ;
— *L'Antéchrist*, Calmann-Lévy, 1873 ;
— *Souvenirs d'enfance et de jeunesse*, Le Livre de Poche, 1967.

TEXTE ET VARIANTES

1 Un des adjectifs les plus caractéristiques de Renan, et dont la *Vie de Jésus* fournit de nombreux exemples : « tact exquis » (*Introduction*, p. CI), « sentiment exquis » (pp. 85, 94), « exquise bonté » (p. 190), « personne exquise » (p. 270), « trait exquis » (p. 358). Déjà Jules Lemaître raillait Renan de cet emploi : « C'est avec un peu de chagrin que nous avons vu M. Renan comprendre le roman dans ses dédains exquis, auxquels si peu de choses échappent [...] » (*Portraits contemporains*, 3ᵉ série, p. 37).

2 L'usine de Lemoine se trouvait en réalité à Arras (Hautes-Pyrénées). Cf. notre *Introduction*, et le pastiche de Faguet, n. 17.

3 Juge d'instruction chargé de l'affaire Lemoine.

4 La description idyllique de cette région emprunte largement aux évocations de la Galilée au temps du Christ dans la *Vie de Jésus* (cf. pp. 28, 67, 69-70, 147-148, 171) : « délicieux séjour », « jardins frais et verts », « population aimable et souriante », « tapis de fleurs », « eaux fraîches et fruits », « vertes collines et claires fontaines », « eaux toujours légères et transparentes », « perpétuel enchantement ».

5 Allusion à *La Bible d'Amiens* de Ruskin, et à la traduction de Proust (1904).

6 Renan oppose, lui, la fraîcheur de la Galilée et la sécheresse désertique de la Judée.

7 Cf. *Vie de Jésus*, p. 67 : « Pendant les deux mois de mars et d'avril, la campagne [de Galilée] est un tapis de fleurs, d'une franchise de couleurs incomparable [...] »

8 Proust emprunte ce détail à Ruskin (*BA*, p. 106) ; Amiens serait, d'après ce dernier, traversé « par onze beaux cours d'eau à truites. »

9 De même, Renan explique la doctrine évangélique, et l'enthousiasme populaire pour cette doctrine, par le charme de la vie dans l'antique Galilée.

10 Cf. *Vie de Jésus*, p. 94 : [à propos de Jésus] « Un sentiment exquis de la nature lui fournissait à chaque instant des images expressives. Quel-

quefois une finesse remarquable, ce que nous appelons de l'esprit, rele-
vait ses aphorismes ; d'autres fois, leur forme vive tenait à l'heureux
emploi de proverbes populaires ».

11 Commentaire philologique à la manière de Renan, notamment dans son
étude du *Cantiques des cantiques.*

12 Il existe une opérette en un acte, *Zizi,* paroles de Philibert Siégel (1881),
dans laquelle une jeune servante, *Zizi,* repousse un homme trop entre-
prenant à coups d'éventail, en chantant un air dont le refrain est : « Vli !
Vlan ! ». Il existe aussi une comédie en un acte, du même titre, par
Edmond Guiraud, représentée au théâtre Antoine en décembre 1907 :
mais elle n'a aucun rapport avec le sujet développé par Proust.

13 Vraisemblablement allusion à une comédie intitulée *Les Plumes du
paon,* d'Alexandre Brisson et Berr de Turique, représentée en octobre
1907 à l'Odéon.

14 Allusion à la splendeur des nuits de Palestine que pouvaient contempler
les pélerins se rendant à Jérusalem (cf. *Vie de Jésus*).

15 Jean Bordas (né en 1860), chef du service des laboratoires du Ministère
des Finances. Désigné comme expert dans l'affaire Lemoine.

16 Renan estime que l'idéalisme est naturel chez certains peuples, et oppose
de ce point de vue la Galilée à la Judée (*Vie de Jésus*), la France à la
Prusse (*La Réforme intellectuelle et morale*). La gaieté légère est aussi
considérée par lui comme un privilège de la France : cf. *Discours de
réception à l'académie* (1879) : « [...] ce que notre pays seul connaît encore,
le rire aimable, l'ironie légère. »

17 Vocabulaire emprunté aux *Souvenirs d'enfance et de jeunesse,* lorsque Renan parle de lui-même ou de Marcellin Berthelot.

18 Constant Coquelin, dit Coquelin aîné (1841-1909) : acteur célèbre de
la Comédie française, du théâtre de la Renaissance, puis du théâtre de
la Porte Saint-Martin dont il fut administrateur. Créateur du rôle de
Cyrano de Bergerac en 1897, puis de celui de Flambeau dans l'*Aiglon*
en 1900.
    Ernest Coquelin, dit Coquelin cadet (1848-1909) : frère du précé-
dent. Acteur à l'Odéon, à la Comédie française, aux Variétés. Il tint
des rôles comiques, plutôt secondaires.

19 Comparer pour l'attaque de la phrase et la généralisation : « Une
société où la distinction personnelle a peu de prix [...] » (*Souvenirs...*
p. 10).

20 Thème typiquement renanien des progrès de l'esprit humain.

21 Cf. le commentaire et la traduction par Renan de ce livre biblique
(1860).

22 D'après Renan, dans son commentaire de *L'Ecclésiaste* (pp. 1-15),
l'auteur inconnu de ce livre biblique fait parler un certain Kohélet (mot
traduit en grec par Ekklesiastes, « prédicateur »), dont le nom dési-
gnerait symboliquement le roi Salomon. Proust a mal compris Renan,
puisqu'il fait de Cohélet et de Salomon deux personnes différentes.

23 L'expression, de façon suprenante, est bien de Renan, et dans des contextes religieux. Cf. *Vie de Jésus* (*Introduction*, p. CIII) : « les pratiques qui ont de la vogue. »

24 C'est là qu'est né Renan, en 1823. Tout ce paragraphe renvoie clairement aux *Souvenirs d'enfance et de jeunesse.*

25 Séminaires que fréquenta Renan.

26 Ma sœur Henriette, mon oncle Pierre : cf. *Souvenirs...*
M. le Hir : philologue et professeur de théologie à Saint-Sulpice.
M. Carbon : directeur de Saint-Sulpice au temps de Renan.

27 Saint Tudwal ou Tual importa le christianisme de Bretagne en Armorique (cf. *Souvenirs...* p. 15). Saint Colomban vint d'Irlande fonder des ordres religieux en Gaule. Cf. encore *Ibid.*, p. 18 : « Ce paradoxe architectural a fait de moi un homme chimérique, disciple de saint Tudwal, de saint Iltud et de saint Cadoc [...] » et p. 94 : « [...] les disciples de saint Gall ou de saint Colomban [...] »

28 Cf. *Souvenirs...*, pp. 18-19 : « Les longues heures que j'y passais [dans la cathédrale] ont été la cause de ma complète incapacité pratique [...] Quand j'allais à Guingamp, ville plus laïque, [...] j'éprouvais de l'ennui et de l'embarras ».

29 La Sulamite ou Sunamite : la fiancée du *Cantiques des cantiques.*

30 *Cantiques des cantiques*, 1, 10. Cf. la note de l'apparat critique. La citation biffée dans le manuscrit, « annulos et gemmas in fronte pendentes » provient d'*Isaïe*, 3, 21 : « In die illa auferet Dominus ornamentum [...] et annulos, et gemmas in fronte pendentes », « ce jour-là, le Seigneur ôtera les ornements, les anneaux [...] et les pierres précieuses attachées au front. »

31 Cf. *Pour un ami* (p. 272) : « Pour finir dignement un livre, ou une préface, Renan a de ces images de bon élève qui ne naissent nullement d'une impression : « Maintenant la barque apostolique va pouvoir enfler ses voiles. »

32 Cf. préface des *Souvenirs...*, pp. 7, 14 : Renan évoque la légende de cette ville, et les liens sentimentaux qu'il conserve avec elle.

33 Enumération curieuse. Dans le brouillon 2, Proust avait d'abord mentionné New-York, au lieu de Bucarest, et omis Paris-Plage. Proust a dû songer à l'énumération des villes dans ce passage de la *Prière sur l'Acropole* (*Souvenirs...* p. 53) : « Quel beau jour que celui où toutes les villes qui ont pris des débris de ton temple, Venise, Paris, Londres, Copenhague, répareront leurs larcins, formeront des théories sacrées, pour rapporter les débris qu'elles possèdent [...] » Bucarest a probablement été inspiré à Proust par son amitié pour les princes Bibesco.

34 Renan ne croyait pas à l'authenticité historique de l'Evangile de saint Jean (cf. *Vie de Jésus*, notamment l'appendice ajouté à l'édition de 1883). La ville en question est la Jérusalem céleste, telle qu'elle apparaît à saint Jean dans l'*Apocalypse*. Renan la décrit dans *L'Antéchrist* où il énumère avec exactitude les douze variétés de pierres précieuses qui composent chacune des douze portes.

[35] Cf. *L'Antéchrist*, p. 452 : « Les portes sont composées d'une seule grosse perle. »

[36] Citation approximative d'*Isaïe*, 54, 11-12 : « Ecce ego sternam per ordinem lapides tuos, et fundabo te in sapphiris. Et ponam jaspidem propugnacula tua, et portas tuas in lapides sculptos, et omnes terminos tuos in lapides desiderabiles », « Voici que je renverserai tes pierres une à une, et je te construirai sur des fondements de saphirs. Et je ferai tes fortifications en jaspe, tes portes en pierres ouvrées, et ton enceinte en pierres rares ».

[37] « Le premier soubassement en Calcédoine... le douzième d'améthyste », *Apocalypse*, 21, 19-20. Citation encore approximative, le texte est : « Fundamentum primum jaspis... tertius carcedonius... duodecimus amethystus. »

[38] Joseph-Antoine Bouvard (1840-1920) : architecte du service permanent de la Ville de Paris à partir de 1879. Dirigea de nombreux grands travaux.

[39] Cf. préface des *Souvenirs...* p. 14 : « Courage, courage, nature ! Poursuis, comme l'astérie sourde et aveugle qui végète au fond de l'océan, ton obscur travail de vie ; obstine-toi ; répare pour la millionième fois la maille de filet qui se casse, refais la tarière qui creuse, aux dernières limites de l'attingible, le puits d'où l'eau vive jaillira. »

[40] Renan insiste beaucoup sur son amitié avec Berthelot dans le dernier chapitre des *Souvenirs... : Premiers pas hors de Saint-Sulpice.*

[41] *Apocalypse*, 3, 20 : « Ecce sto ad ostium et pulso », « voici que je me tiens à la porte et que je frappe. » La citation se trouve dans les *Souvenirs...*, p. 106 : « [Avec M. de Talleyrand mourant] Le *sto ad ostium et pulso* dut être pratiqué avec une rare habileté. »

[42] *Cantiques des cantiques*, 4, 8 ;le texte exact est : « Veni de Libano, sponsa mea, veni de Libano, veni : coronaberis de capite Amana, de vertice Sanir et Hermon, de cubilibus leonum, de montibus pardorum. » « Viens du Liban, ma fiancée, descends du Liban. Quitte le sommet de l'Amana, le sommet du Sanir et de l'Hermon, les repaires des lions, les montagnes des panthères. »

[43] Cf. notre *Introduction* p. 32. Pour un exemple assez voisin de singulier collectif, cf. dans la dédicace de la *Vie de Jésus* (p. 11) : « les étroits jugements de l'homme frivole. »

[44] Cf. note 1,, et ce jugement de Renan sur la réponse de Jésus à la femme adultère : « La fine raillerie de l'homme du monde, tempérée par une bonté divine, ne pouvait s'exprimer en un trait plus exquis. » (*Ibid.*, p. 358).

[45] Proust prend par raillerie le contre-pied de la formule de Renan : « Le triomphe de la science est en réalité le triomphe de l'idéalisme » (*Discours de réception à l'académie*).

[46] Le succès de la prédication du Christ est attribué à l'heureuse imagination des Galiléens : « Ces bons Galiléens n'avaient jamais entendu une parole aussi accommodée à leur imagination riante » (pp. 143-144).

« Leur vie peu occupée laissait toute liberté à leur imagination » (*Vie de Jésus,* p. 155).

47 Denys Cochin (1851-1922) : avocat et écrivain, étudia les sciences naturelles, fut conseiller municipal, puis député de Paris.

48 Nom donné à sept fidèles d'Ephèse, martyrs au IIIe siècle. Murés, dit la légende, par ordre de l'empereur Décius, dans une caverne où ils s'étaient réfugiés, ils y dormirent d'un sommeil miraculeux pendant deux siècles et ne se réveillèrent que sous le règne de Théodose II. Ils furent d'actualité à la fin de décembre 1907 : *La Belle au bois dormant,* féerie lyrique de Jean Richepin et Henri Cain, faisait allusion à leur histoire, et Faguet en fit un compte-rendu humoristique dans le *Journal des débats* du 30 décembre 1907.

49 Renan consacre le dernier chapitre des *Questions contemporaines* (1868) à *La Théologie de Béranger,* se scandalisant de voir la bourgeoisie bien-pensante cautionner le poète-chansonnier.

50 Coup de griffe au snobisme de Mme de Noailles, et peut-être à celui de Renan, si l'on en croit les affirmations du *Journal* des Goncourt.

51 Pierre-Paul Marsalès, dit Polin (1863-1927) : célèbre chanteur comique ; ses chansons étaient d'un esprit peu affiné.

52 Jésus, fils de Sirach, est le nom de l'auteur du *Livre de la sagesse.*

53 Cf. *Souvenirs...,* p. 170, avec un bel exemple de « style Renan » : « **M.** Carbon était la bonté, la jovialité, la droiture mêmes [...] **On** s'étonnait de découvrir sous cette humble apparence la chose du monde la moins commune, l'absolue cordialité, une maternelle condescendance, une charmante bonhomie. »

DANS LES MÉMOIRES DE SAINT-SIMON

NOTICE

La *Note sur le texte* et les *Notes et éclaircissements* constituent à eux seuls une étude détaillée de cet important pastiche. Nous indiquerons plutôt dans la présente notice les grands axes selon lesquels peuvent s'ordonner des remarques dispersées, et nous apporterons les compléments qui ne prenaient pas naturellement place dans les notes.

LA COMPOSITION ET LES DIFFÉRENTS ÉTATS DU PASTICHE

FÊTE CHEZ MONTESQUIOU A NEUILLY. — Les comptes rendus de réunions mondaines étaient un genre journalistique bien établi, et un moyen offert aux jeunes gens de se lancer dans le monde et dans les lettres. Parmi d'autres articles du même genre, Proust avait déjà rendu compte, dans *Le Gaulois* du 31 mai 1894, d'une fête donnée par Robert de Montesquiou à Versailles le 24 mai précédent (« Une Fête littéraire à Versailles ») ; cette note était banale et purement mondaine. La bibliothèque Nationale conserve (dans le manuscrit des *Lettres à Pierre Lavallée*) une invitation imprimée à cette fête, au verso de laquelle Proust a noté au crayon la liste des principaux invités, avec mention des parures portées par les femmes les plus en vue. Le pianiste Delafosse interprétait des mélodies composées sur les poèmes des *Chauves-Souris*. Il était alors dans les meilleures grâces du Comte.

De la même époque date un projet d'article sur *Le Chef des odeurs suaves* et sur *Les Chauves-Souris,* tous deux de 1893 (cf. *CSB, Nx Mél.,* 430-435) : chef-d'œuvre de flatterie, cette ébauche ne manque pourtant pas déjà d'ironie dissimulée, quand elle évoque la voix suraiguë du poète : « La riche musique de sa voix rappelle ces vers admirables des *Fleurs du mal* sur

> ... ces concerts, riches de cuivre,
> Dont les soldats parfois inondent nos jardins, etc. »

Un autre projet d'article, sur *Les Perles rouges* (1899), figure également dans les *Nouveaux mélanges* (pp. 426-429).

Montesquiou avait consacré, dans *Les Perles rouges,* un sonnet au duc de Saint-Simon (cf. note 4). Proust eut l'idée de lui « rendre la politesse » de la part du mémorialiste. Il le fit avec largesse et publia, sous le pseudonyme d'Horatio, la « Fête chez Montesquiou à Neuilly (Extrait des Mémoires du Duc de Saint-Simon ») dans *Le Figaro* du 18 janvier 1904. Par crainte des réactions du comte, il n'avoua pas d'abord qu'il était l'auteur. Mais Montesquiou prit le parti de trouver l'article très élogieux, et en fit tirer à ses frais une plaquette hors commerce, en cinquante exemplaires (cf. Note sur le texte), pour l'offrir à ses amis. Proust reconnut alors qu'il était Horatio.

Ce pastiche est une suite d'éloges de Montesquiou, de son secrétaire Yturri et de Mme de Noailles, et d'allusions à des contemporains choisis dans la haute société et à qui Proust recherche des ancêtres dans les *Mémoires* de Saint-Simon. La principale source, pour le portrait de Montesquiou, est celui, utilisé très librement, du prince de Conti (*Mémoires,* éd. de la Pléiade, III, ch. IV). Pour les ancêtres des contemporains, Proust se reporte purement et simplement à la table alphabétique des *Mémoires,* dressée par Saint-Simon lui-même et reproduite au tome XX de l'édition Chéruel-Régnier (1873-1886) : il reproduit souvent textuellement les rubriques de cette table, et se reporte parfois aux passages indiqués par les renvois. Il est à remarquer que c'est la première fois, si l'on excepte quelques mentions peu précises dans la correspondance, que Proust manifeste de l'intérêt pour le mémorialiste.

Bien que ce dernier ne figure pas parmi les auteurs pastichés, en 1908-1909, il n'est pas oublié. A la fin de 1908, Proust fait état de lectures abondantes des *Mémoires* : « [Je] suis en plein Saint-Simon qui est mon grand divertissement [...] J'ai du reste énormément lu étant tout seul. Mais je m'occupe surtout de niaiseries, de généalogie, etc. Je vous jure que ce n'est pas par snobisme cela m'amuse énormément. » (Lettre XLI à G. de Lauris, *A un ami,* p. 154.) Dans une lettre datée par Ph. Kolb de [janvier-février 1909] (*CG,* I, lettre CLXXXVIII, pp. 204-205), il redemande au comte Robert la « Fête chez Montesquiou », s'il la possède encore. Son intention est de réunir en volume tous ses pastiches parus et quelques autres à paraître (seul Régnier, en fait, sera publié). Saint-Simon pourrait y figurer, s'il est « assez exact ». Peu après (*Ibid.,* lettre CXCIX, pp. 217-218), il accuse réception du pastiche, et le trouve satisfaisant pour une publication. Mais ce projet ne verra pas le jour de sitôt.

LES NOTES DES « CARNETS ». — Ensuite, la correspondance est à peu près muette sur Saint-Simon jusqu'en 1918. C'est dans les *Carnets* que s'accumulent des notes sur cet écrivain, et plus précisément dans les *Carnets* 2, 3 et 4. Dater ces notes n'est pas chose facile. La plus ancienne d'entre elles, en tout cas, suit de peu une allusion à un numéro du *Temps* du 3 ou 4 février 1915 (*Carnet* 2, f. 33 r°). Ce détail nous fournit donc une date antérieure.

Ces notes ne reproduisent pas de renseignements biographiques ou historiques sur les personnages saints-simoniens, mais sont des relevés d'expressions brèves, ressenties comme caractéritiques, ou des références à des passages jugés importants (« portrait de Louis XIV », « portrait d'Harcourt », etc.) Les indications de tomes et de pages correspondent bien à l'édition Chéruel-Régnier. Le caractère des exemples relevés, le fait qu'ils voisinent dans les *Carnets* avec des notes sur les Goncourt utilisées soit dans le pastiche, soit dans le roman, et surtout avec d'autres notes destinées manifestement à servir dans le roman, laissent supposer qu'ils n'étaient pas nécessairement destinées à *L'Affaire Lemoine,* mais auraient pu très bien (c'est d'ailleurs le sort que connurent quelques uns d'entre eux) servir à la *Recherche.* Tant il est vrai que, selon Proust, les grands écrivains n'écrivent jamais qu'une seule et même œuvre. Quelques unes de ces notes appellent des remarques d'ordre général : celle du *Carnet* 2, f. 31 v°, pose une parenté stylistique entre les deux écrivains, mais la pose — rapprochement savoureux — dans les raccourcis d'expression. Si paradoxal que cela paraisse de la part de Proust, c'est vrai en ce sens que le raccourci d'expression — le « carambolage », comme il dit — entre dans le cadre général de la métaphore. Et il ne faut pas chercher longtemps dans une page descriptive de Proust pour trouver de ces raccourcis — même s'ils sont enchâssés dans une longue phrase.

Parmi ces notes nous en avons relevé une sur Mme de Sévigné (*Carnet* 3, f. 21 v°) parce qu'elle fait allusion à un détail très saint-simonien de titre nobiliaire.

Toujours dans ce même carnet, la note du f. 23 r° : « traits qui n'ont pas de rapport les uns avec les autres », signale l'hétérogénéité des énumérations du mémorialiste.

A la fin du f. 25 r°, la conversation de Saint-Simon avec le Roi est extrêmement abrégée, et Proust remarque : « Ce n'est pas une citation exacte ». Nous indiquons en note le véritable passage des *Mémoires.* C'est ainsi que Proust cite habituellement : de façon très approximative, en ne conservant que les traits essentiels.

Dans le f. 43 r°, il révèle un de ses procédés constants de pasticheur : « Pas mettre les deux dernières expressions l'une près de l'autre, car elles voisinent dans le départ de la Princesse des Ursins pour Lyon » ; c'est-à-dire : ne pas reproduire telles quelles les séquences empruntées, mais en dissocier les éléments et reproduire ceux-ci séparément. Les très nombreuses citations exactes des Mémoires que nous donnons dans les *Notes et éclaircissements* permettent, par comparaison avec le pastiche, de vérifier l'exactitude de cette remarque de Proust.

LES BROUILLONS. — Les brouillons retrouvés ne représentent qu'une petite partie de l'apport nouveau. Un certain nombre de leurs pages ont été arrachées et collées directement par Proust dans le manuscrit définitif. Ce qui subsiste est dispersé en quatre fragments et dans deux *Cahiers*, et peut être regroupé en deux « noyaux » : un « noyau Lemoine » formé des brouillons 1 et 2, et dans lequel il est question de l'escroc et de l'intervention de Saint-Simon auprès du duc d'Orléans ; un « noyau Murat » comprenant les brouillons 3 et 4 et les pages collées dans le manuscrit : nous renvoyons à ce propos, pour les détails précis, à la Note sur le texte et à la note 36. Ce second noyau s'est largement développé : le texte du brouillon 4 a donné naissance à plusieurs passages séparés et les additions sur épreuves furent ensuite particulièrement nombreuses. Il n'y est question que de l'affaire Murat et de ses corollaires. Le nom de Lemoine n'est mentionné qu'une seule fois : « l'affaire de Lemoine ne touchait pas à des intérêts si vitaux pour la France ». Il y a donc eu probablement un projet primitif, dont le personnage principal était le duc d'Orléans, déjà mentionné dans « Fête chez Montesquiou » : c'est le brouillon 1, isolé dans le *Cahier LII*. Puis un projet Murat, dont Proust parle dans ses lettres à Mme Straus à partir d'octobre 1918 (mais qui à cette date est déjà réuni à l'autre noyau) et qui est ébauché dans le *Cahier LVI*. Le brouillon 2, qui figure, dans ce cahier, parmi les feuillets du noyau Murat, continue après coup le noyau Lemoine : tout porte d'ailleurs à penser que nous avons là un cahier reconstitué à partir de feuillets plus ou moins épars, ou déplacés.

Painter affirme (*Marcel Proust*, II, p. 155 et 355), sur la foi de lettres adressées par Proust à G. de Lauris et à Montesquiou, que le noyau Lemoine fut écrit en février 1909. Rien n'est moins sûr : les lettres en question ne parlent que d'une lecture de Saint-Simon et de la possibilité de réunir les pastiches en volume. De plus, des indices précis amènent à situer ce noyau nettement plus tard : l'écriture de Proust change beaucoup entre 1908-1909 et la fin de la guerre, où elle devient plus large, plus arrondie ; or le brouillon 1 est de ce point de vue beaucoup plus proche de la seconde manière que de la première ; le papier du *Cahier LII*, et la forme des angles des pages, ne sont pas les mêmes que ceux des cahiers datant de façon certaine de 1908-1909. Le noyau Lemoine est celui qui emprunte le plus, et de loin, aux notes des *Carnets* ; or nous avons vu que celles sur Saint-Simon sont postérieures au début de février 1915. Enfin, renseignement décisif, le mariage Talleyrand-Blumenthal évoqué dans le brouillon 1 eut lieu le 17 novembre 1917. C'est donc après cette date qu'il faut situer le début de l'entreprise.

Les deux noyaux furent donc juxtaposés et « cousus » ensemble, le second prenant de plus en plus de développement. « Fête chez Montesquiou à Neuilly », grâce à d'habiles raccords, fut introduit dans l'épisode Murat. Le portrait de Montesquiou reçut à cette occasion de nouveaux enrichissements. C'est alors que Proust se mit à ajouter à son pastiche de nouveaux portraits contemporains. Ce n'étaient plus cette fois les Murat et les nobles d'Empire (Cambacérès, Albuféra) qui étaient nommés par le duc. Mais tout le cercle des amis de l'auteur, à qui il voulait faire des politesses. Dans certains cas il se livra avec eux à toute une stratégie pour demander des autorisations ou des renseignements, apporter des modifications, fournir des explications. Voici quelques unes des lettres adressées à cette occasion à Mme Straus, qui nous renseignent sur cette pratique et surtout nous fournissent des commentaires par l'auteur lui-même sur son projet :

[9 octobre 1918] :

> J'ai fait, toujours sur l'Affaire Lemoine, un pastiche cette fois de Saint-Simon et j'y ai mis, sauf contre-ordre de votre part, un passage sur vous. En principe je ne suis pas pour mettre dans un pastiche du dix-septième siècle des noms qui évoquent aussi puissamment que le vôtre toutes les grâces du vingtième. Cela fait dissonance, c'est-à-dire le contraire du pastiche. Mais d'un autre côté mon cœur et ma pensée l'emportent sur cette raison technique. (*CG*, VI, lettre CIX, pp. 207-208.)

[19 octobre 1918] :

> Pour Saint-Simon, reconnue, vous ne pourrez pas ne pas l'être pour la raison que vous êtes nommée. Mais je crois que ce que je dis ne peut vous déplaire. Si je peux avoir des épreuves je vous les enverrai. En effet je parle de beaucoup d'autres personnes mais pour en dire beaucoup de mal, sauf Montesquiou et Guiche. Vous éveillez un de mes scrupules en me parlant de la princesse Lucien Murat (qui me parle toujours de vous quand je la vois.) Ce scrupule (dont je vous prie tout particulièrement de ne pas lui parler) vient de ceci. Je n'écris jamais de mal des personnes que je connais. Et bien entendu je n'écrirais pas une ligne désobligeante sur elle qui a toujours été gentille (et plus) pour moi. Mais je ne me crois dû à rien envers les autres Murat, chez qui je ne suis allé qu'à des soirées de 2 000 personnes et que je ne connais pas. Or leurs prétentions sont si exactement la transposition à notre époque des prétentions des « princes étrangers » sous Saint-Simon, qui voulaient « usurper » sur les ducs que mon pastiche se trouve par la force des choses et de pures nécessités littéraires, une charge à fond de train contre les Murat (de vous à moi seulement je vous prie). Je n'en ai aucun remords (sauf à cause de la princesse Joachim qui a perdu fils et gendre et m'a écrit une lettre assez touchante). Mais sans avoir soufflé mot de mon intention (à l'égard des Murat) à la princesse Lucien (Marie) je me suis aperçu que la situation des Murat ne lui était nullement indifférente. Si bien que je lui ai dit sans en dire le motif (elle connaît mon intention de pastiche de Saint-Simon mais non que j'y parle des Murat) que j'aurais bientôt un entretien à avoir avec elle. (Je ne sais si j'ai dit que le pastiche en était le motif). Seulement cet entretien je sens maintenant qu'il vaut mieux l'éviter. Voici pourquoi. Vous me demanderiez de supprimer le passage sur vous que mon pastiche subsisterait. Au contraire les prétentions des Murat rappelées à dix reprises, forment l'affabulation même du

pastiche, si bien que les supprimer ce serait l'anéantir. Un entretien où je ne pourrais lui donner satisfaction (satisfaction que je ne lui *dois* pas, car elle *n'est visée en rien*) ne pourrait être que funeste. Je ferai donc probablement ceci ; en exhalant la rage de Saint-Simon contre les Murat j'y ajouterai quelques paroles aimables pour la princesse Marie (que je trouve d'ailleurs charmante et dont cela ne peut que me faire plaisir de dire du bien). Je pense qu'en les lisant dans le livre (ce serait d'ailleurs une simple phrase) elle sera contente. Si elle ne l'est pas et prend parti pour les Murat, je lui dirai que je croyais qu'elle s'en fichait, et si cela ne suffit pas, c'est moi qui me ficherai du tout. Mais je vous en prie pas un mot de Saint-Simon d'ici là. (*Ibid.* lettre CX, pp. 210-211.)

[11 novembre 1918] :

> [...] vous savez que vous figurez dans mon Saint-Simon, je crois que vous serez contente de cette page, que j'espère du reste arranger sur épreuves. Certaines gens seront moins contents comme la princesse Murat, la duchesse de Montmorency, M. de Fels, l'infant d'Espagne etc. Mais il faut que vous gardiez le secret de tout cela. Ce sera assez d'avoir des rancunes après. Avant, cela empêcherait tout. (*Ibid.* lettre CXI, p. 215.)

[novembre 1918] :

> Je n'ai pas encore les épreuves des pastiches où il est question de vous et que je ne pourrai du reste vous prêter qu'un jour. Je parle du reste à peine de vous (à peine relativement car je pense que cela fait bien une page) mais sur le ton qu'il faut il me semble et que j'emploie souvent dans le monde quand je parle de vous. Moins désabusé des vanités quand il s'agit de vous que vous-même, j'aime assez à éblouir ceux des gens des milieux Harcourt, Boisgelin, jeunes Arenberg etc. que vous n'avez pas eu l'occasion de voir, en leur représentant les rois et les reines assiégeant votre porte que vous tenez fermée pour essayer de dormir. Et j'ai essayé de marquer cela dans le pastiche de Saint-Simon en disant que les princesses du Sang vont chez vous sans que vous vous dérangiez pour leur rendre leur visite et (autant que je me rappelle ces lignes écrites il y a déjà assez longtemps et dont je n'ai pas le double) que sous un prétexte de maladie tourné en privilège vous ne reconduisez pas la Dauphine (la duchesse de Bourgogne) quand elle vient vous voir. Tout cela n'est naturellement pas développé, vous pensez le peu de place qu'on a dans un pastiche, d'autant plus que trop de raisons artistiques forcent à en donner surtout (de la place) à des noms du six-septième siècle. Sans cela ce n'est plus un pastiche de Saint-Simon. Mais comme je compte écrire de longues choses sur vous (et celles-là sur le fond de la personne) cela ne m'en a pas moins amusé, en attendant, de vous laisser apercevoir ainsi de biais, dans cette foule Louis Quatorze. (*Ibid.*, lettre CXII, pp. 218-219.)

Suivent encore différentes lettres (*Ibid.*, lettres CXV à CXVIII, de novembre 1918 à juillet 1919) dans lesquelles Proust promet une version « adoucie » du portrait, remercie de l'autorisation qui lui est accordée, et assure après la publication qu'il n'a « pas changé une virgule » au texte convenu.

Les manœuvres seront les mêmes avec la princesse Soutzo (cf. n. 111). Pour Mlle Asquith, que le prince Antoine Bibesco était venu lui présenter dans sa chambre comme sa fiancée, il renverra même chercher les épreuves pour ajouter son portrait (cf. n. 129). Emporté par son ardeur, Proust annonça à ses correspondantes qu'il parlerait plus longuement d'elles dans un second pastiche de Saint-Simon qui paraîtrait dans un « volume suivant des pastiches » (*CG*, VI, pp. 256-257, 263 ; *LR*, n° 48) ; il annonce d'ailleurs cette suite dans le pastiche lui-même (Cf. *infra*, p. 268). Le volume ne vit jamais le jour, pas la moindre trace d'ébauche n'existe dans les manuscrits de la Bibliothèque Nationale. Nous avons pu questionner la princesse Soutzo par l'intermédiaire de M. Paul Morand : ni l'un ni l'autre ne savent rien sur la suite réservée à ce projet. Il est fort probable qu'il ne fut jamais effectivement repris. C'est lui néanmoins qui explique la formule « à suivre » rajoutée sur les épreuves du présent pastiche.

Remarquons que la composition du texte, à partir de trois noyaux différents, nés à des époques différentes, puis ajustés et combinés entre eux, avec des additions nombreuses, parfois déplacées d'un endroit à un autre, est exactement du même type que celle de la *Recherche* : les différentes parties, d'abord indépendantes, sont assemblées comme les robes ou comme le bœuf mode de Françoise (*RTP*, III, 1033-1035), sans souci de continuité dans la création. L'unité se trouve à un autre niveau, celui de la vision et des procédés formels.

PROUST IMITATEUR DE SAINT-SIMON

L'OPTIQUE DE SAINT-SIMON. — Des thèmes de son modèle, Proust a retenu ce qui correspondait à ses propres préoccupations. Les préjugés nobiliaires et les questions de préséance, qui tiennent une place capitale dans les *Mémoires*, reçoivent dans le pastiche la même importance. L'habileté est d'avoir trouvé dans la haute société du début du vingtième siècle des équivalents des personnages saint-simoniens, dans leurs propres descendants, ou dans des couches nouvelles pleines de « prétentions ». Tout semble rouler sur ces questions de « main », de « tabouret », de « carreau » à l'église.

A cette occasion, Proust évoque de nombreux usages disparus : la housse, le carreau, le Pour, le Monseigneur, le traversement du parquet, les baguettes, etc. Il a été aussi frappé par les mœurs que décrit Saint-Simon, et il lui emprunte ses histoires de complots, d'empoisonnements, d'escroqueries, de sodomie, d'inceste. Il cueille ses récits dans les endroits les plus divers des *Mémoires* : le duc d'Orléans se trouve, curieusement, présenté tantôt comme du vivant de Louis XIV, tantôt comme régent ; Louis XIV est tantôt le Roi, tantôt « le feu Roi », au hasard des emprunts.

Le regard porté sur la société (cf. Yves Coirault, *L'Optique de Saint-Simon*) est profondément pessimiste, et Proust ne manque pas de l'adopter. Il signale dans ses notes, comme à « ne pas oublier » (*Carnet 3*, f. 47 r°), le passage « Tout s'avilit... », en insistant d'ailleurs ironiquement sur la cause de ces lamentations dignes de *L'Ecclésiaste* : « à cause de la gangrène de dire l'électeur ».

LES PORTRAITS. — Proust adopte la pratique des portraits qui interrompent le récit. Certains sont imités directement : ceux du duc de Noailles, des duc de Mortemart et de Chevreuse. D'autres rapportent à un personnage moderne des portraits saint-simoniens : le prince de Conti fournit de nombreux éléments aux portraits de Montesquiou et de Guiche. D'autres résultent d'une contamination de plusieurs modèles : ainsi le duc d'Orléans, dont la plupart des traits sont authentiques, reçoit-il en plus de son lot l'ignorance des rangs et des naissances, que Saint-Simon reproche dans la réalité à Louis XIV en personne. Les principaux passages des *Mémoires* mis à contribution sont (d'après l'édition de la Pléiade) :

> III, ch. IV (1709) : Portrait du prince de Conti lors de sa mort ;
> III, ch. XXI (1709) : Les prétentions de l'Electeur de Bavière, venu incognito à Paris ;
> III, ch. XXIII et XXIV (1710) : Remontrances de Saint-Simon au duc d'Orléans pour lui faire quitter Mme d'Argenton ;
> IV, ch. XL et XLI (1715) : Portrait du duc d'Orléans et de sa famille, à la mort de Louis XIV ;
> IV, ch. LI, LIV, sqq. (1715) : Portrait de Louis XIV.

Les autres sont dispersés dans l'œuvre entière, mais il ne semble pas que Proust ait eu une connaissance exhaustive de celle-ci. S'il avait lu, par exemple, l'épisode de 1717 sur l'introduction en Europe du diamant « le Régent », il est peu probable qu'il l'eût négligé (cf. *Mém.*, V, 657-659).

Enfin sont forgés par imitation partielle, ou de toutes pièces, les nombreux portraits modernes qui permettent à Proust d'égratigner ou de couvrir d'éloges ses contemporains. En 1904, il s'agissait uniquement de personnes ayant des ancêtres nommés dans les *Mémoires* (avec une exception pour Yturri) ; puis il introduisit « la bonne femme Blumenthal » parce qu'elle entrait dans la maison de Talleyrand ; puis les Murat et des nobles d'Empire, parce qu'ils offraient l'« exacte transposition » des prétentions des princes étrangers au temps de Saint-Simon. Mais à la fin, Proust se livre à une opération mondaine : non content de mentionner sa très ancienne amie Mme Straus, et la princesse Soutzo, à qui il adresse à l'époque de fervents hommages, il énumère les membres du cercle mondain auquel il appartient, des diplomates anglais, ou des personnages prestigieux du Tout-Paris comme le marquis Boni de Castellane. Il y ajoute Olivier Dabescat, maître d'hôtel du Ritz, qu'il comblait de ses prévenances et largesses. Evocations plus proustiennes, sans doute, que saint-simoniennes. Le duc ne décernait jamais de louanges qu'à fonds perdus, puisque les *Mémoires* ne devaient paraître qu'après sa mort, et pour lui, un maître d'hôtel n'était pas un homme « qui se pût nommer ». Mais Proust a des vues moins lointaines ; il veut plaire à ses amis et assurer le succès immédiat de son livre : « *Pastiches et Mélanges,* écrit-il, se lira d'autant plus que toute une partie de la société parisienne paraît dans le *Pastiche de Saint-Simon* » (*CG*, V, lettre XXVI à Walter Berry, p. 53).

LE PASTICHE DU STYLE. — Au point de vue de l'expression, il a beaucoup retenu le vocabulaire de Saint-Simon. Il multiplie non seulement les mots d'époque (bonne femme, incontinent, chimie, mander, menin, dame d'atour), mais les termes particuliers au mémorialiste ou que celui-ci prend dans un sens qui lui est propre (parvulo, unisson, cavillations, sproposito, disparate, princerie). Il lui emprunte un grand nombre d'images (chimères, gangrène, écumer, tours de gobelets, faire éclater la bombe, un fumet d'affaires, prostitution, faire des trous dans la lune, etc.). Il retient son trésor d'adjectifs péjoratifs appliqués aux diverses « prostitutions » : étrange, inouï, honteux, déplorable, osé, énorme, curieux, abominable, etc. Il conserve des formes de mots nettement archaïsantes : breline, ployant, Hongrie et Hollande avec un *h* muet. Il use de ses raccourcis d'expression : oser la housse, chimère de prince étranger, complaisance de l'eau bénite.

Il souligne comme lui les traits les plus forts par de fréquentes incises du genre de : « disons le mot », « si j'ose dire », « ce furent là mes termes ». Il use de ses formules de rappel (« comme j'ai souvent dit », « qui a été marqué en son lieu ») ou d'anticipation (« duquel il sera souvent question dans la suite de ces *Mémoires* »).

Il reproduit les constructions saint-simoniennes, substantive volontiers les adjectifs (« le réel », « le consistant », « l'intrinsèque »), met au superlatif des mots comme *principal* et *premier* (« ses valets les plus principaux », « très des premières »), met le participe présent au comparatif (« plus prétendant au contraire »), détache en fin de phrase des adjectifs, loin du nom auquel ils se rapportent (« Succès remportés par les Impériaux devant Château-Thierry, fort médiocres »), coordonne des éléments normalement subordonnés (« avec force éloges, et très mérités »), emploie l'infinitif après *par, jusqu'à* (« par vouloir la mort », « jusqu'à y parvenir »), le relatif neutre sans antécédent exprimé (« se fit appeler duchesse de Montmorency, dont elle ne fut pas plus avancée »), éloigne le relatif de son antécédent (« j'envoyai un gentilhomme le prier de les faire reculer, à qui il fut répondu [...] »), emploie les anaphoriques de façon obscure (« les droits des ducs, tant qu'il n'est pas touché à eux »), utilise l'ancienne construction de *comme qui* (« me vinrent avertir, comme qui avait au cœur [...] »). Il utilise comme lui des phrases très elliptiques, comme celle qui énumère les participants au parvulo de Saint-Cloud (cf., p. 272) ; mais aussi des phrases longues, dont l'espèce n'est pas le moins du monde étrangère à Saint-Simon : il le fait, par exemple, dans l'exhortation du duc d'Orléans ; mais dans le passage correspondant des *Mémoires* (III, 362-363), on lit successivement une phrase de vingt-quatre et une de quarante lignes. Proust a donc saisi dans la diversité de ses aspects cette langue et ce style dont Saint-Simon lui-même reconnaissait le caractère peu académique :

> Dirais-je enfin un mot du style, de sa négligence, de répétitions trop prochaines des mêmes mots, quelquefois de synonymes trop multipliés, surtout de l'obscurité qui naît souvent de la longueur des phrases, peut-être de quelques répétitions ? J'ai senti ces défauts ; je n'ai pu les éviter, emporté toujours par la matière, et peu attentif à la manière de la rendre, sinon pour la bien expliquer. (*Mém.* VII, 399.)

Ce qu'il évite surtout de faire, c'est de reproduire textuellement Saint-Simon : il modifie toujours l'agencement et le contexte des éléments qu'il lui emprunte.

SAINT-SIMON DANS LES « PASTICHES » ET DANS LA « RECHERCHE »

Préparé et rédigé en même temps que la grande œuvre, le pastiche de Saint-Simon a de nombreux points de contact avec elle. Le brouillon 1 voisine dans le *Cahier LII* avec un fragment de *Sodome et Gomorrhe* (la soirée chez la princesse de Guermantes), les autres brouillons, dans le *Cahier LVI*, avec des fragments de *La Fugitive*. Le contenu du pastiche est surtout proche du *Côté de Guermantes* et de *Sodome et Gomorrhe,* les parties les plus « mondaines » de l'œuvre ; c'est dans leurs volumes que prennent place les grandes réceptions de la *Recherche* : la matinée chez Mme de Villeparisis, le dîner chez la duchesse de Guermantes, la soirée chez la princesse de Guermantes, la soirée à la Raspelière chez les Verdurin ; c'est au cours de ces réunions que le Narrateur découvre véritablement le monde. C'est dans leurs pages qu'apparaît la noblesse d'Empire, représentée surtout par le prince de Borodino, capitaine de Saint-Loup à Doncières. C'est là qu'apparaît la dépravation de la société, et que le baron de Charlus se révèle doublement comme un personnage saint-simonien : par ses « goûts » et par son « savoir juste et étendu » sur les naissances et les généalogies, sa manie des préséances.

Divers passages de la *Recherche* correspondent exactement à certains passages du pastiche. Nous les signalons dans nos notes. D'autres n'y ont pas de correspondant exact, mais se réfèrent à des faits ou à des usages semblables : le Monseigneur (RTP, I, 575), le mépris de la noblesse d'Empire par l'ancienne noblesse (I, 338 ; II, 79, 129, 218, 518-522, 619), la « main » (I, 26 ; II, 436), les énumérations d'ancêtres et de titres (II, 1089-1090), les débauchés (III, 303-304). D'autres évoquent directement Saint-Simon, sans rapport avec le pastiche. D'assez nombreux, par exemple, évoquent Louis XIV, qui n'y était que mentionné. Le duc de Guermantes, le baron de Charlus, se sentent tenus d'imiter sa politesse, sa ponctualité (*RTP*, II, 417, 435-537). Le prince de Guermantes (imitant en cela l'attitude dans la vie d'un personnage réel introduit dans le pastiche : Aimery de La Rochefoucauld) faisait une scène à chaque dîner « parce qu'il n'avait pas eu à table la place à laquelle il aurait eu droit sous Louis XIV » (*RTP*, II, 570-571).

Proust choisit souvent pour ses noms de grandes familles des noms saint-simoniens. H. de Ley constate, dans *Marcel Proust et le duc de Saint-Simon*, que sur quelque quatre cents personnages aristocratiques du roman, presque la moitié portent des noms apparaissant dans les *Mémoires*. Le rêve proustien sur les grands noms n'est sans doute pas né de la lecture de Saint-Simon, mais cette lecture l'a certainement entretenu et développé.

Proust imite aussi, en certains endroits de la *Recherche,* la langue de Saint-Simon. Les personnages à qui il la prête ordinairement sont aux deux extrémités de la chaîne sociale, la duchesse de Guermantes, avec son goût volontaire et « terrien » des archaïsmes, et Françoise, chez qui ce parler est naturel :

> [...] elle disait que je « balançais » toujours, car elle usait, quand elle ne voulait pas rivaliser avec les modernes, du langage même de Saint-Simon. (II, 69.)

D'autres personnages archaïsent également, notamment Brichot, qui dit du baron de Charlus qu'il sait « découper un rôti comme personne » (III, 283). Mais Proust se méfie de l'archaïsme qui n'est pas spontané :

> Ce n'est pas dans les froids pastiches des écrivains d'aujourd'hui qui disent *au fait* (pour en *réalité*), *singulièrement* (pour en *particulier*), *étonné* (pour *frappé de stupeur*), etc., etc., qu'on retrouve le vieux langage et la vraie prononciation des mots, mais en causant avec une Mme de Guermantes ou une Françoise. (III, 34.)

Lui-même, d'ailleurs, trouve parfois naturellement sous sa plume des expressions qui pourraient être celles du mémorialiste, dans l'accumulation d'adjectifs hétérogènes d'un portrait : « le doyen de Doville, homme chauve, éloquent, chimérique et gourmet » (II, 937), ou dans une construction syntaxique fortement condensée :

> [...] en dormant j'avais rejoint sans effort un âge à jamais révolu de ma vie primitive, retrouvé telle de mes terreurs enfantines comme celle que mon grand-oncle me tirât par mes boucles et qu'avait dissipée le jour — date pour moi d'une ère nouvelle — où on les avait coupées. (I, 4.)

CONCLUSION

Le pastiche de Saint-Simon nous apparaît donc comme un jeu littéraire et stylistique, comme une œuvre parallèle à la *Recherche,* et comme une opération mondaine : nous avons vu les étapes de cette création, mêlée étroitement à celle de l'œuvre principale. Il ne serait pas injuste de dire qu'il y a eu, dans la formation littéraire de Proust, un « cycle Saint-Simon » après le « cycle Ruskin » : après la tentation de l'idolâtrie esthétique, celle de l'idolâtrie mondaine. Certes, Proust avait découvert et éprouvé le snobisme bien plus tôt, mais Saint-Simon lui en a fourni une vaste illustration, a offert un aliment de choix à ses rêves, puis l'a amené à constater la fragilité de l'édifice mondain dans une aristocratie décadente et, par conséquent, la fragilité du snobisme lui-même.

Les deux œuvres, pastiche et roman, se ressemblent par des procédés de composition souvent voisins. Elles procèdent d'un même regard porté sur la société, ses « ressorts », ses vices, sa transformation. Mais le regard du pseudo-Saint-Simon, comme celui du véritable, se fige sur les questions de rang et de préséance. L'homme reste prisonnier des mécanismes qu'il dévoile : l'un des éléments du comique dans le pastiche, et non des moindres, consiste à mettre en relief la mesquinerie de cette optique. Dans le roman, Proust jette aussi ce regard perçant et réprobateur sur la société, mais il n'en reste pas là. Il échappe au « tout est vanité », dernier mot du mémorialiste, par l'expérience des moments privilégiés, des correspondances intuitives entre la vie présente et le passé, et par la recherche des lois qui régissent le comportement des individus. Il dépasse le social par le psychologique. Dans les dernières pages, le Narrateur entrevoit les grandes lignes de son œuvre future. Elle ne sera pas les *Mémoires* de Saint-Simon de son époque, car « on ne peut refaire ce qu'on aime qu'en le renonçant ». Mais elle sera « la récréation par la mémoire d'impressions » qu'il lui faudra ensuite « approfondir, éclairer, transformer en équivalents d'intelligence » (III, 1043-1044).

NOTE SUR LE TEXTE

Les documents sont nombreux pour ce long pastiche. Dans l'ordre chronologique, la Bibliothèque Nationale possède le manuscrit de « Fête chez Montesquiou à Neuilly », l'article du *Figaro,* une plaquette hors commerce reproduisant ce dernier, des notes des *Carnets* préparant le pastiche de 1919, des brouillons de ce pastiche, le manuscrit autographe, les placards corrigés de *Pastiches et Mélanges.*

FÊTE CHEZ MONTESQUIOU A NEUILLY
(EXTRAIT DES MÉMOIRES DU DUC DE SAINT-SIMON.)

Le manuscrit autographe de cet article se trouve classé dans le dossier *Articles critiques* du fonds Proust, dont il constitue les ff. 13 à 18. Les ff. 13 à 17, feuillets simples de format 23 × 18 cm, écrits au recto seulement, sont paginés par Prouts de 1 à 4, avec une page 3 bis (f. 16). Ils donnent un texte présentant d'assez nombreuses différences de détail avec l'article imprimé.

Le f. 18, de format 22 × 17 cm, est l'envers d'une feuille de papier de deuil : il contient le brouillon d'une note rectificative sur l'article, destinée au *Figaro.* Cependant le journal ne présente aucune trace d'une telle note dans les premiers mois de 1904.

L'article lui-même se trouve dans *Le Figaro* du 18 janvier 1904, p. 3, dans la rubrique *Salons parisiens.* Il occupe trois demi-colonnes, et est signé Horatio. Le post-scriptum du manuscrit n'est pas reproduit. C'est peut-être ce qui explique le projet de note rectificative.

Une plaque brochée hors-commerce, in-4°, publiée en cinquante exemplaires sur Hollande, sans lieu, ni date, ni nom d'auteur (mais également signée : Horatio) reproduit en douze pages le texte de *Fête chez Montesquiou* (Bibliothèque Nationale, cote Réserve p. Y². 1585).

LES NOTES DES CARNETS

Les Carnets 2, 3 (principalement) et 4 contiennent de nombreuses citations de Saint-Simon, et une de Mme de Sévigné, dont la plupart sont utilisées dans le pastiche de 1919, et dans celui-ci seulement : une seule allusion rapproche Saint-Simon et Montesquiou (*Carnet* 3, f. 25 r°), mais rien ne permet de conclure qu'elle est antérieure à l'article de 1904. Ces citations sont très dispersées, et faites au hasard des lectures. Cependant les ff. 25 et 27 du *Carnet* 3 en donnent des listes suivies, sur des feuilles distinctes collées dans le carnet.

LES BROUILLONS

On les trouve dans les *Cahiers* LII et LVI. Ils sont très fragmentaires, et concernent le pastiche de 1919. Ils forment les noyaux primitifs de ce second pastiche : seuls sont nommés parmi les contemporains de Proust le duc de Guiche (dont les ancêtres figurent d'ailleurs dans les *Mémoires*) et le prince Murat. Les autres ont été cités plus tardivement, sous forme de digressions introduites dans le manuscrit définitif, et surtout sur les épreuves.

BROUILLON 1 :

Il se trouve dans le *Cahier LII,* ff. 23 rº à 28 rº (rectos seulement). Il contient l'esquisse du début (sauf le résumé liminaire) et replace l'Affaire Lemoine dans un cadre purement saint-simonien. Il correspond :

— aux ff. 71 à 79 de « *Ms. aut.* » ;
— aux pages 59 (ligne 13) à 63 (l. 27) de *Pastiches et Mélanges* ;
— aux pages 257 (l. 11) à 261 (l. 24) de la présente édition.

BROUILLON 2 :

Il se trouve dans le *Cahiers LVI*, ff. 60 à 65 (rectos seulement). Le texte fait suite à celui du brouillon 1, jusqu'au conseil donné au Régent d'arrêter Lemoine. Le seul autre contemporain de Proust nommé est le duc de Guiche. Ces pages correspondent :

— aux ff. 79 à 86 de « *Ms. aut.* » ;
— aux pages 63 (l. 27) à 66 (l. 25) de *P.M.* ;
— aux pages 262 (l. 1) à 264 (l. 23) de la présente édition.

Mais la fin du brouillon (titres et mérites du duc de Guiche) se trouve reportée à la fin du pastiche définitif :

— pp. 109-110 de « *Ms. aut.* » ;
— p. 83 (l. 8 à 31) de *P.M.* ;
— pp. 283 (l. 28) à 285 (l. 1) de la présente édition.

BROUILLON 3 :

Cahier LVI, ff. 57 à 59 (rectos). Nous le classons sous ce numéro parce qu'il n'entre pas dans la continuité de texte des brouillons 1 et 2. Il contient un développement distinct, sur les prétentions du prince Murat, et Lemoine n'y est pas cité, ni les autres personnages des brouillons précédents, à l'exception du Régent. Il correspond à différents passages du pastiche définitif :

— aux ff. 84, 88 à 90 de « *Ms. aut.* » ;
— aux pp. 66 (l. 11-15), 68 (l. 28) à 69 (l. 25) de *P.M.* ;
— aux pp. 264 (l. 12-16), 267 (l. 10) à 268 (l. 13) de la présente édition.

Le f. 59 de ce brouillon est déchiré à la sixième ligne, et sa partie inférieure se retrouve dans « *Ms. aut.* », collée au f. 90. D'autre par les ff. 91 à 93 de « *Ms. aut.* » sont aussi des pages arrachées au *Cahier LVI* : on le reconnaît à la forme identique d'écriture et aux feuilles de cahier, qui sont à angles droits dans *LVI*, arrondis dans « *Ms. aut.* » ; le thème en est toujours les prétentions de Murat. On reconnaît dans cette composition par fragments provenant de rédactions différentes un procédé cher à Proust.

BROUILLON 4 :

Cahier LVI, ff. 66 r°. C'est une autre page sur la famille Murat : elle a été rédigée entre celles qui, arrachées et insérées dans « *Ms. aut.* », y forment les ff. 92 et 93. Outre la similitude de papier, d'écriture et de thème traité, on constate que Proust a recopié au bas de f. 92 de « *Ms. aut.* » les premiers mots de ce brouillon (« ...les plus grandes alliances ». Fin de phrase.) et en **msg** de f. 93 de « *Ms. aut.* » le dernier mot de cette page (« L'affaire... », début de phrase.)

Cette feuille est presque entièrement raturée. Le passage biffé est repris et développé dans « *Ms. aut.* » aux ff. 105 à 108 (pp. 280, l. 14, à 282, l. 14) de la présente édition). Une longue addition marginale à gauche, non biffée, sur les Murat de Mingrélie, n'est pas reprise dans « *Ms. aut.* », mais l'est sur les placards. C'est un nouvel exemple du travail de mosaïque auquel se livre Proust en composant.

LE MANUSCRIT

Il est constitué par les ff. 71 à 116 (rectos) de « *Ms. aut.* », paginés par Proust de 1 à 46. Ce sont en général des feuilles de cahier détachées, de format 21,5 × 17 cm. Un certain nombre de particularités sont à signaler :

— les ff. 90 à 93 proviennent directement d'un brouillon antérieur (voir ci-dessus : Les Brouillons) ;

— les ff. 96 à 100 sont une dactylographie de l'article de 1904, amputé de son début et de sa fin pour permettre les raccordements. F. 96 est un fragment dactylographié de 17 × 13 cm collé sur une feuille de cahier ; ff. 97 à 100 sont de grandes pages de 21 × 26,5 cm. Le dernier feuillet de la dactylographie manque, et l'on passe, selon la pagination proustienne, de f. 30 à f. 32 (tandis que la Bibliothèque Nationale pagine 100 et 101). Nous signalons dans l'apparat critique le début et la fin de la dactylographie ;

— quelques pages se présentent en fragments : pour f. 90, cf. ci-dessus, *Brouillon 3* ; ff. 107 et 108 sont deux morceaux d'une même page, numérotés d'ailleurs par la Bibliothèque Nationale dans l'ordre inverse de leur véritable succession ; une partie des ff. 113 et 114 est formée par des fragments collés sur les pages de cahier.

LES PLACARDS

Ce pastiche recouvre une partie des placards 4 et 6, et le placard 5 en entier. Les corrections et additions sont extrêmement nombreuses, notamment sur 5 et 6 ; les plus développées évoquent des contemporains de Proust (les Murat, la princesse Soutzo, Mlle Asquith, Mme de Noailles, milord Derby, Olivier Dabescat, le marquis de Castellane, le comte et la comtesse de Beaumont). Deux de ces additions sont faites sur des papiers collés recouvrant des additions marginales antérieures.

LE TEXTE DE « PASTICHES ET MÉLANGES »

Il présente de nombreuses différences de détail, de brèves additions surtout, avec les placards. Ce sont probablement des additions sur de nouvelles épreuves. Mais le texte définitif lui-même est beaucoup plus incertain que celui des pastiches précédents, et Proust a dû se relire très hâtivement. En plusieurs endroits, il n'a pas rectifié une mauvaise lecture de l'imprimeur rendant le texte obscur, faisant contre-sens ou déformant un nom propre ; il a, comme de coutume, prêté peu d'attention à la ponctuation. Nous avons, en nous aidant du manuscrit, corrigé les erreurs patentes et rendu la ponctuation plus cohérente. Pour l'emploi des majuscules dans les titres nobiliaires, nous avons suivi l'usage normal des textes imprimés : dans son manuscrit, Proust a constamment employé les majuscules, mais l'imprimeur, lui, a généralisé les minuscules même dans des mots comme le Roi (pour le roi de France), le Régent, etc., sans que l'auteur le corrige.

Dans un cas particulier, p. 281, l. 1-2, une ligne du manuscrit a été sautée dans le placard, et n'a pas été rétablie lors de la correction : « Le courtisan en frémit à Versailles, tous ». Cf. note 186.

La mention finale « (à suivre) » n'apparaît que dans *Pastiches et Mélanges*. Elle est probablement en rapport avec le projet annoncé par Proust de faire un nouveau pastiche de Saint-Simon.

Nous présentons successivement :

1° *Fête chez Montesquiou à Neuilly,* avec, au-dessous du texte, le texte intégral du mansucrit ;

2° les notes prises dans les *Carnets* ;

3° les brouillons ;

4° le texte définitif et corrigé avec, en apparat critique, les variantes du *Figaro,* de « Ms. aut. », des placards et du texte de *Pastiches et Mélanges* lorsque celui-ci a dû être rectifié.

Nous plaçons entre crochets doubles aussi bien les additions faites sur épreuves que celles qui n'apparaissent que dans le texte définitif. Par souci d'unité, nous conservons ces signes bien qu'il n'y ait pas pour ce pastiche de crochets simples correspondant à des additions sur coupures du *Figaro.*

LE « FIGARO » DU 18 JANVIER 1904

(page 3)

SALONS PARISIENS

FÊTE CHEZ MONTESQUIOU A NEUILLY

(Extraits des *Mémoires* du duc de Saint-Simon)

Peu de jours après, Montesquiou me pria à sa maison de Neuilly[1], proche de celle de M. le duc d'Orléans, qu'il me voulait faire voir. J'y fus avec les ducs de Luynes, de Noailles, de Lorges, de Gramont, les duchesses de La Rochefoucauld et de Rohan[2]. Il était fils de T. de

5 Montesquiou qui était fort dans la connaissance de mon père et dont j'ai parlé en son lieu, et l'homme le plus d'esprit que j'aie connu, avec un air de prince comme à pas un, la figure la plus noble, tantôt fort souriante et tantôt fort grave, à quarante ans la tournure d'un homme de vingt, le corps élancé, ce n'est pas assez dire, cambré et comme renversé en

10 arrière, qui se penchait à vrai dire quand il lui en prenait fantaisie en grande affabilité et révérences de toutes sortes, mais revenait assez vite à sa position naturelle qui était toute de fierté, de hauteur, d'intransigeance à ne plier devant personne et à ne céder sur rien, jusqu'à marcher droit devant soi sans s'occuper du passage, bousculant sans paraître le voir, ou s'il

---

Manuscrit (Bibliothèque Nationale, *Articles critiques*, ff. 13 à 18, r°) [**f. 13, r°**]
Peu de jours après Montesquiou *m'invita à   me invita   + | s me pria |*
à *voir* sa maison de Neuilly | s proche de celle de M. le Duc d'Orléans | qu'il
me voulait *montrer* | s faire voir |. J'y fus avec les Ducs de Luynes, de Noailles,
de Lorges, de Gramont, les Duchesses de *Fezensac* | i Luynes | S La Roche-
foucauld | et de Rohan. Il était fils de T. de Montesquiou qui était fort dans
la connaissance de mon père et dont j'ai parlé en son lieu, *pour lui* | s et |
l'homme le plus d'esprit que j'aie connu avec un air de prince comme à pas un,
avec une | s la | figure *fort* la plus noble tantôt fort souriante et tantôt fort
grave, à quarante ans la tournure d'un homme de vingt, le corps élancé ce n'est
pas assez dire cambré et comme renversé en arrière, qui se penchait à vrai dire
quand il *le* | sc lui | *voulait* | s en | prenait fantaisie en *de* grande affabilité
| s et révérences de toutes sortes mais | mais revenait assez vite à sa position
naturelle *qu'il gardait le plus souvent*, qui était | s toute | *de hau* fierté, de
hauteur, d'intransigeance à ne plier devant personne et à ne céder sur rien,
jusqu'à marcher droit devant soi sans s'occuper du passage, bousculant sans

voulait fâcher, montrant qu'il le voyait, qui était sur le chemin, avec un
grand empressement toujours entour de lui des gens des plus de qualité et
d'esprit à qui parfois il faisait sa révérence de droite et de gauche, mais le
plus souvent leur laissait, comme on dit, leurs frais pour compte, sans les
5   voir, les deux yeux devant soi, parlant fort haut et fort bien à ceux de
sa familiarité qui riaient fort de toutes les drôleries qu'il disait, et avec
grande raison, comme j'ai dit, car il était spirituel au-delà de ce qui se
peut imaginer. Il joignait à cela l'esprit le plus grave, le plus singulier, le
plus brillant, avec des grâces qui n'étaient qu'à lui et que tous ceux qui
10   l'ont approché ont essayé, souvent sans le vouloir et parfois même sans
s'en douter, de copier et de prendre, mais pas un jusqu'à y réussir, ou à
autre chose qu'à laisser paraître en leurs pensées, en leurs discours et
presque dans l'air de l'écriture et le bruit de la voix qu'il avait toutes deux
fort singulières et fort belles, comme un vernis de lui qui se reconnaissait
15   tout de suite et montrait par sa légère et indélébile surface, qu'il était
aussi difficile de ne pas chercher à l'imiter que d'y parvenir. Nous parlerons
en son temps de ses vers, qu'il n'y a presque aucun divertissement à
Versailles, à Sceaux et ailleurs, qui ne s'en pare. Et depuis quelques années, comme les duchesses ont accoutumé de s'y rendre, les femmes de la
20   ville les imitent par une mécanique connue, en faisant venir des comédiens qui les récitent, dans le dessein d'en attirer quelqu'une, dont beaucoup iraient chez le Grand Seigneur, plutôt que de ne pas les applaudir.

---

paraître le voir ou, s'il voulait fâcher, montrant qu'il le voyait *sur ceux*, qui était
sur le chemin, avec un grand empressement toujours autour de lui des gens de
plus | s de | qualité et d'esprit à qui parfois il *donnait   tirait* | i faisait | sa
révérence de droite et de gauche mais le plus souvent leur [**f. 14, rº**] laissait
leurs frais pour compte sans les voir, les | s deux | yeux *droits* devant lui, | s
fort loin, continuant de | *parlant* | sc parler | fort haut et fort bien à ceux
de sa familiarité qui l'accompagnaient et qui *riaient fort* | s *se pâmaient* | I se
pâmaient | de toutes les drôleries qu'il disait, et avec grande raison *car comme*
| i comme | j'ai dit | i car | il était spirituel au-delà de ce qui se peut imaginer.
Il joignait à celà l'esprit le plus *juste   grave*, le plus vif, le plus *juste* | s
brillant |, *le plus profond, le plus à lui*, avec des grâces qui n'étaient qu'à lui
et que tous ceux qui l'ont approché ont essayé, *parf   souvent sans* | s souvent
sans | le vouloir et parfois sans | i même | *s'en a*   qu'ils s'en aperçussent, de
copier et de *prendre* | s prendre |, mais *toujours sans*   pas un jusqu'à y réussir
ou à autre chose qu'à laisser paraître en leurs *discours*, idées, en leur discours,
jusque dans l'air de l'écriture et le bruit de la voix | s qu'il avait toutes deux
fort singulières et fort belles | comme un vernis de lui qui se reconnaissait tout
de suite, *le   brillant mais léger et qui laissait voir   et prouvait* | s montrait
par sa légère mais indélébile surface | qu'il était aussi difficile de ne pas chercher
à l'imiter que d'y parvenir. Nous parlerons en son temps de ses *poésies* | s vers |
qu'il n'y a presque aucun divertissement à Versailles à Sceaux et ailleurs qui ne
s'en pare. Et *comme maintenant* | s depuis quelques années | comme les du-
chesses ont accoutumé de s'y rendre, les femmes de la ville *veulent* les *imiter*
| sc imitent | en *les*   faisant venir des comédiens qui les *disent*   récitent,
dans l' | sc le | *espoir* | s dessein | aussi d'en attirer quelqu'une ; dont beau-
coup iraient chez le Grand *Turc* | s *Seigneur   Seigneur* | *pour* | i plutôt que
de ne pas | les entendre et de ne pas les applaudir. Il n'y avait ce jour-là nulle

Il n'y avait ce jour-là nulle récitation en sa maison de Neuilly, mais le concours, comme il n'y avait que chez lui, tant des poètes les plus fameux que des plus honnêtes gens et de la meilleure compagnie, et, de sa part, à chacun, et devant tous les objets de sa maison, une foule de propos
5 qu'il avait admirables, dans ce langage si particulier à lui que j'ai dit, avec des traits forts nombreux et fort singuliers comme un seul eût suffi à orner une comédie, dont chacun restait émerveillé.

Il avait souvent auprès de lui un Espagnol dont le nom était Yturri et que j'avais connu lors de mon ambassade à Madrid, comme il a été
10 rapporté. En un temps où chacun ne pousse guère ses vues plus loin qu'à faire distinguer son mérite, il avait celui, à la vérité fort rare, de mettre tout le sien à faire mieux éclater celui de ce comte, à l'aider dans ses recherches, dans ses rapports avec les libraires, jusque dans les soins de sa table, ne trouvant nulle tâche fastidieuse si seulement elle lui en épar-
15 gnait quelqu'une, la sienne n'étant, si l'on peut dire, rien qu'écouter et faire retentir au loin les propros de Montesquiou, comme faisaient ces disciples ou'avaient accoutumé d'avoir toujours avec eux les anciens sophistes, ainsi qu'il appert des écrits d'Aristote et des discours de Platon. Cet Yturri avait gardé la manière bouillante de ceux de son pays, lesquels à propos de
20 tout ne vont pas sans tumulte, dont Montesquiou le reprenait fort souvent et fort plaisamment, à la gaîté de tous et tout le premier d'Yturri même, qui

---

récitation à sa maison de Neuilly mais le concours le [**f. 15, r°**] plus choisi comme il n'y en avait que chez lui tant des *artistes* *écri* poètes les plus fameux *de la cour* | **i** que *des gens* de la meilleure compagnie |, et, de sa part, à chacun, et à propos de tout, et devant tous les objets rares de sa maison qui étaient fort nombreux et fort beaux une *conversation* | **s** foule de propos | *causerie merveilleuse* | **s** *admirable* | **I1** *merveilleuse* | **I2** qu'il avait admirables |, **s** toujours | **In** dans ce langage si particulier à lui que j'ai dit, *dev* avec des traits aussi nombreux en chaque phrase qu'un seul suffirait à orner une comédie et dont chacun restait *extasié* | **s** *émerveillé* | [renvoi au **f. 16 r°**, paginé **3 bis** par Proust : « Page 3 bis à intercaler dans la page 3 après le mot *extasiés* | **i** émerveillé | et avant les mots : il invitait »] Il avait | **i** *toujours* | **S** souvent | auprès de lui un espagnol dont le nom était Yturri et que j'avais connu lors de mon ambassade à Madrid comme il a été rapporté. En un temps où chacun *sans guères se soucier des autres ne songe qu'à faire remarquer son mérite* | **s** ne pousse guères ses vues plus loin qu'à faire distinguer son mérite | il avait celui, qui | **s** est | à la vérité fort rare | **s** *et fort singulier* |, de mettre tout le sien à faire seulement mieux éclater celui de *Montesquiou* | **s** *son ami* | **I** ce Comte |, à l'aider dans ses recherches, dans ses rapports avec les librairies, jusque dans les soins de sa table | **i** et | de son mobilier | **s** qu'il avait fort magnifique et fort singulier |, ne trouvant *aucune* | **i** nulle | tâche fastidieuse si seulement elle | **s** lui | en épargnait quelou'une *à son ami*, ayant pour seul *objet* | **s** emploi | si l'on peut dire dans la vie d'écouter et de faire | **s** ensuite | retentir au loin les paroles | **s** de Montesquiou | comme faisaient ces disciples qu'avaient accoutumé d'*avoir* | **s** emmener | toujours | **s** *avec eux* avec eux | les anciens philosophes et sophistes ainsi qu'il appert des *traités* | **s** écrits | d'Aristote et des *conversations* | **s** discours | de Platon. *Cet Yturri* | **s** *il* | **I** Cet Yturri | avait gardé la manière bouillante de ceux de son pays lesquels *à propos de tout* | **s** à propos de rien | ne vont *pas* | **s** pas | sans tumulte, dont Montesquiou le reprenait *parfois* fort souvent et fort plaisamment, à la gaîté de tous et tout

s'excusait en riant sur la chaleur de la race et avait garde d'y rien changer, car cela plaisait ainsi. Il se connaissait, comme pas un, en objets d'autrefois, dont beaucoup profitaient pour l'aller voir et consulter là-dessus, jusque dans la retraite que s'étaient ajustée nos deux ermites et qui était
5 sise, comme j'ai dit, à Neuilly, proche la maison de M. le duc d'Orléans.
Montesquiou invitait fort peu et fort bien, tout le meilleur et le plus grand, mais pas toujours les mêmes, et à dessein, car il jouait fort au Roi, avec des faveurs et des disgrâces jusqu'à l'injustice à en crier, mais tout cela soutenu par un mérite si hors de pair et si reconnu, qu'on lui passait
10 tout, — mais quelques-uns pourtant fort fidèlement et fort régulièrement, qu'on était presque toujours sûr de trouver chez lui quand il donnait un divertissement, comme la duchesse de Rohan, ainsi que j'ai dit plus haut, Mme de Clermont-Tonnerre, qui était fille de Gramont, petite fille du célèbre ministre d'Etat, sœur du duc de Guiche, qui était fort tourné, comme
15 on l'a vu, vers la mathématique et la peinture, et Mme Greffulhe, qui était Chimay, de la célèbre maison princière des comtes de Bossut. Leur nom est Hennin-Liétard et j'en ai déjà parlé à propos du prince de Chimay, à qui l'Electeur de Bavière fit donner la Toison d'Or par Charles II et qui devint mon gendre grâce à la duchesse Sforze, après la mort de sa première
20 femme, fille du duc de Nevers. Il n'était pas moins attaché à Mme de Brantes, fille de Cessac, dont il a déjà été parlé fort souvent et fort bien,

---

le premier d'Yturri *lui*-même qui s'excusait, en riant, sur la chaleur de la race et avait garde d'y rien changer car cela plaisait ainsi. Il se connaissait fort en objets *de l'ancien du temps* | s d'autrefois |, dont beaucoup profitaient pour venir lui en faire voir et consulter, jusque dans la retraite que s'étaient ajustée nos deux ermites et qui était sise comme j'ai dit à Neuilly proche la maison de M. le Duc d'Orléans. *Un musicien connu il y   qui avait nom Delafosse* | i ° ° ° | *avait écrit sur* | i *composé avec* | *les vers de Montesquiou des romances fort exquises et qui se laissaient chanter à ravir   sur les paroles   dont Montesquiou avait été charmé ; mais il avait eu lieu de s'en plaindre à ce que j'ai ouï dire comme il arrive souvent de ces sortes de gens et les choses en étaient restées là.* 152 [fin de l'addition et retour à f. 15 r°] *Il* | s Montesquiou | invitait fort peu et fort bien, *et* pas toujours les mêmes et *volontairement* | s à dessein | car il jouait fort au roi, avec des faveurs et des disgrâces jusqu'à *des* | s l' | injustice à en crier, mais tout cela soutenu par un si grand mérite *qu' et   si incomparable* | s hors du pair | et si reconnu qu'on lui passait tout, mais quelques uns pourtant fort fidèlement et fort régulièrement qu'on était presque toujours sûr de trouver chez lui, comme la Duchesse de Rohan ainsi que j'ai dit plus haut, Madame de Clermont-Tonnerre qui était la fille de Gramont, petite-fille du célèbre ministre d'état, Madame Greffuhle [sic] qui était *née Caraman* Chimay de la célèbre maison *princière de Croÿ* | s princière des *Chimay* | I comtes de Bossut | *avec qui l'on a vu   dont j'ai* | s1 *dont* / s2 *dont* / *le nom est Hennin*   Leur nom / s2 Leur nom / est Hennin-Liétard et j'en ai | I déjà | lp parlé | i1 *en son lieu* | i2 *ailleurs* | lp à propos du prince de Chimay | i *dont le nom est Hennin-Liétard* | à qui l'Electeur de Bavière fit donner la Toison d'Or par Charles II et qui devint mon gendre *à pr*   grâce à la Duchesse Sforze, après la mort de sa première femme qui était comme on l'a vu la fille du Duc de Nevers, *Madame Brantes qui était la fille de Cessac dont il a été souvent question ailleurs et à qui il était fort attaché et avec beaucoup de raison comme à une*   Il n'était pas moins attaché à Madame de Brantes, fille de Cessac *qui*   dont il a été parlé fort

et de sa figure fine comme un portrait, qui reviendra maintes fois dans le cours de ces mémoires, et toujours avec force éloges et fort mérités, et aux duchesses de La Roche-Guyon et de Fezensac, celle-ci qui ne l'était pas encore et qui était de la maison de Montesquiou. J'en ai suffisamment
5 parlé à propos de leur plaisante chimère de descendre de Pharamond, comme si leur antiquité n'était pas assez grande et assez reconnue pour ne pas avoir besoin de la barbouiller de fables, et de l'autre à propos du duc de La Roche-Guyon, fils aîné du duc de La Rochefoucauld et survivancier de ses deux charges, de l'étrange présent qu'il reçut de M. le duc d'Orléans,
10 de sa noblesse à éviter le piège que lui tendit l'astucieuse scélératesse du premier président de Mesmes et du mariage de son fils avec Mlle de Toiras. On y voyait fort aussi Mme de Noailles, femme du dernier frère du duc d'Ayen, aujourd'hui duc de Noailles, et dont la mère est La Ferté. Mais j'aurai l'occasion de parler d'elle plus longuement comme de la femme du
15 plus beau génie poétique qu'ait vu son siècle et probablement tous les autres, et qui a renouvelé et l'on peut dire agrandi le miracle de la célèbre Sévigné. On sait que ce que j'en dis est équité pure, étant assez au su de chacun en quels termes j'en suis venu avec le duc de Noailles, neveu du cardinal et mari de Mlle d'Aubigné, nièce de Mme Maintenon, et je me
20 suis assez étendu en son lieu sur ses sourdes menées contre moi jusqu'à se faire avec Canillac avocat des conseillers d'Etat contre les gens de qualité, son adresse à tromper son oncle le cardinal, à bombarder Daguesseau chancelier, à courtiser Effiat et les Rohan, à prodiguer les grâces énormes

---

souvent et fort *bien* | **i** bien | et avec beaucoup de raison, qui reviendra souvent dans le cours de ces mémoires et toujours avec force éloges et fort mérités et *à la* | **sc** aux | Duchesses de *La Roche-Guyon* | **i** *Roche-Guyon et de* | **S** Fezensac et de La Roche-Guyon | **lp** *qui se pi   n'était pas sans se piquer de littérature* [**f. 17, r°**] celle-ci qui ne l'était pas encore, qui était comme elle de la maison de Montesquiou. J'en ai suffisamment parlé à propos de leur chimère de descendre de Pharamond comme si *la leur* | **sc** leur | **s** *antiquité* | **I** antiquité | n'était pas assez *ancienne* | **s** grande et assez reconnue | comme cela pour ne pas avoir besoin de la barbouiller de fables, et de l'autre à propos du Duc de La Rocheguyon *son*   fils aîné du Duc de La Rochefoucauld et survivancier de ses deux charges, de l'étrange présent qu'il reçut de M. le Duc d'Orléans *et du mariage de son fils*   de la | **s** sa | noblesse à éviter le piège que lui tendit l'audacieuse scélératesse du premier président de Mesmes et du mariage de son fils avec Mlle de Toiras. On y voyait fort aussi Madame de Noailles femme du dernier frère du Duc d'Ayen aujourd'hui duc de Noailles et dont la mère est La Ferté. Mais j'aurai l'occasion de reparler d'elle plus longuement comme de la femme du plus beau génie qu'ait vu son siècle et probablement *tous*   les autres et qui a renouvelé *mais pour le dépasser infiniment* | **s** et l'on doit dire agrandi | le miracle de la célèbre Sévigné. On sait que ce que j'en dis est équité pure *car* | **s** *et* | *je me suis* | **i** assez | *étendu ailleurs sur tout ce que j'ai dit du Duc* | **s** étant assez au su de tous *comme on sait* en quels termes j'en suis venu avec | le Duc de Noailles neveu du Cardinal et *fils* mari de Mlle de [sic] d'Aubigné, nièce de Mme de Maintenon, | **s** et je me suis assez étendu *ailleurs* en son lieu | sur ses sourdes menées contre moi jusqu'à se faire avec Canillac avocat des conseillers d'état contre les gens de qualité, *ses tr*   son adresse à tromper son oncle le Cardinal, à bombarder Daguesseau chancelier, à courtiser Effiat et les Rohans, à prodiguer les grâces énormes de M. le Duc d'Orléans au *Duc d'Albret*   Comte

de M. le duc d'Orléans au comte d'Armagnac pour lui faire épouser sa
fille, après avoir manqué pour elle le fils aîné du duc d'Albret. Mais j'ai
trop parlé de tout cela pour y revenir et de ses noirs manèges à l'égard de
Law et lors de la conspiration du duc et de la duchesse du Maine. Bien
5   différent, et à tant de générations d'ailleurs, était Mathieu de Noailles, qui
avait épousé celle dont il est question ici et que son talent a rendu fameuse.
Elle était la fille de Brancovan, prince régnant de Valachie, qu'ils nomment
là-bas hospodar, et avait autant de beauté et de génie. Sa mère était
Musurus qui est le nom d'une famille très noble et très des premières de
10   la Grèce, fort illustrée par diverses ambassades nombreuses et distinguées
et par l'amitié d'un de ces Musurus avec le célèbre Erasme. Elle était
l'orgueil d'un mari qui trouvait le moyen, malgré l'éclat aveuglant d'une
telle femme à éteindre, bien contre son gré, tout mérite autour d'elle, de
laisser paraître le sien qu'il avait, à vrai dire, fort rare et fort distingué, et
15   le plus honnête homme que j'aie vu de ma vie. Mais il en sera parlé en son
temps.

Pour copie conforme :

Horatio.

---

d'Armagnac pour lui faire épouser sa fille, après avoir manqué pour elle le fils aîné
du Duc d'Albret. Mais j'ai trop parlé de tout cela pour y revenir et de ses noirs
manèges à l'égard de Law et lors de la découverte de la Conspiration du Duc et
de la Duchesse du Maine. Tout autre, et à tant de générations d'ailleurs | s
gentilhomme | était Mathieu de Noailles, qui avait épousé celle dont il est
question ici et que son talent a rendu si fameuse. Elle était la fille de Brancovan
prince régnant de Valachie qu'ils appellent là-bas hospodar et avait autant de
génie | i beauté | que de génie. | s Sa mère était Musurus, qui est le nom
d'une famille très noble et très des premières de la Grèce, fort illustrée par
diverses ambassades nombreuses et distinguées et par l'amitié d'un de ces Musurus
avec le célèbre Erasme. | Elle était l'orgueil d'un mari qui trouvait moyen malgré
l'éclat aveuglant d'une telle femme, | s *capable sa* | à noyer | s sans le vouloir
car elle était la simplicité même | tout mérite autour d'elle, de laisser paraître le
sien qu'il avait fort rare et fort *distingué* éminent et le plus honnête homme que
j'aie vu de ma vie. Mais il en sera parlé en son *lieu* | s temps |.

Pour copie conforme :

Horatio.

P.S. Je voudrais *savoir* | s un jour | écrire cet article en langage d'aujourd'hui.
Je l'appellerais La *Muse* | i Nymphe | de la Vasque et le Pavillon du Poète [3].

H.

BROUILLON DE NOTE DESTINÉE
AU « FIGARO »

Articles critiques, f. 18 r°.

[paragraphe entièrement biffé] J'ai dû | s dû | fort abréger l'autre jour le récit d'une fête chez le Comte Robert de Mo le récit un extrait des Mémoires de St-Simon Ayant publié l'autre jour une page des Mémoires de St-Simon j'ai dû l'abréger

On a vu l'autre jour

[autre paragraphe entièrement biffé] « Le Figaro » a appris dernièrement *que* à ses lecteurs que si le Comte Robert de Montesquiou avait chanté St-Simon | s dans ses Perles Rouges [4] + | I1 superbement | I2 magnifiquement honoré | lp dans ses « Perles Rouges » le grand « mémorialiste » du xviiᵉ siècle + dans des Perles Rouges, le Duc de St-Simon lui avait largement rendu la politesse | i à l'auteur des Perles Rouges | en le faisant entrer dans ses | i célèbres | « mémoires ». Les extraits que nous avons donné [sic] de ce chapitre inédit ont été forcément très abrégés

[paragraphe non biffé] | s En raison de | « L'abondance des matières » comme disent, sans élégance, les journaux, *avait fait supprimer les dernières lignes de* la Direction du Figaro avait *coupé dans l'ex* + *presque toute la fin du* dans le chapitre inédit de St-Simon *que nous avions* dont nous nous étions fait les éditeurs, coupé presque toute la fin [5]. Nous ne la reproduirons pas ici. Elle consistait principalement en paroles reconnaissantes adressées

NOTES DES CARNETS

Nous séparons par des tirets les notes d'une même page

CARNET 2

[f. 31, v⁰] Il est extraordinaire que M. Souday me reproche d'être incorrect quand c'est l'effort exagéré de logique que je fais qui me fait écrire en un style si désagréable. Effort peut-être vain. Car combien sont savoureuses certaines incorrections (non pas celles qu'on lui reproche et qui n'en sont pas) de St-Simon,   +   certains chocs en retour, certains carambolages de l'expression, comme qd il dit de Barbezieux : Son humeur était terrible et fréquente [6].

[f. 41, v⁰] St-Simon — je fus coucher — me fit son accommodement — qu'on jeta dans la place.

[f. 54, v⁰] [7] St-Simon — | s l'élixir le plus | trayé,   rompre les plus dangereuses glaces, tâter le pavé. Gens imitant le style 17è **[f. 55, r⁰, mi]** siècle, il a prévenu l'heure pour dire est venu trop tôt — St-Simon portrait de L 14.

[f. 58, r⁰] St-Simon — cherche à me *tonneler* * [8] — quel il était

CARNET 3

[f. 19, r⁰] St-Simon — un petit fumet d'affaires [9].

[f. 21, v⁰] En parlant du Chevalier de Lorraine Mme de Sévigné dit le Prince.

[f. 22, v⁰] St-Simon — se faisait appeler duc de Caderousse dont il n'était pas plus avancé [10].

[f. 23, r⁰] [11] je ne me contraignis pas sur lui. — Me de Miramion qui la 1ère | s de sa condition | fit mettre Hôtel de Nesmond sur son hôtel. — fait les délices de la postérité (Pierre le Grand) — qui sentait fort ce qu'il était. — traits qui n'ont pas de rapport les uns avec les autres (comme fait aussi Madame) (portrait d'Harcourt par St-Simon à la promotion).

[f. 23, v⁰] [12] Pour St-Simon — cette gangrène (appeler Vendôme monseigneur et Alt.) gagna jusqu'aux lieutenants-généraux. Je me licenciai à en parler. — tout cela faisait de lui un personnage fort singulier (imité de ce qu'il dit de l'abbesse de Fontevrault).

[f. 25, r⁰, sur une feuille de 11 × 7 cm pliée et collée dans le carnet] [13] St-Simon encore   —   cela fit crever la bombe.   —   Le roi *aimait* | s considérait | fort Courtin il n'y avait *de jour* | s pas de semaine | qu'il ne l'attaquât de conversation   —   qui sont des gentilshommes de bon lieu

— se fait appeler comte de Fels dont il n'est pas plus avancé — La Comtesse de Guerne en fit la planche — Le roi ennuyé de ses manèges. — Elle osa la housse sur sa chaise. — les entreprises adroitement soutenues (qui consistent à venir sans manteau ou à éviter la quête). — pour s'en faire une distinction — Au Marli suivant — toujours dans les meilleures compagnies, gros joueur — il était décrassé depuis peu — Le roi élevant + un ton fort élevé (Montesquiou) — *Le ro* Je dis au roi qu'il était le maître de nous ôter tout ce qu'il voulait et que nous devions nous estimer trop heureux de lui obéir en tous points. Ho bien Monsieur me dit-il d'un | ms ton radouci, voilà comme il faut penser et c'est parler fort raisonnablement, sur quoi il me fit une petite révérence fort courte mais gracieuse et s'en alla me laissant fort heureux comme l'on peut penser (ce n'est pas une citation exacte) | Il était fort TSVP [malgré cette indication, la feuille ne porte rien au verso.]

[**f. 27, r⁰**, autre feuille collée, de même dimension] 14 dans son intrinsèque. — Lauzun en fit la noce — les mécontents d'Hongrie — Et incontinent à — celle de Gaston (tout court) — *Il avait* | i cela lui procurait | des particuliers du roi — des barbes sales de St-Sulpice — | s Aubry était | d'une famille de Paris. — Le Charmel — Il en *vit* | i essuya | des dégoûts — jusqu'à ce temps que le roi toujours touché (préoccupé) des cercles — la bonne femme Gamaches — fils du bonhomme Lasteyrie

[**f. 28, v⁰**] St-Simon — avant le procès il l'accommoda.

[**f. 29, v⁰**] 15 St-Simon — je ne me contraignis pas de le rendre (de le répéter) à diverses personnes. — Bombardé.

[**f. 30, r⁰**] St-Simon — tâter le pavé

[**f. 31, v⁰**] St-Simon : on l'appelait ainsi *de* * sa petite taille

[**f. 42, r⁰ v⁰**] 16 St-Simon | s début du Tome 3 | il aima mieux sauter le bâton, si cela s'ose dire. — C'était un homme qui faisait des trous à la lune tantôt pour une chose tantôt pour une autre [42, v⁰] Se sentant assuré du roi. — sachant faire la différence *des gens* qui flattait, des gens selon l'âge, la naissance à ses manières plus ou moins négligées. Du reste, (pour quant au reste il avait un savoir étendu et juste des naissances, des ducs mais non des ultimes.

[**f. 43, r⁰**] 17 St-Simon : m'écumer. — me pomper. — Carreau à l'église — l'unisson d'une république — y déposer ses tabernacles. — pas mettre les 2 dernières expressions l'une près de l'autre car elles voisinent dans le départ de la Pcesse des Ursins pour Lyon, l'un des plus beaux morceaux de St-Simon avec le portrait du Mal de Villeroy et la réconciliation de St-Simon et Noailles.

[**f. 43, v⁰**] 18 jusqu'à 7 heures qu'il alla faire un tour. Pour la musique *scander* * — Vauban s'appelait le Prestre. — des remèdes et y dépensait fort à les faire — (*Tessé*) (ou Estrées) — dont il s'était fort entêté St-Simon — il l'écume.

[**f. 44, v⁰**] 19 St-Simon — depuis la prostitution des manteaux longs à toutes sortes de gens.
St-Simon en habits de comédiens.

Les gens qui croient qu'ils font des pastiches de Platon parce qu'ils disent : non ! par Jupiter !

[**f. 46, v⁰**] [20] Ne pas oublier pour un pastiche de St-Simon la page 121 du tome VII sur Tout s'avilit à cause de la gangrène de dire l'électeur et tome 5 page 10 et aussi même tome 5 page 12 la légèreté fçaise

[**f. 47, r⁰**] [21] Pour pastiche de St-Simon relire ce qu'il dit de la Maréchale de Clérambault avant de parler de Me de Beuvron (cela doit être dans le tome III, c'est à propos des changements chez Madame). St-Simon — de si étranges disparates. — Dîner du Cardinel d'Estrées pour le Pce de Parme — Tome II (peut-être fait pour un Guiche qqconque). — « ce furent ses termes ».

CARNET 4

[**f. 30, v⁰**] St-Simon — par amitié et par être touchée.

[**f. 31, r⁰**] St-Simon — trayé [22]

[**f. 37, v⁰**] St-Simon — n'ayant de sa vie fréquenté un homme qu'on puisse nommer [23] — l'habit fort étrange mais sentant fort sa grande dame — Ducs et Duchesses et autres tabourets — rouer l'Europe

BROUILLONS

BROUILLON 1

Cahier LII, ff. 23 r° à 28 r°, rectos seulement.

[f. 23] *J'avais passé cette* | sc Cette | année-là *à la Ferté la* j'avais passé à la Ferté la veille de la Quasimodo et j'étais seul dans mon cabinet avec un gentilhomme retiré depuis de longues années dans l'abbatial de M. de la Trappe [24], quand un courrier que m'envoyait Madame de St-Simon m'y rendit une lettre d'elle par laquelle elle m'avisait d'être à Meudon pour une affaire de la plus grande importance concernant M. le Duc d'Orléans.

(suite de la page en blanc)

[f. 24] Cette année-là vit le mariage de la bonne femme Blumenthal avec L. de Talleyrand-Périgord *qui ét dont il qui était fort de mes amis et* dont il a été *parlé en son lieu. Les* | s maintes fois parlé au cours de ces Mémoires. Les | Rohan en firent la noce où *il y eut* | s se trouvèrent | force gens de qualité. Elle osa la housse sur sa chaise et se fit incontinent appeler Duchesse de Montmorency, dont elle ne fut pas plus avancée. La *guerre* | s campagne | continua *avec* | s contre | les Impériaux qui | s malgré *quelques les les mutins* / mg les *révoltés mutins* mécontents d'Hongrie *où on se révolt il y eut des révoltes à cause de par //* s causées par la // cherté du pain, / | lp rencontrèrent quelques succès devant *Ypres* | s Château-Thierry |. Ce fut là *que* qu'on vit pour la première fois l'indécence de M. de Vendôme traité publiquement de Monseigneur | s et d'Altesse |. La gangrène gagna jusqu'aux lieutenants généraux et ne laissa pas de me causer *de* des soucis contre lesquels je soutenais difficilement mon courage, si bien que j'étais allé, loin de la Cour, passer à la Ferté la quinzaine de Pâques | s *pour prier Dieu qu'il nous ôtât ces épines* [25] | en Compagnie *de* | s d'un | gentilhomme qui avait servi dans mon régiment et était fort considéré *par le* | s du | feu Roi, quand *je reçus* la veille de la Quasimodo *je* [f. 25] un courrier que m'envoyait Madame St-Simon me rendit une lettre *où* | s d' | elle *m'exhortait* par laquelle elle m'avisait d'être à Meudon le plus tôt qu'il se pourrait pour une affaire d'importance, concernant M. le Duc d'Orléans. *On* Il a été marqué en son temps *combien* | s combien | ce malheureux prince, n'ayant aucun savoir juste et étendu, sur les naissances, *la dist* l'histoire des familles, la distinction du rang | s dont il n'avait jamais compris l'intrinsèque | et l'art de la marquer à chacun, n'avait jamais su se plaire dans *cet* | s l' | élixir de *cour, qui est le monde* de cour *et* de la société la plus trayée, tant et si loin qu'il en était arrivé à s'adonner à la chimie, à la peinture, à l'opéra dont les musiciens venaient souvent lui apporter leurs livres et leurs violons qui n'avaient pas de secrets pour lui. On a vu aussi *par* | s avec | quel art pernicieux ses ennemis et par-dessus tous le Maréchal de Villeroy s'étaient servi contre lui de ce goût | s *fort d* | de chimie, lors des morts *du Dauphin et de la Dauphine* | s *qui avaient consterné la cour,* | *de Monseigneur, de* et *de Mgr le Duc de* [f. 26] la mort du Dauphin et de la Dauphine. Bien loin que ces bruits affreux, habilement semés par tout ce qui approchait Madame de Maintenon, eussent fait repentir M. le Duc d'Orléans *d'un goût si* | s *de ces recherches si*   de ces recherches si | étranges *et si déplacé, oso*   pour un homme de sa sorte, on a vu qu'il passait ses nuits avec Mirepoix | s qui tenait les alambics | dans les carrières de Montmartre à travailler sur du charbon où ce prince qui ne croyait pas en Dieu espérait voir le diable — *et à q*   C'était le moment où avait été rendu contre mon avis l'édit sur les pierreries, dont chacun sut cacher si bien les siennes, qu'il ne remédia que fort peu et fort passagèrement à la détresse des finances publiques. Madame de St-Simon | s me dit | qu'un aventurier *appelé* appelé Lemoine voulant flatter les goûts de chimie de M. le Duc d'Orléans et le besoin pressant que sentait ce prince de remplir autrement que par les papiers de Law et l'affaire du Mississipi les Caisses | s vides | de l'état, prétendait avoir trouvé le [f. 27] secret de faire des pierreries et principalement du diamant en faisant chauffer du charbon dans des espèces de fours qu'il avait inventé [sic] ; qu'il avait demandé pour cela une audience de M. le Duc d'Orléans ; qu'*on* ayant passé sa vie dans la crapule la plus obscur et la plus basse et ne connaissant pour le bien dire homme qui se puisse nommer, il s'était vu refuser d'abord. Mais on sait que M. le Duc d'Orléans n'était pas très difficile sur ceux qu'il admettait à ses parvulo et à ses soupers d'où seule la bonne compagnie était tenue à l'écart par une exacte clôture. Lemoine redoubla ses ins   instances, | s d'abord inutilement mais *ensuite* | et à la fin *toucha au but,* la Mouchi en fit la planche. *Dès ce que je fus averti, je compris tout le parti que les ennemis de Monsieur le Duc d'Orléans tireraient contre lui de la prétendue invention du Moine, les accusations ineptes, d'autant* | mg Je pensai d'abord à aller au Roi par Maréchal. Mais je *vis trop les in   dangers d'une telle* | mi craignis de faire éclater la bombe et qu'elle attei- | [f. 28] lp *plus dangereuses qu'ils lanceraient contre ce prince en prenant le masque de ne* | s n' | *s'attaquer   en avoir qu'à l'escrocq* [sic] *par ricochet duquel ils atteindraient plus sûrement celui qui avait eu la faiblesse de le patronner et je rés   pétillant après mon carrosse,* | ms — gnit d'abord M. le Duc d'Orléans que le Roi n'avait jamais aimé, et je résolus de me | mg rendre au Palais-Royal. *Je pétillais après mon carrosse craignant d'* / s Je voulais voulant / arriver *trop tard* dans la journée que M. le Duc d'Orléans avait coutume de finir par aller souper dans l'étrange compagnie que j'ai dite. | [en interligne au-dessous des derniers mots biffés de lp] Je pétillais après mon carrosse et | lp je me jetai *dedans résolu à aller* | s dedans sitôt qu'il fut prêt | lp *d'une traite au Palais-Royal. Au bout d'une minute Monsieur   Monsieur le Duc d'Orléans* | mg J'avais souvent dit à M. le Duc d'Orléans que je n'étais pas à [sic] homme à l'importuner de mes conseils mais que quand j'en aurais à lui donner | [en interligne au-dessus de la dernière ligne barrée de lp] il pouvait penser qu'ils étaient urgents et me faire | I la grâce de ne point me faire faire antichambre. Ce prince | lp me fit entrer |

s *tout de suite* | **I** tout de suite | auprès de lui, et après que je l'eusse [sic] salué d'une révérence fort médiocre et fort courte | s qui me fut exactement rendue | : « Hé bien qu'y a-t-il encore | s vous semblez fâché | me dit-il d'un air de bonté et d'embarras. » « Il y a, Monsieur, lui dis-je | s avec feu en tenant mes yeux | **I** attachés sur les siens qu'il s'efforçait d'abaisser et de dérober | lp que vous êtes en train de perdre auprès du public le peu de considération et d'estime *que vous* | s *cel* | — *j'ai quelque honte à le dire pour un homme de mon rang parlant à un prince du sien*, ce furent là mes expressions, j'ai quelque honte à le dire pour un homme de mon rang *pour* | s parlant à | un prince du sien — le peu d'estime et de considération | s que vous avez gardés | répétai-je je [sic] avec force et pour *ne pas avoir à* me débarrasser en une fois de cette fâcheuse pilule

BROUILLON 2

Cahier LVI, ff. 60 à 65, rectos seulement.

[f. 60] Je lui représentai tout le parti que ses ennemis tireraient scélérate-ment des prétendues inventions du Moine, pour jeter conte lui-même les plus détestables accusations ; *qu'on ne craindrait pas de l'atteindre par la calomnie la plus horrible, la plus touchante, la plus odieuse ; qu'on débite-rait qu'il ne tendait à rien moins par cette ruse et par se faire fabriquer cette grande quantité de diamants faux qu'à se faire le chemin plus aisé à au trône d'Espagne ; qu'en attendant il profiterait* | mg qu'à la vérité ils prendraient le masque de n'en avoir qu'à ce fripon, mais en profiteraient pour se contraindre d'autant moins sur un Prince qui *savait* devait pour-tant savoir ce qu'avaient pu contre lui les *accusations* / s inventions scélé-rates / d'autant plus *injustes* dangereuses qu'elles étaient ineptes ; je frémis encore parfois dans mon lit en me rappelant que je ne craignis pas de *parler* dire les mots d'empoisonnement et d'inceste et de *rappeler parler* faire la commémoraison | **[f. 61]** de l'abominable goût — ce furent encore mes expressions — qu'avait eu Monsieur son Père ; qu'à vrai dire lui-même *n'a* s'il en avait hérité *le goût* | s l'habitude | des parfums — (par quoi il avait tant déplu au feu Roi qui ne les pouvait souffrir et *favorisé les* | s donné lieu | à l'infâme rumeur d'avoir attenté à la vie de la dauphine) et la détestable maxime de diviser pour régner à l'aide des redites de l'un à l'autre qui *étaient* | sc était | la peste du Palais-Royal comme elles l'avaient été de la Cour de Monsieur ; qu'on ne craindrait pas de l'atteindre par la calomnie la plus *affreuse* horrible, la plus touchante, la plus odieuse, qu'on *ne* débiterait qu'il ne tendait à rien moins par cette ruse par se faire fabriquer cette profusion de faux diamants qu'à gagner ce trône d'Espagne où il n'avait pu atteindre par la guerre, et profiter de la faiblesse de Rome *faire répudier* devant l'Empereur, pour faire rompre son union avec Me la Duchesse d'Orléans — je m'espaçai [26] là et me soulageai à dire quelques mots sur la bâtardise qui pourrait servir à la répudiation **[f. 62]** de sa femme — et épouser Me d'Argenton [27]. Alors je relevai les yeux que te tenais abaissés depuis un moment et je vis un homme *abattu, gauche, a* | s plus abattu que l'oi-seau [28], | inerte, abattu ce n'est pas assez dire, anéanti par ce que je venais de dire, sans force pour décider entre se taire *et* ou répondre aux paroles qu'il me parut déjà de bon augure pour ce dernier début d'avoir réussi à le forcer d'entendre. Après une pause de quelques instants *donnée* accordée plus à sa fatigue qu'à la mienne et *à la pitié* si j'ose le dire *que m* à la pitié *et* tout à la fois et à la joie que m'*inspiraient* | sc inspirait | sa détresse où je ne voyais pas s'ébaucher les résistances que j'avais pu craindre, je ne lui laissai pas le temps de se remettre d'un coup si rude et je passai immédiatement à énumérer les mesures qui devaient être | s prises | minutieusement et dans le plus grand secret contre ce Lemoine, après quoi *y* veiller avec la plus grande énergie à leur exécution. Ces derniers mots seuls | s en | firent sortir *de* quelques uns de la bouche jusque-là [f. 63] muette de M. le Duc d'Orléans. Il n'était pas méchant, de plus il était faible, *il s'embarrassait de scrupules.* « Hé quoi *me* dit-il | s d'un ton de plainte |, l'arrêter ? Mais enfin si   son invention était vraie ? » « Comment Monsieur lui dis-je vous en êtes là, et si peu après avoir été trompé par la grossière imposture du faux marquis de Ruffec, vous *donnez* | s gardez | votre confiance au Moine ? » Il rougit au souvenir de l'écriture de mon fils qu'il m'avait fait demander par Biron [29] comme *il* | s cela | a été raconté en son lieu ainsi que la douleur que j'en avais eue. « Mais enfin lui dis-je, si vous avez seulement un doute, faites venir l'homme de France qui se connaît | s le | mieux aux choses de la chimie,   et *de qui* | s dont | aussi son caractère, son nom illustre, sa vie sans une tache, vous garantissent la parole. » *Il comprit* | s Comprenant | que je voulais parler du duc de Guiche. « Oui c'est cela, j'aurais dû le faire plus tôt, faites | s le | quérir *Guiche* » dit-il avec l'air de joie d'un homme *qui* empêtré dans [f. 64] des résolutions contraires — *si ce n'est pas trop dire que de parler de résolution à propos de M. le Duc d'Orléans qui était l'irrésolution même* — | mg qui se trouve soudain délivré d'avoir à en prendre aucune | et à qui un autre édictera celle qui est la bonne et qu'il faut suivre. Le duc de Guiche comme on peut bien penser venait le moins souvent qu'il pouvait au Palais-Royal, dans cette cour où c'était *plutôt* des roués, pas même des gentilshommes de bon lieu qui tenaient le pavé | s haut du pavé | et tenaient le premier rang, plutôt que des hommes du sien [30]. Mais enfin le Régent le demandait il sentit ce qu'il devait au respect de la naissance, sinon de la personne, au bien de l'état, peut'être à sa propre sûreté, et il sauta le bâton sans *faire* faire ou du moins laisser voir de grimace, car jamais homme n'eut de grâce autant que lui. Il les unissait au mérite le plus solide, le plus éclatant, le plus délicieux, en diverses sciences dont il possédait tout l'intrinsèque, non à la façon du Régent [f. 65] de Mirepoix et de leur détestable secte, mais plutôt à celle du célèbre Descartes *et du Prince de Conti* [31]. Il *était* s'appelait Gramont, | s de cette illustre famille | dont le véritable nom est Aure et descendait des deux maréchaux de Gramont, *fils* | s père | et fils *de* | sc du | *ce* galant *Comte de* Guiche fleur de la première cour de Louis XIV et dont celui-ci renouvelait les grâces.

[deux lignes en blanc]

J'irai moi-même, | s Monsieur, | s'il vous plaît ainsi, lui dis-je, sachant que le Duc de Guiche *ne* venait rarement et

BROUILLON 3

Cahier LVI, ff. 57 à 59, r° seulement.

[**f. 57**] On a vu que j'avais essuyé d'étranges disparates avec Monsieur le Duc d'Orléans et je n'allais quasi plus au Palais-Royal à la suite des affaires du Prince Murat et de Don Ferdinand Luis [32], appelé communément et fort improprement infant d'Espagne, que j'ai marquées en leur lieu et sur lesquelles je ne reviens ici que pour plus de clarté. Le roi d'Angleterre était venu en France très incognito, *il avait été convenu que Mons* sous le nom de Comte de Stanhope il avait été convenu que Monsieur le Duc d'Orléans irait l'attendre à *Compiègne* | s Meudon [33] | où il donnerait un *grand* un *souper* | s parvulo | en son honneur. Le Duc *et l* de Gramont et le Prince Murat *y* | s en | *avaient été conv* devaient être quand la veille | s de l'arrivée du Roi | les ducs de Mortemart et de *Beauvilliers* | s Chevreuse | vinrent m'avertir comme à qui *se souci* avait au cœur le juste souci des anciens et incontestables privilèges des ducs que le Prince Murat avait prétendu avoir [**f. 58**] la main au souper sur le Duc de Gramont, *que le Duc Monsieur* qu'il avait | s fait | exposer sa prétention à M. d'Orléans par Effiat comme ayant été le principal ressort de la cour de Monsieur son Père, *et* que M. le Duc d'Orléans *étai* embarrassé au dernier point, enclin par *la* | s sa | faiblesse naturelle à céder devant l'audace des prétentions et n'ayant pas d'ailleurs cette instruction nette, claire, | s profonde, | décisive qui permet de les *mettre a* réduire à néant, avait fini par répondre qu'il verrait, qu'il en parlerait à Madame d'Orléans. Etrange *sproposito* de s'en aller remettre sur les intérêts les plus vitaux de la couronne de France dont les ducs sont les véritables fleurons, à qui n'y tenait que par des liens honteux, inavoués et n'avait d'ailleurs jamais su ce qui lui était dû, encore bien moins *et* à Monsieur son époux et à la [**f. 59**] pairie toute entière. Cette *étr cur* réponse fort curieuse et inouïe *fut* | s avait | mg été | rendue par la Duchesse Sforze [34] à MM. de *M Beauvilliers* Mortemart et de Chevreuse [35] qui *en*

[la suite de cette page, déchirée après ces mots, se retrouve dans le bas du f. **90** de *Ms. aut.* ; les deux bords déchirés, et les fragments de mots coïncident exactement. Les premiers mots de cette suite sont : « *étonnés* à l'extrême m'étaient *aussitôt venus trouver* »].

BROUILLON 4 [36]

Cahier LVI, f. 66, r°.

les plus grandes alliances. Mais le Prince Murat l'osa | s eut l'impudence *de l'oser* / sc l'osa / |, c'est assez dans un pays où il suffit *de* | sc d' | *hardiesse* | s impudence | pour réussir quand c'est contre la justice et le droit. Pas un des ducs n'alla au parvulo de Meudon *a où* où l'on eut ce *scandale de voir le Prince Murat as-* | s à | *la droite du roi d'Angleterre. Le courtisan en frémit à Versailles ; le roi, si peu versé dans l'histoire des naissances et des rangs attaqua là-dessus le Comte A. de La Rochefoucauld qui l'était plus que personne et lui répondit en termes si nets et si tranchants que* | sc qu' | *il fit faire défense au Prince Murat de se plus jamais*

faire qualifier d'Altesse ; mais il n'en fut pas davantage et on sait que
maintenant la gangrène a passé à ses cous   frères et à ses cousins, tous
fort honnêtes gens d'ailleurs et mêlés ayant passé leur vie dans le plus
grand monde, qui se font sans aucune raison ni prétexte appeler Monsei-
gneur fatale conséquence que j'avais comme toujours inutilement prédite à
M. le Duc d'Orléans. L'affaire

| mg Une seule Murat *eût* pu *leur* / s *la célèb* / *disputer* / s Marie [37], si
célèbre par son esprit / eût pu prétendre à la main qui était fille du Prince
de Léon, depuis duc de Rohan Chabot. *Son*   Elle avait épousé en effet
Lucien Murat, prince de Mingrélie, qui est une manière d'état indépendant
quoique sous la domination des Moscovites. Mais son père *ni son frère*
/ s n' / avait pu obtenir le rang de prince étranger bien qu'il se crût et
non sans raison, d'aussi bonne maison que M. de Bouillon [38] qui l'étaient
[sic]. Sa fille pensa et elle ne se trompait pas que le positif de sa situation
était dans la maison de Rohan plutôt que chez les / ms Moscovites et
elle abandonna cette chimère de princerie. Mais J. Murat s'y attacha et /|

[Il est possible que toute cette partie en **mg** soit destinée à précéder
le texte non biffé de **lp**. Dans ce cas on devrait lire : « Mais J. Murat s'y
attacha et l'osa, c'est assez ... » ; *l'* représenterait alors « cette chimère de
princerie. » [39]]

IX

DANS LES MÉMOIRES DE SAINT-SIMON

Mariage de Talleyrand-Périgord. — Succès remportés par les Impériaux devant Château-Thierry, fort médiocres. — Le Moine, par La Mouchi, arrive au Régent. — Conversation que j'ai avec M. le duc d'Orléans à ce sujet. Il est résolu de porter l'affaire au duc de Guiche. — Chimères des Murat sur le rang de prince étranger. — Conversation du duc de Guiche avec M. le duc d'Orléans sur Le Moine, au parvulo donné à Saint-Cloud pour le roi d'Angleterre voyageant incognito en France. — Présence inouïe du comte de Fels à ce parvulo. — Voyage en France d'un Infant d'Espagne, très singulier. [40]

Cette année-là vit le mariage de la bonne femme Blumenthal avec L. de Talleyrand-Périgord [41] dont il a été maintes fois parlé, [[avec force éloges, et très mérités]] au cours de ces Mémoires. Les Rohan en firent la noce [42] où se trouvèrent des gens de qualité. Il ne voulut pas que sa femme fût assise en se mariant, mais elle osa la housse sur sa chaise [43] et se fit incontinent appeler duchesse de Montmorency, dont elle ne fut pas plus avancée [44]. La campagne continua contre les Impériaux qui malgré les révoltes d'Hongrie [45], causées par la cherté du pain, remportèrent quelques succès devant Château-Thierry.

Titre *Ms.* (**f. 71**) : Dans les Mémoires de St-Simon | **i** *dit duc* |
Ms. : | **msg** [au crayon bleu] En sous-titre | [le résumé liminaire a été rajouté en écriture serrée sur les lignes supérieures de la page]
Ibid. : Succès *des* | **s** remportés par les | impériaux
Ms. : Lemoine   *Plac.* : Le Moine
Ms. : Duc de Guiche. | **mg** Chimères des Murat sur le rang de prince étranger. |
Ms. : parvulo *de St-Clo*   donné à St-Cloud
Ms. : France. | **mg** Présence inouïe du Comte de Fels à ce parvulo. — Voyage en France d'un Infant d'Espagne, très singulier. |
Plac. : (**n° 4**) : maintes fois | **mg** avec force éloges et très mérités | parlé
Plac. : se trouvèrent *force* | **md** des | gens de qualité
Ms. : qualité. | **mg** Il ne voulut pas que sa femme fût assise en se mariant, mais elle | *Elle*   osa
Ms. : Duchesse [nous ne signalerons plus ce type de variante portant sur la majuscule des titres, constante dans *Ms.*]
Ms. : malgré les *mécontents d'Hongrie*   révoltes d'Hongrie

Ce fut là qu'on vit pour la première fois l'indécence de M. de Vendôme traité publiquement d'Altesse [46]. La gangrène [47] gagna jusqu'aux Murat [48] et ne laissait pas de me causer des soucis contre lesquels je soutenais difficilement mon courage [49], si bien que j'étais allé loin de
5 la cour, passer à la Ferté la quinzaine de Pâques en compagnie d'un gentilhomme qui avait servi dans mon régiment et était fort considéré par le feu Roi, quand la veille de Quasimodo un courrier que m'envoyait Mme de Saint-Simon me rendit une lettre par laquelle elle m'avisait d'être à Meudon dans le plus bref délai qu'il se pourrait,
10 pour une affaire d'importance, concernant M. le duc d'Orléans. Je crus d'abord qu'il s'agissait de celle du faux marquis de Ruffec [50], qui a été marquée en son lieu ; mais Biron l'avait écumée [51], et par quelques mots échappés à Mme de Saint-Simon, de pierreries et d'un fripon appelé Le Moine, je ne doutai plus qu'il ne s'agît encore d'une
15 de ces affaires d'alambics qui, sans mon intervention auprès du chancelier, avaient été si près de faire — j'ose à peine à l'écrire — enfermer M. le duc d'Orléans à la Bastille [52]. On sait en effet que ce malheureux prince, n'ayant aucun savoir juste et étendu [53] sur les naissances, l'histoire des familles, ce qu'il y a de fondé dans les prétentions,
20 l'absurdité qui éclate dans d'autres et laisse voir le tuf [54] qui n'est que néant, l'éclat des alliances et des charges, encore moins l'art de distinguer dans sa politesse le rang plus ou moins élevé [55], et d'enchanter par une parole obligeante qui montre qu'on sait le réel et le consistant, disons le mot, l'intrinsèque [56] des généalogies, n'avait jamais su se
25 plaire à la cour, s'était vu abandonné par la suite de ce dont il s'était

---

4   *Ms.* : (**f. 72**), *Plac* : courage,   *PM* : [virgule omise en fin de ligne]
5   *Ms.* : Cour
—   *Ms.* : la Ferté | **s** *dans* | la quinzaine
—   *Ms.* : *avec* | **s** en compagnie d' | un gentilhomme
8   *Ms.* : Madame de St-Simon   [l'usage de l'abréviation étant constant pour « Saint-Simon », dans *Ms.*, nous ne le signalerons plus comme variante.]
9   *Ms.* : *me* | **sc** m' | *mandait* | avisait
12   *Ms.* : *et à* | **s** par | quelques mots *que Madame de St-Simon   de pierre* échappés à Madame [ce mot est toujours en toutes lettres dans *Ms.*]
14   *Ms.* : fripon *du nom*   appelé Lemoine
16   *Ms.* : si près, *on frémit*   de faire — on frémit de l'écrire —
—   *Plac.* : de faire — *on frémit de* | **mg** ose à peine à | l'écrire —
19   *Ms.* : (**f. 73**) familles, *la distinction du rang, du mérite* | **s** *rang plus ou moins élevé* | **mg** ce qu'il y a de fondé dans *certaines* / **s** *les* / prétentions, *et* l'absurdité qui éclate dans d'autres et laisse voir le tuf qui n'est que néant, | *de l'ancienneté du nom, de* l'éclat
21   *Ms.* : charges, *et* | **s** encore moins | l'art de *le marquer* | **s** *le* distinguer | *à avec obligeance avec* | **s** dans | *une* | **s** sa | politesse *qui sait distinguer* le rang plus ou moins élevé, et d'enchanter, *par une par*   parole
23   *Ms.* : consistant, *des généalogies*, disons le mot,
25   *Plac.* : se plaire *dans l'élixir de cour de la société la plus trayée* | **mg** à la cour, |
—   *Ms.* : *s'en a*   était vu

détourné d'abord [57], tant et si loin qu'il en était tombé, encore que premier prince du sang, à s'adonner à la chimie, à la peinture, à l'Opéra [58], dont les musiciens venaient souvent lui apporter leurs livres et leurs violons qui n'avaient pas de secrets pour lui. On a vu aussi avec quel art pernicieux ses ennemis, et par-dessus tous le maréchal de Villeroy [59], avaient usé contre lui de ce goût si déplacé de chimie, lors de la mort étrange du Dauphin et de la Dauphine [60]. Bien loin que les bruits affreux qui avaient été alors semés avec une pernicieuse habileté par tout ce qui approchait la Maintenon eussent fait repentir M. le duc d'Orléans de recherches qui convenaient si peu à un homme de sa sorte, on a vu qu'il les avait poursuivies avec Mirepoix, chaque nuit, dans les carrières de Montmartre [61], en travaillant sur du charbon qu'il faisait passer dans un chalumeau où, par une contradiction qui ne se peut concevoir que comme un châtiment de la Providence, ce prince qui tirait une gloire abominable de ne pas croire en Dieu m'a avoué plus d'une fois avoir espéré voir le diable.

Les affaires du Misisipi [62] avaient tourné court et le duc d'Orléans venait, contre mon avis, de rendre son inutile édit contre les pierreries. Ceux qui en possédaient, après avoir montré de l'empressement et éprouvé de la peine à les offrir, préférèrent les garder en les dissimulant, ce qui est bien plus facile que pour l'argent, de sorte que malgré tous les tours de gobelets [[et diverses menaces d'enfermerie, [63]]] la

---

1   *Ms.* : en était *arrivé* | **s** tombé |,

3   *Ms.* : à l'opéra,

8   *Ms.* : avec une | **mg** pernicieuse | habileté *qui se   se peut dire diabolique* par tout

3   *Ms.* : chalumeau où, | **mg** par une contradiction qui ne *sera   se pourrait* / **s** peut / concevoir *si   autrement* que comme un châtiment de la Providence, | ce prince

5   *Ms.* : Dieu, m'a avoué ... voir le Diable.

7   *Ms.* : [sans alinéa] *Peu* (**f. 75**) *Peu de temps auparavant avait été rendu contre mon avis l'édit sur les pierreries dans le temps que le Roi d'Angleterre vint voir* | **i** *visiter* | *le Roi pour parler avec lui des affaires d'Hollande et d'Allemagne.* *Le Ro* | **mg** Les affaires du Mississipi avaient tourné court et le | **lp** Duc d'Orléans venait, contre mon avis, de rendre son inutile édit contre les pierreries, *à l'à   peu après le voyage du Roi d'Angleterre venu pour s'entendre avec le Roi sur les affaires d'Hollande et d'Allemagne, et j'ai toujours pensé que Lemoine avait eu bruit de* | **s** *d'une* | *conversations qui avaient lieu* | **s** *été tenue* | *à ce moment-là. Ce fut à ce parvulo de Meudon resté célèbre parce que le Prince* | **s** J. | *Murat, sous   y   sous le vain prétexte de prince étranger qui ne se peut soutenir, avait prétendu à la main sur le Duc de Gramont. M. le Duc d'Orléans m'en avait laissé dans l'ignorance la plus complète et j'y* [**f. 76**] *serais resté sans doute jusqu'à l'heure du souper   Ceux qui en possédaient les avaient dissimulées* après avoir *mis   montré*

8   *Plac.* : [alinéa supprimé après « pierreries »]

0   *Ms.* : Préfèrent [sans doute lapsus pour « préférèrent »] *les dissimuler   garder* cac   en les dissimulant   *Plac., PM* : préfèrent

2   *Plac.* : gobelets | **md** et diverses menaces d'enfermerie |

situation des finances n'avait été que fort peu et fort passagèrement améliorée. Le Moine le sut et pensa faire croire à M. le duc d'Orléans qu'elle le serait s'il le persuadait qu'il était possible de fabriquer du diamant. Il espérait du même coup flatter par là les détestables goûts
5 de chimie de ce prince et qu'il lui ferait ainsi sa cour. C'est ce qui n'arriva pas tout de suite. Il n'était pourtant pas difficile d'approcher M. le duc d'Orléans pouvu qu'on n'eût ni naissance, ni vertu. On a vu ce qu'étaient les soupers de ces roués d'où seule la bonne compagnie était tenue à l'écart par une exacte clôture [64]. Le Moine, qui avait
10 passé sa vie [[enterré]] dans la crapule la plus obscure [[et ne connaissait pas à la cour un homme qui se pût nommer [65],]] ne sut pourtant à qui s'adresser pour entrer au Palais Royal ; mais à la fin, la Mouchi en fit la planche [66]. Il vit M. le duc d'Orléans, lui dit qu'il savait faire du diamant, et ce prince, naturellement crédule, s'en coiffa [67]. Je pensai
15 d'abord que le mieux était d'aller au Roi par Maréchal [68]. Mais je craignis de faire éclater la bombe [69], qu'elle n'atteignît d'abord celui que j'en voulais préserver et je résolus de me rendre tout droit au Palais Royal. Je commandai mon carrosse, en pétillant d'impatience [70], et je m'y jetai comme un homme qui n'a pas tous ses sens à lui. J'avais
20 souvent dit à M. le duc d'Orléans que je n'étais pas homme à l'importuner de mes conseils, mais que lorsque j'en aurais, si j'osais dire, à lui donner, il pourrait penser qu'ils étaient urgents et lui demandais qu'il me fît alors la grâce de me recevoir de suite car je n'avais jamais été d'une humeur à faire antichambre. Ses valets les plus principaux [71]

---

1   *Ms.* : finances n'*av*   *en*   avait pas *été améliorée* | **s** que fort peu et | **I** fort passagèrement améliorée.

—   *Plac.* : n'avait | **mg** été | que

3   *Plac.* : qu'elle | **md** le | serait

4   *Ms.* : les | **s** détestables | goûts de chimie de ce prince, | **s** et | qu'il

5   *Ms.* : sa cour *et qu'on se coifferait de lui.*

7   *Ms.* : ni *honneur* | **s** vertu | *et.* On

8   *Ms.* : ses roués

9   *Ms.* : (**f. 77**) : *Mais* Lemoine

10   *Plac.* : sa vie | **md** enterré | dans la crapule la plus obscure | **mg** et ne connaissait pas à la cour un homme qui se put [sic] nommer |,

12   *Ms.* : pour *aller* | **s** entrer | au Palais-Royal ; mais à la fin la Mouchi

14   *Ms.* : ce prince naturellement crédule s'en coiffa.

16   *Ms.* : craignis *qu'elle n'atteign*   de faire éclater la bombe *et,* qu'elle

18   *Plac.* : je pétillais après lui *dans mon impatience* | **mg** d'impatience | et

21   *Ms., Plac.* : conseils mais

—   *Ms.* : j'en aurais | **s ,** si j'osais dire, | à lui donner,

22   *Plac.* : urgents et | **md** lui demandais | qu'il me fît

23   *Ms.* : (**f. 78**) : car je n'étais pas homme *à faire*   d'une humeur

—   *Plac.* : car je n'*étais pas homme* | **mg** avais jamais été | d'une humeur

24   *Ms.* : antichambre. | **mg** Ses valets les plus principaux me l'eussent évité, du reste, par la connaissance que j'avais de tout l'intérieur *de* / **s** de | sa cour *et* | Aussi bien *ne* me fit-il *pas* entrer

me l'eussent évité, du reste, par la connaissance que j'avais de tout
l'intérieur de sa cour. Aussi bien me fit-il entrer ce jour-là sitôt que
mon carrosse se fut rangé dans la dernière cour du Palais Royal, qui
était toujours remplie de ceux à qui l'accès eût dû en être interdit,
depuis que, par une honteuse prostitution [72] de toutes les dignités et
par la faiblesse déplorable du Régent, ceux des moindres gens de
qualité, [[qui ne craignaient même plus d'y monter en manteaux
longs,]] y pouvaient pénétrer aussi bien et presque sur le même rang
que ceux des ducs. Ce sont là des choses qu'on peut traiter de
bagatelles, mais auxquelles n'auraient pu ajouter foi ceux des hommes
du précédent règne, qui, pour leur bonheur, sont morts assez tôt pour
ne les point voir. Aussitôt entré auprès du Régent [[que je trouvai
sans un seul de ses chirurgiens ni de ses autres domestiques,]] et après
que je l'eusse salué d'une révérence fort médiocre et fort courte qui
me fut exactement rendue [73] : — Eh bien, qu'y a-t-il encore ? me dit-il
d'un air de bonté et d'embarras. — Il y a, puisque vous me commandez
de parler, Monsieur, lui dis-je avec feu en tenant mes regards fichés
sur les siens qui ne les purent soutenir, que vous êtes en train de
perdre auprès de tous le peu d'estime et de considération — ce
furent là les termes dont je me servis — qu'a gardé pour vous le
gros du monde [74].

Et, [[le sentant outré de douleur, (d'où, malgré ce que je savais
de sa débonnaireté [75], je conçus quelque espérance,)]] sans m'arrêter,
pour me débarrasser en une fois de la fâcheuse pilule [76] qu'il me

---

3   *Ms.* : mon carrosse *fut entré*   se fût [sic] rangé dans la dernière cour du palais
     royal, *où par une honte* qui

5   *Ms.* : depuis que par

6   *Ms., Plac.* : régent,

7   *Plac.* : qualité | **md** qui ne craignaient même plus d'y monter en manteaux
     longs | y pouvaient

8   *Ms.* : pouvaient pénétrer *comme et presque*   aussi bien

9   *Ms.* : Ce sont là choses

10   *Ms.* : bagatelles mais

11   *Ms.* : ceux des hommes *de l*   du précédent règne qui,

12   *Plac.* : régent | **md** que je trouvai *seul*   sans un seul de ses chirurgiens ni de
     ses autres domestiques | et

15   *Ms.* : Hé bien,

16   *Ms.* : (**f. 79**) : Il y a, | s puisque vous me commandez de parler, | Monsieur,

17   *Plac.* : avec feu | **md** *en le sentant outré de douleur douleur, d'où malgré ce
     que je savais de sa débonnaireté, je conçus quelque espérance,* | en tenant mes
     yeux | **mg** regards | fichés

20   *Ms.* : les *expressions* | s termes | dont je me servis — *que vous avez encore
     gardés* | s qu'a gardé pour vous le gros du monde. | Et

22   *Plac.* : Et | **mg** , le sentant outré de douleur, d'où, malgré ce que je savais de
     sa débonnaireté, je conçus quelque espérance, | [les parenthèses apparaissent
     dans *PM*]

24   *Ms.* : pour | s *me débarrasser* | **I** me débarrasser | en une fois

fallait lui faire prendre, et ne pas lui laisser le temps de m'interrompre, je lui représentai avec le plus terrible détail en quel abandon il vivait à la cour, quel progrès ce délaissement, il fallait dire le vrai mot, ce mépris, avaient fait depuis quelques années ; combien ils s'augmen-
5   teraient de tout le parti que les cabales ne manqueraient pas de tirer scélératement des prétendues inventions du Moine pour jeter contre lui-même des accusations ineptes, mais dangereuses au dernier point ; je lui rappelai — et je frémis encore parfois, la nuit quand je me réveille, de la hardiesse que j'eus d'employer ces mots mêmes — qu'il
10   avait été accusé à plusieurs reprises d'empoisonnement [77] contre les princes qui lui barraient la voie au trône ; que ce grand amas de pierreries qu'on ferait accepter comme vraies l'aiderait à atteindre plus facilement à celui d'Espagne, pour quoi on ne doutait point qu'il y eût concert entre lui, la cour de Vienne, l'Empereur et Rome ; que
15   par la détestable autorité de celle-ci il répudierait Mme d'Orléans, dont c'était pour lui une grâce de la Providence que les dernières couches eussent été heureuses, sans quoi eussent été renouvelées les infâmes rumeurs d'empoisonnement ; qu'à vrai dire, pour vouloir la mort de Madame sa femme, il n'était pas comme son père convaincu du goût
20   italien [78] — ce furent encore mes termes — mais que c'était le seul vice dont on ne l'accusât pas (non plus que de n'avoir pas les mains nettes), puisque ses relations avec Mme la duchesse de Berry parais-saient à beaucoup ne pas être celles d'un père [79] ; que s'il n'avait pas hérité l'abominable goût de Monsieur, pour tout le reste il en était
25   bien le fils par l'habitude des parfums qui l'avaient mis mal avec le Roi qui ne les pouvait souffrir [80], et plus tard avaient favorisé les bruits affreux d'avoir attenté à la vie de la Dauphine, et par avoir toujours mis en pratique la détestable maxime de diviser pour régner [81]

---

1   *Ms.* : m'interrompre *par des réponses qui au reste ne semblaient pas lui venir,* *je lui représentai,* je lui représentai | **s** avec le plus terrible détail | en quel
4   *Plac.* : ce mépris | **md** , | avaient
7   *Ms.* : ineptes mais dangereuses
8   *Ms.* : (**f. 80**) : parfois la nuit quand je me réveille de la hardiesse
18   *Ms.* : infâmes *accusations* | **s** rumeurs | d'empoisonnement ;
19   *Ms.* : qu'à vrai dire pour vouloir la mort de Madame sa femme,
—   *Ms.* : (**f. 81**) : père *accusé* | **s** convaincu | du goût
—   *Plac., P.M.* : frère convaincu
20   *Ms.* : mes *expressions* | **s** termes | —
—   *Ms.* : le seul *et abominable* vice dont on ne l'accusât pas, *ni de* | **s** non plus que | n'avoir pas les mains nettes, [les parenthèses n'apparaissent que dans *PM* ; nous rétablissons *de* devant *n'avoir*]
23   *Ms.* : paraissaient *à b* à beaucoup
24   *Ms.* : Monsieur, pour tout le reste il en était bien le fils [*Plac.* et *PM* placent la virgule après « reste », ce qui donne un sens moins satisfaisant.]
26   *Plac.* : et plus tard | **mg** avaient | favorisé
27   *Ms.* : et par avoir   *Plac.* : et *pour* | **md** par | avoir

à l'aide des redites de l'un à l'autre qui étaient la peste de sa cour, comme elles l'avaient été de celle de Monsieur, son père, où elles avaient empêché de régner l'unisson ; qu'il avait gardé pour les favoris de celui-ci une considération qu'il n'accordait à pas un autre, et que c'étaient eux — je ne me contraignis pas à nommer Effiat [82] — qui, aidés de Mirepoix et de la Mouchi, avaient frayé un chemin au Moine [83] ; que n'ayant pour tout bouclier que des hommes qui ne comptaient plus depuis la mort de Monsieur et ne l'avaient pu pendant sa vie que par l'horrible conviction où était chacun, et jusqu'au roi qui avait ainsi fait le mariage de Mme d'Orléans [84], qu'on obtenait tout d'eux par l'argent, et de lui par eux entre les mains de qui il était, on ne craindrait pas de l'atteindre par la calomnie la plus odieuse, la plus touchante, qu'il n'était que temps, s'il l'était encore, qu'il relevât enfin sa grandeur et pour cela un seul moyen, prendre dans le plus grand secret les mesures pour faire arrêter Le Moine et, aussitôt la chose décidée, n'en point retarder l'exécution [85] et ne le laisser de sa vie rentrer en France.

M. le duc d'Orléans, qui s'était seulement écrié une ou deux fois au commencement de ce discours, avait ensuite gardé le silence d'un homme anéanti par un si grand coup [86] ; mais mes derniers mots en firent sortir enfin quelques uns de sa bouche. Il n'était pas méchant [87], et la résolution n'était pas son fort :

— Eh quoi ! me dit-il d'un ton de plainte, l'arrêter ? Mais enfin si son invention était vraie ?

— Comment, Monsieur, lui dis-je étonné au dernier point d'un

---

1   *Ms.* : cour comme
2   *Ms.* : Monsieur son père | s — où elles avaient empêché de régner l'unisson | ;
5   *Ms.* : c'était eux [**f. 82**] *accusé du goût italien — ce furent encore mes expressions* — je ne me contraignis pas
—   *Ms.* : qui aidés de Mirepoix et de la Mouchi *lui* avaient frayé *au* un chemin au Moine ; *qu'il* | s *n'* | *était* | s *que* | *grand temps, s'il l'était encore* que n'ayant
7   *Ms.* : qui *n'* | **sc** ne | *avaient plus co* comptaient plus
8   *Plac.* : ne l'avaient *fait* | **mg** pu | pendant
9   *Ms.* : chacun et jusqu'au Roi qui avait ainsi [sic] le mariage *de ses b* Madame d'Orléans
0   *Plac.* : qu'on *pouvait* | **md** obtenait | tout
2   *Ms.* : plus *odieu dé* odieuse,
3   *Ms.* : que temps s'il *en* | s *l'* | était encore, qu'il relevât | s enfin | sa grandeur ; *que pour cela* | s et | pour cela
4   *Ms.* : moyen prendre
6   *Ms.* : et aussitôt la chose déci[**f. 83**]dée n'en point
7   *Ms.* : France. » [sans alinéa ensuite]
8   *Ms.* : Monsieur le Duc d'Orléans qui
9   *Ms.* : discours *et ensuite n'* avait *dit mot,* | s ensuite | gardé le silence
3   *Ms.* : « Hé quoi, me dit-il [guillemets encadrant les répliques ; sans alinéa.]
5   *Ms.* : « Comment Monsieur lui dis-je étonné [sans alinéa]

aveuglement si extrême et si pernicieux, vous en êtes là, et si peu
de temps après avoir été détrompé sur l'écriture du faux marquis de
Ruffec [88]. Mais enfin, si vous avez seulement un doute, faites venir
l'homme de France qui se connaît le mieux à la chimie comme à toutes
5 les sciences, ainsi qu'il a été reconnu par les académies et par les
astronomes, et dont aussi le caractère, la naissance, la vie sans tache
qui l'a suivie, vous garantissent la parole [89]. Il comprit que je voulais
parler du duc de Guiche et avec la joie d'un homme empêtré dans
des résolutions contraires et à qui un autre ôte le souci d'avoir à
10 prendre celle qui conviendra :
— Oh bien ! nous avons eu la même idée, me dit-il. Guiche en
décidera, mais je ne peux le voir aujourd'hui. Vous savez que le roi
d'Angleterre, voyageant très incognito sous le nom de comte de Stanhope, vient demain parler avec le Roi des affaires d'Hollande et
15 d'Allemagne [90] ; je lui donne une fête à Saint-Cloud où Guiche se
trouvera. Vous lui parlerez et moi pareillement, après le souper. Mais
êtes-vous sûr qu'il y viendra ? ajouta-t-il d'un air embarrassé.
Je compris qu'il n'osait faire mander le duc de Guiche au Palais
Royal, où, comme on peut bien penser et par le genre de gens que
20 M. le duc d'Orléans voyait et avec lesquels Guiche n'avait nulle familiarité, hors avec Besons et avec moi, il venait le moins souvent qu'il
pouvait, sachant que c'étaient les roués qui y tenaient le premier
rang plutôt que des hommes du sien. [[Aussi le Régent craignant

---

1   *Plac.* : là ? *Si* | **mg** , et si | peu
3   *Ms.* : Ruffec ? » Mais enfin si ... doute faites
5   *Ms.* : Sciences ainsi qu'il a été reconnu [**f. 84**] par les Académies
6   *Ms.* : aussi *la parole,* le caractère,
7   *Plac., PM* : [donnent « garantissant », qui est visiblement une coquille.]
9   *Ms.* : contraires et *qui se tr*   à qui un autre
10   *Ms.* : conviendra « Nous avons *eu* | s eu | la   [sans alinéa]
—   *Plac.* : [alinéa et] — Nous avons eu
11   *Ms., Plac.* : — Nous avons eu [« Oh bien ! » ne figure que dans *PM*]
—   *Ms.* : me dit-il ; Guiche
12   *Ms.* : aujourd'hui, *il* vous savez que le Roi
—   *Plac.* : aujourd'hui, vous savez
13   *Ms.* : d'Angleterre voyageant très incognito sous le nom de Comte de *Stanhope*
       Summers | s Stanhope |, *est v*   vient
16   *Ms.* : trouvera. *Nous*   Vous lui parlerez et moi *de même* | s pareillement |
       après le souper. » | **mg** Mais *y*   êtes-vous sûr qu'il y viendra ajouta-t-il d'un
       air embarrassé. | Je compris
17   *Plac.* : viendra ? [alinéa après embarrassé]
—   *Plac., PM* : ajoute-t-il   [coquille évidente]
19   *Ms.* : Palais Royal où comme
20   *Plac.* : lesquels *il* | **md** Guiche | n'avait
22   *Ms.* : (**f. 85**) : c'était les roués
23   *Plac.* : du sien. | **mg** *Aussi le Régent qui n'ignorait pas que Guiche ne craignait*
       point de chanter pouille sur lui était-il à son égard d | **md** Aussi le Régent,

toujours qu'il chantât pouilles sur lui, vivait à son égard dans des
inquiétudes et des mesures perpétuelles.]] Fort attentif à rendre à
chacun ce qui lui était dû et n'ignorant pas ce qui l'était au propre
fils de Monsieur, Guiche le visitait aux occasions seulement[91], et je
5 ne crois pas qu'on l'eût revu au Palais Royal depuis qu'il était venu
lui faire sa cour pour la mort de Monsieur et la grossesse de Mme
d'Orléans. Encore ne restait-il que quelques instants, avec un air de
respect il est vrai, mais qui savait montrer avec discernement qu'il
s'adressait, plutôt qu'à la personne, au rang de premier prince du
10 sang. M. le duc d'Orléans le sentait et ne laissait pas d'être touché
d'un traitement si amer et si cuisant.

Comme je quittais le Palais Royal, au désespoir de voir remettre
au parvulo de Saint-Cloud[92] un parti pris et qui ne serait peut-être
pas exécuté s'il ne l'était à l'instant même, tant étaient grandes la
15 versatilité et les cavillations[93] habituelles de M. le duc d'Orléans, il
m'arriva une curieuse aventure que je ne rapporte ici que parce qu'elle
n'annonçait que trop ce qui devait se passer à ce parvulo. Comme je
venais de monter dans mon carrosse où m'attendait Mme de Saint-
Simon, je fus au comble de l'étonnement en voyant que se préparait
20 à passer devant lui le carrosse de J. Murat, si connu par sa valeur
aux armées, et celle de tous les siens[94]. [[Ses fils s'y sont couverts

---

craignant toujours qu'il chantât pouille sur lui, vivait à son égard dans des *per-*
pétuelles inquiétudes et des mesures perpétuelles. | Fort attentif
3   *Ms.* : ce *qu'il* | **sc** qui | lui était dû
—   *Plac.* : l'était *à la naissance de M. le Duc d'Orléans* | **mg** *un Premier prince*
du Sang   au propre fils de Monsieur |, Guiche | **md** le | visitait *ce prince*
aux occasions seulement, et je ne crois | **md** pas | qu'on
6   *Ms.* : de *qu*   Madame d'Orléans. Encore ne restait-il
7   *Plac., PM* : ne restât-il   [coquille évidente]
—   *Ms.* : il est vrai | **s** mais | qui
9   *Ms.* : s'adressait *seulement* | **s** plutôt qu'à la personne | au rang de Premier
prince du sang.
10 *Plac.* : (n° 5) : le sentait | **md** et | ne laissait pas
12 *Ms.* : (**f. 86**) : le palais royal *en regrettant* au désespoir *d* | **sc** de | *avoir à* | **s**
voir | remettre au parvulo de St-Cloud *une* | **s** un | *décision*   parti
14 *Ms.* : tant *était grande* | **sc** étaient grandes | la versatilité | **s** et les cavillations
habituelles | de
15 *Plac.* : la versatilité et les *oscillations* | **mg** cavillations |
16 *Plac.* : une *étrange* | **md** curieuse | aventure
20 *Plac.* : passer devant | **md** lui | le carrosse
—   *Ms.* : de J. Murat si connu   [*Plac.* et *PM* donnent S. Murat par suite d'une
mauvaise lecture. Cf. brouillon 4, p. 256.]
21 *Ms.* : les siens. *Je crus d'abord à une maîtrise et j'attendais que ses chevaux*
J'avoue que je crus d'abord à une méprise tant la prétention me parut forte ; j'
| **sc** J' | aurais pourtant
—   *Plac.* : les siens. *J'aurais pourtant dû y être préparé par* | **mg** *Ses fils s'y sont*
couverts / [sous un collage] *de gloire par des traits de courage dignes de l'anti-*
quité, tellement qu'ayant montré des prétentions aussi insoutenables que celles

d'honneur par des traits dignes de l'antiquité ; l'un, qui y a laissé une jambe, brille partout de beauté ; un autre est mort, laissant des parents qui ne se pourront consoler ; tellement qu'ayant montré des prétentions aussi insoutenables que celles des Bouillon [95], ils n'ont point perdu comme eux l'estime des honnêtes gens.]]

J'aurais pourtant dû être moins surpris par cette entreprise du carrosse, en me rappelant quelques sproposito assez étranges [96], comme à un des derniers marlis où Mme Murat avait tenté le manège de céder à Mme de Saint-Simon, mais fort équivoquement et sans affecter de place, en disant qu'il y avait moins d'air là, que Mme de Saint-Simon le craignait et qu'à elle au contraire Fagon [97] le lui avait recommandé ; Mme de Saint-Simon ne s'était pas laissée étourdir par des paroles si osées et avait vivement répondu qu'elle se mettait à cette place non parce qu'elle craignait l'air, mais parce que c'était la sienne et que si Mme Murat faisait mine d'en prendre une, elle et les autres duchesses iraient demander à Mme la duchesse de Bourgogne [98] de s'en plaindre au Roi. Sur quoi, la princesse Murat n'avait répondu mot, sinon qu'elle savait ce qu'elle devait à Mme de Saint-Simon [99], [[qui avait été fort applaudie pour sa fermeté par les duchesses présentes et par la princesse d'Espinoy. [100]]] Malgré ce marli fort singulier, qui m'était resté dans la mémoire et où j'avais

---

des Bouillon, ils n'ont point perdu comme eux l'estime des honnêtes gens. J'aurais pourtant pu me douter de l'entreprise / [sur un papier collé] *d'honneur par des traits dignes de l'antiquité ; l'un qui y a laissé une jambe, brille partout de beauté et de gloire ; un autre est mort, laissant des parents qui ne se pourront consoler ; tellement qu'ayant montré des prétentions aussi insoutenables que celles des Bouillon ils n'ont point perdu comme eux l'estime des honnêtes gens. J'aurais pourtant* J'aurais + pourtant / [fin du collage, la première addition en **mg** se continue] dû être moins surpris par cette entreprise du carosse [sic] en me rappelant | **lp** quelques sproposito | **md** / s | assez étranges

6   *Ms.* : dû y être préparé par quelques

7   *Ms., Plac.* : sproposito   *PM* : propositions [sans doute correction des imprimeurs]

8   *Ms.* : (**f. 87**) : Marlis où Madame Murat *s'ét* avait | **s** tenté le manège de | céder à Madame de St-Simon *en disant assez étrangement qu'elle* mais fort équivoquement *et en* sans affecter

11   *Ms.* : craignait, et qu'*il* à elle

13   *Ms., Plac.* : paroles si étranges et avait

—   *Plac.* : qu'elle *prenait* | **md** se mettait à | cette place

14   *Ms.* : l'air mais

15   *Ms.* : si Madame Murat affectait

—   *Plac.* : si Mme Murat *affectait* | **md** faisait mine | d'en prendre une,

—   *Ms.* : elle et *tout* les autres

17   *Ms.* : sur quoi *Madame* | **s** la Princesse | Murat

18   *Ms.* : mot sinon

19   *Plac.* : Saint-Simon, | **md** qui avait été ... d'Espinoy. |

20   *Ms.* : Malgré *le souvenir de* ce Marli fort singulier | **mg** *où j'aurais dû* qui m'était resté dans la mémoire et où j'avais bien compris que Madame Murat avait voulu tâter le pavé |, je crus

bien compris que Mme Murat avait voulu tâter le pavé [101], je crus
cette fois à une méprise, tant la prétention me parut forte ; mais
voyant que les chevaux du prince Murat prenaient l'avance, j'envoyai
un gentilhomme le prier de les faire reculer, à qui il fut répondu que
5   le prince Murat l'eût fait avec grand plaisir s'il avait été seul, mais
qu'il était avec Mme Murat, et quelques paroles vagues sur la chimère
de prince étranger [102]. Trouvant que ce n'était pas le lieu de montrer
le néant d'une entreprise si énorme, je fis donner l'ordre à mon cocher
de lancer mes chevaux qui endommagèrent quelque peu au passage
10   le carrosse du prince Murat. Mais fort échauffé par l'affaire du Moine,
j'avais déjà oublié celle du carrosse, pourtant si importante pour ce
qui regarde le bon fonctionnement de la justice et l'honneur du
royaume, quand le jour même du parvulo de Saint-Cloud, les ducs
de Mortemart et de Chevreuse me vinrent avertir, comme qui avait [103]
15   au cœur le plus juste souci des anciens et incontestables privilèges des
ducs, véritable fondement de la monarchie, que le prince Murat, [[à
qui on avait déjà fait la complaisance si dangereuse de l'eau bénite [104],]]
avait prétendu à la main [105], pour le souper, sur le duc de Gramont,
appuyant cette belle prétention sur être [106] le petit-fils d'un homme qui
20   avait été roi des Deux-Siciles [107], qu'il l'avait exposée à M. d'Orléans par

---

3   *Ms.* : (f. 88) : du Prince Murat *ne reculaient pas* | s prenaient l'avance |,
    j'envoyai

4   *Ms.* : reculer.   *Je* à qui

5   *Ms.* : Murat *qu'il*   l'eût fait

6   *Ms.* : seul mais *qu'il était*   qu'il *l'* était

7   *Ms.* : étranger. *Là*   Trouvant

8   *Ms.* : d'une *prétenti*   entreprise si énorme, *et qui se* je | s fis | donner

9   *Ms.* : au passage le *pass* carrosse

10   *Ms.* : Mais *ne croyant pas qu'il oserait renouveler cette belle prétention, et* fort
    échauffé

—   *Ms.* : Moine, *je* j'étais bien loin de penser que J. Murat oserait renouveler une
    si   cette belle prétention | s j'avais déjà oublié celle, *pourtant si importante
    pour*   du carrosse pourtant si importante pour ce qui regarde le bon / **mg**
    fonctionnement de la justice et l'honneur du royaume. / | quand le jour même

14   *Ms.* : (f. 89) : avertir comme qui

16   *Ms.* : véritable*ment* fondement de la *Royauté* | s Monarchie |, que le Prince

—   *Plac.* : le prince Murat | **md** à qui on avait déjà fait la complaisance si dange-
    reuse de l'eau bénite | avait

18   *Ms.* : Gramont, qu'il avait exposé cette belle prétention *à*, l'appuyant par être
    le petit-fils d'un homme qui avait régné sur les Deux-Siciles, *devant M. le Duc
    d'Orléans, lequel embarrassé au dernier point ignorant d'ailleurs* | s nulle ins-
    truction | *d'histoires générales tant que particulières,* | **mg** à M. d'Orléans par
    Effiat comme ayant été ... au dernier point et *n'ayant pas d'ailleurs* | **lp** n'ayant
    pas | s d'ailleurs | cette instruction, claire, nette, profonde dont

—   *Plac.* : Gramont, *qu'il avait exposé* | **md** appuyant | cette belle prétention,
    l'appuyant par | **mg** sur | être le petit-fils d'un homme qui avait *régné sur
    les* | **mg** été roi des | Deux-Siciles, | **md** il l'avait exposée | à M. d'Orléans,
    par Effiat,

Effiat, comme ayant été le principal ressort de la cour de Monsieur
son père, que M. le duc d'Orléans, embarrasé au dernier point et
n'ayant pas d'ailleurs cette instruction claire, nette, profonde, dont
le décisif met à néant les chimères [108], n'avait pas osé se prononcer
5   fermement sur celle-ci, avait répondu qu'il verrait, qu'il en parlerait
à la duchesse d'Orléans. Etrange disparate [109] d'aller remettre les
intérêts les plus vitaux de l'Etat, qui repose sur les droits des ducs,
tant qu'il n'est pas touché à eux, à qui n'y tenait que par les liens
les plus honteux et n'avait jamais su ce qui lui était dû [110], encore
10   bien moins à Monsieur son époux et à la pairie tout entière. Cette
réponse fort curieuse et inouïe avait été rendue par la princesse
Soutzo [111] à MM. de Mortemart et de Chevreuse qui, étonnés à
l'extrême, m'étaient aussitôt venus trouver. [[Il est suffisamment au
su de chacun qu'elle est la seule femme qui, pour mon malheur, ait
15   pu me faire sortir de la retraite où je vivais depuis la mort du Dauphin
et de la Dauphine. On ne connaît guère soi-même la raison de ces
sortes de préférences et je ne pourrais dire par où celle-là réussit, là
où tant d'autres avaient échoué. Elle ressemblait à Minerve, telle
qu'elle est représentée sur les belles miniatures en pendants d'oreilles
20   que m'a laissées ma mère. Ses grâces m'avaient enchaîné et je ne
bougeais guère de ma chambre de Versailles [112] que pour aller la
voir. Mais je remets à une autre partie des ces *Mémoires* qui sera
surtout consacrée à la comtesse de Chevigné [113], de parler plus longuement d'elle et de son mari qui s'était fort distingué par sa valeur
25   et était parmi les plus honnêtes gens que j'aie connus.]] Je n'avais quasi
nul commerce avec M. de Mortemart depuis l'audacieuse cabale qu'il

---

5   *Ms.* : sur celle-ci avait répondu

7   *Ms.* : de l'Etat *que les ducs* qui repose sur les droits des ducs tant qu'il n'est pas
touché à eux, à qui n'y tenait que par les liens [**f. 90**] plus honteux

—   *Plac.* : sur les *droits des ducs tant qu'il n'est pas touché à eux,* | **mg** *droits des
ducs tant qu'il n'est pas touché à eux* + *touchant* | **lp** *à qui n'y était* | **md**
qui n'y tenait à qui n'y tenait | **lp** *que par les liens plus honteux et n'avait*
| **md** droits des ducs, tant qu'il n'est pas touché à eux, à qui n'y tenait que par
les liens les plus honteux et n'avait | **lp** jamais su

10   *Ms.* : son époux et *aux pairs.* à la pairie

11   *Plac.* : la *duchesse Sforze* | **mg** Princesse Soutzo | à MM.

13   *Ms.* : | **s** m' | étaient aussitôt venus *me* trouver [se continue sur un fragment
de page collé à la suite, et constituant à l'origine la fin du brouillon 3] *aussitôt
venus trouver. On sait où j'en étais* | **s** que je n'avais quasi nul commerce | avec

—   *Plac.* : On sait *que je n'avais quasi nul commerce avec M. de Mortemart depuis
l'étrange* | **md** *audacieuse* | *cabale* | **mg** suffisamment qu'elle est la seule
femme ... était parmi *les plus honnêtes gens* [la fin de l'addition est sur un papier
collé dont ne subsiste plus qu'un fragment sur lequel on lit :] aie connu [...]
merce avec [...] is l'audacieuse cabale | qu'il avait montée

15   *Plac.* (**mg**) : ait pu *réussir à* | **s** pu | me faire sortir

16   *Plac.* (**mg**) : on ne *sait* | **s** connaît | guère

25   *PM* : connu.

avait montée contre moi chez la duchesse de Beauvillier pour me
perdre dans l'esprit du Roi. Jamais esprit plus nul, plus prétendant
au contraire, plus tâchant d'appuyer ce contraire de brocards sans
fondement aucun qu'il allait colporter ensuite [114]. Pour M. de Chevreuse, [[menin de Monseigneur [115],]] c'était un homme d'une autre
sorte et il a été ici trop souvent parlé de lui en son temps pour que
j'aie à revenir sur ses qualités infinies, sur sa science, sur sa bonté,
sur sa douceur, sur sa parole éprouvée [116]. Mais c'était un homme,
comme on dit, à faire des trous dans la lune [117] et qui vainement
s'embarrassait d'un rien comme d'une montagne. On a vu les heures
que j'avais passées à lui représenter l'inconsistant de sa chimère sur
l'ancienneté de Chevreuse et les rages qu'il avait failli donner au
chancelier pour l'érection de Chaulnes [118]. Mais enfin, ils étaient ducs
tous deux et fort justement attachés aux prérogatives de leur rang ;
et comme ils savaient que j'en étais plus jaloux moi-même que pas
un qui fût à la cour, ils étaient venus me trouver parce que j'étais de
plus ami particulier de M. le duc d'Orléans, qui n'avais jamais eu en
vue que le bien de ce prince et ne l'avais jamais abandonné quand les
cabales de la Maintenon et du maréchal de Villeroy le laissaient seul
au Palais Royal. Je tâchai d'arraisonner [119] M. le duc d'Orléans, je
lui représentai l'injure qu'il faisait non seulement aux ducs, qui se
sentiraient tous atteints en la personne du duc de Gramont, mais au
bon sens, en laissant le prince Murat, [[comme autrefois les ducs de
La Trémoïlle [120],]] sous le vain prétexte de prince étranger et de son

---

Ms. : plus tâchant *de l'* appuyer | **s** ce contraire | de brocards | **s** sans fon-
dement aucun | qu'il

Ms. : Chevreuse c'était *une* un homme

Plac. : Chevreuse, | **md** menin de Monseigneur, | c'était un homme

Ms. : été | **s** ici | trop souvent *et trop* parlé

Ms. : sa valeur *inf* éprouvée ; mais c'était un homme comme on dit à

Ms., Plac. : et qui s'embarrassait

Ms., Plac. : que j'avais vainement passées

Ms. (**f. 91**) : de Chevreuse | **s** *et l'érection de Cha* |, et les rages

Ms. : enfin ils étaient ducs tous deux et fort | **mg** et justement | attachés *a* aux

Plac. : et fort *et* justement

Ms. : trouver *comme étant un* | **s** parce que j'étais de plus | ami particulier

Plac. : qui n'*avait* | **md** avais | jamais

Ms. : ne l'avait jamais abandonné, *m* quand

Ms. : Palais Royal. Je représentai *au* | **sc** à | **s** M. le | Duc *de Villeroy*] **s**
d'Orléans | l'injure

Plac. : Palais *Royal. Je* | **mg** Royal. Je tâchai d'arraisonner M. le duc d'Orléans,
je lui | représentai *à M. le duc d'Orléans* l'injure

Ms. : aux ducs qui se sentiraient   *Plac.* : *sentaient* | **md** sentiraient |

Ms. : Gramont mais au bon sang, en laissant

Plac. : Murat | **md** comme autrefois les ducs de La Trémoïlle | sous

Plac. : et *pour avoir eu* | **mg** de | son grand-père

grand-père, si connu par sa bravoure, roi de Naples pendant quelques années, avoir pendant le parvulo de Saint-Cloud, la main qu'il se garderait bien de ne pas exiger ensuite à Versailles, à Marly, et qu'elle servirait de véhicule à l'Altesse, car on sait où conduisent ces
5 sourdes et profondes menées de princerie [121] quand elles ne sont pas étouffées dans l'œuf. [[On en a vu l'effet avec MM. de Turenne et de Vendôme [122].]] Il y aurait fallu plus de commandement et un savoir plus étendu que n'en avait M. le duc d'Orléans. Jamais pourtant cas plus simple, plus clair, plus facile à exposer, plus impossible, plus
10 abominable à contredire. D'un côté, un homme qui ne peut pas remonter à plus de deux générations sans se perdre dans une nuit où plus rien de marquant n'apparaît ; de l'autre, le chef d'une famille illustre, connue depuis mille ans, père et fils de deux maréchaux de France, n'ayant jamais compté que les plus grandes alliances [123].
15 L'affaire du Moine ne touchait pas à des intérêts si vitaux pour la France.

Dans le même temps, Delaire épousa une Rohan et prit très étrangement le nom de comte de Cambacérès [124]. Le marquis d'Albuféra, qui était fort de mes amis et dont la mère l'était [125], porta force plaintes
20 qui [[, malgré l'estime infinie et, on le verra par la suite, bien méritée que le Roi avait pour lui,]] restèrent sans effet. Et il en est maintenant

---

1   *Ms.* : (**f. 92**) : son grand-père *le fameux Murat* si connu
—   *Ms.* : roi de Naples *pour* pendant quelques années, *prendre* avoir la main pendant le parvulo de *Meudon* | **s** St-Cloud |, qu'il se garderait
3   *Ms.* : à Marly | **mg** et qu'elle servirait de véhicule à l'Altesse | car on sait où mènent ces détestables *entreprises* | **s** *manè* entreprises | quand elles ne sont pas étouffées dans l'œuf. Il y aurait
4   *Plac.* : on sait où *mènent* | **mg** conduisent | *ces détestables entreprises quand elles ne sont pas étouffées dans l'œuf* | **md** sourdes / **s** et profondes / menées *pernicieuses chi* prétentions de princerie quand elles ne sont pas étouffées dans l'œuf. On en a vu l'effet avec MM. de Turenne et de Vendôme. | Il y aurait
7   *Ms.* : plus de *volon* résolution   *Plac.* : de résolution
9   *Ms.* : plus impossible *et,* plus abominable ... D'un côté un homme
11   *Ms.* : ne peut pas *citer* remonter
12   *Ms.* : n'apparaît, de l'autre le chef
13   *Ms.* : illustre, connue   *PM* : illustre connue
14   *Ms.* : **mid** les plus grandes alliances. [cf. note sur le brouillon 4, p. 239.]
15   *Ms.* : (**f. 93**) : **msg** L'affaire | **lp** de Lemoine [cf. la même note]
—   *Plac.* : *de Le* | **mg** du | Moine ne touchait pas | **md** à | des intérêts
16   *Ms.* : France. [sans alinéa] Dans
17   *Ms.* : Delaire *Prit le le nom fort* épousa
—   *Plac.* : prit *fort* | **mg** très | étrangement
18   *Ms.* : d'Albuféra qui était   *PM* : d'Albuféra, qui, était
19   *Ms.* : l'était porta
21   *Ms., Plac.* : qui restèrent   *PM* : qui, malgré l'estime infime [sic] ... pour lui, restèrent [« infime » est assurément une mauvaise lecture de l'imprimeur pour « infinie »]

de ces beaux comtes de Cambacérès [[sans même parler du vicomte Vigier [126], qu'on imagine toujours dans les Bains d'où il est sorti),]] comme des comtes à la même mode de Montgomery et de Brye [127] que le Français ignorant croit descendre de G. de Montgomery, si célèbre pour son duel sous Henri II, et appartenir à la famille de Briey, dont était mon amie la comtesse de Briey [128], laquelle a souvent figuré dans ces Mémoires et qui appelait plaisamment les nouveaux comtes de Brye, [[d'ailleurs gentilshommes de bon lieu quoique d'un moins haut parage,]] « les non brils ».

[[Un autre et plus grand mariage retarda la venue du roi d'Angleterre, qui n'intéressait pas que ce pays. Mlle Asquith [129], qui était probablement la plus intelligente d'aucun, et semblait une de ces belles figures peintes à fresque qu'on voit en Italie, épousa le prince Antoine Bibesco, qui avait été l'idole de ceux où il avait résidé. Il

---

1   *Ms.* : de ces **|** **s** beaux **|** comtes
—   *Ms., Plac.* : Cambacérès comme [la parenthèse ne figure que dans *PM*]
3   *Ms.* : mode *de Brye et de Mo* Montgomery et de Brye
—   *Plac.* : mode **|** **mg** de **|** Montgomery
4   *Plac.* : *Ph. de* **|** **mg** G. de **|** Montgomery,
—   *Ms.* : Montgomery si
5   *Ms.* : Henri III et   *Plac.* : Henri *III* **|** **mg** II **|**, et
6   *Ms.* : Briey dont
—   *Ms.* : Briey laquelle *appela* a souvent figuré
7   *Ms.* : ces mémoires et qui *les*   appelait **|** **s** plaisamment **|** les nouveaux Comtes de Brye   *des* « les non brils ».
8   *Plac.* : comtes de Brye **|** **mg** , d'ailleurs gentilshommes de bon lieu, quoique d'un moins haut parage, **|** « les non brils ».
10   *Ms.* : (**f. 94**) : [sans alinéa] Pas un des ducs **|** **s** ni un homme titré **|** n'alla
—   *Plac.* : [alinéa après « non brils »] *Pas un des ducs ni un homme titré n'alla à ce parvulo de* **|** **md** [addition faite d'abord dans la marge droite, puis sur un papier collé recouvrant une addition primitive dans la marge inférieure] Un autre et plus grand mariage *avait retardé la venue*   retarda la venue du Roi *d'* d'Angleterre, qui n'intéressait pas que ce pays. Mlle Asquith qui était probablement la jeune fille la plus intelligente d'aucun, épousa le Prince Antoine Bibesco qui avait été *l'* **|** **mi** [addition primitive] idole de tous ceux où il avait résidé. Il était fort l'ami de Morand, envoyé du Roi auprès de leurs Majestés Catholiques, et dont il sera souvent question au cours de ces Mémoires. Ce mariage fit grand bruit. *Quelq*   Un peu d'Anglais *mal instruits crurent que Mlle Asquith. Il* **|** **mi** [2e addition, sur papier collé, recouvrant la précédente] l'idole de ceux où il avait *passé*   résidé. Il était fort l'ami de Morand, envoyé du Roi auprès de leurs Majestés Catholiques, *et* duquel il sera souvent question au cours de ces Mémoires, et le mien. Ce mariage fit grand bruit, et partout d'applaudissement. Seul [sic], un peu d'Anglais mal instruits crurent que Mlle Asquith ne contractait pas une assez grande alliance. Ils ignoraient que ces Bibesco en ont avec les Noailles, les Montesquiou, les Chimay et les Bauffremont qui sont de la race capétienne et   **+**   pourraient revendiquer avec beaucoup de raison la couronne de France, comme j'ai souvent dit.
Pas un des ducs ni un homme titré n'alla à ce parvulo de **|** **lp** Saint-Cloud, hors moi,

était fort l'ami de Morand, envoyé du Roi auprès de leurs Majestés Catholiques [130], duquel il sera souvent question au cours de ces Mémoires, et le mien. Ce mariage fit grand bruit, et partout d'applaudissement. Seuls, un peu d'Anglais mal instruits crurent que Mlle
5   Asquith ne contractait pas une assez grande alliance. Elle pouvait certes prétendre à toutes, mais ils ignoraient que ces Bibesco en ont avec les Noailles, les Montesquiou, les Chimay, et les Bauffremont [131] qui sont de la race capétienne et pourraient revendiquer avec beaucoup de raison la couronne de France, comme j'ai souvent dit.]]
10   Pas un des ducs ni un homme titré n'alla à ce parvulo de Saint-Cloud, hors moi, à cause de Mme de Saint-Simon par la place de dame d'atour [132] de Mme la duchesse de Bourgogne, acceptée de vive force, sur le péril du refus [133] et la nécessité d'obéir au Roi, mais avec toute la douleur et les larmes qu'on a vues et les instances infinies
15   de M. le duc et de Mme la duchesse d'Orléans ; les ducs de Villeroy et de La Rochefoucauld par ne pouvoir se consoler [134] de n'être plus [[que de peu, on peut dire]] de rien et vouloir pomper un dernier petit fumet d'affaires [135], qui s'en servirent aussi comme d'une occasion d'en faire leur cour au Régent ; le chancelier [136], faute de conseil,
20   dont il n'y avait pas ce jour-là ; à des moments, Artagnan [137], capitaine des gardes, quand il vint dire que le Roi était servi ; un peu après,

---

11   *Ms.* : hors moi *par la place de Dame d'a*   à cause
—   *Ms.* : par la place, *acceptée de force,* de dame
12   *Ms.* : Bourgogne | **mg** acceptée de vive force, *et* sur le péril du refus, et la nécessité d'obéir au Roi mais ... d'Orléans | *et* | **s** *et* |, les Ducs de Villeroy et *de*   *d'Antin* de La Rochefoucauld
16   *Ms.* : [à partir de « La Rochefoucauld », nombreuses ratures] **lp** *qui s'en saisirent comme d'une occasion de faire leur cour au Régent, à des moments le Capitaine le Artagnan qu   capitaine des gardes* | [en interligne] *pour pomper un petit fumet d'affaires et qui s'en*   par ne *être* pouvoir se *consoler de n'être plus de rien et chercher à pomper un petit fumet d'affaires* / **mgi** par ne pouvoir se consoler de n'être plus de rien et vouloir pomper un dernier petit fumet d'affaires, qui s'en servirent aussi comme d'une occasion d'en faire leur cour au Régent, / [suite de l'interligne précédent] *le Chancelier faute de conseils dont il n'y avait pas ce jour-là, à des moments*   le Chancelier faute de Conseils dont il n'y avait pas ce jour-là, à des moments Artagnan capitaine des gardes | **lp** quand il vint
—   *Plac.* : *pour* | **mg** par | ne pouvoir se consoler de n'être plus | **mg** que de peu, on peut dire | de rien
18   *Plac., PM* : servirent, aussi comme
19   *Plac.* : le chancelier faute de conseil, dont il n'y avait pas ce jour-là, | **mg** ; | à des moments, *de la guerre* | **md** Artagnan, | capitaine des gardes, *Quand* | **mg** quand | il vint
21   *Ms.* : dire que le Roi était servi *et que la m   plus ta*   , un peu après *que la* | **s** , à son fruit, apporter des biscotins pour ses chiennes couchantes, enfin | musique était commencée, dont il *t* voulut | **s** ardemment | tirer
—   *Plac.* : dire que le Roi était servi ; un peu après, à son fruit, apporter des biscotins pour ses *chiennes (couchantes)* | **mg** chiennes couchantes | ; enfin *que*

à son fruit [138], apporter des biscotins [139] pour ses chiennes couchantes ; enfin [[quand il annonça]] que la musique était commencée, dont [140] il voulut ardemment tirer une distinction qui ne put venir à terme.

Il était de la maison de Montesquiou ; [[une de ses sœurs avait été fille de la Reine, s'était accommodée et avait épousé le duc de Gesvres [141].]] Il avait prié son cousin Robert de Montesquiou-Fézensac de se trouver à ce parvulo de Saint-Cloud. Mais celui-ci répondit par cet admirable apophtegme qu'il descendait des anciens comtes de Fézensac, lesquels sont connus avant Philippe-Auguste [142], et qu'il ne voyait pas pour quelle raison cent ans — c'était le prince Murat qu'il voulait dire [143] — devraient passer avant mille ans. Il était fils de T. de Montesquiou [144] qui était fort dans la connaissance de mon père et dont j'ai parlé en son lieu, et avec une figure et une tournure qui sentaient fort ce qu'il était et d'où il était sorti, le corps toujours élancé, et ce n'est pas assez dire, comme renversé en arrière [145], qui se penchait, à la vérité, quand il lui en prenait fantaisie, en grande affabilité et révérences de toutes sortes, mais revenait assez vite à

| **md** quand il annonça que | la musique était commencée, dont il voulut ardemment tirer

PM : servi, [le point-virgule permet une meilleure compréhension de la phrase]

Ms. : à terme. *On eut ainsi ce scandale de voir le Prince Murat sur un plouyant, à côté du Roi d'Angleterre. Le Courtisan en frémit à Versailles ; tous ceux qui avaient à cœur le bien de l'Etat en sentirent les bases ébranlées. Le Roi si peu versé* | **s** [au-dessus de la première ligne biffée] Il *avait prié* était de la maison | **lp** de Montesquiou et avait prié son cousin Robert, *si* de Montesquiou-Fezensac *si fameux par ses poésies* de se trouver à ce parvulo de Meudon. Mais

Plac. : maison de Montesquiou | **mg** ; une de ses sœurs avait été fille de la Reine, s'était accommodée, et avait épousé le duc *d'Uzès. Il avait de Ges* de Gesvres. Il avait | **lp** *et avait prié son* cousin Robert de Montesquiou-Fezensac, *si fameux par ses poésies*, de se trouver à ce parvulo de *Meudon* | **md** St-Cloud. | Mais

Ms. : **(f. 95)** : admirable apophtegme *et fort juste* qu'il

Ms. : cent ans *devrait pa* — c'était *le* | **s** *du* le | prince Murat | **s** *qu'il voulait parler* | — qu'il voulait dire — devraient

Ms. : Il était fils [à partir de cet endroit, *Ms.* reprend l'article du *Figaro* (*Fig.*) à sa septième ligne ; « *Ms.* » désignera ici uniquement le manuscrit de *PM*]

Fig. : père et dont j'ai parlé en son lieu, et l'homme le plus d'esprit que j'aie connu, avec un air de prince comme à pas un, la figure la plus noble, tantôt fort souriante et tantôt fort grave, à quarante ans la tournure d'un homme de vingt, le corps élancé, ce n'est pas assez dire, cambré et comme renversé en arrière,

Ms. : père *et l'homme le plus d'esprit que j'aie connu* et dont j'ai parlé en son lieu et l'homme le plus d'esprit que j'aie connu, avec une figure et une tournure qui sentaient fort ce qu'il était et d'où il était sorti, le corps *él* toujours élancé *ce n'est* et ce n'est pas assez dire mais comme renversé en arrière [**f. 96**, dactylographié] arrière,

Plac. : en son lieu *et l'homme le plus d'esprit que j'ai connu*, avec

Plac. : élancé, et ce n'est pas assez dire, mais comme renversé

Plac. : se penchait, à *vrai dire* | **mg** la vérité, | quand

sa position naturelle qui était toute de fierté, de hauteur, d'intransigeance à ne plier devant personne et à ne céder sur rien, jusqu'à marcher droit devant soi sans s'occuper du passage, bousculant sans paraître le voir, ou s'il voulait fâcher, montrant qu'il le voyait, qui était
5   sur son chemin, avec un grand empressement toujours autour de lui des gens des plus de qualité et d'esprit à qui parfois il faisait sa révérence de droite et de gauche, mais le plus souvent leur laissait, comme on dit, leurs frais pour compte, sans les voir, les deux yeux devant soi, parlant fort haut et fort bien à ceux de sa familiarité qui riaient de
10   toutes les drôleries qu'il disait, et avec grande raison, comme j'ai dit, car il était spirituel autant que cela se peut imaginer, avec des grâces qui n'étaient qu'à lui [146] et que tous ceux qui l'ont approché ont essayé, souvent sans le vouloir et parfois même sans s'en douter, de copier et de prendre, mais pas un jusqu'à y réussir, ou à autre chose
15   qu'à laisser paraître en leurs pensées, en leurs discours et presque dans l'air de l'écriture et le bruit de la voix qu'il avait toutes deux fort singulières et fort belles [147], comme un vernis de lui qui se reconnaissait tout de suite et montrait par sa légère et indélébile surface, qu'il était aussi difficile de ne pas chercher à l'imiter que
20   d'y parvenir [148].
      Il avait souvent auprès de lui un Espagnol dont le nom était Yturri

---

5   *Fig., Ms.* : entour de lui
9   *Plac.* : qui riaient *fort* de toutes les drôleries
10 *Ms.* : [reprise manuscrites en **mi** des derniers mots dactylographiés de la page] de toutes les drôleries qu'il disait [« disait » étant le premier mot du feuillet suivant, **f. 97**, dactylographié]
11 *Plac.* : spirituel *au-delà de ce qui se peut imaginer. Il joignait à cela l'esprit le plus grave* | **md** *la gravité, le brillant* |, *le plus singulier, le plus brillant, avec* | **md** avec | *des grâces* | **mg** *autant que cela se* autant que cela se peut imaginer, avec des grâces | **lp** qui n'étaient qu'à lui
20 *Fig., Ms., Plac.* : [à la suite, sans alinéa, un passage qui dans *PM* est placé plusieurs pages plus loin, cf. p. 277. Nous reproduisons ici l'état de *Plac.*, en signalant les variantes entre parenthèses :] Nous *parlerons en son temps* | **md** avons parlé | de ses vers, qu'il n'y a presque aucun divertissement à Versailles, à Sceaux et ailleurs qui (*Fig.* : ailleurs, qui) ne s'en pare. Et depuis quelques années, comme les duchesses ont accoutumé de s'y rendre, les femmes de la ville les imitent par une mécanique connue, en faisant venir des comédiens qui les récitent, dans le dessein d'en attirer quelqu'une, dont beaucoup iraient chez le Grand Seigneur, plutôt que de ne pas les applaudir. Il y avait toujours quelque (*Ms.* : Il n'y avait ce *jour-là nulle* | **s** toujours quelque | récitation en sa maison de Neuilly et aussi (*Ms.* : Neuilly, *mais* | **s** et aussi |) le concours, *comme il n'y avait que chez lui*, tant des poètes les plus fameux que des plus honnêtes gens et de la meilleure compagnie, et de sa part, à chacun, et devant tous les objets de sa maison, une foule de propos *qu'il avait admirables*, dans ce langage si particulier à lui que j'ai dit, (*Ms.* : *avec des traits fort nombreux et fort singuliers comme un seul eût suffi à orner une comédie,*) dont chacun restait *émerveillé* | **mg** étonné |. Il avait souvent auprès de lui, un Espagnol

et que j'avais connu lors de mon ambassade à Madrid [149], comme il
a été rapporté. En un temps où chacun ne pousse guère ses vues
plus loin qu'à faire distinguer son mérite, il avait celui, à la vérité
fort rare, de mettre tout le sien à faire mieux éclater celui de ce comte,
5 à l'aider dans ses recherches, dans ses rapports avec les libraires,
jusque dans les soins de sa table, ne trouvant nulle tâche fastidieuse
si seulement elle lui en épargnait quelqu'une, la sienne n'étant, si
l'on peut dire, qu'écouter et faire retentir au loin les propos de
Montesquiou, comme faisaient ces disciples qu'avaient accoutumé
10 d'avoir toujours avec eux les anciens sophistes, ainsi qu'il appert [150]
des écrits d'Aristote et des discours de Platon. Cet Yturri avait gardé
la manière bouillante de ceux de son pays, lesquels à propos de tout
ne vont pas sans tumulte, dont Montesquiou le reprenait fort souvent
et fort plaisamment, à la gaieté de tous et tout le premier d'Yturri
15 même, qui s'excusait en riant sur la chaleur de la race et avait garde
d'y rien changer, car cela plaisait ainsi. Il se connaissait en objets
d'autrefois [151], dont beaucoup profitaient pour l'aller voir et consulter
là-dessus, jusque dans la retraite que s'étaient ajustée nos deux ermites
et qui était sise, comme j'ai dit, à Neuilly, proche la maison de M.
20 le duc d'Orléans [152].

Montesquiou invitait fort peu et fort bien, tout le meilleur et le
plus grand, mais pas toujours les mêmes, et à dessein, car il jouait
fort au roi, avec des faveurs et des disgrâces jusqu'à l'injustice à en
crier, mais tout cela soutenu par un mérite si reconnu, qu'on le lui
25 passait, mais quelques-uns pourtant fort fidèlement et fort régulièrement, qu'on était presque toujours sûr de trouver chez lui quand il
donnait un divertissement, comme Mme de Clermont-Tonnerre [153] [[de
laquelle il sera parlé beaucoup plus loin]], qui était fille de Gramont,
petite-fille du célèbre ministre d'Etat, sœur du duc de Guiche, qui

---

1   *Fig.*, *Ms.* (**f. 98**) : connu lors   *Plac.*, *PM* : connu, lors
8   *Fig.*, *Ms.*, *Plac.* : dire, rien qu'écouter.
16   *Plac.* : se connaissait, *comme pas un*, en objets
17   *Fig.* : d'autrefois, dont   *Ms.*, *Plac.*, *PM* : d'autrefois dont [l'emploi de la virgule
     paraît plus correct]
19   *Fig.*, *Ms.* : proche la maison   *Plac.*, *PM* : proche de la maison
22   *Fig.*, *Ms.* : les mêmes, et à dessein   *Plac.*, *PM* : les mêmes [en fin de ligne]
     et à dessein
23   *Fig.*, *Ms.* : au Roi
24   *Plac.* : un mérite si *hors du pair et si*   reconnu, qu'on | **md** le | lui passait
     tout, mais
—   *Fig.*, *Ms.* (**f. 99**) : lui passait tout, — mais
27   *Plac.* : comme la duchesse *de Rohan, ainsi que j'ai dit plus haut*, Mme de
     Clermont-Tonnerre [cumul indû, par suite de la rature incomplète ; *PM* reproduit
     cette double appellation] qui était fille [les mots « de laquelle il sera parlé
     beaucoup plus loin » n'apparaissent que dans *PM*]

était fort tourné, comme on l'a vu, vers la mathématique et la peinture,
et Mme Greffulhe [154], qui était Chimay, de la célèbre maison princière
des comtes de Bossut. Leur nom est Hennin-Liétard et j'en ai déjà
parlé à propos du prince de Chimay, à qui l'Electeur de Bavière fit
5   donner la Toison d'or par Charles II et qui devint mon gendre, grâce
à la duchesse Sforze [155], après la mort de sa première femme, fille
du duc de Nevers. Il n'était pas moins attaché à Mme de Brantes [156],
fille de Cessac, dont il a déjà été parlé fort souvent et qui reviendra
maintes fois dans le cours de ces Mémoires, et aux duchesses de la
10   Roche-Guyon [157] et de Fezensac [158]. J'ai suffisamment parlé de ces
Montesquiou à propos de leur plaisante chimère de descendre de Pharamond, comme si leur antiquité n'était pas assez grande et assez
reconnue pour ne pas avoir besoin de la barbouiller de fables [159],
et de l'autre à propos du duc de la Roche-Guyon, fils aîné du duc
15   de La Rochefoucauld et survivancier de ses deux charges [160], de
l'étrange présent qu'il reçut de M. le duc d'Orléans, de sa noblesse
à éviter le piège que lui tendit l'astucieuse scélératesse du premier
président de Mesmes et du mariage de son fils avec Mlle de Toiras [161].
On y voyait fort aussi Mme de Noailles [162], femme du dernier frère du
20   duc d'Ayen, aujourd'hui duc de Noailles, et dont la mère est La Ferté.
Mais j'aurai l'occasion de parler d'elle plus longuement comme de la
femme du plus beau génie poétique qu'ait vu son temps, et qui a
renouvelé, et l'on peut dire agrandi, le miracle de la célèbre Sévigné.
On sait que ce que j'en dis est équité pure, étant assez au su de
25   chacun en quels termes j'en suis venu avec le duc de Noailles, neveu
du cardinal et mari de Mlle d'Aubigné, nièce de Mme de Maintenon,
et je me suis assez étendu en son lieu sur ses astucieuses menées
contre moi jusqu'à se faire avec Canillac avocat des conseillers d'Etat
contre les gens de qualité, son adresse à tromper son oncle le cardinal,
30   à bombarder Daguesseau chancelier, à courtiser Effiat et les Rohan,
à prodiguer les grâces pécuniaires énormes de M. le duc d'Orléans
au comte d'Armagnac pour lui faire épouser sa fille, après avoir

---

5   *Fig., Ms.* : gendre grâce   *Plac., PM* : gendre, grâce
8   *Fig., Ms., Plac.* : fort souvent et fort bien
—   *Plac.* : fort bien, *et de sa figure fine comme un portrait,* qui reviendra
9   *Fig., Ms., Plac.* : mémoires
—   *Plac.* : mémoires *et toujours avec force éloges et fort mérités,* et aux duchesses
10   *Plac.* : Fezensac, *celle-ci qui ne l'était pas encore et qui était de la maison de*
      Montesquiou. J'en ai suffisamment parlé | **mg** de ces Montesquiou | à propos
19   *Plac.* : On y voyait fort | **md** fort | aussi
22   *Plac.* : qu'ait vu son *siècle et probablement tous les autres* | **mg** temps |, et qui
23   *Fig., Ms.* (**f. 100**) : renouvelé et l'on peut dire agrandi le miracle
27   *Plac.* : ses *sourdes* | **mg** astucieuses | menées
31   *Plac.* : les grâces | **mg** pécuniaires | énormes

manqué pour elle le fils aîné du duc d'Albret [163]. Mais j'ai trop parlé
de tout cela pour y revenir, et de ses noirs manèges à l'égard de Law
[[et dans l'affaire des pierreries]] et lors de la conspiration du duc
et de la duchesse du Maine. Bien différent, et à tant de générations
5 d'ailleurs, était Mathieu de Noailles, qui avait épousé celle dont il
est question ici et que son talent a rendu fameuse. Elle était la fille
de Brancovan [164], prince régnant de Valachie, qu'ils nomment là-bas
hospodar, et avait autant de beauté que de génie. Sa mère était
Musurus qui est le nom d'une famille très noble et très des premières
10 de la Grèce, fort illustrée par diverses ambassades nombreuses et
distinguées et par l'amitié d'un de ces Musurus avec le célèbre
Erasme [165]. Montesquiou avait été le premier à parler de ses vers.
Les duchesses allaient souvent écouter les siens [166], à Versailles, à
Sceaux [167], à Meudon, et depuis quelques années les femmes de la
15 ville les imitent par une mécanique connue et font venir des comédiens qui les récitent dans le dessein d'en attirer quelqu'une, dont
beaucoup iraient chez le Grand Seigneur [168] plutôt que de ne pas
les applaudir. Il y avait toujours quelque récitation dans sa maison
de Neuilly, et aussi le concours tant des poètes les plus fameux que
20 des plus honnêtes gens et de la meilleure compagnie, et de sa part,
à chacun, et devant les objets de sa maison, une foule de propos, dans
ce langage si particulier à lui que j'ai dit, dont chacun restait émerveillé.
Mais [169] toute médaille a son revers. Cet homme d'un mérite si

---

1   *Fig.* : trop parlé   *Ms.* : trop tardé   *Plac.* : trop *tardé* | **mg** parlé |
3   *Plac.* : de Law | **md** et dans l'affaire des pierreries | et lors
7   *Fig.* : prince régnant   *Ms.* : régant [sic]   *Plac.* : régent   *PM* : régnant
8   *Fig.* : hospodar   *Plac., PM* : Hospodar
12 *Ms.* : Erasme. Elle était l'orgueil d'un mari qui trouvait le moyen, malgré l'éclat
    aveuglant d'une telle femme à éteindre, bien contre son gré, tout [ici s'arrête
    le f. 100 et la dactylographie insérée dans « *Ms. aut.* » ; le f. 101, autographe,
    reprend à : « Mais toute médaille... »]
—   *Plac.* : Erasme. *Elle était l'orgueil d'un mari qui trouvait le moyen, malgré l'éclat
    aveuglant d'une telle femme, à éteindre, bien contre son gré, tout mérite autour
    d'elle, de laisser paraître le sien qu'il avait, à vrai dire, fort rare et fort distingué,
    et le plus honnête homme que j'ai vu de ma vie. Mais il en sera parlé en son
    temps.*
    [alinéa] *Mais toute* | **mg**, puis **mi** : *Elle allait souvent chez* Montesquiou,
    qui avait été le premier à parler de ses vers ... restait émerveillé. Mais toute |
    lp médaille
17 *Plac.* : (**mg**) : iraient *plutôt* chez le Grand Seigneur
18 *Plac.* : (**mi**) : sa maison *de Neuilly, et aussi le concours, tant des poètes les plus
    fameux que des plus honnêtes gens, et de la meilleure* de Neuilly, et aussi le
    concours tant des *plus honnêtes gens que* des poètes les plus fameux
21 *Plac.* : (**mi**) : devant tous les objets
24 *Ms.* : (**f. 101**) : mérite *si brill* si hors de pair
—   *Plac.* : si hors de pair et *si reconnu*

hors de pair, où le brillant ne nuisait pas au profond [170], cet homme, [[qui a pu être dit]] délicieux, qui se faisait écouter pendant des heures avec amusement pour les autres comme pour lui-même, [[car il riait fort de ce qu'il disait comme s'il avait été à la fois l'auteur et le parleur,]] et avec profit pour eux, cet homme avait un vice : il n'avait pas moins soif d'ennemis que d'amis [171]. Insatiable des derniers, il était implacable aux autres, si l'on peut ainsi dire, car à quelques années de distance, c'était les mêmes dont il avait cessé d'être engoué. Il lui fallait toujours quelqu'un, sous le prétexte de la plus futile pique, à détester, à poursuivre, à persécuter, par où il était la terreur de Versailles car il ne se contraignait en rien et de sa voix qu'il avait fort haute lançait devant qui ne lui revenait pas les propos les plus griefs [172], les plus spirituels, les plus injustes, comme quand il cria fort distinctement devant Diane de Feydeau de Brou [173], veuve esti-mée du marquis de Saint-Paul, qu'il était aussi fâcheux pour le paga-nisme que pour le catholicisme qu'elle s'appelât à la fois Diane et Saint-Paul. C'était de ces rapprochements de mots dont personne ne se fût avisé et qui faisaient trembler. Ayant passé sa jeunesse dans le plus grand monde, son âge mûr parmi les poètes, revenu également des uns et des autres, il ne craignait personne et vivait dans une soli-tude qu'il rendait de plus en plus stricte par chaque ancien ami qu'il en chassait. Il était fort de ceux de Mme Straus, fille et veuve des célèbres musiciens Halévy et Bizet, femme d'Emile Straus [174], avocat à la cour des Aides, et de qui les admirables répliques sont dans la

---

1   *Ms.* : où le brillant *n'* **|** **sc** ne **|** *empêchait* **|** **s** nuisait **|** pas *le*   au profond,
—   *Plac.* : cet homme **|** **md** qui a pu être dit **|** délicieux *qu'on pouvait écouter pendant des heures sans cesser d'apprendre et d'admirer,* **|** **md** qui se faisait écouter pendant des heures avec amusement pour les autres comme pour lui-même et avec profit pour eux **|**, cet homme [les mots « car il riait fort ... le parleur » ne figurent que dans *PM*]
5   *Ms.* : avait un *vice* **|** **s** défaut **|** :   *Plac.* : un défaut
6   *Ms.* : il *n'était* **|** **s** avait **|** pas
7   *Ms.* : il était *incompatib*   implacable
—   *Ms.* : car *c'ét* , à quelques
8   *Plac.* : dont il *n'était plus* **|** **md** avait cessé d'être **|** engoué.
9   *Ms.* : quelqu'un *à dé* , sous le prétexte **|** **s** de **|** *le* **|** **sc** la **|** plus futile **|** **s** pique **|** , à détester,
12   *Ms.* · haute *jetait*   lançait
—   *Ms.* : revenait pas *les insultes*   les propos
14   *Ms., Plac.* : fort haut et fort distinctement
—   *Ms.* : (**f. 102**) : Diane de Feydeau de Brou
—   *Plac., PM* : Diane de Peydan de Brou [mauvaise lecture]
—   *Ms.* : veuve *très* estimée
15   *Ms.* : qu'il **|** **s** était **|** aussi fâcheux
17   *Ms.* : de ces rapprochements   *Plac., PM* : ses
18   *Ms.* : fut avisé   *Plac.* : fût **|** **md** u **|** *PM* : fut

mémoire de tous. Sa figure était restée charmante et aurait suffi sans
son esprit à attirer tous ceux qui se pressaient autour d'elle. C'est
elle qui, une fois dans la chapelle de Versailles où elle avait son
carreau [175], comme M. de Noyon [176], dont le langage était toujours
si outré et si éloigné du naturel, demandait s'il ne lui semblait pas
que la musique qu'on entendait était octogonale, lui répondit : « Ah !
monsieur, j'allais le dire ! » comme à quelqu'un qui a prononcé avant
vous une chose qui vient naturellement à l'esprit.

On ferait un volume si l'on rapportait tout ce qui a été dit par elle
et qui vaut de n'être pas oublié. Sa santé avait toujours été délicate.
Elle en avait profité de bonne heure pour se dispenser des Marly, des
Meudon, n'allait faire sa cour au Roi que fort rarement, où elle était
toujours reçue seule et avec une grande considération. Les fruits et
les eaux dont elle avait fait en tous temps un usage qui surprenait,
sans liqueurs, ni chocolat, lui avaient noyé l'estomac, dont Fagon
n'avait pas voulu s'apercevoir depuis qu'il diminuait. Il appelait char-
latans ceux qui donnent des remèdes ou n'avaient pas été reçus dans
les Facultés, à cause de quoi il chassa un Suisse qui aurait pu la
guérir [177]. A la fin, comme son estomac s'était déshabitué des nourritures trop fortes, son corps du sommeil et des longues promenades,
elle tourna cette fatigue en distinction [178]. Mme la duchesse de Bourgogne la venait voir et ne voulait pas être conduite au-delà de la
première pièce. Elle recevait les duchesses assise, qui la visitaient

---

1   *Plac.* : aurait suffi | **md** sans son esprit | à attirer ceux qui se pressaient autour
     d'elle, *sans son délicieux esprit.*
3   *Ms.* (**f. 103**) : C'est elle *qui dit* | **s** qui | une fois *à l*   dans la chapelle de
     Versailles | **mg** où elle avait son carreau | *qui dit* | **s** *répondit* | *à* | **i** comme
     | *l'évêque* | **s** Monsieur | de Noyon
5   *Ms.* : du naturel, *comme il lui disait* | **s** prétendait *lui demandait* s'il ne lui
     semblait pas | que la musique
–   *Plac.* : *prétendait* | **mg** demandait | s'il ne lui
7   *Ms.* : qui a *dit* | **i** prononcé | avant vous   *Plac., PM* : avant tous
8   *Ms.* : [sans alinéa]   *Plac.* : [avec alinéa]
9   *Plac.* : *On écrirait des volumes* | **mg** ferait un volume | si
0   *Ms.* : par elle et l'est encore *de délicieux de v*   qui vaut *d'être* de n'être jamais
     oublié.
–   *Plac.* : par elle *et l'est encore,* | **md** et | qui vaut de n'être *jamais* | **mg** pas | oublié.
1   *Ms.* : des Marlys
3   *Ms.* : considération. *Elle avait tourné cette*   Son | **mg** Les fruits et les eaux ..
     A la fin son | estomac
4   *Ms.* (**mg**) : avait fait *toujours*   en tout temps
8   *Ms.* (**mg**) facultés
9   *Plac.* : A la fin, | **md** comme | son estomac
0   *Ms.* (**f. 104**) : du sommeil et *des* des *lo* | **s** longues | promenades,
2   *Ms.* : être *reconduite* au-delà
3   *Ms.* : les duchesses assise,   *Plac., PM* : les duchesses, assise, [la ponctuation
     primitive est préférable]
–   *Ms.* : qui la *venaient voir* | **s** visitaient | tout de même

tout de même tant c'était un délice de l'écouter. Montesquiou ne s'en
faisait pas faute ; il était fort aussi dans la familiarité de Mme Standish,
sa cousine [179], qui vint à ce parvulo de Saint-Cloud, étant l'amie la
plus anciennement admise en tout et dans la plus grande proximité
5   avec la reine d'Angleterre, la plus distinguée par elle, où toutes les
femmes ne lui cédèrent point le pas comme cela aurait dû être et ne
fut pas par l'incroyable ignorance de M. le duc d'Orléans [180], qui la
crut peu de chose parce qu'elle s'appelait Standish, alors qu'elle était
fille d'Escars, de la maison de Pérusse, petite-fille de Brissac [181], et
10   une des plus grandes dames du royaume comme aussi l'une des plus
belles, et avait toujours vécu dans la société la plus trayée dont elle
était le suprême élixir [182]. M. le duc d'Orléans ignorait aussi que
H. Standish était fils d'une Noailles [183], de la branche des marquis
d'Arpajon. Il fallut que M. d'Hinnisdal le lui apprît [184]. On eut donc
15   à ce parvulo le scandale fort remarquable du prince Murat, sur un
ployant [185], à côté du roi d'Angleterre. Cela fit un étrange vacarme

---

2   *Plac.* : était *cousin et* | **mg** aussi | fort dans la familiarité de Mme *Satandish*
[sic] | **md** Standish , sa cousine | qui

3   *Ms.* : qui *n'eut se trouva* | **s** vint | à ce parvulo de St-Cloud, par être *la plus
ancienne la* | **sc** l' | amie la plus *ancienne* | **s** *la* | **mg** anciennement admise
en tout avec la Reine d'Angleterre *et la plus avancée dans son crédit, à un
degré qui était rendu* | *et* la plus distinguée par elle de la Reine d'Angleterre,
où *elle n'obtint pas le el* toutes les femmes ne lui cédèrent pas le pas comme
cela aurait dû être | **s** et ne fut pas | par l'incroyable

—   *Plac.* : étant l'amie la plus anciennement admise en tout avec la reine

6   *Plac.* : cédèrent *pas* | **md** point | le pas

8   *Ms.* : s'appelait *seulement* Standish

9   *Ms.* (**f. 105**) : Escars, *petite f* de la maison

—   *Ms.* : Brissac, et *la plus gran d'une naissance qui lui as valait* la plus grande
dame du royaume comme elle *était* | **s** avait été | la plus belle. | **mg** *Elle
avait* et avait toujours vécu dans la société la plus trayée dont elle était le
suprême élixir. *Elle av Pourtant elle ils avaient elle avait vécu dans la
société la plus trayée dont elle avait été l'élixir*

—   *Plac.* : Brissac, et *la plus grande dame* | **md** *la* une des plus grande dames |
du royaume comme *elle avait été la plus belle* | **md** aussi l'une des plus belles |
et avait

13   *Ms.* : Noailles, de la *mais* branche

14   *Ms.* : que M. *de La Rochefoucauld* | **s** d'Hinnisdal | le lui apprit [sic]. *On vit
à ce parvulo une* On eut | **s** donc | à ce parvulo le scandale | **s** fort remar-
quable | du Prince Murat, sur un ployant, à la droite du Roi d'Angleterre. | **mg**
Cela fit un étrange vacarme qui retentit bien loin de St-Cloud *où cette flétris-
sure* | Le courtisan en frémit à Versailles, tous ceux qui avaient à cœur

—   *Plac.* (plac. n° 6) Il fallut que M. d'Himpisdal [sic] le lui apprit [sic].

16   *Plac.* : sur un ployant, à *la droite* | **ms** à côté | du Roi d'Angleterre. | **mg**
Les Princesses du sang man Le Il voulut que le Régent eut [sic] *un fau
un fauteuil pour le M. le Duc Il* + *évita de qualifier M. le Duc d'Orléans en lui parlant mais voulut pour lui un fauteuil, auquel il ne prétendait
pas mais qu'il se garda bien de refuser.* | Cela fit un étrange

qui retentit bien loin de Saint-Cloud. Le courtisan en frémit à Versailles [186], tous ceux qui avaient à cœur le bien de l'Etat en sentirent
les bases sapées ; le Roi, si peu versé dans l'histoire des naissances
et des rangs, mais comprenant la flétrissure infligée à sa couronne
5   par la faiblesse d'avoir anéanti la plus haute dignité du royaume,
attaqua de conversation là-dessus le comte A. de La Rochefoucauld,
qui l'était plus que personne [187] et qui, commandé de répondre par
son maître, qui était aussi son ami, ne craignit pas de le faire en
termes si nets et si tranchants qu'il fut entendu de tout le salon où
10 se jouait pourtant à gros bruit un fort lansquenet. Il déclara que, fort
attaché à la grandeur de sa maison, il ne croyait pas pourtant que cet
attachement l'aveuglât [[et lui fît rien dérober à quiconque,]] quand
il trouvait qu'il était — pour ne pas dire plus — un aussi grand seigneur que le prince Murat ; que pourtant il avait toujours cédé le
15 pas au duc de Gramont et continuerait à faire de même. Sur quoi
le Roi fit faire défense au prince Murat de prendre en nulle circons-

---

1   *Plac.* : Saint-Cloud. Ceux qui avaient à cœur [une ligne du *Ms.* est sautée]
2   *Ms.* : l'Etat, *le sentir*   en sentirent
4   *Ms.* : des rangs, | **mg** *sentit*   mais comprenant la flétrissure infligée à sa cou-
ronne par la faiblesse d'avoir anéanti la plus haute dignité du royaume | attaqua
| **i** de conversation | là-dessus le comte A. de La Rochefoucauld qui l'était
| **s** *au contraire* | plus que personne et qui *osa répondre à un ami qui était*
commandé
8   *Ms.* : maître qui
9   *Ms.* (**f. 106**) : entendu de tout*e la galerie* | **mg** le salon où se jouait pourtant
à gros bruit, un *grand* / **s** fort / lansquenet | *et que le Roi fit faire* | **s** Il
déclara que fort | attaché à la grandeur
12 *Ms., Plac.* : l'aveuglât quand il trouvait
—   *PM* : et lui fit [*sic*] rien dérober à quiconque, quand il trouvait
13 *Ms.* : il trouvait qu'il *n*'était —
16 *Ms.* : de ne prendre   *Plac.* : de *ne* prendre   *PM* : de ne prendre
—   *Ms.* : en nulle circonstance la qualité d'Altesse ; Murat ploya un moment sous
l'orage | **i** le temps de passer ce fâcheux détroit | mais il n'en fut pas davantage
et on sait que maintenant la gangrène a passé à ses frères et à ses cousins, *tous
fort honnêtes gens d'ailleurs et ayant rendu des services éclatants à l'armée* où
même les lieutenants généraux ne *leur marchan* font point difficulté *de leur donner
le monseigneur* sans aucune raison qu'on puisse approfondir et qui résiste, de
[**f. 108**] leur donner le Monseigneur. Ainsi tout décline
—   *Plac.* : en nulle circonstance | **mg** plus que | la qualité d'Altesse | **md** [addition
primitive, disparue sous un collage] et le *traversement* traversement du parquet |
lp *Murat ploya un moment sous l'orage, le temps de passer ce fâcheux détroit.
Mais il n'en fut pas davantage et on sait que maintenant la gangrène a passé
à ses frères et à ses cousins* | **md** [addition primitive, disparue sous le même
collage] le parlement, quand il va les complimenter, envoie ses huissiers baguettes
baissées ce que Monsieur le Prince avait eu   +   tant de peine à obtenir du
feu Roi, | **lp** *et même les lieutenants généraux ne font point difficulté, sur aucune
raison qu'on puisse approfondir et qui résiste, de leur donner* | **mg** *à tous le pour
et   à tous* | **lp** *le monseigneur. Ainsi, tout* | **md** [sur un papier collé] *et le
traverse*   et le traversement du parquet. Le seul qui eut [*sic*] pu y prétendre

tance plus que la qualité d'Altesse [[et le traversement du parquet [188].
Le seul qui eût pu y prétendre était Achille Murat, parce qu'il a des
prérogatives souveraines dans la Mingrélie [189] qui est un Etat avoisinant ceux du czar. Mais il était aussi simple qu'il était brave, et sa
5   mère, si connue pour ses écrits et dont il avait hérité l'esprit charmant, avait bien vite compris que le solide et le réel [190] de sa situation était moins chez ces Moscovites que dans la maison bien plus
que princière qui était la sienne, car elle était la fille du duc de
Rohan-Chabot.]]
10   Le prince J. Murat ploya un moment sous l'orage, le temps de
passer ce fâcheux détroit [191], mais il n'en fut pas davantage et on sait
que maintenant, même à ses cousins, les lieutenants-généraux ne font
point difficulté, sans aucune raison qui se puisse approfondir, de donner le Pour et le Monseigneur [192], [[et le Parlement, quand il va les
15   complimenter, envoie ses huissiers les baguettes levées [193], à quoi
Monsieur le Prince avait eu tant de peine d'arriver, malgré le rang
de prince de sang.]] Ainsi tout décline, tout s'avilit [194], tout est rongé
dès le principe, dans un Etat où le fer rouge n'est pas porté d'abord
sur les prétentions pour qu'elles ne puissent plus renaître.
20   [[Le roi d'Angleterre était accompagné de milord Derby [195] qui

---

était Achille Murat parce qu'il a des prérogatives dans la Mingrélie qui est un
état avoisinant ceux du czar. Mais il était aussi simple qu'il était brave et sa mère,
si *goûtée* | **s** connue | pour ses écrits et dont il avait hérité l'esprit *fameux* | **s**
charmant | , avait *to* bien vite compris que le *co* solide et le réel de sa
situation était moins chez ces Moscovites que dans la maison bien plus que
princière qui était la sienne car elle était la fille du duc de Rohan-Chabot.
    Le Prince J. Murat ploya un moment sous l'orage, le temps de passer ce
fâcheux détroit, mais il n'en fut pas davantage et on sait que maintenant, même
à ses cousins, les lieutenants généraux ne font point difficulté, sans aucune raison
qui se puisse approfondir, de leur donner le Pour et le Monseigneur ; et le parlement quand il va les complimenter envoie ses huissiers les baguettes levées, à
quoi Monsieur le Prince avait eu tant de peine d'arriver, malgré le rang de Prince
du sang. Ainsi   +   tout | **lp** décline

18 *Ms.* : un état où le fer rouge n'est pas porté *tout de suite* | **s** d'abord | aux
    prétentions
19 *Plac.* : d'abord *aux* | **md** sur les | prétentions
—   *Ms.* : renaître. [sans alinéa] *On vit une autre nouveauté, fort singulière à cet*
    ce parvulo, d'un prince d'Orléans, voyageant | **s** *assez* | *incognito en France*
    sous le nom très étrange d'Infant d'Espagne. Je re   J'eus beau [**f. 107** ; son
    début ne coïncide pas exactement avec la fin du feuillet précédent, quelques lignes
    de texte manquent] *court. Les envoyés du Roi d'Espagne furent seuls à n'en*
    être pas satisfaits. A la fin il en essuya des dégoûts et ve   , ne se montra guère
    à la cour et vécut d   dans un   la sienne. Il en sera parlé en son temps. C'est
    ce même Don Luis d'Orléans qui au parvulo de Meudon | **mg** *Le Régent* | fit
    à Madame Standish
—   *Plac.* : renaître. [alinéa] | **mg** et **mi** : Le roi d'Angleterre ... un personnage
    singulier. | **lp** [alinéa] Le régent fit à Mme Standish

jouissait ici, comme dans son pays, de beaucoup de considération. Il
n'avait pas au premier abord cet air de grandeur et de rêverie qui
frappait tant chez B. Lytton [196], mort depuis, ni le singulier visage
et qui ne se pouvait oublier de milord Dufferin [197]. Mais il plaisait
5   peut-être plus encore qu'eux par une façon d'amabilité que n'ont
point les Français et par quoi ils sont conquis. Louvois l'avait voulu
presque malgré lui auprès du Roi à cause de ses capacités et de sa
connaissance approfondie des affaires de France.
       Le roi d'Angleterre évita de qualifier M. le duc d'Orléans en lui
10   parlant, mais voulut qu'il eût un fauteuil, à quoi il ne prétendait pas,
mais qu'il n'eut garde de refuser [198]. Les princesses du sang mangèrent
au grand couvert par une grâce qui fit crier très fort, mais ne porta pas
d'autre fruit [199]. Le souper fut servi par Olivier, premier maître d'hôtel du Roi. Son nom était Dabescat [200] ; il était respectueux, aimé de
15   tous, et si connu à la cour d'Angleterre que plusieurs des seigneurs
qui accompagnaient le Roi le virent avec plus de plaisir que les che-
valiers de Saint-Louis récemment promus par le Régent et dont la
figure était nouvelle. Il gardait une grande fidélité à la mémoire du
feu Roi et allait chaque année à son service à Saint-Denis, où, à la
20   honte des courtisans oublieux, il se trouvait presque toujours seul
avec moi [201]. Je me suis arrêté un instant sur lui, parce que par la
connaissance parfaite qu'il avait de son état, par sa bonté, par sa
liaison avec les plus grands sans se familiariser ni bassesse, il n'avait
pas laissé de prendre de l'importance à Saint-Cloud et d'y faire un
25   personnage singulier.]]
       Le Régent fit à Mme Standish la remarque fort juste qu'elle ne
portait pas ses perles comme les autres dames, mais d'une façon
qu'avait imitée la reine d'Angleterre [202]. Guiche se trouvait là, qui

---

1   *Plac.* (**mg**) : ici comme dans son pays de la plus extrême considération.
7   *Plac.* (**mg**) : ses *grandes* capacités
10   *Plac.* (**mg**) : qu'il eut [sic] *un* un fauteuil,   *PM* : eut
11   *Plac.* (**mg**), *PM* : qu'il eut garde de refuser.
14   *Plac.* (**mg**) : respectueux *envers*   à *l'extrême,* aimé
18   *Plac.* (**mg**) : figure *leur* était nouvelle.
—   *Plac.* (**mg**) : gardait *à la* | s une | **I** grande fidélité à la | mémoire du feu Roi
        une fidélité   grande fidélité   et allait
21   *Plac.* (**mg**) : sur lui parce que par   *PM* : sur lui, parce que par
22   *Plac.* (**mg**) : état, par d'autres qui le dépassaient fort, par sa bonté,
23   *Plac.* (**mg**) : sans se familiariser ni bassesse,   *PM* : familiariser, ni
26   *Ms.* (**f. 107**) : fit à Madame Standish la remarque [**f. 109**] | **mg** Le Régent fit
        à Me Standish la remarque | fort juste qu'elle ne portait pas [sur l'interversion
        dans *Ms. Aut.* des ff. 107 et 108, cf. p. 239]
28   *Ms.* : d'Angleterre. *A ce mot de perles je regardai Guiche et lui   entre deux yeux
        et lui dis : « Avez-vous parlé du Moine au Régent ». « Oui me répondit-il en
        souriant,* | s *il m'a interrogé là-dessus tout à l'heure* | *et il me paraît   je crois
        l'avoir persuadé. »* Guiche *était* | **i** se trouvait | là qui | **mg** y avait été mené

y avait été mené comme au licou [203] par la peur de s'attirer pour toujours le Régent et n'était pas fort aise d'y être. [[Il se plaisait bien plus à la Sorbonne et dans les Académies dont il était recherché plus que personne [204].]] Mais enfin le Régent l'avait fait prendre,

5 il sentit ce qu'il devait au respect de la naissance, sinon de la personne, au bien de l'Etat, peut-être à sa propre sûreté, ce qu'il y aurait de trop marqué à ne pas venir, ne pas y avoir de milieu entre se perdre et refuser, et il sauta le bâton [205]. A ce mot de perles, je le cherchai des yeux. Les siens, très ressemblants à ceux de sa mère,

10 étaient admirables, avec un regard qui, bien que personne n'aimât autant que lui à se divertir, semblait percer au travers de sa prunelle, dès que son esprit était tendu à quelque objet sérieux. On a vu qu'il était Gramont, dont le nom est Aure, de cette illustre maison considérée par tant d'alliances et d'emplois depuis Sanche-Garcie d'Aure

15 et Antoine d'Aure, vicomte d'Aster, qui prit le nom et les armes de Gramont [206]. Armand de Gramont, dont il est question ici, avec tout le sérieux que n'avait pas l'autre, rappelait les grâces de ce galant comte de Guiche [207], qui avait été si initié dans les débuts du règne

---

    par le / **i** *par* / **S** comme au / licou, *la peur* de / s par la peur de / *se perdre et de* s'attirer pour toujours le Régent et n' | **lp** n'était pas fort aise

2   *Ms.* : d'y être, mais enfin   *Plac.* : d'y être. Mais enfin   [*PM* ajoute la phrase intermédiaire : « Il se plaisait ... plus que personne. »]

4   *Ms.* : l'avait | **s** fait | chercher

—   *Plac.* : l'avait fait chercher

5   *Ms.* : il *avait* sentit

6   *Ms.* : propre sûreté, | s ce qu'il y aurait trop marqué à *refuser* | **mg** ne pas venir et ne pas y avoir de milieu entre se perdre et refuser | **lp** et il *avait sauté* | **sc** sauta | le bâton.

—   *Plac.* : au bien de l'Etat, *ce qu'il y aurait trop marqué à être à sa propre sûreté, ne pas venir et ne pas* | **md** peut-être à sa propre sûreté, ce qu'il y aurait de trop marquer [sic] *comme* à ne pas *ven*   *ne pas y*   venir, et ne pas | y avoir de milieu entre se perdre et refuser, et il sentit [sic] le bâton.

8   *Ms.* : bâton. *Je le cherch*   A ce mot

9   *Ms.* : de sa mère étaient admirables, avec *un regard* | s *des* | *regards* | **s** un regard | qui bien que

11 *Ms.* : *semblaient* | **sc** semblait | *les tra*   percer

—   *Plac.* : *sembla* | **md** semblait | percer

—   *Ms.* : au [**f. 110**] *et* travers de sa prunelle dès que

12 *Ms.* : On a vu qu'il était Gramont, *de cette ill*   illustre maison d'Aure, *connue par tant d'emplois*   considérée par tant *d'alliances et d'emplois*   dont le nom

—   *Plac.* : objet sérieux. *On a vu qu'il était tendu à quelque objet sérieux.* On a vu qu'il était Gramont,

14 *Ms.* : Sance-Garcie d'Aure

—   *Plac.* : *Sance* | **mg** Sanche | — Garcie d'Aure

15 *Ms.* : d'Aster *qui* qui prit le nom et les armes *de Gramont* | **s** de de sa mère *Claire* de Gramont | *qui était*   *Il*   Armand de Gramont dont

17 *Ms.* : l'autre, *et a*   rappelait

18 *Ms.* : Guiche *qui*

de Louis XIV. [[Il dominait sur tous les autres ducs, ne fût-ce que
par son savoir infini et ses admirables découvertes. Je peux dire avec
vérité que j'en parlerais de même si je n'avais reçu de lui tant de
marques d'amitié. Sa femme était digne de lui, ce qui n'est pas peu
dire. La position de ce duc était unique.]] Il était les délices de la
cour, l'espoir avec raison des savants [208], l'ami sans bassesse des plus
grands, le protecteur avec choix de ceux qui ne l'étaient pas encore,
le familier avec une considération infinie de José-Maria Sert qui est
l'un des premiers peintres de l'Europe pour la ressemblance des visages et la décoration sage et durable des bâtiments [209]. Il a été
marqué en son temps comment, quittant ma breline [210] pour des
mules en me rendant à Madrid pour mon ambassade, j'avais été admirer ses ouvrages dans une église où ils sont disposés avec un art
prodigieux, entre la rangée des balcons, des autels et des colonnes
incrustées des marbres les plus précieux. Le duc de Guiche causait
avec Ph. de Caraman-Chimay, oncle de celui qui était devenu mon
gendre [211]. Leur nom est Riquet et celui-là avait vraiment l'air de
Riquet à la Houppe tel qu'il est dépeint dans les contes. Nonobstant,
son visage promettait l'agrément et la finesse et tenait ses promesses,
à ce que m'ont dit ses amis. Mais je n'avais nulle habitude [212] avec
lui, pour ainsi dire pas de commerce, et je ne parle dans ces Mé-

---

1 *Ms.* : dans *la* | **sc** les | *jeunesses de Lo*   débuts du règne
– *Ms.* : Louis XIV. Il était les délices *du* | **sc** de | *grand monde* | **s** la cour | ,
   l'espoir
– *Plac.* : Louis XIV. Il était les délices   [le passage : « Il dominait ... la position
   de ce duc était unique » ne figure que dans *PM*]
– *PM* : ne fut-ce
7 *Ms.* : pas encore. *Je l'entraînai* | **mg** le familier avec une considération infinie
   de José-Maria Sert qui est l'un des premiers peintres de l'Europe pour la ressemblance *des choses et* des visages / **i** et la décoration *des bâtiments* sage et
   durable des bâtiments. / Il a été marqué son temps comment quittant ma breline
   pour des mules en me rendant à *mon amb*   Madrid pour mon ambassade j'avais
   été admirer ses ouvrages dans une église [deux mots manquent par suite d'une
   déchirure] sont disposés avec un art prodigieux entre la rangée des balcons, des
   autels   des colonnes incrustées des | [**f. 111**] **ms** marbres les plus précieux. |
   mg Le Duc de Guiche causait ... J'entraînai le duc de Guiche | **ms** J'entraînai
   le duc de Guiche | **lp** dans la galerie
1 *Plac., PM* : berline   [Saint-Simon écrit breline, et cf. ci-dessus, *Ms.*]
4 *Plac.* : la rangée des balcons des autels, | **md** et | des colonnes incrustées
8 *Ms.* (**mg**) : dans les contes. *Malgré cela son*   Nonobstant son visage ne promettait qu'insignifiance et sécheresse et ne tenait pas ses promesses à ce que m'ont
   dit ses amis. Mais je n'avais
– *Plac.* : Nonobstant son visage *ne* promettait *qu'insignifiance* | **md** l'agrément |
   et *sécheresse* | **mg** la finesse | et *ne* tenait *pas* ses promesses, à ce que m'ont dit
20 *Ms.* (**mg**), *Plac.* : Mais je n'avais nul commerce avec lui et
1 *Ms.* (**mg**) : nul commerce avec lui et *n'* | **sc** ne | *en puis*   parle *ici* dans ces
   mémoires

moires que des choses que j'ai pu connaître par moi-même. J'entraînai
le duc de Guiche dans la galerie pour qu'on ne pût nous entendre :
— Eh bien ! lui dis-je, le Régent vous a-t-il parlé du Moine ? — Oui,
me répondit-il en souriant, et pour ce coup, [[malgré ses cuncta-
5 tions [213],]] je crois l'avoir persuadé. Pour que notre bref colloque ne
fût pas remarqué, nous nous approchâmes fort à côté du Régent, et
Guiche me fit remarquer qu'on parlait encore de pierreries, Standish
ayant conté que dans un incendie tous les diamants de sa mère,
Mme de Poix [214], avaient brûlé et étaient devenus noirs, pour laquelle
10 particularité, fort curieuse en effet, on les avait portés au cabinet
du roi d'Angleterre où ils étaient conservés : — Mais alors si le diamant noircit par le feu, le charbon ne pourrait-il être changé en diamant, demanda le Régent en se tournant vers Guiche d'un air embarrassé, qui haussa les épaules en me regardant confondu par cet
15 ensorcellement d'un homme qu'il avait pensé convaincu.

On vit pour la première fois à Saint-Cloud le comte de Fels [215],
dont le nom est Frich, qui vint pour faire sa cour au roi d'Angleterre.
Ces Frich, bien que sortis [[autrefois]] de la lie du peuple, sont fort
glorieux. C'est à l'un d'eux que la bonne femme Cornuel [216] répondit,
20 comme il lui faisait admirer la livrée d'un de ses laquais et ajoutait
qu'elle lui venait de son grand-père : — Eh ! là, Monsieur, je ne savais
pas que monsieur votre grand-père était laquais. » [[La présence au

---

3   *Ms.* : Hé bien, lui dis-je, *avez entre   avez-vous p*   le Régent vous a-t-il parlé
du Moine. »   *Plac.*, *PM* : du Moine.
4   *Ms.* : coup, je crois
—   *Plac.* : coup | **mg** , malgré ses cunctations | , je crois
—   *PM* : ces cunctations,
5   *Ms.* : *Je*   Pour que notre *absence ne*   bref colloque
6   *Ms.* : nous nous *mêlâmes*   approchâmes fort à côté du Régent. *H. Standish
et Guiche*
8   *Ms.* : conté *cette particularité fort curieuse en effet* que dans un incendie
9   *Ms.* : noirs. « *Mais alors serait-il*   pour laquelle particularité fort curieuse en
effet *les Anglais* | s on | les *avaient* | sc avait | portés
12 *Ms.* : si le diamant *peut dev*   noircit
—   *Ms.* (**f. 112**) : ne pourrait-il être *devenir   devenir*   changé en diamant,
—   *PM* : en diamant demanda
14 *Ms.* : confondu *par cette   d'une telle obstination en* | s par cet ensorcellement
d' | un homme
16 *Ms.* : convaincu. [sans alinéa] On vit pour la première fois à *Meudon*   St-Cloud
17 *Ms.* : sa cour *à la Reine*   au Roi
18 *Ms.* : Ces Frich, *sont* | s bien que | sortis de la lie
—   *Plac.* : sortis | **mg** autrefois | de la lie
—   *Ms.* : peuple, *mais* | s sont | fort glorieux
19 *Ms.* : répondit comme
21 *Ms.* : grand'père : *Hé là*   Hé là, Monsieur, *mon   j   monsieur vo*   je ne
savais pas que monsieur votre grand-père était laquais. On vit
22 *Plac.* : laquais. | **mg** La *prés*   présence ... à l'esprit. | On vit

parvulo du comte de Fels parut étrange à ceux qui s'étonnent encore ;
l'absence du marquis de Castellane les surprit davantage [217]. Il avait
travaillé plus de vingt ans avec le succes que l'on sait au rapprochement de la France et de l'Angleterre où il eût fait un excellent am-
5   bassadeur, et du moment que le roi d'Angleterre venait à Saint-Cloud,
son nom, illustre à tant d'égards, était le premier qui fût venu à
l'esprit.]] On vit à ce parvulo une autre nouveauté fort singulière,
celle d'un prince d'Orléans voyageant en France incognito sous le
nom très étrange d'Infant d'Espagne [218]. Je représentai en vain à
10 M. le duc d'Orléans que, si grande que fût la maison d'où sortait ce
prince, on ne concevait pas qu'on pût appeler Infant d'Espagne qui
ne l'était pas dans son pays même [[où on donne seulement ce nom à
l'héritier de la couronne,]] comme on l'a vu dans la conversation que
j'eus avec Gualterio [219] lors de mon ambassade à Madrid ; bien plus,
15 que d'Infant d'Espagne à Infant tout court, il n'y avait qu'un pas
[[et que le premier servirait de chausse-pied [220] au second.]] Sur
quoi M. le duc d'Orléans se récria qu'on ne disait le Roi tout court
que pour le Roi de France, qu'il avait été ordonné à M. le duc de
Lorraine, son oncle, de ne plus se permettre de dire le Roi de France,
20 en parlant du Roi, faute de quoi il ne sortirait oncques de Lorraine [221],
et qu'enfin si l'on dit le Pape, sans plus, c'est que tout autre nom ne
serait pour lui de nul usage [222]. Je ne pus rien répliquer à tous ces

---

1   *Plac.* (**mg**) : de Fels   +   *étonna*   parut étrange
—   *Plac.* (**mg**) : s'étonnent   *encore*   encore
3   *Plac.* (**mg**) : vingt ans au *rapproch*   rapprochement [les mots « avec le succès
que l'on sait » ne figurent que dans *PM*]
4   *Plac.* (**mg**) : l'Angleterre et, *à tous égards*, du moment   [« où il eut [sic] fait
un excellent ambassadeur » ne figurent que dans *PM*]
5   *Plac.* (**mg**) : venait *en France* | s à Saint-Cloud | , son nom,
7   *Plac.* : à ce parvulo *de Saint-Cloud* une autre
9   *Ms.* (**f. 113**) : d'Infant d'Espagne   [toute la suite, provenant d'une autre rédaction, figure sur un fragment de page de cahier, collé sur le bas de **f. 113 r°**]
Je | sc J' | i avais | | *représentai* | sc représenté | en vain
10 *Ms.* : maison de ce prince *là, au-dessus de laquelle il n'en était aucune*, on ce
concevait pas
—   *Plac.* : la maison *de* | **md** d'où sortait | ce prince
12 *Ms.* : même comme on l'a vu
—   *Plac.* : même, | **md** où on donne seulement ce nom à *ce que* l'héritier de la
couronne | comme
14 *Plac.*, *PM* : Guelterio   [mauvaise lecture de *Ms.*]
—   *Ms.* : Madrid ; | s bien plus | que d'Infant
15 *Ms.* : qu'un pas. Sur quoi
—   *Plac.* : pas | **mg** et que le premier servirait *de chausse*   +   de chaussepied
au deuxième. | Sur quoi
19 *Ms.* : (**f. 114**) : de Lorraine son oncle de
—   *Ms.* : de France en parlant
20 *Ms.* : de Lorraine, et qu'enfin   *Plac.*, *PM* : [sans virgule]

beaux raisonnements, mais je savais où la faiblesse du Régent le con-
duirait et je me licenciai [223] à le lui dire. On en a vu la fin et qu'il y a
beau temps qu'on ne dit plus que l'Infant tout court. Les envoyés
du roi d'Espagne l'allèrent chercher à Paris et le menèrent à Ver-
5　sailles, où il fut faire sa révérence au Roi qui resta enfermé avec lui
durant une grande heure, puis passa dans la galerie et le présenta,
où tout le monde admira fort son esprit [224]. [[Il visita près de la
maison de campagne du prince de Cellamare celle du comte et de
la comtesse de Beaumont [225] où s'était déjà rendu le roi d'Angleterre.
10　On a dit avec raison que jamais mari et femme n'avaient été faits si
parfaitement l'un pour l'autre, ni pour eux leur magnifique et singulière demeure sise sur le chemin des Annonciades où elle semblait les
attendre depuis cent ans.]] Il loua la magnificence des jardins en
termes parfaitement choisis et mesurés, et de là se rendit à Saint-
15　Cloud [226] pour le parvulo, mais y scandalisa par la prétention insoutenable d'avoir la main sur le Régent. La faiblesse de celui-ci fit que
les discussions aboutirent à ce mezzo-termine fort inouï [227] que le
Régent et l'Infant d'Espagne entrèrent en même temps, par une porte
différente, dans la salle où se donnait le souper. Ainsi crut-on couvrir
20　la main. Il y charma de nouveau tout le monde par son esprit, mais
ne baisa aucune des princesses et seulement la reine d'Angleterre, ce
qui surprit fort. Le Roi fut outré d'apprendre la prétention de la
main et que la faiblesse du Régent lui eût permis d'éclore. Il n'admit

---

1　　*Ms.* : le conduirait. | **i** et je me licenciai à le lui dire |. *Il y a longtem* On | **s**
　　en | **I** en | a vu *par où cela a fini* | **s** la fin | et qu'il
5　　*Ms., Plac.* : où il fut voir le Roi (*Plac.* : roi)
—　　*Ms.* : Roi qui *l'entre*　　resta *seul* | **s** enfermé | avec lui | **s** *pen*　　durant une
　　grande heure | et *ensuite le re* | **s** puis | passa dans *le* | **sc** la | *salon* | **s**
　　galerie | et le présenta où tout le monde admira *fort* | **s** fort | son esprit *qu'il*
　　av . Il loua
7　　*Plac.* : son esprit. | **md** Il visita ... depuis cent ans. | Il loua
11　　*Plac.* (**md**) : si *parfaite*　　parfaitement
12　　*Plac.* (**md**) : demeure qui sur le *chemin*　　chemin *des* des Annonciades
13　　*Ms.* (**f. 115**) : des jardins *en*　　*du Nôtre,* en termes
14　　*Ms.* : mesurés ;
15　　*Ms.* : parvulo mais y　　*surprit fort* | **s** scandalisa | par
16　　*Ms.* : insoutenable *et fort inouïe* d'avoir
17　　*Ms.* : aboutirent | **s** *une fois de plus* | à *un* | **i** ce | mezzo-termine : *Le* | **s**
　　fort inouï que le | Régent et l'Infant | **mg** d'Espagne | **s** *pour couvrir la main*
　　| *entrèrent* | **sc** entreraient | en même temps par une porte différente dans
19　　*Ms.* : souper. | **s** *Ainsi crut-on couvrir la main.* | **mg** Ainsi crut-on couvrir la
　　main | **lp** Il y charma
20　　*Ms.* : esprit mais
21　　*Ms.* : Angleterre ce qui
22　　*Ms.* : prétention *sur* | **s** de | la main
23　　*Ms.* : n'admit pas | **mg** davantage | le titre

pas davantage le titre d'Infant et déclara que ce prince serait reçu
seulement à son rang d'ancienneté, aussitôt après le duc du Maine [228].
L'Infant d'Espagne essaya d'arriver à son but par d'autres voies.
Elles ne lui réussirent point. Il cessa de visiter le Roi [[autrement que
par un reste d'habitude et]] avec une assiduité légère. A la fin il en
essuya des dégoûts [229] et on ne le vit plus que rarement à Versailles
où son absence se fit fort sentir et causa le regret qu'il n'y eût pas
porté ses tabernacles [230]. Mais cette disgression [231] sur les titres singuliers nous a entraînés trop loin de l'affaire du Moine.

[[(*à suivre.*)]]

Ms. : que *celui-ci* | **s** ce prince | serait reçu
Ms. : [**f. 116**] son rang *de pr* d'ancienneté, *immédiate* aussitôt
Ms. : d'autres *moyens* voies
Ms. : point. | **mg** Il *ne vit* / **s1** *visita* / *plus le* / **s2** cessa de visiter / le Roi
qu'avec / **s** *avec plus que* qu'avec / une assiduité légère. | **lp** A la fin
Plac. : Il cessa de visiter le roi | **mg** autrement que par un reste d'habitude et |
avec une assiduité légère.
Ms. : ne le vit | **s** plus | que rarement
Ms. : sentir et *fut regrettée* causa *des* | **s** *le* | *grands regrets* | **mg** le regret
qu'il n'y eut [sic] pas porté ses tabernacles |. Mais
Ms., Plac. : [(à suivre) ne figure pas.]

NOTES ET ÉCLAIRCISSEMENTS

Les allusions aux *Mémoires* sont faites à l'Edition de la Pléiade, présentée par Gonzague Truc (Gallimard, 1953-1961) : en abrégé *Mém.*, suivi du volume et de la page.

Quelques notes renvoient à l'Edition Chéruel et Adolphe Régnier fils, en vingt-deux volumes, Hachette, 1873-1886.

FÊTE CHEZ MONTESQUIOU A NEUILLY

(Les notes placées sous cette rubrique ne concernent que les courts passages de cet article ne figurant pas dans le pastiche définitif.)

[1] Montesquiou donnait des fêtes au Pavillon des Muses, boulevard Maillot, à Neuilly.

[2] Noms saint-simoniens, qui sont en même temps des noms de relations mondaines de Proust.

N.B. La suite du texte est confondue avec le pastiche de 1919. Les notes suivantes correspondent à la fin, non reprise, de *Fête chez Montesquiou.*

[3] Allusions, la première aux *Perles rouges* (1899), dont le premier sonnet commence par :

> Mes vers ont reflété votre Miroir, ô vasques ;

et la seconde, probablement au Pavillon des Muses de Neuilly.

[4] Le sonnet XLIII des *Perles rouges* est consacré au mémorialiste. Le voici :

> L'œil était dans la tombe...

> Le vrai Louis Quatorze est le seul Saint-Simon,
> Le Grand Siècle écoulé survit en son grimoire :
> Tapisserie énorme, inexorable moire
> Qu'ourdit une Arachné moins ange que démon.

> Louis mène le char. Le Duc est au timon.
> Les rayons du Soleil rentrent dans son armoire.
> Les Dieux ne seront grands que selon sa mémoire ;
> L'astre n'aura d'orgueil que selon son gnomon.

> *Nul ne sait qu'il écrit,* ce Mémorialiste !
> Des brebis et des boucs il dresse une âpre liste,
> Et sa lampe nocturne est un phare immortel.

> Il note, à leur insu, Beauvilliers, Albemarle,
> Celui-ci, d'un gibet, celui-là d'un autel...
> Puis, quand le mort est bien au fond de l'ombre... IL PARLE !

[5] Il semble qu'il s'agit uniquement, comme le confirme l'expression de « paroles reconnaissantes », du post-scriptum du manuscrit.

NOTES DES CARNETS

CARNET 2

6 F. 31 v° : *Mém.,* I, 818.

7 F. 54 v° : *L'élixir le plus trayé* : *Mém.* IV, 1011 (sur l'abbesse de Fontevrault). Cf. le pastiche, p. 280.
Rompre des glaces : *Mém.,* III, 352 ; IV, 264.
Tâter le pavé : *Mém.,* I, 819. Cf. le pastiche, p. 267.
Portrait de Louis XIV : *Mém.,* IV, ch. LI, LIII, LIV, LV, LIX.

8 F. 58 r° : *Tonneler* : « Duc d'Aumont essaye de me tonneler sur la suite des présidents » (IV, 575). *Tonneler* est un terme de chasse : au propre, prendre du gibier, surtout des perdrix, avec un filet traîné appelé *tonnelle.*

CARNET 3

9 F. 19 r° : *Un petit fumet d'affaires* : cf. le pastiche p. 272.

10 F. 22 v° : *Duc de Caderousse* : « Son mari, qui s'appelait Cadart, [...] portoit le nom du duc de Caderousse, dont il n'étoit pas plus avancé » (III, 696). Cf. le pastiche p. 257. Emploi du relatif neutre : « circonstance dont il n'était pas plus avancé. »

11 F. 23 r° : *Mme de Miramion* : [Mme de Nesmond, fille de Mme de Miramion] : « Ce fut la première femme de son état [fille d'un président à mortier] qui ait fait écrire sur sa porte : *« Hôtel de Nesmond. »* (I, 287.)
Pierre le Grand : allusion à *Mém.,* I, ch. XXXIII, pp. 470-472.
Harcourt : son portrait à la promotion des maréchaux : II, 171-172.

12 F. 12 v° : *Cette gangrène* : cf. le pastiche, p. 258. L'expression se trouve en particulier dans la table des *Mémoires,* au t. XX de l'éd. Chéruel-Régnier, et dans divers passages.
Un personnage fort singulier : « Cela faisoit un personnage extrêmement singulier », sur l'abbesse de Fontevrault (II, 343). Cf. sur ce personnage : *Mém.,* IV, 1011. Proust fait allusion à elle dans *RTP,* II, 773.

13 F. 25 r° : *Crever la bombe* : « Cela servit à faire crever la bombe » (II, 278).
Courtin : Conseiller d'État : « Le Roi aimoit et considéroit fort Courtin, et se plaisoit avec lui ; jamais il ne paraissoit au souper du Roi, une ou deux fois la semaine, que le Roi ne l'attaquât aussitôt de conversation [...] » (II, 274).
Comte de Fels : reprise, avec le nom d'un contemporain, d'une citation déjà notée plus haut. Cf. n. 10 et 215.
Comtesse de Guerne : contemporaine de Proust, qui la rencontrait chez la comtesse Potocka et la comtesse d'Haussonville. Cf. *Chr.,* 62-66.
Ennuyé de ses manèges : « Le Roi, ennuyé de ses manèges », *Mém.,* II, 278.
Les entreprises, etc. : « La maison de Lorraine, qui n'a formé son rang que par des entreprises du temps de la Ligue, adroitement soutenues [...] » (II, 276-277).

Un ton fort élevé : cf. n. 147, sur la voix « fort belle » de Montesquiou. Relatant son audience de 1703 auprès du Roi, (II, 280 sqq), Saint-Simon insiste à plusieurs reprises sur la voix élevée du monarque en colère : « [...] interrompit le Roi d'un ton de maître fâché [...] interrompit le Roi encore, et du même ton haut et fâché [...] Et de ce ton élevé poursuivoit [...] ».

Je dis au Roi, etc. : Voici, dans leur ordre, les phrases de Saint-Simon que Proust résume dans ses notes : « — Ho bien, Monsieur, me répondit le roi d'un ton bas et tout-à-fait radouci, cela n'arrivera plus [...] » « Je répliquai [...] que je le suppliois [...] de croire que [...] il étoit, comme roi et comme bienfaiteur de nous tous, despotiquement le maître de nos dignités, de les abaisser, de les élever, d'en faire comme d'une chose sienne et absolument dans sa main. Alors, prenant un ton tout-à-fait gracieux et un air tout à fait de bonté et de familiarité, il me dit à plusieurs reprises que c'étoit là comme il falloit penser et parler, qu'il étoit content de moi, et des choses pareilles et honnêtes [...] Il me quitta ensuite avec une petite révérence très gracieuse, en me disant que cela étoit bien et qu'il étoit content de moi. Je me retirai en lui faisant une profonde révérence, extrêmement soulagé et content d'avoir eu le loisir de tout ce que je lui avois placé [...] » (II, 282-283). Il est bien vrai que « ce n'est pas une citation exacte », mais réduite à l'essentiel.

14 F. 27 r° : *Lauzun en fit la noce* : cf. le pastiche, p. 257.

Les Mécontents d'Hongrie : Saint-Simon évoque à de nombreuses reprises leur révolte (II, 286, 297-298, 344, 405, etc.).

Des particuliers : c'est-à-dire des entretiens privés. Cf. par exemple : *Mém.*, IV, 263.

Des barbes sales : Saint-Simon traite ainsi les prêtres sulpiciens : « Son évêché [...] fut donné à une barbe sale de Saint-Sulpice » (II, 625) ; « Il employa des barbes sales de Saint-Sulpice » (II, 319).

Aubry (Aubery ou Aubéry dans l'éd. de la Pléiade) : « [la mère de la princesse des Ursins] était une Aubery, d'une famille riche de Paris » (I, 954) ; « Mme de Vauvineux étoit Aubéry, d'une famille de Paris, comme la mère de la princesse des Ursins » (II, 479).

Le Charmel : Le comte du Charmel, le gentilhomme qui accompagne Saint-Simon à la Trappe (*Mém.*, I, 561, etc.). Saint-Simon le nomme parfois Charmel, parfois Le Charmel (II, 569). Cet emploi explique que dans le pastiche Proust écrive en deux mots Le Moine, et parfois du Moine, au Moine.

Des dégoûts : cf. le pastiche, p. 289.

La bonne femme Gamaches : *Mém.*, II, 413 ; elle avait quatre-vingts ans alors. Saint-Simon appelle *bonhomme, bonne femme,* une personne d'un grand âge.

Lasteyrie : ce nom n'est pas dans Saint-Simon. En revanche, Proust cite le comte et la comtesse de Lasteyrie parmi les invités de Mme Lemaire, dans un article de 1903 (cf. *Chr.*, 31). Il pourrait s'agir du comte Robert de Lasteyrie du Saillant (1849-1921), archéologue et archiviste, qui avait soixante-neuf ans en 1918.

15 F. 29 v° : *Je ne me contraignis pas* : cf. le pastiche, p. 263.

    Bombardé : cf. le pastiche, p. 276.

    F. 30 r° : *Tâter le pavé* : cf. le pastiche, p. 267.

16 F. 42 r°. *Début du Tome 3* : il s'agit du passage : « M. de Chartres refusé de servir » (I, 893).

    Sauter le bâton : cf. le pastiche, p. 284.

    Des trous à la lune : id., p. 269.

    F. 42 v° : *Sachant faire la différence*, etc. : id., p. 258.

    Un savoir étendu : id., p. 270.

17 43 r° : *Ecumer* : id., p. 258.

    Pomper : id., p. 272.

    Carreau : id., p. 279.

    Unisson d'une république : IV, 692 : à propos de celle des Pays-Bas. Unisson : absence de hiérarchie.

    Ses tabernacles : cf. le pastiche, p. 289.

    Le départ de la princesse des Ursins : Mém., IV, 692-693. Les deux expressions se trouvent à une page l'une de l'autre ; seule la seconde a été employée dans le pastiche.

    Le portrait du maréchal de Villeroy : Mém., IV, 740-741, etc.

    Réconciliation de Saint-Simon et Noailles : Mém., IV, 920-922.

18 F. 43 v° : *Vauban s'appelait le Prestre* : Mém., II, 160.

    Des remèdes, etc. : « [le maréchal d'Estrées] grand chimiste, grand ennemi de médecins, il donnoit de ses remèdes et y dépensoit fort à les faire. » (II, 158.)

    Tessé : l'un des maréchaux, avec Estrées, de la promotion de 1703 : II, 167-169, etc.

19 F. 44 v° : *La prostitution*, etc. : Saint-Simon appelle prostitution toute extension d'un privilège à une catégorie inférieure. Cf. II, 952 : « la prostitution où tombèrent les mantes et les manteaux. » Les manteaux longs étaient, jusqu'en 1709, portés par la Cour lors des visites de deuil faites aux fils et petit-fils de France. Les princes de sang et les bâtards obtinrent cet honneur à leur tour : cf. III, 107-108, etc.

    Les gens qui croient, etc. : Proust rappelle ici, comme en beaucoup d'autres endroits, que le pastiche est bien autre chose que la simple reproduction de mots d'auteurs.

20 F. 46 v° : *Tout s'avilit* : Mém., III, 313. Cf. le pastiche, p. 282. Cette réflexion de Saint-Simon est provoquée par une autre « prostitution », celle de dire l'*électeur* et non plus M. *l'Electeur* en parlant de l'Electeur de Bavière.

    Tome 5 page 10 : de Chéruel. Correspond à Pléiade II, 650-651, sur la question du *Monsieur* et de la *main* aux Electeurs.

    Tome 5 page 12 : cf. Pléiade II, 651 : « [...] la légèreté françoise [...] fit que ces maréchaux [...] laissèrent prendre à l'électeur de Bavière tout ce qu'il voulut et, sans y songer, le traitèrent de *Monseigneur*, comme ses sujets faisoient [...] ».

²¹ F. 47 r° : *la Maréchale de Clérambault,* etc. : cf. Mém., I, 921-922, et II, 1190. Après la mort de Monsieur, Madame s'empresse de recevoir la maréchale de Clérambault et la comtesse de Beuvron, qu'elle ne pouvait voir qu'en cachette auparavant.

     Disparates : cf. le pastiche, p. 268, et n. 109.

     Dîner du cardinal d'Estrées : I, 477 et IV, 454. Il s'agit du prince de Toscane, en réalité, et non de Parme, en l'honneur de qui le cardinal d'Estrées avait offert un dîner, mais en oubliant de l'inviter.

     Ce furent ses termes : cf. le pastiche, pp. 261, 262.

²² F. 31 r° : id., p. 280, et n. 7, 182.

²³ F. 37 v° : *N'ayant de sa vie,* etc. : id., p. 260, et n. 65.

BROUILLONS

²⁴ L'abbé de Rancé, réformateur de la Trappe, abbaye peu éloignée de La Ferté. Saint-Simon le vénérait et faisait auprès de lui de fréquents séjours. Cf. I, 121, 299. *L'abbatial* est le logis abbatial.

²⁵ « Mais cette épine [être mal en cour] [...] m'étoit cruellement poignante lorsqu'il plut à Dieu de m'en délivrer » (III, 803).

²⁶ Je m'étendis sur ce sujet. Cf. II, 1000 : « Brissac lui conta ce qu'il avoit fait, non sans s'espacer sur la piété des dames de la cour. »

²⁷ Maîtresse attitrée du duc d'Orléans, que Saint-Simon réussit à lui faire renvoyer (III, ch. XXIII.)

²⁸ Cf. I, 601 « [la princesse d'Harcourt, demandant pardon à la duchesse de Rohan] étoit si battue de l'oiseau, qu'elle crut n'en pouvoir trop dire pour en faire sa cour. » et II, 334 : « [le duc de Gramont] battu de l'oiseau [...] il craignit tout. » D'après le *Dictionnaire* de l'Académie de 1718, « battu de l'oiseau » se dit d'un homme pour dire qu'il « a été découragé, rebuté par une longue suite de mauvais succès ou par quelqu'un obstiné à lui nuire ».

²⁹ Cf. le pastiche, p. 264 et n. 50, 51, 88.

³⁰ C'est à partir de cette phrase que, dans le pastiche définitif, Proust interrompt la scène du Palais-Royal pour placer l'épisode Murat, *Fête chez Montesquiou,* et divers portraits. La fin du brouillon 2 se trouve utilisée p. 284.

³¹ Cf. III, 51 : Il était «l'ami avec discernement des savants, et souvent l'admiration [...] des mathématiciens les plus profonds.

³² Cf. le pastiche, p. 287, et n. 218.

³³ Cf. III, 310-312, où c'est l'électeur de Bavière qui est reçu incognito par le Roi. Il se trouve à Compiègne quand il demande à être reçu, et après avoir rendu visite au Roi, il est invité à Meudon par Monseigneur, et à Saint-Cloud par le duc d'Orléans. Dans le pastiche définitif, il ne s'agit plus que de Saint-Cloud.

³⁴ Cf. le pastiche, p. 268, où elle est remplacée par la princesse Soutzo.

³⁵ Dans les *Mémoires,* le duc de Beauvillier, dont le nom a été raturé ici par Proust, se trouve toujours inséparablement associé à son beau-frère

le duc de Chevreuse. Proust a voulu là encore dissocier un groupe propre au modèle. D'ailleurs, le duc de Mortemart est lui aussi étroitement
lié au duc de Beauvillier, dont il est le gendre. Noter que Proust pour-
voit toujours le nom de Beauvillier d'un *s* final.

36 Par l'examen détaillé des papiers utilisés, des écritures et des textes, on
peut reconstituer ce qui fut le « noyau Murat » :

    a - brouillon 3.

    b - f. 90 de « *Ms. Aut.* » (infra) : « On sait que je n'avais quasi
    nul commerce avec M. de Mortemart, etc. ».

    c - f. 91 de « *Ms. Aut.* » : sur M. de Chevreuse.

    d - f. 92 de « *Ms. Aut.* » : sur l'extension des exigences des Murat,
    jusqu'à ... « les plus grandes alliances. »

    e - brouillon 4.

    f - f. 93 de « *Ms. Aut.* » : « L'Affaire de Lemoine ne touchait pas
    à des intérêts si vitaux pour la France » ... « appelait plaisam-
    ment les nouveaux comtes de Brye les " non brils " ».

37 Marie Murat : elle était fille du duc Alain de Rohan-Chabot, précédem-
ment prince de Léon, et femme du prince Lucien Murat. Cf. le pastiche, p. 282, et n. 189.

38 Cf. II, ch. XLIII ; et IV, 105-106, sur la prétention de cette famille au
titre de princes, Cf. le pastiche, p. 266.

39 Dans le texte définitif, l'expression « les plus grandes alliances » se
retrouve p. 270, « pas un des ducs ni un homme titré... » p. 272, « On eut
donc à ce parvulo le scandale... faire qualifier d'Altesse » p. 280, l'allusion à la gangrène du *Monseigneur* p. 282, et celle faite aux Murat de
Mingrélie p. 282. Cette esquisse a littéralement éclaté pour per-
permettre de placer différents portraits des contemporains de Proust.

TEXTE ET VARIANTES

40 Les sous-titres : dans le manuscrit des *Mémoires,* ce n'étaient que des
indications marginales de l'auteur sur le contenu des paragraphes.
L'édition Chéruel divisa le texte en chapitres et regroupa en tête de
chacun d'eux les indications marginales sous forme de sommaires. Elles
sont hautement caractéristiques de la manière elliptique de Saint-
Simon, comportent souvent des jugements rapides énoncés par un adjectif détaché (cf. « fort médiocre », « très singulier »), des mots ou
tournures propres à l'auteur (« la Mouchi », « chimère », « parvulo »).
Proust reproduit exactement leur ton, et se place d'emblée selon le
point de vue dominant de Saint-Simon : celui de la critique acerbe de
la société et de la satire des prétentions illégitimes.

41 Cf. n. 14 : « la bonne femme Gamaches ». Le 17 novembre 1917,
Louis de Talleyrand-Périgord, âgé de cinquante ans, épousa Cécilia
Blumenthal, âgée de cinquante-quatre ans, veuve et d'origine juive, en
lui promettant de transmettre au fils qu'elle avait de son premier mariage son propre titre de duc de Montmorency, alors que ce titre même
lui était contesté (cf. *Painter,* II, 323 ; *RTP* contient elle-même des

allusions à ce mariage et à ce titre contesté : II, 294 et 592). La bonne société de 1917 réagissait devant les mariages de cette sorte de la même façon que Saint-Simon. Il y a là une préfiguration de la déchéance de la noblesse que symbolisera le mariage de Mme de Verdurin avec le prince de Guermantes.

42 Cf. n. 14.

43 Les duchesses attachaient avec des aiguillettes une housse sur leurs carrosses et leurs chaises à porteur. Cf. *Carnet 3*, f. 25 r°.

44 Cf. n. 10.

45 Cf. n. 14.

46 Altesse : titre réservé d'abord aux souverains, puis que « les cadets des maisons souveraines ramassèrent » quand ceux-ci prirent la Majesté (*Mém.*, III, 126 sqq). Proust fait allusion à ces prétentions dans *RTP*, II, 1027, à propos de celles des domestiques de sa mère : « [...] ma mère, quand un valet de chambre s'émancipait, disait une fois " vous " et glissait insensiblement à ne plus me parler à la troisième personne, avait de ces usurpations le même mécontentement qui éclate dans les *Mémoires* de Saint-Simon chaque fois qu'un seigneur qui n'y a pas droit saisit un prétexte de prendre la qualité d' " Altesse " dans un acte authentique ».

47 Cf. n. 12 ; et *Mém.*, II, 573 : « En moins de rien, cette gangrène [appeler le duc de Vendôme *Monseigneur* et *Votre Altesse*] gagna jusqu'aux lieutenants-généraux [...] dont pas un [...] n'osa plus lui parler autrement. » Cf. *Ibid.*, III, 313.

48 A l'époque de Proust, les descendants de Murat, roi de Naples, indisposaient l'ancienne noblesse du faubourg Saint-Germain par leur faste et surtout leurs prétentions. Cf. la lettre CX de Marcel Proust à Mme Strauss (*CG*, VI, pp. 210-211). Proust fait allusion plusieurs fois dans la *Recherche* aux questions de préséance opposant cette famille à l'ancienne noblesse (II, 518 ; III, 50, 275).

49 La fin de cette phrase emprunte ses éléments à la fin du chapitre XLVII du t. III (p. 803) : « Faute de mieux, je me soutenois de courage [...] J'allai donc rêver et me délasser à mon aise pendant cette quinzaine de Pâques, loin du monde et de la cour [...] Je n'avois à la Ferté que M. Saint-Louis, [...] fort estimé du Roi [...], et un gentilhomme de Normandie qui avoit été capitaine dans mon régiment. Je m'étois promené avec eux tout le matin du samedi 11, veille de la Quasimodo, [...] lorsqu'un courrier que Mme de Saint-Simon m'envoya m'y rendit une lettre d'elle qui m'apprit la maladie de Monseigneur. »

50 C'est le second fils de Saint-Simon, dont un faussaire avait imité l'écriture et emprunté l'identité pour se faire recevoir libéralement en province (*Mém.*, IV, 710-712).

51 Le duc de Biron, l'un des « roués » du duc d'Orléans. C'est lui que le duc d'Orléans avait envoyé réclamer à Saint-Simon des lettres de son fils, pour en examiner l'écriture. *Ecumer* une nouvelle, une affaire, c'est en tirer parti. (Cf. *Mém.*, IV, 685.)

52 Cela faillit se produire, après la mort plus que suspecte du Dauphin et de la Dauphine en 1712 (*Mém.*, III, 1219).

53 Qualificatifs courants chez Saint-Simon : « [Le duc d'Harcourt] avoit beaucoup d'esprit, juste, étendu [...] » (II, 16). « [Le prince de Conti] C'étoit un très bel esprit, lumineux, juste, exact, vaste, étendu [...] qui connoissoit les généalogies, leurs chimères et leurs réalités [...] » (III, 51). Dans les *Mémoires,* c'est Louis XIV qui est accusé de l'ignorance des généalogies.

54 C'est-à-dire : la réalité. Cf. *Mém.*, II, 168 : « Sa fadeur et le tuf [du maréchal de Tessé], qui se trouvoit bientôt pour peu qu'il fût recherché, le firent mépriser. » Proust emploie le mot dans *RTP :* « [Le milieu où la duchesse de Guermantes avait passé sa jeunesse] avait laissé à sa frivolité actuelle une sorte de tuf plus solide, invisiblement nourricier [...] » (II, 209.)

55 Cf. *Mém.*, : « [Le prince de Conti] extrêmement poli, mais d'une politesse distinguée selon le rang, l'âge, le mérite [...] L'histoire des livres et des conversations lui fournissoient de quoi placer, avec un art imperceptible, ce qu'il pouvoit de plus obligeant sur la naissance, les emplois, les actions. » (III, 52.) Ce passage de Saint-Simon est reproduit, très résumé, par Proust dans *RTP*, III, 961.

56 C'est-à-dire l'essentiel, le fond. Mot très fréquent chez Saint-Simon (p. ex. III, 1042.)

57 Cf. *Mém.,* IV, 708.

58 A *la chimie* : c'est-à-dire à l'alchimie. C'était une étrange déchéance pour un premier prince de Sang, et la cause de nombreux soupçons. Saint-Simon revient de nombreuses fois sur cette activité du duc d'Orléans : III, 1215-1216 ; IV, 708, etc.

A *la peinture* : « Il se jeta dans la peinture après que le grand goût de la chimie fut passé ou amorti [...] Il se connoissoit fort en tableaux [...] (*Mém.,* IV, 708.)

A *l'Opéra* : « M. le duc d'Orléans aimoit extrêmement la musique ; il la savoit jusqu'à composer [...] » (*Mém.,* IV, 714.)

59 Cf. *Mém.,* III, 1207, 1216. Le maréchal de Villeroy faisait partie de la cabale de Mme de Maintenon, hostile en duc d'Orléans.

60 Tous deux empoisonnés, vraisemblablement. Cf. *Mém.,* III, ch. LXIV à LXVI.

61 Cf. *Mém.,* IV, 712 : « La curiosité d'esprit de M. le duc d'Orléans [...] l'avoit occupé de bonne heure à chercher à voir le diable, et à pouvoir le faire parler [...] Il y travailla avec toutes sortes de gens obscurs, et beaucoup avec Mirepoix, mort en 1699 sous-lieutenant des mousquetaires noirs [...] Ils passoient les nuits dans les carrières de Vanves et de Vaugirard à faire des invocations. » Cf. aussi III, 1215-1216.

62 La compagnie d'Occident, ou du Mississipi, fondée par Law en 1717.

63 *Tours de gobelets* : de passe-passe.

Enfermerie : « [Le duc de Noailles] s'aida fort à propos de son enfermerie à laquelle tout le monde étoit accoutumé. » (*Mém.,* VI, 276.)

64 *Ces roués* : « Enfin la compagnie obscure, et pour la plupart scélérate, dont il avoit fait sa société ordinaire de débauche, et que lui-même ne feignoit pas de nommer publiquement ses roués, chassa la bonne, jusque dans sa puissance, et lui fit un tort infini ». (*Mém.*, IV, 709 ; cf. aussi V, 218.)

   Exacte clôture : Cf. *Mém.*, IV, 711 : « [...] l'exacte clôture de leurs soupers [du duc d'Orléans et de ses roués]. »

65 *La crapule la plus obscure* : *Mém.*, II, 131 : « Le prince d'Harcourt [...] homme [...] d'une crapule obscure [...] ».

   Un homme qui se pût nommer : *Mém.*, I, 209 : « Il n'avoit [...] fréquenté en toute sa vie un homme qu'on pût nommer. » Cf. dans *RTP*, III, 832 : « [Charlus] était l'héritier de tant de grands seigneurs, princes du sang ou ducs, dont Saint-Simon nous raconte qu'ils ne fréquentaient personne « qui se pût nommer » et passaient leur temps à jouer aux cartes avec les valets auxquels ils donnaient des sommes énormes ! » De même, Proust écrit à la princesse Soutzo en janvier 1918 : « Depuis que vous êtes souffrante, je ne suis pas allé dans « un seul lieu que je puisse nommer », comme dit Saint-Simon (et ce qui ne veut pas dire que je suis allé dans des lieux innommables). » (P. Morand, *Le Visiteur du soir*, p. 76.)

66 La marquise de Mouchy, célèbre pour ses intrigues. Saint-Simon ne se prive pas de ces dénominations irrévérencieuses : la Choin, la Maintenon.
   En fit la planche : servit d'intermédiaire. Cf. *Mém.*, III, 608 : « Mmes de Ventadour et de Brancas, qui en avaient fait l'étrange planche [...] ». Proust emploie aussi « planche » au sens d'« intermédiaire », mais non pour une personne : « La ressemblance entre Charlie et Rachel [...] avait-elle été la planche qui avait permis à Robert de passer des goûts de son père à ceux de son oncle [...] ? » (*RTP*, III, 686.)

67 S'enticha de lui.

68 Les éditions autres que Chéruel donnent Mareschal. Premier chirurgien, puis maître d'hôtel de Louis XIV. Proust ne craint pas de mêler les époques : Saint-Simon devait à Maréchal une audience auprès du Roi en 1709 (*Mém.*, III, 348 sqq.)

69 Cf. n. 13.

70 En brûlant d'impatience. Cf. *Mém.*, VII, 378 : « Je pétille après ma voiture [...] Je me jette dedans [...] » ; et IV, 248 : « Je me jetai dans une chaise comme un homme hors d'haleine. »

71 Cf. III, 229 : « des valets très principaux ».

72 *Dans la dernière cour* : *Mém.*, V, 32 : « Ainsi [le Régent] permit l'entrée de la seconde cour du Palais-Royal à toutes sortes de carrosses, jusqu'alors réservée comme la seconde cour de Versailles [...] ».
   Prostitution, manteaux longs : cf. n. 19.

73 *Mém.*, III, 619 : « Je fis une révérence médiocre [...] » La visite au duc d'Orléans est pour l'essentiel inspirée des remontrances de Saint-Simon au duc, en 1710, pour l'amener à rompre avec sa maîtresse, Mme d'Argenton (*Mém.*, III, 350 sqq), mais les différences sont nombreuses et

d'autres passages *des Mémoires* sont mis à contribution. Les principales différences tiennent aux personnages en cause (Lemoine n'est pas Mme d'Argenton ; ce n'est pas Guiche qui est appelé à la rescousse dans les *Mémoires,* mais le maréchal de Bezons) et à l'époque (1710 chez Saint-Simon, la duchesse de Berry n'a alors que quatorze ans ; la Régence chez Proust). D'autre part, Proust condense en une seule trois conversations successives de Saint-Simon avec le duc d'Orléans. Les ressemblances sont : les reproches sur la soif de régner du duc d'Orléans, sur son désir de répudier sa femme, l'accusation de mœurs scandaleuses, les bruits d'empoisonnement, l'appel à une prompte exécution de la décision prise. Le début du passage *des Mémoires* fait allusion à une fête (et non à un parvulo) donnée par le duc d'Orléans à Saint-Cloud en l'honneur de l'électeur de Bavière.

74 *Lui dis-je avec feu,* etc. : *Mém.,* III, 351 : « Je le regardai avec fermeté [...] » ; III, 368 : « Non, Monsieur, lui répondis-je, le regardant avec feu [...] » ; III, 378 : « Tandis que je parlois de la sorte, j'étois infiniment attentif à percer M. le duc d'Orléans de mes regards [...] » ; III, 401 : « En le regardant [le Roi] avec feu entre deux yeux. »

Vous êtes en train de perdre, etc. : *Mém.,* III, 351 : « Le gros du monde s'éloignoit de lui [...] ».

75 *Le sentant outré de douleur* : *Mém.,* III, 361 : « M. le duc d'Orléans, outré et abattu de plus d'une douleur bien vive [...] ».

Sa débonnaireté : ce trait de caractère est si marqué que Saint-Simon en plaisante le Régent, et que le public en fait des chansons. Cf. *Mém.,* IV, 698-699 ; V, 594.

76 *Mém.,* III, 360 : « Il s'écria plusieurs fois, et moi, qui voulois avaler ce calice tout d'un trait sans être obligé d'y replonger mes lèvres, j'avois toujours étouffé sa voix dans sa naissance, pour avoir le temps de tout dire de suite. »

77 Contre sa femme, plus tard contre le Dauphin et la Dauphine. C'était, dit Saint-Simon en 1710, pour « se frayer un chemin au trône d'Espagne », grâce au « grand amas d'argent et de pierreries » de la reine douairière d'Espagne qu'il espérait épouser ; « pour y parvenir, il répudieroit sa femme ; [...] par l'autorité de l'Empereur, tout puissant à Rome [...], il feroit casser son mariage » (III, 359). Sur l'affaire d'Espagne, cf. *Mém.,* III, 239-240.

78 Les « goûts » de Monsieur, père du duc d'Orléans sont assez connus. Proust n'a pas manqué de les relever. Dans *La Prisonnière,* il emploie le mot même de Saint-Simon en indiquant son origine : « Quand il avait découvert qu'il " en était ", il avait cru par là apprendre que son goût, comme dit Saint-Simon, n'était pas celui des femmes » (*RTP,* III, 215). Dans un autre passage, il évoque les « débauches grecques » de personnages décrits dans les *Mémoires* (*RTP,* III, 302-304).

79 Cf. *Mém.,* notamment III, 1045 sqq.

80 *Mém.,* I, 917 (portrait de Monsieur) : « C'étoit un petit homme ventru, monté sur des échasses tant ses souliers étoient hauts, toujours paré comme une femme, plein de bagues, de bracelets, de pierreries par-

tout, avec une longue perruque toute étalée en devant, noire et poudrée, et des rubans partout où il en pouvoit mettre, plein de toutes sortes de parfums, et, en toutes choses, la propreté même. » et IV, 708 (le duc d'Orléans) : « Il s'amusa après à faire [...] des compositions des parfums les plus forts, qu'il aima toute sa vie, et dont je le détournois, parce que le Roi les craignoit fort, et qu'il sentoit presque toujours. »

81 *Diviser pour régner*, etc. : *Mém.*, IV, 707 : « Elevé dans les tracasseries du Palais-Royal, dans les rapports, dans les redits dont Monsieur vivoit et dont sa cour étoit remplie, M. le duc d'Orléans en avoit pris le détestable goût et l'habitude, jusqu'à s'en être fait une sorte de maxime de brouiller tout le monde ensemble, et d'en profiter pour n'avoir rien à craindre des liaisons, soit pour apprendre par les aveux, les délations et les piques, et par la facilité encore de faire parler les uns contre les autres. » Et V, 219 : « [...] cette maxime empoisonnée qui lui échappoit quelquefois comme favorite : *Divide et impera.* »

   L'unisson : cf. n. 17 ; ici le sens est différent.

82 Cf. n. 15 : Je ne me fis pas faute de nommer Effiat. Le marquis d'Effiat, premier écuyer du duc d'Orléans, puis membre du Conseil de Régence, l'« âme damnée » du chevalier de Lorraine (favori de Monsieur), puis « vendu à M. du Maine » (*Mém.*, III, 1220).

83 Cf. n. 14 (Le Charmel). Dans le brouillon 1 et le manuscrit, Proust a d'abord écrit constamment *Lemoine* en un seul mot, sauf dans la dernière phrase du manuscrit (« l'affaire du Moine »). L'orthographe en deux mots est propre au texte imprimé.

84 Cf. *Mém.*, I, 29-33. Grâce à l'entremise intéressée du chevalier de Lorraine et de son frère, Louis XIV avait imposé, en 1692, le mariage de sa fille naturelle Mlle de Blois avec le duc de Chartres, fils de Monsieur et futur duc d'Orléans.

85 *Mém.*, III, 361 : « Je répondis d'un ton ferme qu'il [le duc d'Orléans] avoit trop bon esprit pour ne pas sentir à quel point cette résolution étoit nécessaire à former promptement, et à exécuter de même. »

86 *Mém.*, III, 361 : « M. le duc d'Orléans [...] ne disoit rien, et c'étoit beaucoup qu'il écoutât [...] Alors M. le duc d'Orléans, comme sortant d'un profond sommeil par une plainte amère, s'écria : " Mais comment m'y résoudre, et comment lui dirai-je ? " ».

87 Cf. n. 75, et *Mém.*, IV, 707 : « Comme il n'étoit pas méchant, qu'il étoit même fort éloigné de l'être [...] ».

88 Cf. n. 50 et 51.

89 Dans *Mém.*, III, 353-354, Saint-Simon propose de demander l'avis du maréchal de Bezons, et le duc d'Orléans l'envoie chercher.

   Qui se connaît le mieux à la chimie, etc. : cf. *Mém.*, III, 51 : [Le prince de Conti] « l'ami avec discernement des savants, et souvent l'admiration de la Sorbonne, des jurisconsultes, des astronomes et des mathématiciens les plus profonds. »

90 *Le roi d'Angleterre* : Jacques II d'Angleterre, détrôné par son gendre Guillaume d'Orange en 1688, fut accueilli en France par Louis XIV et vécut au château de Saint-Germain.

Incognito : l'incognito est un usage fréquemment relevé par Saint-Simon, et destiné surtout à éviter les querelles de préséance lors des visites de princes étrangers. Cf. *Mém.*, I, 681-686, etc.

Comte de Stanhope : chez Saint-Simon, le comte Stanhope est secrétaire d'Etat d'Angleterre.

91 *Mém.*, IV, 266 : « [...] M. de Chevreuse, qu'il ne voyoit jamais qu'aux occasions. »

92 Saint-Simon décrit en détail ce qu'on appelait les *parvulo* de Meudon (II, 792-794), réunions en petit comité de Monseigneur le Dauphin, de sa maîtresse Mlle Choin, en disgrâce à la cour, de quelques princes de sang et de quelques privilégiés. Le duc d'Orléans n'en faisait pas partie, et c'est uniquement à Meudon qu'avaient lieu ces parvulo. Dans les brouillons 3 et 4, d'ailleurs, Proust parlait uniquement de Meudon, Dans le manuscrit, il adopte Saint-Cloud, où le duc d'Orléans donnait effectivement des fêtes, et il corrige les passages où, par lapsus, ou parce qu'il s'agit de pages découpées directement dans les brouillons, il avait d'abord écrit Meudon.

93 *Les cavillations* : les subtilités. Le mot apparaît dans la table des *Mémoires* dressée par Saint-Simon lui-même (éd. Chéruel-Régnier, t. XX, p. 537).

94 Le prince Joachim Murat (né en 1856) est le chef de la famille Murat en 1918. La seule personne de cette famille avec qui Proust soit lié d'amitié est la princesse Lucien Murat, née Marie de Rohan-Chabot.

Ses fils, etc. : Cf. lettre CX à Mme Straus, dans la Notice, p. 229.

95 Cf. brouillon 4, p. 256, et la note 38.

96 *Entreprise* : mot fréquent chez Saint-Simon pour désigner les tentatives d'usurpation de préséances. Cf. *Carnet*, 3, f. 25 r°, et note 13.

Sproposito : discours hors de propos. Mot emprunté à l'italien. Employé à maintes reprises par Saint-Simon, qui ne lui ajoute pas l's du pluriel français, cf. *Mém.*, II, 1110 : « [...] Vendôme opina [...], avec ses sproposito ordinaires, à disputer qu'il n'y avoit rien de perdu [...] » (Cf. encore IV, 237. 248.)

Manège : dans un sens voisin de celui d'*entreprise*. Cf. *Carnet* 3, f. 25, r°, et note 13.

97 Premier médecin de Louis XIV. Une allusion à lui est faite dans *RTP*, III, 1003.

98 Epouse du duc de Bourgogne, petit-fils de Louis XIV, qui devint Dauphin en 1711. Cf. *Mém.*, I, 596-597, où l'on voit la duchesse de Bourgogne disposée à se plaindre au Roi d'un manquement essuyé par Mme de Saint-Simon.

99 *Mém.*, I, 681 : « [Henri IV donnant le pas au prince de Condé sur le duc de Savoie] Passez, passez, mon neveu ; M. de Savoie sait trop ce qu'il vous doit. » Le mot est repris par Proust dans *Sodome et Gomorrhe* (*RTP*, II, 952), où il est attribué à Louis XIV, qui aurait dit à une ancêtre de la duchesse de Guermantes : « Entrez, entrez, ma cousine, Madame de Baden sait trop ce qu'elle vous doit. »

100 La princesse d'Espinoy faisait partie des intimes de Monseigneur, et était célèbre pour ses rapports à Mme de Maintenon sur les membres de la famille royale (Cf. *Mém.*, II, 822-823). Dans la *Recherche*, Charlus prétend avoir pour bisaïeule Thérèse d'Espinoy (celle de Saint-Simon était Elisabeth) et se rattacher par elle à la maison de Lorraine. (*RTP*, II, 948.)

101 Cf. *Carnet* 2, f. 54, v°.

102 Les prétentions des princes « étrangers » (de Lorraine, de Bouillon, de Turenne, notamment) à être traités en princes français sont un des grands et fréquents sujets d'irritation de Saint-Simon. Dans la *Recherche*, tout un passage de la soirée Verdurin à la Raspelière (II, 946 sqq.) est inspiré par cet aspect des *Mémoires*. Charlus reprend ces prétentions à son compte, puisqu'il est de la maison princière allemande des Durchlaucht et apparenté à la maison de Lorraine. « Nous avions le pas sur tous les princes étrangers », dit-il de ses ancêtres.

103 Comme un homme qui avait...

104 Seules certaines personnes de rang élevé avaient le privilège de donner de l'eau bénite aux obsèques des grands. Ainsi, à la mort de Monsieur, « le Roi ordonna que, s'il y avoit des princesses, personne ne donneroit d'eau bénite que les princesses de sang » (*Mém.*, I, 922).

105 C'est-à-dire à être placé à main droite, à avoir le pas sur le duc de Gramont. Dans *Swann* (I, 26) Proust fait allusion à la « main » que Maulévrier voulut donner aux enfants de Saint-Simon (*Mém.*, VI, 1062). Mais Swann, et avec lui les tantes Céline et Flora, interprètent l'expression comme « tendre la main ». Cf. à ce propos un article de A. Machiels, *Proust et la langue de Saint-Simon*, dans *Le Français moderne*, n° 3, 1953, pp. 203-206.

106 Saint-Simon est coutumier de l'emploi archaïque de l'infinitif après des prépositions comme *par, sur, jusqu'à*.

107 Joachim Murat, roi de Naples et des Deux-Siciles de 1808 à 1815. J. Murat, dont il est question dans le pastiche, n'est pas son petit-fils, mais le cinquième prince Murat.

108 Au contraire, Saint-Simon fait l'éloge de sa bonne connaissance des maisons et des rangs. Proust lui attribue ici un des défauts de Louis XIV lui-même (cf. encore p. 280). Cf. *Mém.*, IV, 950 : « Il [le Roi] demeura tellement ignorant que les choses les plus connues d'histoire, d'événements, de fortunes, de conduites, de naissance, de lois, il n'en sut jamais un mot. »

109 L'édition Boislisle et celle de la Pléiade donnent *disparade*, au sens d'incartade. Par exemple I, 599 : « Ce qu'il fallut essuyer de disparades de sa part ne se peut imaginer [...] » Seul Chéruel écrit *disparate*.

110 Il s'agit des liens de l'adultère, puisque la duchesse d'Orléans était fille de Louis XIV et de Mme de Montespan.

111 Proust avait d'abord écrit la duchesse Sforze, déjà citée dans le pastiche de 1904. Il remplaça ce nom sur les épreuves par celui de la princesse Soutzo, et ajouta en marge le portrait de cette dernière. On connaît assez

bien, par la correspondance, l'histoire de cette addition : le 30 janvier 1919, Proust annonce qu'il va, « demain ou après-demain », demander conseil à la princesse sur une phrase, avant de renvoyer les épreuves du pastiche à l'imprimeur (P. Morand, *Le Visiteur du soir*, p. 97). Le 1er février, il lui envoie la « phrase » (en réalité un paragraphe) en question, qui est un portrait d'elle, destiné simplement à « amorcer » un portrait plus développé qui paraîtra « dans le deuxième Saint-Simon ». Ce texte doit prendre place immédiatement après la mention de Mme de Noailles (cf. p. 277) et sera le suivant : « Elle était cousine de la Princesse Soutzo dont on sait qu'elle est la seule femme qui, pour mon malheur, ait pu me faire sortir de la retraite où je vivais depuis la mort du Dauphin et de la Dauphine. Je ne saurais pas dire pourquoi celle-là réussit où tant d'autres avaient échoué. Elle ressemblait à Minerve telle qu'elle est représentée sur les belles miniatures en pendants d'oreille que m'a laissées ma mère ; et de la déesse de la Sagesse elle avait aussi la beauté. Ses grâces m'avaient enchanté et je ne bougeais que pour aller chez elle. Mais je remets à une autre partie de ces Mémoires de parler plus longuement d'elle, et de son mari qui était fort distingué par sa valeur et était parmi les plus honnêtes gens que j'aie connu. » (*LR*, n° 48.)

Mais la princesse répond qu'elle n'est pas cousine de Mme de Noailles, et Proust se lamente sur la difficulté de placer son portrait : il est « obligé de respecter la contexture saint-simonienne du pastiche, ce qui est d'autant plus difficile que la partie où il s'agirait de trouver un hiatus est assez petite, une partie de ces pastiches étant déjà à l'impression. » Il lui serait pourtant infiniment agréable que ce portrait « protégeât » son « fragile édifice », « comme ces statuettes de saintes ou ces bouquets de fleurs que les architectes ajoutaient, la construction finie ». Mais il n'est pas exclu qu'il renvoie le morceau « au volume suivant » (*Le Visiteur du soir*, p. 103 sqq ; la lettre est datée, par erreur, de juillet 1919, date postérieure à la mise en vente du livre). Une lettre suivante nous apprend enfin : « [J'ai] trouvé le moyen de caser la phrase sur vous » (*Ibid.*, p. 106). La princesse Soutzo, née Hélène Chrissoveloni, alors épouse d'un diplomate roumain, et devenue par la suite Mme Paul Morand, fut extrêmement liée d'amitié avec Proust à partir de 1917.

112 Proust transpose ici son cas personnel. Ses rares sorties nocturnes « qui se puissent nommer », à la fin de la guerre et les années suivantes, le conduisaient à l'hôtel Ritz, où résidait la princesse et où il offrait à dîner à ses amis.

113 Proust avait été amoureux d'elle en 1892, et elle fut un des principaux modèles de la duchesse de Guermantes. Malgré l'échec de ses entreprises, il resta de ses amis, et la comtesse faisait partie, en 1919, des habitués des dîners du Ritz.

114 Saint-Simon accuse Mortemart d'athéisme, de jeu, d'ivrognerie (*Mém.*, II, 270), d'avoir colporté des bruits calomnieux sur son compte (III, 34-39). Dans ce dernier passage, entre autres, le mémorialiste parle de l'«esprit des Mortemart », sans le définir. Proust est intrigué par cet

« esprit » et décide de créer lui aussi un « esprit » de famille, l'« esprit des Guermantes » (cf. *Painter*, I, 218 ; *RTP*, II, 438 ; *CG*, III, 95).

115 *Menin* : jeune gentilhomme attaché à la personne du Dauphin. Le duc de Chevreuse ne fut pas, dans Saint-Simon, menin de Monseigneur.

116 *Il a été... parlé de lui en son temps* : expression habituelle de Saint-Simon pour renvoyer à d'autres développements. *En son temps* se trouve même employé avec des pluriels : « Je parlerai en son temps de l'*Altesse* et du rang que Mme des Ursins et M. de Vendôme usurpèrent en Espagne [...] » (*Mém.*, I, 1018.)

    Ses qualités infinies : cf. *Mém.*, IV, 89-93 : « cette douceur et cette politesse insinuante qui ne l'abandonna jamais »... « jusqu'avec ses valets, il étoit doux, modeste, poli [...] », mais « amoureux par nature des voies obliques en matière de raisonnement. »

117 Cf. *Carnet 3*, f. 42 r°. Saint-Simon emploie cette expression à propos du duc de Chartres, futur duc d'Orléans. Empêché par le Roi d'assumer un commandement militaire, ce dernier songeait à s'enfuir de France : « [Monsieur] laissoit donc faire son fils en jeune homme, qui, avec d'autres jeunes têtes, se proposoit de faire un trou à la lune, tantôt pour l'Espagne, et tantôt pour l'Angleterre » (*Mém.*, I, 893). Le sens de l'expression est donné par le *Dictionnaire* de l'Académie de 1694 : « On dit qu'un homme a fait un trou à la lune, pour dire qu'il s'en est allé sans rien dire et sans contenter ceux à qui il devoit. » Manifestement, Proust fait erreur sur le sens de l'expression et la confond avec « être dans la lune, être un rêveur. »

118 *L'ancienneté de Chevreuse* : cette « chimère » est signalée dans *Mém.*, I, 136, 155, etc.

    L'érection de Chaulnes : le duc était cousin germain du père du duc de Chevreuse, et dernier héritier du nom. Le second fils du duc de Chevreuse fut fait duc et pair de Chaulnes en 1711, par une nouvelle érection de ce duché (*Mém.*, III, 1098-1103).

119 C'est-à-dire d'amener à la raison. Cf. *Mém.*, III, 242 : « Tandis que j'arraisonnois M. le duc d'Orléans [...] »

120 Une des branches de la maison de La Trémoïlle, notamment en la personne de Henri-Charles de La Trémoïlle, prince de Tarente (1621-1672), émit des prétentions sur la couronne de Naples ; cf. *Mém.*, II, 943-945. Proust y fait allusion dans *RTP*, II, 592.

121 *Mém.*, IV, 106 : « Ce ver rongeur de princerie passa du père en fils. »

122 *On en a vu l'effet* : *Mém.*, VII, 298 : « On en verra bientôt les funestes effets. »

    Le maréchal de Turenne fit attribuer à sa vicomté des privilèges exorbitants qui lui conférèrent le rang de prince (*Mém.*, II, 729). Le duc de Vendôme se fit attribuer en Espagne l'*Altesse* et l'égalité de rang avec les bâtards royaux de ce pays (IV, 10-12) ; il espérait tirer parti de ce titre en France, quand il mourut empoisonné (IV, 34-36). Notons qu'un comte Louis de Turenne figure parmi les relations de Proust. C'est un habitué du salon de Mme Straus, au moment où

Proust y fait se débuts. Il est mentionné dans *Le Salon de la princesse Mathilde* (*Chr.*, p. 18) et dans *RTP*, II, 579, 745, 746.

123 Cf., p. 284, une nouvelle allusion à l'illustration de cette famille, qui est celle d'Armand de Guiche, ami de Proust. Ces deux allusions sont tirées des *Mémoires*, VI, 643. Cf. pour la première : « [Le duc de Gramont] étoit [...] fils et père des deux maréchaux de Gramont ». Mais Saint-Simon ne leur trouve d'ancêtres illustres qu'en remontant jusqu'en 1380, ce qui ne fait tout de même pas « mille ans ».

Les plus grandes alliances : y a-t-il une intention ironique de la part de Proust ? Le duc Antoine IV de Gramont, dont il est question ici, fit en secondes noces une mésalliance qui déchaîne les foudres de Saint-Simon : « il venoit d'achever de se déshonorer en épousant une vieille gueuse qui s'appeloit la Cour » (II, 319).

124 Jean-Marie Delaire, conseiller d'Etat sous l'Empire et la Restauration, épousa en 1816 Joséphine de Cambacérès, et fut créé baron en 1829. Lorsque tous les descendants mâles de la famille de Cambacérès furent décédés, son petit-fils Maurice (1889-1960) prit le titre de comte de Cambacérès.

Le duc de Cambacérès, archichancelier de l'Empire, était d'une famille de noblesse de robe des Basses-Cévennes.

125 Le marquis (plus tard duc) Louis d'Albuféra, ami de Proust depuis 1903 (« le loyal Albu », dont l'ignorance n'avait d'égale que la distinction, et qui n'était pas très sûr que Marcel écrivît des livres). Il était de noblesse impériale : Suchet fut créé duc d'Albuféra après sa victoire de 1812 près du lac d'Espagne qui porte ce nom. Proust mentionne la mère d'Albuféra et non sa femme, alors qu'il était pourtant marié depuis 1904 avec Anna d'Essling, belle-sœur du prince Joachim Murat. Proust avait assisté au mariage et avait invité le jeune couple.

126 *La Société et le High Life* (éd. de 1921) mentionne le vicomte René Vigier et la vicomtesse, née Double de Saint-Lambert, avec une adresse à Paris et une à Nice. L'annuaire *Paris-Hachette* de 1914 signale la *Société anonyme des anciens Bains Vigier*, établissement de bains publics, installé Port de l'Hôtel de Ville à Paris.

127 On ne connaît pas de comte de Montgomery parmi les relations directes de Proust ; néanmoins *La Société et le High Life* (1921) mentionne six comtes de Montgomery, dont un prénommé Gabriel. C'est Gabriel de Lorge de Montgomery qui blessa mortellement Henri II, dans un tournoi, en 1559. On ne connaît de comtes de Brye ni dans Saint-Simon, ni dans l'entourage de Proust ; mais *Le High Life* en signale plusieurs.

128 Le nom n'existe pas chez Saint-Simon, mais le comte et la comtesse de Briey faisaient partie des amis de Proust depuis le début du siècle.

129 Elisabeth Asquith, fiancée au prince Antoine Bibesco. Ce paragraphe fut ajoutée sur les épreuves, que Proust avait envoyé spécialement chercher chez l'imprimeur, après qu'Antoine eut amené sa fiancée à son chevet. Cf. Princesse Bibesco, *Au Bal avec Marcel Proust*, p. 157.

130 Paul Morand, auquel est déjà faite une allusion (ajoutée également en

1919) dans le pastiche de Balzac (cf. p. 74). Il est intéressant de remarquer combien ces deux allusions sont, chaque fois, totalement intégrées à la langue de l'auteur pastiché et au cadre social qu'il évoque.

Paul Morand avait été nommé secrétaire d'Ambassade à Madrid en 1918.

131 Ancienne famille française, citée par Saint-Simon, mais dont les descendants étaient contemporains de Proust et connus de lui. D'après les *Mémoires*, Bauffremont était « un des premiers noms de Bourgogne », mais il n'est pas question à son sujet d'ancienneté « capétienne ».

132 Mme de Saint-Simon avait dû accepter, bien qu'elle y tînt guère, d'être dame d'honneur (et non dame d'atour) de la duchesse de Berry (et non de la duchesse de Bourgogne). Les tractations et les demi-refus de Saint-Simon et de sa femme occupent une grande partie des chapitres XXXIV, XXXVI et XXXVII du t. III des *Mémoires*.

133 *Mém.*, III, 603 : « [Le Chancelier] nous dit [...] qu'il trouvoit un péril si certain au refus [...] ».

134 Sur cette construction, cf. n. 106.

135 *Pomper* : Saint-Simon emploie ce verbe pour désigner de façon imagée les grands airs du maréchal de Villeroy : « Je ne pus m'accoutumer aux grands airs du maréchal : je trouvois qu'il pompoit l'air de partout où il étoit, et qu'il en faisoit une machine pneumatique » (II, 150).

Un petit fumet d'affaires : *Mém.*, III, 213 : « Un fumet de jansénisme [...] ».

136 Comprenons : hors moi..., les ducs de Villeroy et de Chevreuse, le chancelier..., Artagnan...

137 Les Artagnan étaient une branche de la famille de Montesquiou. Plusieurs d'entre eux sont cités par Saint-Simon (*Mém.*, III, 303, notamment), parmi lesquels Joseph de Montesquiou-d'Artagnan (1650-1729) qui fut capitaine aux gardes, et Charles de Batz de Castelmore d'Artagnan (1611-1673), le héros des *Trois Mousquetaires*. Proust avait d'abord continué son pastiche en enchaînant sur le scandale du prince Murat assis sur un pliant à côté du roi d'Angleterre (cf. p. 273, note critique de la ligne 3). Puis il profita du nom d'Artagnan pour introduire habilement, en modifiant quelques lignes, l'article de 1904.

138 A son dessert. Cf. Furetière, *Dictionnaire*, art. *Fruit* : « Ce qu'on sert en dernier lieu au repas, soit de vrais fruits, soit des confitures, des pâtisseries, fromages, etc. »

139 *Apporter* : comprenons : quand il vint apporter.

Biscotins : « Pâte cuite avec du sucre, ou petit biscuit rond, et dur, qu'on met sur table au dessert » (Furetière).

140 Cf. n. 10.

141 *Fille de la Reine* : Fille d'honneur de la Reine.

S'était accommodée : s'était enrichie, avait amélioré ses affaires.

Duc de Gesvres : Saint-Simon ne mentionne aucune Montesquiou épouse d'un duc de Gesvres. Proust avait d'abord écrit *duc d'Uzès* dans le manuscrit, mais une telle alliance ne figure pas davantage dans

Saint-Simon. Un duc et une duchesse d'Uzès figurent cependant parmi les relations de Proust.

142 Ou du moins, dans la réalité, sous Philippe-Auguste (Cf. *Painter*, I, 174). Le premier ancêtre prouvé des Montesquiou aurait été chevalier croisé vers 1190.

143 Cf. n. 107.

144 Le comte Thierry de Montesquiou-Fézensac, père du comte Robert.

145 *Mém.*, I, 353 : « [Callières] étoit un grand homme maigre, avec un grand nez, la tête en arrière [...] ». Cette attitude a frappé Proust également chez Robert de Montesquiou et chez diverses personnes de l'aristocratie, comme la comtesse d'Haussonville (cf. l'article *Le Salon de la comtesse d'Haussonville, Chr.*, p. 52, où l'on voit la maîtresse de maison « qui penche en avant tout son corps dans un geste d'amabilité souveraine, et par une gymnastique harmonieuse dont beaucoup sont déçus, le rejette en arrière aussi loin exactement qu'il avait été projeté en avant »). Ce sera le salut du duc de Guermantes, et celui de Legrandin dans ses accès de snobisme (*RTP* I, 124).

146 Proust utilise en partie le portrait du prince de Conti (*Mém.*, III, 51 sqq.) : ses « grâces infinies » (p. 51), son esprit (*ibid.*), l'agrément et l'utilité de sa conversation (p. 53).

147 On sait au contraire que Montesquiou avait, lorsqu'il lisait ses poèmes ou lançait ses traits, une voix suraiguë. Cf. la note des *Carnets* sur la voix de Louis XIV (*supra*, p. 249).

148 Proust s'était fait une spécialité de ces imitations de la voix, du rire, des gestes du comte (cf. E. de Clermont-Tonnerre, *Robert de Montesquiou et Marcel Proust*, Flammarion, 1925, pp. 34 et 136). Celui-ci le savait et s'en plaignait. C'est à quoi fait allusion cette phrase du pastiche ; avec moins d'impertinence toutefois que la lettre CLXXV au comte (*CG*, I, p. 181) : « Quant à l'hypothèse que vous hasardiez au sujet de mes « imitations », elles ne furent jamais que des gammes, ou mieux des vocalises, n'ayant aucune prétention de rendre aucune mélodie, rien du génie original, mieux, elles étaient de simples exercices et jeux de l'admiration, *ludi solennos festivolia* [sic], de naïfs cantiques où s'exerçait et se complaisait une admiration juvénile.

> O Robert, ô mon aimable
> Maître affable,
> De toi je vis séparé, etc.

dont Renan nous a laissé le modèle enfantin et charmant. »

A la fin de sa vie encore, Proust éprouve le besoin de se justifier, cette fois sur un ton plus déférent : « La seule chose qui me gêne est le contraste que vous dénoncez entre les lettres chaleureuses, et les « singeries » dont je ne peux pas ne pas m'appliquer un peu l'injuste blâme, puisque j'ai été le premier, si j'ai perdu depuis longtemps ce talent et cette habitude, à contrefaire — bien imparfaitement — le tour de votre langage et l'accent de votre voix. Il y a bien dix années que je n'ai refait de ces imitations. Elles ne méritaient ni la colère de Hello, ni l'épithète de simiesque. [...] je ne juge pas de même façon que vous, ce qui semblait à ma jeunesse, et me semble encore à travers les ans écoulés, donner à l'admiration une forme vivante et gaie qui n'excluait pas la déférence. » (*CG*, I, lettre CCXLVIII, [mai-juin 1921], p. 286.) Cf. encore *Mém.*, III, 54 : « [...] On l'aimoit [le prince de Conti] véritablement quelquefois jusqu'à se le reprocher, toujours sans s'en corriger. »

Après les mots « d'y parvenir », le pastiche de 1904 place le développement sur Montesquiou déclamant ses propres vers, qui figure ici, p. 277, l. 12 sqq. (jusqu'à : ... « dont chacun restait émerveillé »).

[149] Gabriel d'Yturri (1868-1905), en réalité d'origine argentine, fut secrétaire de Montesquiou de 1885 à sa mort.

Mon ambassade à Madrid : cf. p. 285 et n. 210.

[150] Cette formule archaïque a fortement frappé Proust enfant lorsqu'il lisait *Le Capitaine Fracasse* (cf. *JS*, I, 178 ; *Journées de lecture*, in *P.M.*, 246). Peut-être lui vient-elle plus de ses souvenirs de Théophile Gautier que de sa lecture de Saint-Simon.

[151] *Mém.*, IV, 708 : « [le duc d'Orléans] se connoissoit fort en tableaux [...] ».

[152] *Proche la maison* : c'est bien ce tour archaïque que Proust a employé dans l'article de 1904 et dans le manuscrit de 1919. *La maison de M. le duc d'Orléans* : le boulevard Maillot, où habitait Montesquiou, à Neuilly, est voisin de la rue d'Orléans et de la villa d'Orléans.

Le manuscrit de *Fête chez Montesquiou* comportait ici une phrase biffée sur le pianiste Léon Delafosse (cf. p. 244, notes critiques). Les relations entre Montesquiou et Delafosse ayant particulièrement servi de modèle, par la suite, à celles de Charlus et Morel, on comprend aisément que Proust ait préféré supprimer cette phrase. Selon Painter (I, 195 sqq., 275) Montesquiou rompit avec le musicien en 1897.

[153] Née Elisabeth de Gramont et épouse de Philibert, marquis de Clermont-Tonnerre, elle était en effet la demi-sœur du duc Armand de Guiche, ami de Proust. Le « célèbre ministre d'Etat » est Antoine-Charles IV, duc des Gramont, ministre d'Etat en Espagne en 1704.

[154] Née Elisabeth de Chimay, épouse du comte Henri Greffulhe, cousine de Robert de Montesquiou. L'un des modèles de la duchesse de Guermantes. Proust la connaissait depuis 1894. Les renseignements sur la maison de Chimay sont empruntés aux *Mémoires* : « MM. de Hénin, comtes de Bossu et depuis princes de Chimay [...] » (IV, 227) ; « [le prince Charles-Louis-Antoine de Chimay] Son nom étoit Hénin-Liétard, et ses pères connus, sous le nom de comtes de Bossu, par leurs alliances [...] On a vu ici ailleurs que l'Electeur de Bavière fit donner la toison d'or au prince de Chimay tout jeune par Charles II [d'Espagne] » (VII, 186). Ce prince de Chimay avait épousé en premières noces Diane-Gabrielle-Victoire Mazzarini-Mancini, fille du duc de Nevers. En secondes noces, il épousa la propre fille de Saint-Simon, en 1722. Il est à noter que Saint-Simon écrit Bossu (selon toutes les éditions), et non Bossut comme le fait Proust.

Le manuscrit de l'article de 1904 (cf. p. 244, notes critiques) fait une allusion, biffée, à « la maison princière de Croÿ » : la maison de Chimay en est une branche (*Mém.*, IV, 227 sqq.).

155 Personnage saint-simonien. D'après les *Mémoires* (VII, 187), elle émit plutôt des réserves sur ce mariage.

156 Seigneur de Brantes est un des titres de la maison de Luxembourg chez Saint-Simon. Mais il s'agit ici de la marquise de Brantes, connue de Proust, et née Cessac.

157 Duc de La Rocheguyon était le titre des fils aînés des ducs de La Rochefoucauld (cf. n. 160). Proust connaissait leurs descendants.

158 *Fézensac* : allusion à la belle-sœur de Robert de Montesquiou, comtesse (non encore duchesse, fait remarquer malicieusement Proust dans l'article de 1904, cf. p. 245) Gontran de Montesquiou-Fézensac, qui s'était « piquée de littérature ».

159 Saint-Simon fait une allusion au roi franc (IV, 462) à propos de l'origine de la monarchie française. Proust raille ici les prétentions nobiliaires de Montesquiou, mais se souvient très précisément d'autres passages de Saint-Simon : « Leur chimère [des anciens comtes de Bossu] étoit d'être de l'ancienne maison d'Alsace, quoique la leur fût d'une antiquité assez illustre et assez reconnue pour ne la point barbouiller de fables » (VII, 186). « [la maison de Croÿ] a poussé la folie jusqu'à une généalogie qui la conduit depuis Adam jusqu'à André II, roi d'Hongrie. » (IV, 227).

160 *Et de l'autre* : comprenons : et j'ai suffisamment parlé de l'autre maison (celle de La Rocheguyon). Style elliptique imité du modèle.
   Duc de La Rochefoucauld : cf. note 157. Proust était lié avec les descendants des illustres ducs : notamment le comte Gabriel de La Rochefoucauld, de quatre ans son cadet, qui devait être l'un des modèles de Saint-Loup. Il était fils du comte Aimery de La Rochefoucauld, célèbre par son attachement aux questions d'étiquette (c'est un des modèles du prince de Guermantes).
   Survivancier : Proust a relevé textuellement dans la table des *Mémoires* (Chéruel t. XX, p. 458) : « [Duc de La Recheguyon] Fils aîné du duc de La Rochefoucauld et survivancier de ses deux charges. »

161 *L'étrange présent*, etc. : la table des *Mémoires* par Saint-Simon (Chéruel XX, p. 458) donne encore, à l'article « Duc de la Rocheguyon » :
   « — Quel à l'égard de M. le Duc d'Orléans.
   — En reçoit un prodigieux et fort étrange présent.
   — ... évite avec noblesse le piège que lui tendit l'audacieuse scélératesse du premier président de Mesmes.
   — Marie son fils, enfin devenu aîné, avec Mlle de Toiras. »
   Proust a donc reproduit presque textuellement la table. L'« étrange présent » est celui que lui fit le Régent, en 1715, de toutes les pierreries de la garde-robe du feu roi (*Mém.*, V, 74).
   L'astucieuse scélératesse etc., : En 1715, le premier président proposa sans succès au duc de La Rochefoucauld de protester contre le jugement du feu Roi qui avait accordé la préséance sur lui à Saint-Simon (*Mém.*, V, 15).

Mlle de Toiras : cf. Mém., IV, 683 : Le duc de La Rochefoucauld marie son fils le duc de La Rocheguyon à Mlle de Toiras.

[162] C'est la poétesse, comtesse Mathieu de Noailles, née Anna de Brancovan. Proust la confond volontairement avec une nièce du duc de Noailles, l'ennemi intime de Saint-Simon. Ce duc, Adrien-Maurice, avait d'abord été duc d'Ayen jusqu'en 1704, et avait effectivement épousé Mlle d'Aubigné, nièce de Mme de Maintenon. Il était également neveu du cardinal de Noailles.

Le comte (et non duc) Mathieu de Noailles avait pour mère Clotilde de Noailles, née de La Ferté-Meun-Molé de Champlâtreux. Proust rapproche les Noailles actuels de leurs ancêtres en faisant de Mathieu le dernier des frères de l'illustre duc.

Pour les flatteries sans mesure adressées par Proust à Anna de Noailles, voir *CG*, II (lettres à Mme de Noailles) et *Chr.*, 177-192, sur *Les Eblouissements.*

[163] *Ses astucieuses menées*, etc., : toute la fin de cette phrase, et la suivante, sont empruntées presque textuellement à la table des *Mémoires* de l'édition Chéruel-Régnier (t. XX, art. *Noailles,* pp. 368-370). Voici les termes exacts de cette table :

« Noailles et Canillac avocats des conseillers d'Etat contre les gens de qualité. — Sa subite adresse à bombarder le procureur général Daguesseau chancelier. — Il vend le cardinal, son oncle, à la fortune [...], courtise Effiat et les Rohans [...] — Manque [...] le fils aîné du duc d'Albret pour sa fille aînée. — Ses manèges à l'égard de Law. — [Sa] conduite lors de la découverte de la conspiration du duc et de la duchesse du Maine. »

Le comte d'Armagnac : fils de Monsieur le Grand, Louis de Lorraine-Armagnac. C'est lui qui en effet épousa la fille du duc de Noailles, cf. *Mém.,* V, 550-551.

L'allusion à l'« affaire des pierreries », rajoutée en 1919, vise sans doute à ne pas faire perdre de vue au lecteur Lemoine et ses diamants.

Grâces pécuniaires : l'expression est de St-Simon (cf. p. ex. II, 449).

[164] Le prince Grégoire de Brancovan (1827-1886), de la famille régnante de Valachie. Après 1848, les Brancovan ne sont plus régnants, mais ont droit en Autriche au titre de prince de Valachie.

Hospodar : ancien titre des princes vassaux du sultan de Turquie.

[165] *Musurus* : la princesse Rachel de Brancovan, mère de la poétesse, était la fille de Musurus pacha, ambassadeur turc à Londres vers 1850 et descendant d'une famille grecque. Son ancêtre, l'héléniste grec Marc Musurus, et Erasme séjournèrent tous deux à Venise et à Padoue à la même époque, au début du XIVe siècle.

L'article de 1904 comporte après *Erasme* deux phrases, qui ont été biffées sur le placard de 1919. Les phrases qui suivent, dans le texte définitif, (« Montesquiou avait été le premier... restait émerveillé ») figuraient, dans *Le Figaro,* le manuscrit et le placard, bien avant (cf. la notre critique de la p. 274, l. 20). En faisant passer à la fin du portrait cet éloge de Montesquiou, Proust facilite la transition avec les apports nouveaux : « Mais toute médaille a son revers, etc. »

166 Avant 1904, Montesquiou avait déjà publié plusieurs recueils de vers, dont les principaux étaient *Les Chauves-Souris* (1893), *Les Hortensias bleus* (1896), *Les Perles rouges* (1899).

167 C'est à Sceaux que le duc du Maine, bâtard de Louis XIV, donnait des fêtes travesties et des comédies. Cf. *Mém.*, III, 1138, etc.

168 C'est-à-dire le Grand Turc. Cf. le manuscrit de l'article de 1904, p. 242, où Proust avait d'abord écrit « le Grand Turc ».

169 Ici reprend le texte de 1919.

170 Proust imite le goût de son modèle pour les adjectifs substantivés. Cf. *Mém.*, IV, 267 : « Le rogue, le dur, le désagréable de M. de La Rochefoucauld n'étoit pas pour le Roi ; son court lui plut, et le mit à l'aise. »

171 Saint-Simon en dit autant du prince de Conti : « Il avoit et vouloit des amis comme on veut et qu'on a des meubles [...] jusqu'à ses amis étoient odieux, et le sentoient » (III, 53).

172 *Griefs* : graves. Employé comme adjectif jusqu'en français classique, mais vieilli dès le milieu du xviie siècle.

173 C'est le nom de jeune fille de la marquise de Saint-Paul, qui servit de modèle à Mme de Saint-Euverte (elle aussi prénommée Diane). On lui donnait le surnom de « Serpent à sonates » pour évoquer sa médisance et ses talents de pianiste (cf. *Painter* I, 154). La famille de Feydeau de Brou, très ancienne, est mentionnée dans Saint-Simon (II, 624, etc.)

174 Née Geneviève Halévy, veuve de Georges Bizet, remariée à l'avocat Emile Straus. Proust fut de ses admirateurs et des familiers de son salon depuis 1888 et, après que la maladie les eut éloignés de la vie mondaine l'un et l'autre, il échangea avec elle une importante correspondance. Célèbre par ses traits d'esprit, elle fut, de ce point de vue, le modèle de la duchesse de Guermantes.

175 Cf. *Carnet* 3, f. 45 r°. Coussin de velours sur lequel les dames de qualité et les évêques s'agenouillaient à l'église. C'est encore un sujet de rivalités fréquemment traité par Saint-Simon. Dans *Sodome et Gomorrhe* (*RTP*, II, 951-952), Charlus fait allusion à cet usage en rappelant que sa trisaïeule fit retirer le carreau à la princesse de Croÿ, qui usurpait ce privilège.

176 C'est-à-dire l'évêque de Noyon. Allusion probable à François de Clermont-Tonnerre (1629-1701), « célèbre par sa vanité et les faits et dits qui en ont été les fruits » (*Mém.*, I, 105). Dans la réalité, c'est au musicien Gounod que Mme Straus fit cette réplique (cf. *Journal* des Goncourt, 20 janvier 1886).

177 Cf. le passage sur la maladie et la mort du prince de Conti (*Mém.*, III, 51) : « La goutte l'avoit réduit au lait pour toute nourriture, qui lui avoit réussi longtemps. Son estomac s'en lassa ; son médecin s'y opiniâtra, et le tua. Quand il n'en fut plus temps, il demanda et obtint de

faire venir de Suisse un excellent médecin françois réfugié, nommé
Trouillon, qui le condamna dès en arrivant. »

178 Proust fait là un éloge de la situation mondaine de Mme Straus, dont
le salon bourgeois avait été fréquenté par des membres de la haute
aristocratie. (Cf. la lettre citée dans la notice, p. 230, lettre CXII.)

179 Née Hélène des Cars (1847-1933), cousine de Robert de Montesquiou.
Proust la rencontra pour la première fois en 1912. Elle faisait partie de
la brillante société de Mme Greffulhe, avait été la maîtresse d'Edouard
VII, alors prince de Galles, et s'habillait et se parait toujours comme
la princesse de Galles. D'où l'allusion à double entente sur ses liens avec
la reine d'Angleterre. Proust cite nommément Mme Standish dans
dans *Sodome et Gomorrhe* (*RTP*, II, 661) pour faire remarquer que,
malgré son nom, elle est « au moins une aussi grande dame que la duchesse de Doudeauville. » Dans une variante du même roman, il fait
prononcer un de ses mots d'esprit par la duchesse de Guermantes.
(Cf. *RTP*, II, 1185 ; et *Painter*, I, 206, et II, 223).

180 Chez Saint-Simon, cette ignorance est en réalité celle de Louis XIV ;
cf. *Mém.*, IV, 950 : « Le Roi [...] crut [Saint-Hérem] fort peu de
chose. Il étoit Montmorin, et le Roi ne le sut que fort tard par M. de
La Rochefoucauld. Encore lui fallut-il expliquer quelles étoient ces
maisons, que leur nom ne lui apprenoit pas. » Proust cite presque
textuellement ces phrases, et les commente, dans *Le Temps retrouvé*
(*RTP*, III, 961).

181 *D'Escars* : autre orthographe de des Cars, famille inconnue de Saint-
Simon, mais qui fut illustrée, plus tard, par Jean-François de Pérusse,
baron, puis duc des Cars ou d'Escars (1747-1822), militaire et diplomate. Un général des Cars participa aussi à la conquête de l'Algérie.

La mère de Mme Standish était née Mathilde de Cossé-Brissac.
Proust mentionne le duc et la duchesse de Brissac parmi les invités de
Mme Lemaire (cf. *Chr.*, p. 32). Le nom de cette famille figure souvent
dans Saint-Simon ; la propre sœur du mémorialiste épousa un duc de
Brissac.

182 *Trayée* : choisie. Dans les *Mémoires*, l'abbesse de Fontevrault vit parmi
« l'élixir le plus trayé de toutes les dames de la cour » (IV, 1011) ;
chez M. de Seignelay, « la fleur de la cour étoit trayée » (I, 280) ; la
société de Cavoye « étoit un monde trayé » (II, 159), etc. Cf. *Carnet*
4, 31 r°. Le *Dictionnaire* de l'Académie de 1694 ne donne pas ce mot,
mais, d'après Furetière, *trayer* est un terme technique réservé aux mon-
naies : « On dit trayer le fort et le faible des espèces, quand on choisit
celles qui ont le plus de trait, et sont plus trébuchantes », (*trait* signifie :
« le poids ou la force mouvante qui emporte l'équilibre » ; *trébucher* :
« emporter l'équilibre, en parlant des choses qu'on pèse ».)

Elixir est à l'origine un terme d'alchimie : c'est la pierre philosophale
ou la quintessence tirée d'une substance. Saint-Simon l'emploie souvent
au sens d'élite : « Ce fut une bombe tombée au milieu de cet élixir de
cour » (II, 160). Et : « Cet élixir de cour qui vivoit sans cesse [...] chez
la comtesse de Soissons » (IV, 267), etc.

183 Henry Standish était effectivement lié aux Noailles.

184 Ou d'Hinnisdaël. Nom d'une famille que Proust connut, semble-t-il, seulement dans les dernières années de sa vie. M. d'Hinnisdaël tient ici le rôle que Saint-Simon attribuait au duc de La Rochefoucauld (cf. n. 180). Le nom de M. d'Hinnisdaël est cité par Proust dans *RTP*, II, 561 : le baron de Charlus vante la décoration de sa maison.

185 Forme concurrente de *pliant*, considérée comme vieillie dès la fin du XVIIe siècle. C'est d'elle que Saint-Simon se sert habituellement. Seuls ont droit à un pliant devant le Roi les membres de la famille royale (cf. *Mém.*, I, 270).

186 Le *courtisan* : singulier collectif. Cf. *Mém.*, III, 167 : « [M. de La Rochefoucauld] se fit mener chez le Roi [...] et l'embarrassa par une vive sortie de plaintes et de reproches, qui n'étonnèrent pas moins le courtisan [...] » ; et *ibid.*, « pour la première fois, le courtisan, au lieu d'applaudir, s'écoula en silence en levant les épaules. »

Le texte de *Pastiches et Mélanges* ne comporte pas : « Le courtisan en frémit à Versailles, tous ». Nous rétablissons ce passage pour les raisons suivantes : il figure dans le manuscrit, non biffé ; il occupe exactement une ligne du cahier ; l'addition marginale : « Cela fit un étrange vacarme qui retentit bien loin de St-Cloud » est signalée comme à placer immédiatement avant lui ; sans doute l'imprimeur, revenant de l'addition au texte, s'est-il trompé de ligne ; Proust n'y a pas pris garde au cours d'une relecture hâtive des épreuves, d'autant que cette omission ne nuit pas à l'intelligibilité. Il serait dommage de laisser échapper cette expression très saint-simonienne.

187 *Attaqua de conversation* : cf. *Carnet* 3, f. 25 r°, et n. 13.

Le *Comte A. de La Rochefoucauld* : cf. n. 106.

188 La *qualité d'Altesse* : cf. n. 46.

Le *traversement du parquet* : c'est-à-dire, au Parlement, de l'espace délimité par les bancs des présidents et des pairs. Son « traversement » était à l'origine réservé au seul premier prince du sang (*Mém.*, II, 800).

189 *Achille Murat* : Cf. n. 94. Née en 1898, Achille Murat était le fils du prince Lucien Murat, neveu de Joachim, et de Marie, née Rohan-Chabot. Il est donc petit-neveu du prince Joachim, chef de la famille en 1918.

La *Mingrélie* : l'ancienne Colchide, pays du Caucase méridonal (capitale Zougdidi) ; fait aujourd'hui partie de la République de Géorgie. Cf. le brouillon 4, où Lucien Murat est qualifié de « prince de Mingrélie » (p. 256).

En 1867, la famille régnante de Mingrélie, les Dadian, abdiqua sa souveraineté en faveur du tsar de Russie et obtint en compensation le titre russe de Princes de Mingrélie, avec qualification d'Altesse Sérénissime pour le chef de famille, et de prince et princesse Dadian pour les autres membres de la famille. Le dernier prince de Mingrélie, Nicolas Nicolaïevitch, mourut sans héritier mâle en 1903. Sa tante Salomé Davidovna Dadian (1848-1913) avait épousé en 1868 un Achille Murat, frère de Joachim dont il est question dans le pastiche. C'est de ce mariage qu'était né Lucien, d'où la prétention de cette branche des Murat au titre de « princes de Mingrélie ».

190 *Mém.*, II, 945 : « Ils exigèrent, outre ce solide, deux bagatelles [...] ».

191 *Mém.*, IV, 713 : « Un Dieu existant et une âme immortelle le jetoient [le duc d'Orléans] en un fâcheux détroit [...] ».

192 *Le Pour* : distinction qui consiste à écrire, lors d'un voyage de la cour, sur les logis réservés : « Pour M. un tel ». « Les maréchaux des logis [...] mettent ce *pour* aux princes du sang, aux cardinaux, et aux princes étrangers » (*Mém.*, I, 550).

Le Monseigneur : cf. *Carnet* 3, f. 23 v°. Cette appellation était réservée, et depuis Louis XIV seulement, au Dauphin. Sous ce règne, les évêques commencèrent d'en user entre eux et de l'exiger du clergé subalterne. Puis les princes du sang, puis les bâtards, puis le duc de Vendôme (*Mém.*, III, 123). Saint-Simon revient fréquemment sur cette usurpation. Proust y fait une allusion, à propos des convenances bour-geoises, dans *RTP*, I, 575 : « J'avais fait quelques ouvertures à maman pour savoir si elle ferait de même [demander : « Comment va Madame votre mère ? »] quand viendrait Gilberte, point qui me semblait plus grave qu'à la cour de Louis XIV le « Monseigneur ».

193 Les huissiers du Parlement se présentent baguettes baissées (et non levées) devant le Roi et ses représentants. Proust inverse ici le geste (mais l'avait exactement indiqué dans une première addition sur épreu-ves, cf. l'apparat critique). Cf. *Mém.*, II, 629. Et *RTP*, II, 952 : Charlus prétend à propos de ses ancêtres : « Le duc de Bourgogne étant venu chez nous avec les huissiers, la baguette levée, nous obtîn-mes du Roi de la faire abaisser. »

M. le Prince : de Condé, gouverneur de Bourgogne, qui avait dû demander un jugement du Roi pour que les huissiers des Etats de Bourgogne se présentassent chez lui baguettes baissées. (*Mém.*, II, 629.)

194 Cf. *Mém.*, III, 313 sqq, à la fin du passage décrivant la venue à Paris de l'Electeur de Bavière, et ses prétentions surprenantes (1709) : « Ainsi tout passe, tout s'élève, tout s'avilit, tout se détruit, tout devient chaos, et il se peut dire et prouver, qui voudroit descendre dans le dé-tail, que le Roi, dans la plus grande prospérité de ses affaires, et plus encore depuis leur décadence, n'a été, pour le rang et la supériorité pratique et reconnue de tous les autres rois et de tous les souverains non rois, qu'un fort petit roi [...] ». Cf. encore *Carnet* 3, f. 46 v°.

L'expression « un fort petit roi » appliquée à Louis XIV, est reprise Proust dans les pages du *Côté de Guermantes* évoquant l'importance de l'étiquette à la cour (*RTP*, II, 436). *Le Temps retrouvé* reprend le thème du changement des fortunes : « Ainsi change la figure des choses de ce monde ; ainsi le centre des empires, et le cadastre des fortunes, et la charte des situations, tout ce qui semblait définitif est-il perpétuelle-ment remanié [...] » (III, 1019).

195 Diplomate anglais que Proust connut en janvier 1919. Une allusion à lui est faite dans *RTP*, II, 179, en note.

196 Edward Robert Bulwer, comte de Lytton (1831-1891), ambassadeur
britannique en France de 1887 à 1891, rencontré jadis dans le salon
de Mme Straus. Auteur de poèmes et de romans, notamment des *Derniers jours de Pompéï*.

197 Ambassadeur à Paris de 1892 à 1896 (1826-1902).

198 C'est un usage de la cour d'Espagne (et non d'Angleterre, ni de France),
où le duc d'Orléans fut traité en infant en 1707. Cf. *Mém.*, II, 795 :
« M. le duc d'Orléans s'arrêta à Bayonne pour voir la reine, veuve de
Charles II, qui lui donna un fauteuil. M. le duc d'Orléans, qui ne l'auroit
osé prétendre, se garda bien de le refuser. En Espagne, les infants ont
un fauteuil devant le roi et la reine. » Dans ce passage, Proust mêle à
plaisir les époques et les pays.

199 *Mém.*, II, 924 : « Deux jours après, le Roi fit souper avec lui Mademoiselle,
fille de M. le duc d'Orléans, à son grand couvert de Versailles, et entrer
après, avec lui, dans son cabinet. Cette distinction fit du bruit : les
princesses du sang ne mangent point au grand couvert ; c'est un honneur réservé aux fils, filles, petits-fils et petites-filles de France [...] ».

200 C'est le maître d'hôtel du Ritz. Il fut un modèle important pour Aimé,
le maître d'hôtel du Grand Hôtel de Balbec.

201 Dans Saint-Simon (I, 85), c'est le père du mémorialiste qui se rend
chaque année, seul, au service anniversaire du feu roi Louis XIII, à
Saint-Denis.

202 On a vu (n. 179) que Mme Standish et la princesse de Galles portaient
les mêmes parures.

203 *Mém.*, III, 605 : « [Tout cela] nous tiroit par le licou où nous ne vou-
lions pas. »

204 Cf. n. 89.

205 *Ne pas y avoir de milieu*, etc. : proposition infinitive dépendant de
il sentit. Cf. *Mém.*, III, 604 : « Ils ne voyaient point de milieu entre
refuser et nous perdre. »
   Sauta le bâton : se dit de quelqu'un à qui on fait faire une chose
malgré soi. L'expression n'est pas rare chez Saint-Simon : « Il leur
fallut sauter le bâton d'assez mauvaise grâce » (I, 40) ; « Monsieur et
M. le duc de Chartres [...] aimèrent mieux sauter le bâton du service
subalterne encore cette campagne » (I, 893) ; « Il en sauta le bâton
par force » (II, 953), etc.

206 *Mém.*, VI, 643 : « Le duc de Gramont [...] étoit frère cadet du célèbre
comte de Guiche, qui a tant fait parler de lui, et fils et père des deux
maréchaux de Gramont. Leur nom est Aure [...] Sance-Garcie d'Aure
servit le Roi en 1405 [...] Antoine d'Aure [...], vicomte d'Aster, prit
gratuitement le nom et les armes des Gramont [...] ».

207 *Mém.*, I, 314 : « [La duchesse du Lude] avoit épousé en premières
noces ce galand comte de Guiche, fils aîné du maréchal de Gramont,
qui a fait en son temps tant de bruit dans le monde, et qui fit fort peu
de cas d'elle et n'en eut point d'enfants ». *Galant* est pour ce personnage
une véritable épithète de nature : « [Mme de Monaco] étoit sœur de ce

galand comte de Guiche et duc de Gramont » (I, 826) ; « Les folies galantes de son fils aîné le comte de Guiche devinrent la douleur de sa vie [...] La considération de son père le mit de tous les plaisirs de la jeunesse du Roi, et lui en acquit la familiarité pour toujours » (II, 318).

208 *Mém.*, III, 51 (le prince de Conti) : « Il fut aussi les constantes délices, du monde, de la cour [...] l'espérance de ce qu'il y avoit de plus distingué [...] l'ami avec discernement des savants [...] ». Et III, 52 : « Il avoit des amis : il savoit les choisir, les cultiver, les visiter, vivre avec eux, se mettre à leur niveau sans hauteur et sans bassesse. »

209 Peintre espagnol contemporain (1876-1945). Décorateur des Ballets russes. Proust l'évoque à ce titre dans *La Prisonnière* (III, 369), et comme auteur d'une *Légende de Joseph,* dans *La Fugitive* (III, 647).

210 *Ma breline :* telle est bien l'orthographe de Saint-Simon, et celle de Proust dans son manuscrit.

    A Madrid : Saint-Simon fut ambassadeur en Espagne d'octobre 1721 à 1722. Cf. *Mém.*, VI, 802-fin, et VII, 1-166.

211 Peut-être Philippe de Chimay, né en 1881, attaché à la légation de Belgique à Paris, et cousin d'Alexandre de Chimay, beau-frère d'Anna de Noailles. Un Philippe de Croÿ, comte de Chimay, vivant au xvᵉ siècle, est cité par Saint-Simon (IV, 229-230). On a vu (n. 154) qu'un prince de Chimay avait épousé la fille de Saint-Simon.

    Riquet est le patronyme des Caraman.

212 *Mém.*, III, 476 : « C'étoit un homme avec qui je n'avois pas la moindre habitude [...] ».

213 Ses temporisations. *Mém.*, III, 245 : « La cunctation de M. de Chevreuse [...]. ».

214 La famille de Poix est une branche de la maison de Noailles. La princesse de Poix est mentionnée par Proust dans *Une Fête littéraire à Versailles,* parmi les invités de Montesquiou (*Le Gaulois,* 31 mai 1894), et deux fois dans *RTP* (II, 196 ; III, 668), comme une amie de la duchesse de Guermantes.

    Etaient devenus noirs : la même anecdote est utilisée dans le pseudojournal des Goncourt (*RTP*, III, 715) : « [...] Swann me fait admirer le collier de perles noires porté par la maîtresse de maison [...], perles devenues noires à la suite d'un incendie qui détruisit une partie de la maison que les Verdurin habitaient [...], incendie après lequel fut retrouvé le coffret où étaient ces perles, mais devenues entièrement noires. »

215 Le comte Edmond Frisch de Fels, né en 1858. Il appartient, contrairement à l'assertion du pastiche, à une famille luxembourgeoise très ancienne (xiᵉ siècle). Proust le mentionne à deux reprises, dans les lettres à Mm Straus n° CXI (cf. notice, p. 230) et CXVII, parmi les contemporains dont il sera obligé de dire du mal dans son pastiche.

216 Cf. *Carnet* 3, f. 27 rᵒ : « la bonne femme Gamaches ». Dans Saint-Simon, Mme Cornuel, « vieille bourgeoise du Marais », est citée pour une

réponse railleuse faite à M. de Soubise qui lui annonçait le mariage de son fils : « Ho ! Monsieur, [...] que voilà un grand et bon mariage pour dans soixante ou quatre-vingts ans d'ici ! » (I, 172). Proust remarque à son sujet (*RTP*, I, 768) que les mots d'esprit rapportés par Saint-Simon nous paraissent pauvres aujourd'hui.

217 Le nom de cette famille apparaît chez Saint-Simon. Mais Proust fait allusion ici au marquis Boni de Castellane (1867-1932), l'un des hommes les plus brillants de la société du début du siècle, qui lui fournit des traits pour le personnage de Saint-Loup. Il eut une activité politique à partir de 1898 : il fut antidreyfusard, lutta contre la séparation de l'Eglise et de l'Etat, et s'occupa de questions de politique étrangère.

218 Il s'agit de Louis-Ferdinand d'Orléans, né à Madrid en 1888. Comme son frère Alphonse et son père Antoine d'Orléans, duc de Galliéra, il portait le titre d'infant d'Espagne, sans être héritier de la couronne. Les prétentions qui lui sont reprochées par le pseudo-Saint-Simon ont été, dans la réalité, celles de l'Electeur de Bavière sous Louis XIV. Proust fait allusion à ces dernières dans *RTP*, II, 436.

219 Le cardinal Gualterio (1660-1728), nonce du pape à Paris et ami de Saint-Simon. Les seuls rapports qu'il eut avec ce dernier pendant l'ambassade à Madrid furent épistolaires.

220 Chose qui en facilite une autre. Cf. *Mém.*, I, 130, 133, etc.

221 Il fut en réalité le beau-frère du duc d'Orléans. Les princes de Lorraine sont constamment blâmés par Saint-Simon pour leurs prétentions de s'égaler aux princes du sang. (Cf. *Mém.*, I, 682-688.) D'après I, 580, l'avocat général Daguesseau fit casser par le Parlement de Paris des jugements des juges de Bar (le duché de Bar, possession du duc de Lorraine, était dépendant de la couronne de France) qui avaient nommé le Roi *le roi très chrétien* : il fut « enjoint à ce tribunal de Bar [...] de ne jamais nommer le Roi que *le Roi* seulement, et ce à peine de suspension, interdiction, et même privation d'offices [...] ».

222 *Mém.*, III, 313 : « Je ne sais que le Pape, l'Empereur et les rois qu'on nomme de leur dignité, parce que *Monseigneur* ni *Monsieur* ne sont pour eux d'aucun usage. »

223 Je pris la liberté de. Cf. *Carnet* 3, f. 23 v°.

224 Pour tout ce passage sur la visite incognito de l'infant au Roi, Proust s'inspire de deux passages des *Mémoires* : la visite et l'hommage du duc de Lorraine en 1699 (I, 681-686), et la visite de l'Electeur de Bavière en 1709 (III, 310-312). C'est le duc de Lorraine qui est conduit de Paris à Versailles. Tous deux passent un moment dans le cabinet du Roi (« une bonne demi-heure » pour le premier, « une heure et demie » pour le second), et visitent les jardins. Mais c'est l'Electeur qui brilla par son esprit et « loua extrêmement les jardins ».

225 *Prince de Cellamare* : ambassadeur d'Espagne en France de 1715 à 1719.

Comte et comtesse de Beaumont : la famille de Beaumont est mentionnée par Saint-Simon. Mais Proust adresse là une politesse au comte et à la comtesse Etienne de Beaumont, ses amis récents ; on ne les trouve guère mentionnés dans ses biographies qu'à partir de 1917.

226 C'est à Meudon que furent reçus le duc de Lorraine et l'Electeur de Bavière. Là, ce dernier prétendit avoir la main sur le Dauphin lui-même (*Mém.*, III, 312) : « La surprise fut grande de la prétention qu'il forma d'y avoir la main. Elle étoit en tout sens également nouvelle et insoutenable [...] »

La faiblesse de celui-ci : c'est au Roi que Saint-Simon attribue de la faiblesse dans cet incident.

227 *Mezzo-termine* : moyen terme. Mot italien fréquemment employé par Saint-Simon (I, 988 ; III, 219, etc.).

Par une porte différente : dans *Mém.*, III, 312, le mezzo-termine fut que l'Electeur et Monseigneur, pour la main fût « couverte », montèrent dans une calèche tous deux en même temps, chacun par un côté.

228 Fils naturel de Louis XIV et de Mme de Montespan.

229 « Chagrins, déplaisirs » (Furetière). Fréquent chez Saint-Simon.

230 Fixer sa résidence ; cf. *Mém.*, IV, 693 : « [La princesse des Ursins] espéra y fixer ses tabernacles. » Cf. *Carnet* 3, f. 43 r°.

231 *Disgression* : orthographe habituelle à Saint-Simon. Ce genre de réflexion pour clore un développement annexe lui est également coutumier.

L'AFFAIRE LEMOINE
TEXTES INÉDITS

I

LA BÉNÉDICTION DU SANGLIER
ÉTUDE DES FRESQUES DE GIOTTO REPRÉSENTANT L'AFFAIRE LEMOINE A L'USAGE DES JEUNES ÉTUDIANTS ET ÉTUDIANTES DU CORPUS CHRISTI QUI SE SOUCIENT ENCORE D'*ELLE*

par John Ruskin

NOTICE

PROUST ET RUSKIN

On connaît assez l'intérêt que Proust porta à l'œuvre de Ruskin de 1893 à 1904, et l'influence profonde que l'écrivain anglais exerça sur la maturation de son génie. (Cf. Jean Autret, *L'Influence de Ruskin sur la vie, les idées et l'œuvre de Marcel Proust*, Droz-Giard, 1955). Proust écrivit sur lui un article nécrologique en janvier 1900, puis plusieurs articles dans *Le Figaro, Le Mercure de France, La Gazette des Beaux-Arts* et *La Renaissance latine*, dont la plupart furent repris dans ses préfaces aux traductions de *La Bible d'Amiens* et de *Sésame et les Lys* (1904 et 1906).

LES MODÈLES DU PASTICHE

Proust bénéficiait d'une circonstance éminemment favorable pour faire parler Ruskin de cette affaire Lemoine qui lui était étrangère à tant de titres, c'est l'habitude qu'a cet écrivain de ne parler qu'accessoirement du sujet qu'il traite. Aussi, des deux parties du pastiche, la plus longue est-elle sans aucun rapport avec l'Affaire, tandis que la seconde se passe à éluder la question de savoir pourquoi Giotto a eu l'idée de représenter l'affaire Lemoine. C'est donc dire que Proust a retenu de son modèle l'humour et l'abus de digressions.

Il parodie la manière de Ruskin principalement d'après deux livres :
La Bible d'Amiens, d'abord qui lui fournit le début, l'allusion à l'édition
dite des Voyageurs, et des traits satiriques contre les chemins de fer et la
civilisation industrielle. Puis d'après *Les Pierres de Venise,* dont un passage
décrit l'arrivée en gondole dans la cité des Doges ; ce passage figure
précisément dans les *Pages choisies* de Ruskin, traduites et présentées par
Robert de La Sizeranne en 1908 ; l'auteur avait envoyé son ouvrage dédi·
cacé à Marcel Proust. (Mais ce dernier avait déjà lu la traduction complète des *Pierres de Venise* par Mme Mathilde P. Crémieux, publiée en
mars 1906 et dont il avait rendu compte dans *La Chronique des arts et de
la curiosité* de mai 1906.) Proust transpose beaucoup cette description,
puisqu'il ne s'agit ni de la même ville, ni du même moyen de locomotion,
mais il garde le plan général du passage, le nom de nombreux monuments
vénitiens, et l'évocation des effets de lumière sur la pierre et sur l'eau.
D'autres ouvrages sont pastichés de façon moins développée, comme les
études sur les œuvres de Giotto à Padoue ou sur *Les Rivières de France* de
Turner, ou encore comme *Praeterita,* dans lequel Ruskin oppose vigoureusement les verdoyantes campagnes de son enfance aux paysages enlaidis
par la révolution industrielle.

L'ART DU PASTICHE

Proust a bien saisi l'humour de Ruskin : comme celui du *Repos de
Saint-Marc* (*Histoire de Venise pour les rares voyageurs qui se soucient
encore de ses monuments*), le sous-titre feint de décourager le lecteur. Ce
dernier n'est pas beaucoup plus ménagé dans le cours du développement :
il attend longtemps de voir aborder le sujet annoncé, apprend que les
questions qu'il se pose n'ont aucun intérêt, qu'il n'a qu'une « pitoyable
mentalité de lecteur cockney » et qu'il risque de perdre son temps à contempler les fresques de Giotto. On lui explique le développement de la
peinture murale en Italie en prenant pour exemple une pomme de terre
bouillie, et les fresques de l'affaire Lemoine par les considérations les plus
saugrenues.

Proust y ajoute son humour personnel : il se raille lui-même d'avoir par
d'« adroits contresens » ajouté « un charme d'obscurité à la pénombre et
au mystère du texte ». Il pratique ce qui était à son époque de l'humour
d'anticipation, à un moment où les voyages en avion n'existaient pas encore ; mais, paradoxalement, il les présente comme un mode de transport
préhistorique et même mythologique. Mêlant ainsi les temps, il s'amuse à
présenter les monuments de Paris selon une chronologie falsifiée et fantai-
siste (comme il faisait dans le Renan pour la chronologie littéraire). Après
l'évocation des splendeurs de la ville et du soleil couchant, il fait apparaître
brusquement un conducteur d'omnibus qui détruit l'enchantement. Dans
la seconde partie, l'humour de Proust consiste à mettre sur le même plan les

prestigieux chefs-d'œuvre de la peinture italienne et la plate peinture académique de la Troisième République française.

Dans la forme, Ruskin est imité par ses interpellations constantes au lecteur, et par ses questions. Il l'est encore dans sa manie de souligner de nombreux mots, généralement des mots accessoires du discours.

Proust rend sensible l'attitude esthétique de son modèle, tout développement aboutissant à l'évocation d'un monument ou d'un tableau. C'est précisément l'abus de ces rapprochements qu'il critiquera chez lui, sous le nom d'idolâtrie.

La deuxième partie du pastiche (*Tu regere imperium*) reste inachevée et très confuse. C'est surtout la première partie, habile et spirituelle, qui était digne de la publication.

NOTE SUR LE TEXTE

Ce pastiche figure à l'état d'ébauche inachevée dans le *Cahier II,* où il occupe les ff. 10 v°, 11 r°, 12 r°, 13 r°, 14 r°, 15 r°, 16 r° et v°.

Il a fait l'objet d'une première publication, avec une préface, de la part de Bernard de Fallois, dans la *Nouvelle N.R.F.* du 1ᵉʳ octobre 1953, pp. 762 à 767.

Nous donnons d'abord l'esquisse de la première page, qui occupe le f. 11 r°, puis le pastiche entier, reconstitué, avec en notes critiques les variantes du manuscrit. Sur quelques points notre lecture est différente de celle de la première publication.

ESQUISSE DE LA PREMIÈRE PAGE

[**f. 11 r°**] Au temps *à jamais enfui* qui jamais ne sera plus revu où *l'homme* | s le voyageur | *insoucieux* ignorant encore des sleeping-cars, oreillers couvertures, *aux éditions Pierre Laffitte* | s *derniers succès du théâtre des arts* | I *théâtres du modernisme* *authenticité du 4ᵉ évangile,* | et autres inventions de notre époque ibsénique scénique et neurasthénique, et ne connaissant d'autre Ouest, encore irracheté par M. Barthou et Beelzébuth que celui dont un vieux livre, beaucoup moins lu aujourd'hui que l'Almanach Hachette et les romans de Lucien Daudet mais *qui peut-être avait aussi* | s dont pourtant | si vous y prenez garde | s *que* |, *quelque sagesse dont* vous auriez | i peut-être | tort de sourire, *disait* | s1 *suivrait donc* / s2 *s'en tenait à* / s1 *son conseil* ordre | : « *Vous suivrez* | sc Tu suivras | les sentiers du vautour et de la brise embaumée de l'Ouest », et ne + se déplaçait qu'en aéroplane, quand, dis-je, dans ces temps | s déjà | lointains mais dont le souvenir *reste pour quelques uns une bénédiction* gravé aux murs dédaliens | i de Cnossos | S reste pour certains | lp une bénédiction, le voyageur *ayant* *l'oiseau* *porté par* | s traversant + + | I sur | lp l'oiseau de Wilbur au milieu des flammes | s *du couchant* | du soleil couchant *ou sur* | s1 sans plus de danger que si ç'avait été l'incombustible / s2 et chaste / Phénix | lp s'arrêtait au seuil de la Cité des Lys, + il avait sous les yeux un spectacle, que la possibilité actuelle d'un arrêt immédiat au Terminus ne compense peut-être qu'imparfaitement.

LA BÉNÉDICTION DU SANGLIER

Etude des fresques de Giotto représentant l'Affaire Lemoine
à l'usage des jeunes étudiants et étudiantes du Corpus
Christi qui se soucient encore d'*elle* [1].

par John Ruskin.

(La traduction que nous suivons ici est celle de l'Edition des
Voyageurs [2], due à M. Marcel Proust. La grande édition commence
en effet par deux chapitres : *le Libellé de l'Eglantine* et *l'Abjuration
du Faquin* [3], formant tout le premier volume, mais qui ont été sup-
5   primés de l'Edition des Voyageurs, parce qu'ils ne se rapportent pas
à l'affaire Lemoine. L'Edition des Voyageurs commence au IIIe
chapitre (premier du 2e volume de la grande édition) : « *Tu imperium
regere,* » que nous donnons ici, en le faisant précéder toutefois du
célèbre début du « *Libellé de l'Eglantine* », cette description de Paris,
10   à vol d'aéroplane [4], qui est à bon droit connue comme un des plus
parfaits morceaux du maître. Pour tout le reste nous avons suivi la
traduction que M. Marcel Proust a donnée de l'Edition des Voyageurs,
traduction où d'adroits contresens ne font qu'ajouter un charme
d'obscurité à la pénombre et au mystère du texte. M. Proust toutefois
15   ne paraît pas avoir eu conscience de ces contresens, car à plusieurs
reprises dans des notes extrêmement fréquentes, il remercie avec
effusion un directeur de théâtre, une demoiselle du téléphone et
deux membres du comité de la Société des Steeple-Chase [5], d'avoir
bien voulu lui éclaircir les passages qu'il n'avait pas compris.)

---

1   (*Nous passons ici les deux premiers cha*   La traduction que nous *donn*   suivons
3   l'Abjuration du faquin [lecture très conjecturale] *qui* formant tout le premier le
     [*sic*] volume mais
9   du *cé*   *l'immor*   célèbre début
13   [la fin de la note liminaire, à partir de « où d'adroits contresens », est écrite en
     ms du même feuillet 10 v°.]
—   qu'ajouter *déli* | **i** un charme d'obscurité | à la pénombre   + | **s** et | au
     mystère

Au temps qui ne sera plus jamais revu [6] où l'Anglais curieux de connaître le monde [7] et ignorant encore des sleeping-cars, éditions de sept heures du soir et autres inventions de notre époque votive, émotive et locomotive, ne voyageait qu'en aéroplane et ne connaissait d'autre Ouest, encore irracheté par M. Barthou [8] et Beelzébuth, que celui dont vous parle un vieux livre, beaucoup moins lu aujourd'hui que l'almanach Hachette ou le dernier roman de Maurice Duplay [9], mais dont pourtant vous auriez tort de sourire : « Tu suivras le chemin du vautour et le sentier de la brise embaumée de l'Ouest », en ces temps lointains, dis-je, mais dont le souvenir ineffaçablement gravé aux murs dédaliens de Knossos [10] reste pour beaucoup comme une bénédiction, le touriste, quand il arrivait au-dessus de Paris dans les flammes du soleil couchant qu'il traversait sur l'oiseau de Wilbur [11], sans en être plus incommodé que si ç'avait été l'incombustible et chaste Phénix, pouvait pendant quelques instants contempler un spectacle dont l'actuelle possibilité d'un souper froid au Terminus [12] ne compense peut-être qu'à demi la disparition.

Tandis qu'à ses pieds le dôme des Invalides présentait cette forme unique alors, qui devait plus tard, sur l'azur du Canal Grande à Venise, se fiancer à la pâleur éternelle de l'albâtre dans l'église Santa Maria de la Salute, mais sans ressembler plus à sa mère française qu'une grossière boule de neige qui contrefait la pomme d'or du jardin des Hespérides, l'église à peine plus ancienne du Sacré-Cœur de Montmartre présentait au soleil couchant comme dans une corbeille la fructification symétrique de ses coupoles bleuâtres, dont il couvrait quelques-unes d'une lueur d'orange.

---

1 où *le voyageur* | **s** l'anglais curieux de connaître le monde et | ignorant
2 sleeping-car, *oreillers couvertures* | **s** éditions de sept heures du soir | et autres inventions
4 locomotive, | **i** ne voyageait qu'en aéroplane | ne connaissait d'autre
5 Beelzébuth que
9 vautour et | **s** le sentier | de la brise
– Ouest », *ne voyageait* | **s** encore | *qu'en aéroplane,* en ces temps lointains | **s** dis-je | mais
2 bénédiction, | **s1** le *voyageur* / **s2** touriste / quand il | *qui* arrivait
5 instants *avant* contempler un spectacle *que* | **s** dont | l'actuelle
7 Terminus *ne* ne compense
8 Invalides, présentait
0 Venise, *épouser* | **s** se fiancer à | la pâleur
1 mais *ne* | **s** sans | *ressemblant* | **sc** ressembler | pas plus à *son modèle* | **s** sa mère | française
3 Hespérides, *les* l'église
– Sacré-Cœur | **i** de Montmartre | *présentait comme dans* | **s1** *se offrait* / **s2** présentait / *à la mont* au soleil couchant comme dans | **lp** une corbeille la | **s1** *blême* | **s2** *blanche* | **I** *pâle* ⌐ fructification ⌐ **i** symétrique ⌐ **lp** de ses coupoles bleuâtres, dont *quelques unes recevant en face ses derniers rayons brillaient d'une flamme orange* | **s** il couvrait quelques unes d'une lueur orange |.

L'Ile de la Cité, alors remplie seulement d'acacias qui secouaient au vent du soir leur blonde chevelure embaumée, ornée de pâles fleurs roses — comme les nymphes dans l'île de Calypso — ne présentait pas encore les deux cubes gris en forme de cheminées d'usine [13]

5 appelées tours de Notre-Dame, comme si quelque monument que ce soit pouvait être élevé à la gloire de la Reine des Anges par les propres fils du Démon, et si une montagne de silex, à peu près aussi noire qu'a le droit d'être une gare de chemin de fer, pouvait être sanctifiée par la présence et bénie [?] par l'adoration de Celle dont

10 il a été dit : ma maison sera de jaspe et de turquoise et ma lampe l'étoile du matin. Que s'il voulait, tandis que l'oiseau de Wilbur descendait majestueusement en ligne verticale, donner un coup d'œil à des monuments plus anciens, restes de cet âge de fer, plus grossier sans doute mais aussi plus puissant et plus grandiose, il avait à sa

15 droite la tour Eiffel, fichée droit dans le sol comme le propre javelot d'Odin, qui, tandis qu'il voyait dans le ciel se faner à son fer de lance les pâles roses du crépuscule, était déjà comme envahi à sa base par le reflet des torrents empourprés que charriait le fleuve.

Puis l'aéroplane atterrit, un conducteur d'omnibus demande au

20 voyageur s'il veut une correspondance pour Austerlitz ou pour Solférino, « car la France avait encore le souvenir de ses gloires, comme Athènes au jour de Marathon et Venise au temps de Dandolo » et Ruskin lui conseille, après avoir pris quelque nourriture dans une des jolies petites pâtisseries [14] qui bordent la rue Royale « encore pareille

25 alors à une rue de Turner dans les *Rivières de France* » de venir avec lui voir les fresques de Giotto consacrées à l'affaire Lemoine.

---

1   L'Ile de la Cité *n'offrait   qui n'était alors qu'un vaste jardin* | **i** *n'était plus habitée que par des acacias dont* | *n'offrait au vent qui s'élevait de la Seine que la chevelure embaumée de ses acacias, semée de pâles fleurs roses, ne contenant encore aucune « Notre-Dame de Paris* | **s** *alors* | remplie | **s** seulement | d'acacias

2   leur | **s** blonde | chevelure

4   les deux *cheminées grises* [?] | **s** cubes | gris

—   cheminée d'usine appelée tours de Notre-Dame comme si

6   être *deva*   être élevé *par*   à la gloire

8   qu'a le droit être sur une gare de chemin de fer, *et élevée jusqu'à la hauteur du ciel pou*   pouvait *devenir jamais la demeure* | **s** être sanctifiée | par la présence

10 dit : ma *demeure* | **s** maison | sera

11 voulait tandis que

12 verticale donner

15 Eiffel, *plantée dans* | **s** fichée | droit

—   le propre *javelot* | **i1** *lance* | **i2** *javelot* | d'Odin, qui tandis qu'il

17 était | **s** déjà | comme envahi

18 charriait *encore* le fleuve.

21 le *souci* | **i** souvenir | de ses gloires

23 lui conseille *d'* | **s** après | avoir pris

Chapitre III

TU REGERE IMPERIUM

Peut-être demanderez-vous [15] : « Mais quelle idée Giotto a-t-il eue de représenter l'Affaire Lemoine ? Ce n'est pas *ce* sujet, il me semble, que j'aurais choisi ». *Le* sujet que vous auriez choisi, ami lecteur, croyez-moi, importe peu. Et si vous devez en présence de
5 Giotto interposer entre ses fresques et votre admiration, votre propre pitoyable mentalité de lecteur cockney [16], croyez-moi, il est inutile que vous perdiez votre temps à regarder n'importe quelle fresque, que ce soit de Giotto, ou de tout autre grand artiste. Le propre des sujets choisis par les grands artistes, si vous voulez bien y
10 songer, depuis le *Sanglier d'Erymanthe* jusqu'au Chauchard de Léon Bonnat [17], est qu'il vous semble que ce n'est pas *le* sujet que vous auriez choisi. Mais, croyez-moi, cela importe peu. Tandis que pourquoi le sujet agréait à Giotto est une question d'une importance incalculable et telle que si vous l'avez bien comprise, il n'y a à peu
15 près pas un seul morceau d'architecture ou de peinture à Florence, à Pise ou à Venise en valant la peine que vous ne soyez capable de comprendre aussi bien que moi. Mais d'abord, savez-vous qui était Giotto ?

Je vous ai dit dans les *Lois de Fiesole* [18] que si vous prenez une
20 pomme de terre cuite au four et après l'avoir délicatement déshabillée de sa peau, comme je suppose que vos parents ou à leur défaut votre cuisinière ont dû certainement vous apprendre à le faire pour les jours où vous auriez l'envie d'en manger à une heure où elle n'*est* pas là, et si ayant déshabillé cette pomme de terre vous la marquez
25 d'encre au dos et précisément sur les points de son relief que quelqu'un qui la tient devant lui ne peut apercevoir sans se casser la tête

---

1	demanderez-vous mais quelle [sans guillemets]
6	croyez-moi il est
7	n'importe quelle fresque | s que ce soit |de Giotto, ou de tout autre *des grands* grand artiste.
9	artistes si vous voulez bien y songer depuis le *Sanglier* | i *l'Hy* | S Sanglier | d'Erymanthe
12	croyez-moi cela
14	il n'y a *pas* | s à peu près pas | un seul
15	à Florence à Pise ou à Venise | s en valant la peine | que
17	moi. *Tandis que si vous ne le pouvez pas, je vous conseille* Mais d'abord savez-vous
21	peau comme
22	cuisinière a du [*sic*]
25	d'encre | s au dos, et | précisément
26	sans se *tordre* | s casser | *le cou* la tête

et une bonne semaine de torticolis, vous avez l'histoire de tout le développement de la peinture murale en Italie, notamment des fresques de Giotto dans la chapelle des Espagnols à Florence (1) et des mosaïques qui représentent les fleurs du Paradis à Saint-Marc, à Venise. Mais pour mieux éclaircir ceci, suivez-moi devant la première des fresques qui représentent l'Affaire Lemoine, nous reviendrons à la vie de Giotto après. Lemoine fait son expérience devant l'avocat Lepoittevin. L'avocat, remarquez bien, non le juge comme vous pourriez croire. Giotto probablement savait aussi bien que vous ce que c'est qu'un juge. Et quand il a voulu représenter ce juge, *il* l'a toujours coiffé du bonnet conique qu'a la Synagogue au porche ouest d'Amiens. Si vous ne savez pas cela, croyez-moi, ne continuez pas à parcourir le monde à la recherche des fresques de Giotto. Celles de n'importe quel coxcomb [20], de peintre cockney de Pentonville [21] ou Trafalgar-Square vous feront le même effet. Mais, dites-vous, ce Lepoittevin était pourtant un juge ? Ce n'est pas l'avis de Giotto. Giotto, je pense que vous le savez, était l'ami de Dante, qui n'était pas un *grand* ami des juges. Peut-être seriez-vous curieux de connaître sur les juges l'opinion de Dante et celle de Giotto. Mais avant cela il faut que vous remarquiez dans ces fresques quelque chose qui vous paraîtra étonnant au premier abord. Nulle part le diamant n'est représenté. Probablement vous souriez et dans votre cervelle darwinienne [...] de lecteur cockney, vous vous dites que si Giotto n'a pas peint le diamant, c'est qu'il ne *pouvait* pas le

---

25   (1) Ruskin fait ici une confusion. Ces fresques sont celles qu'il a décrites si longuement dans les *Matins à Florence* comme étant de Simone Memmi. Elles sont d'ailleurs de Lorenzo de Monaco [19].

2	Italie notamment *depuis les* | **sc** des | fresques
5	à St-Marc à Venise
—	ceci suivez-moi
6	la 1re des fresques
8	devant *le* | **sc** l' | *juge* | **i** avocat | Lepoittevin
11	juge *il* ° *lui* | **s** l' | a
12	cela croyez-moi ne continuez pas
14	cockney *comme vous* de
15	Trafalgar-Square *est* vous fera [sic]
—	Mais dites-vous ce Lepoittevin était, pourtant un juge.
17	Giotto je pense que vous le savez était
—	Dante, *il a* qui
20	dans *cette pein* ces fresques
23	dans votre esprit *cockney de* cervelle darwinienne sur sept [?] de lecteur cockney *et* vous
25	Ruskin *confond* | **s** fait | ici ... celles *dont* | **s** qu' ⌉ il *parle dans* ⌉ **i** a décrit ⌉ si
27	[« d'ailleurs de Lorenzo de Monaco » est écrit en regard, au bas de f. 14 v°]

peindre, qu'il n'était pas assez habile pour cela. Croyez-moi, Giotto était aussi habile dans la reproduction de n'importe quoi que M. Lerolle ou M. Sargent [22] et s'il n'a pas peint le diamant c'est qu'*il* n'a pas voulu le peindre. Mais pourquoi, demanderez-vous, Giotto n'a-

5   t-il pas voulu peindre le diamant? Attendez un instant, vous le saurez tout à l'heure. Et d'abord, regardez un peu la figure de Lemoine. Vous vous étiez sans doute figuré que Giotto lui avait donné le visage d'un fourbe, une expression peu plaisante. Non, Giotto n'a pas fait cela. Giotto croyait sans doute ...

---

1   Croyez-moi Giotto
3   M. Lerolle | s *M. Helleu* [22] | ou M. Sargent
4   Mais pourquoi demanderez-vous Giotto
5   diamant.
6   heure. *Mais*   Et d'abord regardez
7   Vous vous *figuriez* | s étiez sans doute | sans doute que Giotto lui avait donné *tout un* | s le | visage d'un fourbe,
8   Non Giotto
9   sans doute.

NOTES ET ÉCLAIRCISSEMENTS

Les éditions utilisées pour les références sont :
— Ruskin, *La Bible d'Amiens,* traduction, notes et préface par Marcel Proust, Mercure de France, nouveau tirage, 1947 ;
— Ruskin, *Pages choisies,* avec une introduction de Robert de La Sizeranne, 2ᵉ édition, Hachette, 1909.

1 *Corpus Christi College* : dans la page de titre de *La Bible d'Amiens,* Ruskin se présente comme « étudiant honoraire de Christ Church, à Oxford, et membre honoraire de " Corpus Christi College " à Oxford ».
   D'elle : le soulignement du pronom correspond à l'habitude qu'a Ruskin de souligner des mots, la plupart du temps très accessoires : pronoms personnels, articles ou adjectifs possessifs, verbe *être,* auxiliaires de mode, présentatifs.

2 Comme seul le chapitre IV et dernier de *La Bible d'Amiens* (*Interprétations*) est une description de la cathédrale, il en existe en anglais (mais non en traduction) une édition séparée dite *Edition des Voyageurs* (*Separate travellers' edition, to serve as guide to the cathedral*).

3 Chapitres imaginaires. Les trois premiers chapitres de *La Bible d'Amiens* traitent également de tout autre chose que du sujet du livre.

4 Ruskin n'a pas connu les premiers avions. L'invention est encore toute nouvelle en 1908 : la première traversée de la Manche par Blériot n'a pas encore eu lieu (25 juillet 1909).

5 Allusions obscures. Proust raille ses effusions et son snobisme. La Société des Steeple-Chase pourrait être la transposition du Jockey-Club, et la demoiselle du téléphone de Marie Nordlinger...

6 Cf. *Les Pierres de Venise,* in *Pages choisies* de Ruskin, p. 27 sqq., : « Dans les anciennes journées de voyage qui ne reviendront plus, où la distance ne pouvait être vaincue sans peine, mais où cette peine était récompensée en partie par la connaissance approfondie des pays qu'on traversait et en partie par le bonheur ressenti aux heures du soir lorsque, du haut de la colline qu'il avait gravie, le voyageur découvrait le calme village où il allait se reposer [...], ou bien, lorsque du tournant de la route après quoi il avait longtemps soupiré, il voyait, pour la première fois, dans la perspective poussiéreuse du grand chemin, les tours de quelque fameuse cité se deviner dans les rayons du soleil couchant ; — heure de jouissance paisible et pensive ! — et notre arrivée précipitée dans une gare de chemin de fer n'en fournit peut-être pas toujours à tous les hommes l'équivalent ; — dans ces jours, dis-je, quand de la première impression à chaque halte successive on pouvait se promettre et

se rappeler autre chose qu'un nouvel arrangement de toitures vitrées ou de poutres de fer, il était peu de moments dont le voyageur gardât un plus cher souvenir que celui où, sa gondole entrant dans la pleine lagune par le canal de Mestre, il apercevait Venise. »

Suivent une description du paysage, puis de la ville et de quelques monuments : le Rialto, « la façade du Palais Ducal, toute rosée de veines sanguines », regardant « le dôme blanc de la Madonna della Salute » ; puis le passage : « rien d'étonnant que l'imagination de ce voyageur fût si profondément saisie par le charme illusoire d'un décor si beau et si étrange qu'il en oubliât les plus sombres vérités de son histoire et de son existence. Il se laissait aisément aller à croire qu'une telle ville avait dû sa création plutôt à la baguette d'un enchanteur qu'à des fugitifs effrayés ; que les eaux qui l'entouraient avaient été choisies plutôt pour servir de miroir à sa majesté que pour abriter son dénuement [...] »

7 Au début de *La Bible d'Amiens,* Ruskin parle de « l'intelligent voyageur anglais » pp. 105, 109.

8 Louis Barthou (1862-1934), ministre des Travaux Publics de 1906 à 1909. L'Ouest racheté par lui est le réseau ferroviaire de l'Ouest, racheté par le gouvernement en 1908.

Beelzébuth : cf. *BA,* p. 100 (préface de l'auteur) : « Je hais tout libéralisme comme je hais Beelzébuth. »

9 *L'Almanach Hachette* : c'est l'ancêtre du Bottin.

Le dernier roman de Maurice Duplay : *Le Délire,* F. Tassel, 1907. Il y avait eu auparavant *La Trempe, l'école du héros,* A. Michel, 1905.

10 Cf. *BA,* p. 250 : « les incrustations dédaliennes de Florence. »

11 Wilbur Wright (1867-1912), l'un des deux frères Wright, constructeurs et pilotes d'avions américains. Leur premier vol avait eu lieu en 1903. En 1908, Wilbur vint faire en France une démonstration au camp d'Auvours.

12 L'Hôtel Terminus de la gare Saint-Lazare.

13 Ruskin a la phobie des gares et des cheminées d'usines. Cf. *BA,* pp. 105-106, 110, 114.

14 Ruskin donne le même conseil au touriste visitant Amiens, dans *BA,* p. 259.

15 Dans sa préface, (*BA.,* p. 13), Proust parle, à propos de Ruskin, de « cette disposition originale, on peut presque dire humoristique, de son esprit — qui lui faisait en quelque sorte manquer toujours au programme indiqué, mettre en regard de la description du Baptême du Christ par Giotto, une gravure représentant le Baptême du Christ non par Giotto, mais tel qu'on le voit dans un vieux psautier [...] ».

16 Dans *BA,* Ruskin appelle « historien cockney » un historien un peu naïf et pédant.

17 Chauchard est une lecture conjecturale. Léon Bonnat (1833-1922) est surtout célèbre par ses portraits des grands personnages de la troisième République. Mais aucune des monographies de son œuvre, aucun catalogue ne signale qu'il ait représenté Chauchard. En revanche, il existe

un portrait de Chauchard, très académique, exécuté par Benjamin Constant en 1896 (Salon de 1897).

Alfred Chauchard (1821-1909) : négociant et collectionneur, fondateur des Grands Magasins du Louvre ; il légua à la fin de sa vie une importante collection d'objets d'art au musée du Louvre.

[18] Ruskin fait une allusion à ce passage dans *BA*, pp. 195-196, mais il prend pour illustration une orange et non une pomme de terre.

[19] Ruskin commettait parfois des erreurs d'attribution, mais, disait-il, jamais d'appréciation. Dans une lettre à G. de Lauris (*A un ami*, lettre XXXVII, pp. 140-142, [1908]), Proust cite plusieurs pages de Ruskin reconnaissant qu'il a attribué à Giotto un tableau de Lorenzo Monaco. Ce dernier est un peintre de l'école italienne (xive-xve siècles).

Il n'existe pas de Simone Memmi. Proust confond Simone Martini et Lippo Memmi, tous deux peintres siennois du xive siècle et collaborateurs.

[20] Fat, freluquet.

[21] Quartier de Londres.

[22] Henri Lerolle (1848-1929) : peintre traditionaliste.

John Sargent (1856-1925) : peintre américain établi en France, où il fit surtout des portaits élégants.

Paul Helleu (1859-1927) : peintre et graveur, portraitiste des Parisiennes et des Londoniennes de son temps.

II

[L'AFFAIRE LEMOINE PAR MAURICE MAETERLINCK]

NOTICE

Cette ébauche de pastiche assez longue et, il faut bien le dire, peu intelligible, n'a pas de titre et ne fournit pas le nom du modèle. Mais nous sommes mis sur la voie par les lettres de Proust de la fin de 1908 et du début de 1909, signalant la préparation de nouveaux pastiches : ceux de Chateaubriand, de Sainte-Beuve et de Maeterlinck. Il parle un peu plus précisément de ce dernier dans la lettre XLIX à G. de Lauris (*A un ami*, p. 171, [mars 1909]) : « J'aimerais pourtant un jour mettre à point le Maeterlinck car il y a deux ou trois petites choses, qui, je crois, vous feraient rire mais tout cela " n'est pas sorcier " [...] ».

Fait plus précis encore, nous retrouvons presque textuellement, dans son brouillon, un membre de phrase de Maeterlinck que Proust avait explicitecité dans une note à sa traduction de *Sésame et les Lys* (p. 81) : « comme il se peut qu'une flèche lancée par un aveugle, dans une foule, atteigne par hasard un parricide [...] ». Proust donne cette phrase comme provenant d'un « des derniers livres » de Maeterlinck, et M. Ph. Kolb l'a située dans *Le Temple enseveli* (p. 160). Elle devient dans le pastiche, amplifiée par suite des nécessités du genre : « Sans doute, il n'est pas impossible qu'une flèche, tirée de la tour d'une cathédrale par une folle à qui on a bandé les yeux, vienne, au milieu d'une assemblée de patineurs aveugles, frapper précisément un hermaphrodite ».

PROUST ET MAETERLINCK

L'allusion la plus ancienne faite à Maeterlinck dans la Correspondance remonte à 1904, quand Proust demande à G. de Lauris (*A un ami*, lettres III et IV, pp. 53-55) de lui prêter *La Vie des abeilles* (1901) et *La Sagesse et la Destinée* (1898), pour mettre au point des notes sur Ruskin. Nous apprenons par ces mêmes lettres qu'il possède *Le Temple enseveli* (1902).

D'autres lettres contiennent des allusions aux *Sept princesses* (1891) ; une autre, plus tardive, il est vrai (*LRH*, CXXX, mars 1911), contient un bref pastiche de *Pelléas et Mélisande* (1892). La note à *SL* que nous citions plus haut mentionne *Le Temple enseveli, Le Double jardin* (1904) et *La Vie des abeilles*. Une lettre à Fernand Gregh de [juin 1905] (cf. Fernand Gregh, *Mon Amitié avec Marcel Proust,* pp. 104-105) annonce : « J'ai fait une étude qui n'est pas achevée sur Maeterlinck », à propos de la question du mystère, qui fait l'objet d'un chapitre du *Temple enseveli*. Cette étude n'a jamais été publiée, ni (du moins jusqu'ici) retrouvée dans les ébauches. Si l'on note encore qu'en 1907 Proust reçut, dédicacé par l'auteur, un exemplaire de *L'Intelligence des fleurs,* on peut conclure qu'en 1908 il connaissait tout ce que celui-ci avait publié.

Or, les jugements qu'il porte sur lui, à cette époque et plus tard, sont, dans l'ensemble, loin d'être défavorables. Il le classe parmi les écrivains « révolutionnaires » en matière de langue : « [...] quand on veut défendre la langue française, en réalité on écrit tout le contraire du français classique. Exemple : les révolutionnaires Rousseau, Hugo, Flaubert, Maeterlinck " tiennent " à côté de Bossuet » (lettre XLVII à Mme Straus, *CG*, VI, p. 93 [vers janvier 1908]). Il le cite, dans *CSB* (p. 312), en compagnie de Francis Jammes, de Joubert, d'Emerson, parmi les écrivains chez lesquels il retrouve des « réminiscences anticipées » de l'effort d'art qu'il exprime lui-même alors. Il s'indigne, en 1912, d'un article de la *NRF* qui l'éreinte (*CG*, IV, lettre IX à J.-L. Vaudoyer, p. 53). Il semble, d'après ces éléments, que Proust ait beaucoup de considération pour la pensée de Maeterlinck, peut-être pour sa philosophie scientifique et antireligieuse, prônant un idéalisme laïque, en tout cas pour ses tentatives de cerner la notion de mystère et celle de mort. Mais il lui reproche, comme il l'avait fait à Flaubert, un style qui dépasse son objet — non que celui-ci soit futile, mais plutôt parce qu'il est trop subtil : « Et puis la beauté même du style, la lourdeur de sa *carrosserie* ne conviennent pas à ces explorations de l'impalpable [...] Je me suis permis devant vous de petites irrévérences à l'endroit de Maeterlinck — ma grande admiration du reste — en parlant d'Infini 40 chevaux et de grosses voitures marque Mystère » (*A un ami,* lettre LXXI, [août 1911], pp. 220-221).

Cet auteur est le seul qui ait déjà été pastiché dans le recueil de Reboux et Müller de 1908. Cependant les deux imitations ne se recoupent en rien : les auteurs d'*A la manière de...* s'étaient intéressés uniquement à l'œuvre dramatique de Maeterlinck, en simulant une scène de théâtre, *Idrofile et Filigrane*. Ils raillaient surtout les noms des personnages (Aimoglobine, la reine Migraene, Grindesael, Taitagifle) et l'obscurité des symboles.

LE PASTICHE

L'affaire Lemoine n'est guère, dans ce pastiche, qu'un prétexte rapidement évoqué dans les premières lignes, et vite oublié. Le morceau se compose en fait de trois fragments très distincts et artificiellement raccordés : l'extraction du diamant, les fleurs, et l'accident. Les allusions sont faites principalement aux deux derniers ouvrages, *Le Double jardin* (1904), et surtout *L'Intelligence des fleurs* (1907). Contrairement à ce qu'annoncent leurs titres, ce sont beaucoup moins des ouvrages de botanique que de réflexion générale.

Dans la première de ces parties, Proust, n'ayant pas encore tout à fait abandonné l'affaire Lemoine, évoque l'extraction du diamant, mais il s'oriente immédiatement vers des thèmes de son modèle : les forces modernes de destruction, le feu intérieur de la terre, l'intelligence universelle qui circule des minéraux à l'homme. Il développe aussi, à la manière du premier Maeterlinck, une métaphore grandiose qui fait du diamant un vieux souverain endormi au fond de son mystérieux palais.

Ensuite, il entrelace les thèmes des plantes, de la médecine et du hasard, en usant de métaphores assez lourdes. L'énumération des fleurs médicinales est l'occasion d'humoristiques personnifications et d'un tableau de genre des anciennes mœurs en matière de soins.

Le dernier paragraphe est l'ébauche, très tâtonnante, d'une longue et lourde phrase sur l'automobile, la vitesse et la mort.

Sans doute le style même du modèle rendait difficile à Proust un brillant pastiche. On lui doit plutôt une revue assez complète des principaux thèmes de Maeterlinck, des développements d'images un peu guindées, des phrases massives alourdies par une certaine grandiloquence et la recherche des termes techniques. Seul le passage sur les plantes médicinales apporte un élément d'humour, spécifiquement proustien.

NOTE SUR LE TEXTE

L'ébauche de ce pastiche se trouve dans le *Cahier III*, retourné, où elle occupe les ff. 50 v° et r°, 49 v°, 48 v°, 47 v°, 46 v° et r°, 45 v°, 44 v°, 43 v°. Elle ne porte aucun titre ni indication d'auteur.

La rédaction est très tâtonnante, parfois à peine intelligible. Nous donnons d'abord l'esquisse abandonnée de la première page (f. 50 v°), puis, superposés, le texte reconstitué et l'état intégral du manuscrit.

BROUILLON DE LA PREMIÈRE PAGE

[**f. 50 v°**] *Une cause criminelle assez vulgaire, dont tous les journaux ont parlé, a reporté dernièrement l'attention du public sur cette question de la fabrication du diamant.*
Il a été souvent question | **s1** On s'est souvent *posé dix fois* / **s2** *plusieurs fois* / demandé | au cours de ces dernières années, mais jamais *aussi autant* | **s1** sans doute d'une façon aussi *pressante* / **s2** *pressante* / **s3** avec autant de passion | **I** avec autant de force | **lp** que *dans* | **s** depuis | l'Affaire Lemoine, la *question de savoir si on pouvait* | **sc** s'il était possible | **lp** ou non | **s** de | fabriquer le diamant. *L'é* La réponse actuelle des plus audacieux chimistes semblerait actuellement celle-ci. Non, on ne peut pas encore fabriqué [sic] le diamant, les corps obtenus ne sont pas du diamant véritable, mais ce n'est qu'une question de temps. Dès qu'on pourra soumettre le carbone à une température suffisante on aura du diamant. *Sans doute* | **s** Certes | il est déjà assez singulier de penser que *cette* ce palais | **s** que les efforts | de houille où dort depuis le commencement du monde le prince fabuleux de la lumière, *les efforts* | **s** *n'a pu même pas pu* | *les mieux* | **s** *plus savamment* | *combinés du siège le plus en règle, servi par les terribles explosifs dont disposent les armées modernes et auxquels ne résistent pas plus une ville qu'une flotte ou une armée*, n'a pas | **s** encore | pu être ébranlé par les efforts les plus savamment combinés d'un siège en règle où l'assaillant était servi par les | **s** terribles | explosifs à qui ne résistent pas plus une ville qu'une flotte ou une armée. *Nous savions à vrai dire que ce n'est qu n'était que sur la dernière* Sans doute *quelque*

[L'AFFAIRE LEMOINE
PAR MAURICE MAETERLINCK [1]]

On s'est demandé plus d'une fois, au cours de ces dernières années, mais jamais d'une façon aussi pressante que pendant l'Affaire
Lemoine, si la Chimie était capable de fabriquer du diamant. La
réponse des savants a été à peu près celle-ci : au jour, prochain peut-
être, où on pourra élever le carbone à des températures que nous
n'avons pu obtenir jusqu'ici, le problème de la fabrication du diamant
sera chose résolue. Sans doute il est déjà singulier de penser que la
Science moderne, avec les terribles moyens de destruction [2] qu'elle
possède et auxquels ne peuvent longtemps résister, si elles n'en sont
elles-mêmes munies, les places les mieux fortifiées, les armées ou les
flottes les plus aguerries, sans doute il est singulier qu'après un siège
qui dure depuis si longtemps la science n'ait pas encore réussi à
forcer les issues du palais de houille devant lequel elle a mis en rang
nos plus formidables engins, et où depuis le commencement du monde
dort dans l'obscurité le Roi fabuleux de la lumière, celui dont l'existence est mise à prix et si convoitée, que sur de simples promesses

---

[**f. 50, r°**] On *sa* s'est demandé *au*   plus d'une fois au cours de ces dernières
années, mais jamais d'une façon aussi pressante que pendant l'affaire Lemoine
si la *Science* Chimie *moder* était capable de fabriquer du diamant. La réponse
des savants a été à peu près celle-ci : au jour, prochain peut-être où on pourra
élever le carbone à des températures que nous n'avons pu obtenir jusqu'ici le
problème de la fabrication du diamant sera chose résolue. Sans doute il est déjà
singulier de penser que la Science moderne, avec les terribles moyens de des-
truction qu'elle possède et auxquelles [sic] ne peuvent *pas* | **s** longtemps | résister,
si elles n'en *ont pas d'analogues à lui opposer,* | **s** sont elles-mêmes munies |,
les places | **s** les places | les mieux fortifiées, les armées ou les flottes les plus
aguerries, *sans doute il est*   n'ait *pas* pu encore *s'emparer   forcer* | **s** Sans
doute il est singulier qu'après un siège qui dure depuis si longtemps | **I1** *depuis
le temps qu'elle s'essaye à forcer* | **I2** la science n'ait pas encore réussi à forcer
| **lp** les issues *d'un* | **s** du | palais de houille | **s** devant lequel elle a mis en
rang | **mg** nos plus formidables engins | **i** et | **lp** où depuis le commencement
du monde dort dans l'obscurité le Roi | **s** dont l'existence est mise à prix, le
fils | fabuleux de la lumière, *celui dont l'existence est mise à prix contre une
si haute récompense que l'espoir d'en toucher indûment l'acompte est l'unique
ressort d'une escroquerie en somme assez ancienne mais qui réussit à nouveau
chaque fois*   celui dont l' | **sc** la | *existence est* | **s** *captivité* l'existence est

de capture, des escrocs réussissent à se faire attribuer d'avance une partie de la récompense.

Nous avons réussi à enfumer quelques pièces d'avant-garde, le premier de ces vestibules où dans chacun un dormeur étincelant [3] 5 a été placé pour tromper l'assaillant qui, croyant s'être emparé du diamant lui-même, renoncera au siège, heureux d'une victoire facile et qu'il ne saura pas incomplète, fier d'un trophée éblouissant et menteur. Et le serviteur, qui s'est ainsi dévoué pour protéger le sommeil et couvrir [4] la retraite du vieux roi qui n'a rien entendu encore 10 et dort depuis vingt mille ans au cœur même de la demeure enchantée [4], a si bien pris soin de revêtir son éclat et de prendre sa ressemblance que, si nous ne mettions pas à contrôler l'identité du captif plus de soin que nous n'en apportons à vérifier les réalités, infiniment plus précieuses pour nous, de la destinée et du bonheur, nous ne 15 douterions pas un instant d'avoir capturé de nos mains le Prince authentique qui fait remonter son origine à la source même de la lumière, le frère de celui qui, imprudemment sorti de son palais dont les incendies naturels lui avaient ouvert les portes [5], tombe chaque jour sans défense aux mains de l'homme dans les mines du Cap et de 20 l'Amérique. Mais les savants qui ont réglé eux-mêmes le siège du palais magique avec une précision plus grande que n'en eurent jamais

---

| mise à prix et si convoitée, que *rien qu'en compromettant* sur de simples promesses *de cap   sans vraisem   peu vraisemblables*   de capture, des escroqs [sic] *fin*   réussissent à se faire attribuer | i d'avance | S une | partie de la récompense.

Sans doute des galeries minées par le feu   des galeries ont volé en éclat, [f. 49, v°] Nous avons réussi à enfumer quelques pièces d'avant-garde, *quelque vestibule*   le premier de ces vestibules, où dans chacun un dormeur étincelant a été placé pour tromper l'*assa* assaillant qui croyant s'être emparé du diamant lui-même, renoncera au siège, heureux d'une victoire facile et qu'il ne saura pas incomplète,   +   *sans résistance*   fier d'un trophée éblouissant et menteur. Et le serviteur *magnifique* qui s'est ainsi dévoué pour protéger *en prenant sa ressemblance la retraite d'* | s le sommeil et couvrir la retraite du vieux roi *dont il a pris la* | *ressemblance, n'a eu garde* qui | s n'a rien entendu encore et | dort *dans un* | i depuis vingt mille ans *dans* | au cœur même de la demeure enchantée,   +   +   *n'a eu gar*   a si bien pris soin de revêtir son éclat et de prendre sa ressemblance, que si nous n'*apportons* | s mettions pas | à contrôler l'identité du captif plus de soin que nous n'en apportons à vérifier les réalités, infiniment plus précieuses pour nous, de la destinée et du bonheur, nous *serions*   ne douterions pas un instant d'avoir capturé de nos mains l' | sc le | *antique fils de la lumière   Roi*   Prince authentique qui fait remonter son origine à la source même de la lumière, le frère de celui qui *sorti* imprudemment sorti de son palais dont les incendies naturels lui avaient ouvert les portes, tombe chaque jour | i sans défense aux mains de l'homme | dans les mines du Cap et de l'Amérique. *Et il est à remarquer que pour chercher à tromper l'ennemi sur la valeur de sa prise, le serviteur*   Mais les savants qui ont réglé eux — [f. 48, v°] mêmes le siège du palais magique avec une précision plus grande que n'en

dans aucune guerre, si récente soit-elle, les hommes de guerre les plus réputés, les plus habiles ingénieurs, nous avaient avertis que ce n'est que dans le dernier embrasement de l'incendie que nous pourrions nous emparer du vieux roi réfugié sur la dernière terrasse
5 de son palais en flammes. Et ils ont tôt fait de nous dire que le brillant captif dont nous nous faisons gloire n'est que le ..., qui à vrai dire a usé pour nous tromper des mêmes artifices qu'en emploient les bijoutiers et les femmes elles-mêmes quand, n'ayant pas de diamant, elles veulent cependant nous faire croire qu'elles en portent, ce qui ten-
10 drait à prouver que l'intelligence des pierres n'est peut-être pas si essentiellement différente de celle de l'homme qu'on l'a toujours cru, mais plutôt qu'une seule intelligence baigne l'univers tout entier et [l'] unit dans la communion du désir et la similitude de la ruse [6].
Et jusqu'ici les forces les plus écrasantes dont les savants disposent,
15 celles auprès de qui les incendies de nos pères n'étaient qu'une jolie réussite de couleur à peu près aussi inoffensive que la chaleur du soleil de Juin ou que la pourpre du couchant, celles qui brisent en une seconde les dernières résistances du fer et de l'acier et les font bondir docilement comme une gouttelette d'argent dans une urne
20 de cristal, aucune n'a pu entamer cette demeure qui a l'apparence d'une maison de charbonnier et où est caché [7], en sûreté en somme depuis un temps infiniment plus long que celui que l'homme a passé

---

eurent jamais dans aucune guerre si récente soit-elle, les hommes de guerre les plus réputés, les plus habiles ingénieurs, nous avaient averti [sic] que ce n'est que *au moment* dans *l'écroulement d'un terrible* le dernier embrasement de l'incendie, que nous pourrions *mettre la main sur le* | s nous emparer du | vieux roi réfugié sur la plus dernière [sic] terrasse de son palais en flammes. Et ils ont tôt fait de nous dire que le brillant captif dont nous nous faisons gloire n'est que le ... que le ..., qui à vrai dire pour *nous trom* a usé pour nous tromper des mêmes artifices qu'en emploient les bijoutiers et les femmes elles-mêmes quand elles *veulent* n'ayant pas de diamant elles veulent cependant nous faire croire qu'elles en portent, ce qui tendrait à prouver que l'intelligence des pierres n'est peut-être pas | s si | essentiellement différente de celle de l'homme qu'on l'a toujours cru, mais plutôt qu'une seule intelligence baigne l'univers tout entier *depuis* et unit dans la communion du désir et la similitude de la ruse.
Et jusqu'ici les forces les plus écrasantes dont les savants disposent, celles auprès de qui les incendies de nos pères n'étaient qu'une *jolie flambée* jolie réussite de couleur [?] à peu près aussi inoffensive que *les rayons* | i la chaleur | [**f. 47, v°**] du soleil de Juin, ou | s que | la pourpre du couchant, celles *qui* brisent en une seconde les dernières résistances | s + | du fer et de l'acier et *les fo* les font bondir docilement comme une gouttelette d'argent dans une urne de cristal, aucune n'a pu *encore* [une demi-page sautée, occupée par un dessin, représentant un homme avec, à ses pieds, une silhouette massive, comme un fauve couché.] aucune n'a pu entamer cette *maison de charbonnier* | s demeure qui a l'apparence d'une | maison de charbonnier et où est caché, en sûreté en somme depuis un temps infiniment plus long que celui que l'homme a passé sur la terre, *un roi* *le* + le roi dont nous avons mis l'existence à

sur la terre, le roi dont nous avons mis l'existence à prix à des sommes
si fabuleuses, que la fallacieuse promesse d'y réussir extorque l'argent
des financiers et devient une base nouvelle à l'industrie des escrocs.
Quand ils ont vu que l'incendie　　[*une ligne en blanc*]

5　　Et l'on peut être assuré [8] que si l'homme avait mis à poursuivre le hasard dans sa retraite et à s'emparer de son destin, la moitié des
efforts qu'il dépense sans compter pour chasser le diamant de sa
demeure ou pour forcer l'amaryllis cypripédium [9] à donner une double
fleur, que le guignon [10], la maladie, et la mort sans doute seraient

10　　bien près d'être bannis à jamais de l'existence humaine. Sans doute,
à force de vivre côte à côte avec lui, le hasard a fini par prendre
quelquefois, bien rarement pourtant, quelque chose des fins de l'intelligence humaine. Sans doute, il n'est pas impossible qu'une flèche,
tirée de la tour d'une cathédrale par une folle à qui on a bandé les

15　　yeux, vienne, au milieu d'une assemblée de patineurs aveugles, frapper précisément un hermaphrodite [11]. Sans doute, les aventures de
Watteville, telles qu'on les lit dans Saint-Simon [12], ont quelque chose
qui révèle dans le hasard moderne un progrès notable sur le hasard
antique, qui n'a pas subi le contact de l'intelligence, celui qui est

20　　le ressort aveugle, irrésistible, multiple, unique et absolu des tragédies grecques. Malgré cela, de tels exemples sont rares et, même dans
le domaine où il est le plus facile de s'emparer de lui, de le domes-
tiquer, et de faire de ce maître un esclave que nous n'appellerons

---

prix *dont*　　à des sommes si fabuleuses, que la *seule* | s fallacieuse | promesse
d'y réussir extorque l'argent des financiers et devient une base [?] nouvelle à
l'industrie des escroqs [*sic*]. *Certes*　　Quand ils ont vu que l'incendie　　[une
ligne en blanc]
　　Et l'on peut *se demander ce qui　　si* | s être assuré de ce que | I être
assuré | que si l'homme avait mis à le [**f. 46, v°**] poursuivre le hasard dans sa
retraite et à s'emparer de son destin, la moitié des efforts qu'il dépense sans
compter pour *se procurer le di*　　chasser le diamant de sa demeure ou pour
forcer l'amaryllis cypripédium à donner une double fleur, que le guignon, la
maladie, et la mort | i1 *peut-être* | i2 sans doute | seraient bien près d'être
bannis à jamais de l'existence humaine. Sans doute à force de vivre côte à côte
avec lui le hasard a fini par prendre quelquefois, bien rarement pourtant, quelque
chose des fins de l'intelligence humaine. | s Sans doute | Il *arriv*　　n'est pas
impossible qu'une flèche tirée *des to*　　de la tour d'une cathédrale par une folle
qui | s à | qui | s on | a *les yeux bandés* | sc bandé | les yeux, vienne au
milieu d'une *foule* | i assemblée | de patineurs aveugles, frapper précisément
un hermaphrodite. Sans doute les aventures de Watteville telles que *les* | i on |
les lit dans St-Simon, ont quelque chose qui révèle dans le hasard moderne un
progrès notable sur le hasard antique, qui n'a pas subi le contact de l'intelligence,
celui qui est le ressort aveugle, irrésistible, multiple, unique et absolu des tragédies
grecques. Malgré cela de tels exemples sont rares et même dans le domaine où
il est le plus facile de s'emparer de lui, de le domestiquer et de faire *d'un* | sc
de | s ce | maître *aveugle* un esclave que nous n'appellerons que quand nous

que quand nous en aurons besoin, dans le domaine de la médecine,
il est incroyable à quel point nous lui laissons encore le gouvernement
à peu près entier d'une vie dont il ignore entièrement le bien et la
fin, tandis que nous devrions seulement lui faire appel pour quelque
besogne purement mécanique, où nous serions moins habiles que lui
et où, en le guidant pas à pas, et en lui expliquant point par point
ce que nous désirerions, nous le chargerions seulement de graisser à
nouveau ou même de refaire les ressorts [13] que jusqu'ici il se contente
ordinairement de briser. En présence d'une maladie contagieuse, tant
que nous ne sommes pas atteints, les médecins lui donnent le nom
de plus ou moins grande réceptivité, et quand nous le sommes, de
plus ou moins grande résistance vitale, se contentant d'ailleurs de
nous interdire par la diète et par le régime une nourriture et un
mouvement que nous étions incapables de prendre, d'adresser à la
transpiration, au lieu de l'appel des mystérieuses quatre fleurs [14], d'un
ennui si salutaire, et de la vénérable bourrache de nos jardins, auquel
elle s'empresse immédiatement d'obtempérer, les impérieuses injonc-
tions d'un sudorifique, auxquelles elle reste presque toujours sourde.
([*en marge*] La vieille bourrache de nos jardins, d'un ennui si salutaire, les quatre fleurs, bénévoles, inséparables et analogues, dont le
nombre cabalistique multiplie les offices calmants ; le tilleul qui
donne un sommeil aussi léger que l'ombre de sa feuille et le parfum

---

en aurons besoin, dans le domaine de la médecine, il est incroyable à quel point
nous lui laissons encore le gouvernement à peu près entier d'une vie dont il ignore
entièrement le bien et la fin, tandis que nous devrions seulement lui faire appel
pour quelque besogne purement mécanique *et* où [**f. 45, v°**] nous serions moins
habiles que lui, et où en *ne* le guidant pas à pas , et en lui expliquant point
par point ce que nous désirerions, nous le chargerions seulement de graisser à
nouveau ou même de refaire les ressorts que jusqu'ici il se contente ordinairement
de briser. *Tant que nous* En présence d'une maladie contagieuse, tant que
nous ne nous sommes pas atteints [?], les médecins lui donnent le nom de plus
ou moins grande réceptivité, et quand nous le sommes, de | s plus ou moins
grande | résistance vitale, se contentant d'ailleurs de nous interdire par la diète
et par le régime une nourriture et un mouvement que nous étions incapables de
prendre *de* | **sc** d' | *faire* adresser *à l'aide de sudorifiques* | **i1** *à la transpira-*
tion | **i2** à la transpiration | *que des appels qu'elle n'avait pas attendus pour*
nous | *qu'elle n'avait pas attendus pour apparaître perler en gouttelettes à notre*
front, mais qui au lieu de *rappe* *l'antique* **s** l' | appel *de* | **sc** des | *la*
vénérable bourrache | **s** mystérieuses quatre fleurs | **I** d'un ennui si salutaire |
lp et de la vénérable bourrache de nos jardins auxquelles elle s'empressent im-
médiatement d'obtempérer, les | **s** impérieuses | injonctions d'un sudorifique
auxquelles elle reste presque toujours sourde.
[en vis à vis, **f. 46, r°**] : la *vénérable* | **s** vieille | bourrache de nos jardins
d'un ennui si salutaire, les quatre fleurs, *dont le nombre magique* | **s1** +
+ *inséparables,* / **s2** *féériques* / **s1** *bienfaisantes,* / **s2** inséparables / **s1** et
analogues [?], *et dont le nombre cabalistique multiplie* / **I** bénévoles / | **lp** mul-
tiplie les *vertus* | **i** offices | calmants, le tilleul qui donne un sommeil aussi

de sa fleur, enfin la malicieuse mais excellente queue de cerise qu'on
trouve encore parfumant la bouillotte aux tisanes sur le fourneau de
certaines cuisines de province, et qui chante, pendant qu'elle compose son breuvage, comme une fée bienfaisante et un peu comique,
5   qui s'apprête à remplir auprès d'un malade, avec une précipitation
bien intentionnée, des fonctions de bonne d'enfant.) Son seul pouvoir
réel est de métamorphoser, à l'aide de calmants, la vieille fièvre bienfaisante, qui exorcisait le mal en trois jours et le chassait sans retour,
en un malaise néfaste, innombrable, incessant, inépuisable, qui re-
10   paraît après chaque accalmie avec un nouveau cortège de maux, et
de faire reculer par les prières insidieuses de la morphine, ou la me-
nace plus formelle du laudanum, le flot des bonnes sécrétions naturelles préposées de tout temps au nettoyage de notre corps et à la
propreté de nos artères, et qui allaient entraîner bien loin de lui les
15   germes mortifères et les poisons. Tout au plus, à l'aide des antispas-
modiques, réussira-t-il à épargner au cœur la fatigue de la dyspnée,
en lui en imposant une infiniment plus dangereuse, ayant trouvé le
moyen d'endormir par ruse le gardien pourtant si vigilant de nos
forces, si miraculeusement résistant et actif, si infatigable, si attentif,
20   si sensible, si indispensable, le myocarde.

---

léger que l'ombre de sa feuille et le parfum de sa fleur, enfin la malicieuse mais
excellente queue de cerise qu'on trouve encore *parfumant* | s *qui parfume* | I
parfumant | la bouillotte aux tisanes sur le fourneau de *que*   certaines cuisines
de province *où tout en compo*   *elle* | s et qui | *chantant* | sc chante | s
pendant qu'elle | lp *composant* | sc compose | son breuvage comme une fée
bienfaisante et un peu comique, *et s'* | s *déguisée*   qui *joue des* | lp apprête
à *jouer des tours bienfaisants* | s remplir auprès d'un malade | *aux malades*
auprès de qui elle   *assumer* | s et | *de remplir avec une précipitation non*
pareille [?]   *remplit. avec précipitation*, avec une précipitation *bienfaisante* | i
bien intentionnée | des fonctions de bonne d'enfant... [fin de l'addition de **f. 46,**
r°] *de métamorphoser*   Son seul pouvoir réel est de métamorphoser | s à l'aide
de calmants | *l'antique* | i vieille [?] | fièvre bienfaisante qui exorcisait le mal
en trois jours et le chassait sans retour, en un malaise   +   néfaste, innombrable, incessant, *et q* inépuisable, *et* qui reparaît après chaque accalmie avec
un nouveau cortège de maux, et *d'* | sc de | *arrêter* | s faire reculer par les
prières insidieuses de la morphine, ou la défense | i menace | plus formelle du
laudanum le flot *de* | sc des | *l'excrétion* | s bonnes | sécrétions *qui*   natu-
relles, *qui s'*   préposées de tout temps au nettoyage de notre corps et à la
propreté *des* | sc de | nos artères, et qui allaient entraîner bien loin de lui
les germes mortifères [**f. 44, v°**] et les poisons. Tout au plus à l'aide des anti-
spasmodiques réussira-t-il à épargner au cœur la fatigue de la dyspnée, en lui
en imposant une infiniment plus dangereuse et *en paralysant*   *paralysant à*
plaisir le seul gardien vigilant, | s *nécessaire,* | *miraculeusement résistant qui*
ne   *miraculeusement le myocarde*   ayant trouvé le moyen d'endormir par ruse
le gardien *jusque-là incorruptible* | s *sans repos* | *toujours au guet de nos forces*
| s pourtant si vigilant de nos forces |, si miraculeusement *actif*   résistant, et
actif, si infatigable, si *nécessaire,* | s *sensible,* si attentif |, si sensible, si indis-
pensable, le myocarde. *A cette époque*   En ce temps où *même*   la mort | s

En ce temps où la mort [15] peut sortir de chaque fissure de la
jante, de chaque caillou de la route, sort de chaque fissure de l'essieu,
et est forcée de marcher derrière nous pour embellir notre triomphe,
en apprenant seulement par une clameur presque effrayante de rage
5   notre venue aux gueules de loup [16] de la prairie, la vitesse épuise
devant nous le mirage innombrable, terrible, inutile et incessant de
ses tentations, cache la pierre où elle s'est blottie, fait paraître droite
la route au coude de laquelle elle s'est embusquée, dérobe dans un
nuage de poussière l'autre automobile, à bord de laquelle elle est
10   montée, nous fait paraître assez grand pour y faire passer deux voitures, un chemin où une seule ne peut se déplacer d'une ligne sans
tomber dans l'abîme au-dessus duquel elle est suspendue, raccourcit
le temps qu'il faut à l'une pour nous rejoindre, allonge celui que nous
mettons à l'éviter, elle est en réalité impuissante à arrêter sur la route
15   où, salués au passage par les gueules de loup qui laissent échapper
de leurs lèvres de safran la goutte de rosée que l'aurore leur confia
comme un secret qu'elles devraient garder jusqu'à midi, nous nous
avançons avec une vitesse effrayante, et paisibles [...]

---

elle-même | *que la vitesse réveille à chaque pas sur le sol* | **s** route |, *se lève*
impuissante | **s** fait [?] sortir de chaque fissure de la jante, | **lp** *de chaque*
caillou de la route, sort de chaque fissure de l'essieu, et est forcée de marcher
derrière nous pour embellir notre triomphe, en apprenant seulement par une
clameur presque effrayante de rage notre venue aux gueules de loup de la prairie
qui *nous tendent au passage entre leurs lèvres* | **s** laissent | échapper de leurs
lèvres de safran la goutte de rosée que *l'aurore* aube leur a confié [sic] comme
un secret qu'elles devraient *garder avant* | **i** *jusqu'à* | *midi,* + | **s** cacher
[?] | la | **s** journée [?] | la vitesse *nous fait* fait *défiler devant nous* épuise
devant nous le mirage *incessant* | **s** innombrable |, terrible, inutile, et *trompeur*
| **s** incessant | de ses tentations, *nous fait* cache cache la pierre où elle s'est
blottie, fait paraître droite la route *à l'angle* | **i** au coude | de laquelle elle
s'est embusquée, dérobe dans un nuage de poussière l'autre automobile à bord
de laquelle elle est montée, *et* nous fait paraître assez grand pour y faire passer
deux voitures, un chemin où une seule ne peut se déplacer d'une ligne sans tomber
dans l'abîme au-dessus duquel elle est [**f. 43, v°**] suspendue, *raccourcit nos fa*
raccourcit le temps qu'il faut à l'une pour nous rejoindre allonge celui que nous
mettons à l'éviter, elle est en réalité impuissante à arrêter sur la route où   +
salués au passage par les gueules de loup qui laissent échapper de leurs lèvres
de safran la goutte de rosée que l'aurore leur confia comme un secret qu'elles
devraient garder jusqu'à midi, nous nous avançons avec une vitesse *croissante,*
+   effrayante, et paisibles

NOTES ET ÉCLAIRCISSEMENTS

Les éditions utilisées pour les références sont :
— *Le Double jardin*, Fasquelle, 1904 ;
— *L'Intelligence des fleurs*, Fasquelle, 1907 ;
— *La Sagesse et la Destinée*, Fasquelle, 1898.

1 Ce titre est de nous.

2 Ce passage s'inspire du chapitre *Les Dieux de la guerre* dans *L'Intelligence des fleurs*, pp. 211-214 : Maeterlinck y traite des moyens modernes de dévastation.

3 Proust pense sans doute, en imaginant ces vestibules et ces gardes, à la pièce *Les Sept princesses* : les sept princesses sont endormies dans une pièce de leur château, et une domestique veille sur chaque marche de l'escalier qui y conduit.

4 Lecture empruntée à MM. Kolb et Price.

5 Dans la dernière partie du *Double jardin*, *Les Rameaux d'olivier* (pp. 265-296), nous trouvons un passage sur le « feu intérieur » et primitif. Cf. pp. 289-290 : « Le feu intérieur, premier maître de la planète, crevait à chaque instant sa prison de granit [...]. Aujourd'hui, l'instabilité des mers et les révoltes du feu intérieur sont infiniment moins à craindre ; en tout cas, il est vraisemblable qu'elles ne produiront plus de catastrophes universelles. »

6 Cf. *L'Intelligence des fleurs*, p. 105 : « Il ne serait pas, j'imagine, très téméraire de soutenir qu'il n'y a pas d'êtres plus ou moins intelligents, mais une intelligence éparse, générale, une sorte de fluide universel qui pénètre diversement, selon qu'ils sont bons ou mauvais conducteurs de l'esprit, les organismes qu'il rencontre [...] Ce courant [...] ne proviendrait pas d'une autre source que celui qui passe dans la pierre, dans l'astre, dans la fleur ou dans l'animal ».

7 Lecture empruntée à MM. Kolb et Price.

8 Cf. *Ibid.*, pp. 4-5 : « Si nous avions mis à soulever diverses nécessités qui nous écrasent, celles, par exemple, de la douleur, de la vieillesse et de la mort, la moitié de l'énergie qu'a déployée telle petite fleur de nos jardins, il est permis de croire que notre sort serait très différent de ce qu'il est ».

9 Le cypripédium, ou sabot de Vénus, est mentionné et décrit dans *L'Intelligence des fleurs*, pp. 76-77 ; mais non l'amaryllis.

10 *Ibid.*, p. 249 : [Après un accident] « On parlera de chance, de guignon ».

11 Cf. la notice, p. 335.

12 Il est longuement question de Saint-Simon dans *La Sagesse et la Destinée,* chapitres XCVI à C.

13 Maeterlinck s'intéresse à plusieurs reprises, et de façon très technique, à l'automobile. Dans *Le Double jardin* (pp. 51-65), il décrit la mécanique de cet engin avec une très grande précision de termes. Dans *L'Intelligence des fleurs* (p. 72), il compare les processus de fécondation des fleurs à la mécanique automobile.

14 Dans *Le Double jardin,* le chapitre *Fleurs des champs* (pp. 177-187) énumère un grand nombre de fleurs, évoque la poésie de leurs noms, et termine sur les « simples », que Maeterlinck ne nomme pas, mais dont il cite les « vertus contestées » : « Çà et là, l'une d'elles, tout au fond des bocaux de l'apothicaire ou de l'herboriste, attend encore le passage du malade fidèle aux infusions traditionnelles. Mais la médecine incrédule les délaisse ». Proust a largement brodé sur ce passage, qui lui rappelait peut-être d'anciennes habitudes familiales. Il le prolonge par un hymne aux « bonnes sécrétions naturelles », qui va bien dans le sens de certaines de ses plaisanteries.

15 Cette longue phrase, confuse et inachevée, est une imitation d'un passage de *L'Intelligence des fleurs,* chapitre *L'Accident,* p. 239 : « Tout à coup, sans motifs, au détour du chemin, au beau milieu de la longue et large route, au début d'une descente, ici ou là, à droite ou à gauche, saisissant le frein, la roue, la direction, barrant subitement tout l'espace sous l'apparence fallacieuse et parfaitement transparente d'un arbre, d'un mur, d'un rocher, d'un obstacle quelconque, voici face à face, surgissante, imprévue, énorme, immédiate, indubitable, inévitable, irrévocable, la Mort qui ferme d'un déclic l'horizon qu'elle laisse sans issue... ».

Proust se souvient peut-être aussi du chapitre *En Automobile* du *Double jardin,* dans lequel figure une page sur la vitesse, au rythme pressé assez semblable à celui du pastiche. Dans cette page, ce sont les arbres qui se penchent au passage de la voiture.

16 *Les gueules de loup* : ces fleurs sont nommées parmi les *Fleurs démodées* du *Double jardin,* p. 217.

III

[L'AFFAIRE LEMOINE
DANS LES « MÉMOIRES D'OUTRE-TOMBE »]

NOTICE

Cette ébauche très brève et dépourvue de titre date de la fin de 1908 :
Proust écrit vers novembre de cette année : « J'ai cessé de lire Chateaubriand (dont j'ai fait un pastiche) et suis en plein Saint-Simon qui est mon
grand divertissement. Tout de même il y a une fameuse différence avec
les *Mémoires d'outre-tombe* ». (*A un ami*, lettre XLI, p. 154). Cette « fameuse différence » explique apparemment la brièveté du morceau, à moins
que celui-ci n'ait été suivi d'un projet plus développé, qui aurait disparu.
De toute façon, ce qui intéresse Proust chez cet écrivain, ce n'est pas tant
l'aspect de Mémoires de son œuvre que le chant de sa phrase (cf. *CSB,
Nx Mél.*, 407-410) et l'expérience qu'il a faite, lui aussi, de la résurgence
fortuite, suscitée par des circonstances actuelles, de certains souvenirs
anciens (*RTP*, III, 728, 919). Il aura d'ailleurs l'occasion de parler de lui à
nouveau, puisque le pastiche suivant est un commentaire de Sainte-Beuve
sur son compte.
   Ce texte mérite néanmoins d'être connu pour son humour. En quelques lignes, il nous trace une caricature de l'écrivain, dressé sur le piédestal
de son orgueil et de ses grands sentiments. Ce n'est pas de Lemoine, ce « pauvre diable », qu'il parle en réalité, mais de lui-même, de sa protection, de sa
gloire, de son exil, de ses malheurs passés. Seuls existent lui-même, et le
monde qui l'oublie ou l'ignore. Aussi se prétend-il poursuivi par un destin
contraire, et redoute-t-il de perdre la gloire littéraire après avoir perdu la
gloire officielle. Proust engage franchement dans la bouffonnerie les phrases
sur la pierre du tombeau. Mais il suffisait d'une chiquenaude, en réalité,
pour y pousser les propos mêmes de l'écrivain : « J'ai tout renvoyé, écrit-il,
places, pensions, honneurs ; et afin de n'avoir rien à demander à personne,
j'ai mis en gage mon cercueil. » (*MOT*, XXVIII, ch. 17.)
   C'est au pseudo-Sainte-Beuve que revient le rôle d'achever cette satire,
dans le pastiche suivant.

NOTE SUR LE TEXTE

Le brouillon de ce pastiche figure, sans titre, à la fin du *Carnet 1*, retourné, et occupe les ff. 59 v° à 58 r°.

Nous présentons, superposés, le texte reconstitué et l'état du manuscrit.

[L'AFFAIRE LEMOINE DANS LES
« MÉMOIRES D'OUTRE-TOMBE » DE CHATEAUBRIAND] [1]

Il y avait alors à Paris un pauvre diable du nom de Lemoine qui
pensait avoir découvert la fabrication du diamant. Si c'est une illusion qu'il nourrissait, différait-il en cela du reste des hommes ? Il
vint me confier sa chimère, je me gardai d'en sourire ; j'ai les miennes,
et quand le vain bruit qui s'attache à mon nom se sera tu, vaudront-
elles plus que la sienne [2] ? Il se mit sous ma protection, m'associa aux
profits. Je ne porte pas bonheur à ceux qui viennent sous mon toit.
Il voulait, disait-il, mettre son trésor aux pieds de ma gloire. Comme
si l'une n'avait pas été aussi imaginaire que l'autre !
Je ne porte pas bonheur à ceux qui s'approchent de moi. La fortune n'a jamais voulu de moi. Lemoine échoua dans son entreprise.
Il fut arrêté, puis condamné. Son crime était d'avoir poursuivi la
richesse. Depuis que le monde existe, c'est celui de tous les hommes.

[f. 59, v°] *A Londres Un riche anglais, Sir* | s *Julius* | *Werner, voulut
m'amener un pauvre diable nommé du nom* | s Il y avait alors à Paris | **I**
un pauvre diable du nom | **lp** de Lemoine + *me conta qu'il* | **sc** qui |
pensait avoir découvert *le* | **sc** *la* | *secret* | s fabrication | du diamant. *Peut-
être nourrissait-il une illusion. Il ne différait pas en cela Si c'était une illusion
elle s'ajoutait seulement à celles dont vivent les hommes.* Si c'est une illusion
qu'il nourrissait, différait-il en cela du reste des hommes ? *Je ne* Il vint me
confier + + | s sa chimère, je me gardai d'en | sourire ; *j'ai les mien-
nes* | s j'ai les miennes + et | quand le vain bruit qui s'attache à mon nom
se sera tu *sur la terre les miennes vaudront-elles davantage* vaudront-elles
plus que la sienne. *Le* Il se mit sous ma protection | **i** *Il se* + m'associa
aux profits |. Je ne porte pas bonheur à ceux | **i** *il parlait* | qui viennent *à
moi* | **i** sous mon toit. | Il voulait disait-il mettre son trésor aux pieds de ma
gloire. [f. 59, r°] Comme si l'une *n'avait pas été n'avait pas été aussi réelle*
| s n'avait pas été | aussi imaginaire que l'autre. Je ne porte pas bonheur à
ceux qui *me touchent* | s *touchent* | **I1** *viennent à* | **I2** s'approchent moi |.
J'ai vu [ou *cru*] *moi aussi François de Chateaubriand.* La fortune n'a jamais
voulu de moi. + Lemoine échoua dans son entreprise. Il fut arrêté, | s
puis | condamné. Son crime était d'avoir *voulu cherché* poursuivi la richesse.
Depuis que le monde existe c'est celui de tous les hommes. Il *vécut pauv* trouva

Il trouva le moyen de s'enfuir et a vécu longtemps dans la pauvreté.
S'il eût remué à flots le diamant, aurait-il été plus heureux ?

J'ai toujours méprisé les richesses, je les ai souvent désirées, parfois elles sont venues jusqu'à moi ; fidèle en cela à la devise de ma
5   vieille Laconie, je n'ai jamais su les retenir. Dans cette Angleterre
où j'avais vécu pauvre étudiant [...] le manuscrit d'Atala, je suis
revenu, dans les carrosses de Sa Majesté Britannique, comme Ambassadeur de Charles X, et maintenant importun à mes rois, que le vain
bruit de ma gloire poursuit inutilement sur les routes de l'exil, n'ayant
10   pour désaltérer mes lèvres que le verre d'eau pure que m'offre le
chantre [?] de la Révolution. Je vis confondu parmi les pauvres de
Mme [3] de Chateaubriand, n'ayant pour oreiller, comme j'ai dit dans
Atala, que la pierre de mon tombeau. Encore ai-je été obligé de l'en-
gager à des libraires. Si, plus habile que Lemoine, j'avais su faire
15   le diamant, je serais mort pauvre comme lui. Peut-être mon nom du
moins aurait-il chance de durer. Les hommes ne se souviennent point
de la gloire littéraire, mais ils ont besoin de la fortune. Si j'avais su
la leur donner, quand on ne saurait plus rien de mes livres, on se
souviendrait encore de moi.

---

le moyen de s'enfuir et a vécu longtemps *pauvre* dans la pauvreté. *Ayant   Riche*
+   *S'il avait eu   S'il avait su faire le diamant* | **s** *Riche*   S'il eut [sic]
remué à flots le diamant aurait-il | été plus heureux ? J'ai toujours méprisé les
richesses,   +   je les ai souvent désirées, parfois [**f. 58, v°**] elles sont venues
à moi | **s1** *près de moi* | **s2** jusqu'à | **I** à moi |, fidèle en cela à la devise de
ma vieille laconie je *ne les ai jamais gardées* | **s** n'ai jamais su les retenir |.
Dans cette Angleterre où j'avais vécu pauvre étudiant [un blanc] le manuscrit
d'Atala, je suis revenu, dans les carrosses de Sa Majesté Britannique, comme
Ambassadeur *du Roi de France* | **sc** de | **s** Charles X |. *Hier j'ai refusé la*
Aujourd'hui, pour vivre | **s**   + | *aujourd'hui, plus malheureux* | **i** qu'eux |
peut-être, | **s** *confondu* | *parmi les pauvres de   Me de Chateaubriand* | **i** d'
+   .   *Plus habile que Lemoine* | **s** *si* | *j'avais appris à faire le diamant*
que   je serais mort pauvre comme lui et *je mourrai* | **s** *si* maintenant | **lp**
importun à mes rois, que le vain bruit de ma gloire poursuit inutilement sur les
routes de l'exil, *buvant* | **s** n'ayant pour | désaltérant mes lèvres | **s** quand
tombe   +   +   + | qu'*un* | **sc** que le | verre d'eau pure | **s** que m' |
offert | **sc** offre | *par* le chantre [?] de la Révolution. [**f. 58, r°**] *J'aurai pour*
seul oreiller je   +   *n'ai*   vis | **s** confondu | parmi les pauvres de Me
Chateaubriand n'ayant pour oreiller comme j'ai dit dans Atala que la pierre
de | **s** mon | tombeau.   +   +   +   Encore ai-je été obligé de l'engager
à des libraires. Si *j'avais*   plus   habile que Lemoine j'avais su faire le diamant
je serais mort pauvre comme lui. *Mais lui*   Peut-être *alors* mon nom du moins
aurait-il chance de durer. Les hommes ne se souviennent point de la *vérité* | **s**
gloire littéraire | mais ils ont besoin de la fortune. Si j'avais su la leur donner,
quand *mes* on *livres*   ne saurait plus rien de mes livres on se souviendrait
encore de moi.

NOTES ET ÉCLAIRCISSEMENTS

[1] Ce titre est de nous.
[2] Lecture de MM. Kolb et Price.
[3] Lecture de MM. Kolb et Price.

IV

[CRITIQUE DU PASSAGE
DES « MÉMOIRES D'OUTRE-TOMBE »
SUR L'AFFAIRE LEMOINE, PAR SAINTE-BEUVE]

NOTICE

Ce brouillon, sans titre, mais dont le modèle est aisé à identifier, fait suite au précédent dans les *Carnets*. C'est d'abord une critique de Chateaubriand, inspirée principalement par l'article de Sainte-Beuve sur les *Mémoires d'outre-tombe* dans *Le Constitutionnel* du 18 mars 1850. Proust fait allusion à cet article dans *Contre Sainte-Beuve* (pp. 150-151) et y accuse le critique d'épargner les auteurs vivants et d'attendre leur mort pour les attaquer. En effet, Chateaubriand était mort en 1848, et les *Mémoires* venaient de paraître en volumes. Sainte-Beuve lui reproche sa vanité, ses mensonges, sa naïveté provinciale, et il l'attaque sans ménagements : l'homme est animé d'un « désir assez vil », a quelque chose du « bas-breton corrompu ».

Dans cet article, Sainte-Beuve glissait déjà de Chateaubriand à Lamartine, disant que les *Mémoires* seraient bientôt concurrencés par un ouvrage du même genre et plus facile à lire, les *Confidences*.

Proust n'a guère parlé de Lamartine et ne l'appréciait guère, semble-t-il : « Sur deux cents vers de Lamartine, écrit-il à Mme de Noailles, on en trouve deux donnant une impression exacte de nature » (*CG*, II, lettre XXXIII, p. 162, [juillet 1905]). Cette seconde partie du pastiche, présentée comme une note, est inspirée d'une étude parue dans le premier volume des *Portraits contemporains*, sur les *Recueillements poétiques*, et d'allusions empruntées au quatrième volume des *Portraits*. Lamartine y est accusé de mensonge, de faiblesse dans le domaine historique, de mollesse, et de n'avoir rien écrit de bon depuis les premières *Méditations*.

Nous retrouvons dans l'art du pastiche les traits que nous avions déjà relevés dans la première imitation de Sainte-Beuve : Proust met en relief ses critères subjectifs d'appréciation, ses allusions nombreuses à la bonne société, ses éloges toujours amoindris par des réserves, ses commentaires plats ou méprisants. Nous retrouvons aussi l'expression émaillée de familiarismes (« farfadet », « charlatan », « le fond du sac », « le dessus du panier », etc.), de réduplications (« croisé et recroisé », « reconnaître et saluer », « malhonnête et ennuyeuse », « la pénombre et la suavité », « du premier rayon et du mol enchantement », « démêler, accuser »), d'archaïsmes (« tenir d'original ») et d'incidentes (« tranchons le mot »).

NOTE SUR LE TEXTE

L'ébauche de ce pastiche figure sans titre, à la fin du *Carnet 1* retourné, où elle fait suite au pastiche de Chateaubriand, sur les ff. 57 v° à 55 v°.

Les *Carnets* présentent également, comme nous l'avons vu, des notes sur Sainte-Beuve destinées aux pastiches et à l'étude critique. Celles qui concernent le présent pastiche figurent toutes dans le *Carnet 1*.

Nous les reproduisons d'abord, puis nous donnons, superposés, le texte reconstitué et l'état du manuscrit.

[f. 15, vᵒ] Inertie de la pensée chez Sainte-Beuve (M. Molé nous a déroulé la chaîne dont M. de Vigny ne nous avait montré que les derniers anneaux d'or).

[f. 18, rᵒ] la touche et l'accent de l'enchanteur.

[f. 23, rᵒ] Pierre tombale, pensée. — Hola que veut dire ceci. Nous dirions il ment. Lamartine il n'y a que le pathétique.

[f. 24, rᵒ] Nous dirions il ment (Chd et son groupe litt.) — La pierre de mon tombeau. — Le style des Mémoires d'outre-tombe dans les Nv Lundis et dans Chd « qui sentent un peu leur bas-breton » (222).

[f. 24, vᵒ] Le reste est du grand écrivain qui ferme le cercle d'or. — se rattache (par l'amour de la poésie + par un anneau d'or). — ô poète il est mieux [deux mots illisibles] comme le cygne.

[f. 25, rᵒ] 134 CL. Elle nous tenait tous enchaînés aux pieds de sa statue par une chaîne d'or. — Lamartine aurait dû s'évanouir comme Romulus — Chateaubd comme le Cygne.

M. Delécluze[2], qui avait été fort initié dans ce petit monde et
ces mystères de l'Abbaye aux Bois, me disait tenir d'original que les
choses ne s'étaient pas du tout passées ainsi. C'est bien Chateaubriand,
déjà ambassadeur du roi de France, comme il nous a répété sans
5   cesse, et comme si en vérité il n'y avait jamais eu que lui qui l'eût été[3],
qui avait vu là, ou cru voir, un moyen de refaire sa fortune, avec cette
étourderie, tranchons le mot, avec cette inconscience qui l'a suivi
jusqu'à la fin. M. Molé[4], qui, en cela au moins et sous les rapports
de l'homme privé et tout honorable, était bien supérieur, l'avait inu-
10 tilement averti, comme il fit plus tard, au sujet de Lemoine. L'autre
avait promis, et manqué à sa parole pour la dixième et vingtième fois,
on pourrait compter. Ce qui confond ici, c'est moins le désir, assez
vil pourtant chez un homme qui pose sans cesse au paladin des vieux
âges[5], de refaire une fortune qu'il ne tenait qu'à lui de ménager[6],
15 que la naïveté du provincial, oui, du natif de Combourg et de Quim-

---

[**f. 57, v°**] M. Delécluze, qui avait été fort initié dans *le* | **s** ce petit monde
et | +   *trois et quatre fois* | **s** *ces « mystères »* des | **I** et ces mystères |
l'Abbaye aux bois,   +   me disait tenir, *et d'* d'original que les choses ne
s'étaient pas du tout passées ainsi. C'est   +   bien Chateaubriand, déjà am-
bassadeur, *pair de France* de *Charles X* | **s** roi de France |, comme il nous
| **s** a | répété sans cesse, et comme si en vérité il n'y avait jamais eu que lui,
| **i** qui l'eût été | qui ayant vu | **s** là | ou cru voir *là* un moyen de refaire sa
fortune avec cette étourderie tranchons le mot avec cette inconscience qui
l'a suivi jusqu'à la fin. M. Molé, qui en cela au moins et sous les rapports
de l'homme privé et tout honorable   +   était *mille fois* | **s** bien |
supérieur l'avait inutilement averti comme il fit plus tard, *tout aussi inuti-*
lement au sujet de Lemoine. L' [**f. 57, r°**] autre *n'avait voulu* avait
promis, et manqué à sa parole, *une vingtième* | **s** pour la | dixième et
vingtième fois, *de plus* on pourrait compter. Ce qui confond ici c'est moins
le désir assez vil pourtant chez un *qui* un | **s** un homme qui *ne* | *voyez-vous*
pose sans cesse au paladin des vieux âges, de refaire une fortune qu'il ne tenait
qu'à lui de ménager, que la naïveté du provincial, oui du *ho* hobereau | **s**
natif | de Combourg et de Quimper-Corentin, croyant au sérieux d'une pareille

per-Corentin, croyant au sérieux d'une pareille escroquerie. Il y a du bas-breton chez Chateaubriand, disait M. Ballanche [7], et le Duc de Laval [8] ajoutait : oui, du bas-breton corrompu.

5   Et une fois qu'on a ainsi croisé et recroisé les témoignages sur l'homme, cela n'empêche pas de reconnaître et saluer le puissant écrivain, de subir l'enchantement, comme disait M. Joubert. Il y a du farfadet dans tout cela. Seulement, quand l'enchantement cesse [9], on voit qu'on a été entraîné tout le temps à côté de la vérité. Oh ! qu'on est plus tranquille avec les génies véridiques, avec les Térence, 10   les Addison [10], les Racine, les Vauvenargues et, pour fermer plus près de nous la chaîne d'or, avec les de Maistre et les Gasparin [11] ! (1).

(1) Si vous aviez su, après avoir exhalé vos *Dernières Harmonies,* si vous aviez su vous envoler au Ciel [12] et y régner et présider en sereine constellation, comme le Cygne [13], ô le plus décevant, lâchons 15   le mot, le plus charlatan des hommes [14], Lamartine, peut-être seriez-vous de ceux-là. Mais en Lamartine comme en Chateaubriand, l'homme a toujours fait tort au poète et finalement l'expia. Les *Girondins* de Lamartine, disait un homme bien à même d'en juger, M. Duchatel [15], c'est une seconde édition des *Mystères de Paris* [16]. Et moi je réponds : 20   une seconde édition malhonnête et ennuyeuse, ce que n'était pas la première ; Sue n'a du moins jamais cherché à tromper personne et plaisait, et en art c'est tout de même bien quelque chose. Avec

---

escroquerie.   +   Il y a du bas-breton chez Chateaubriand disait M. Ballanche, et *M.* | **s** le Duc | de *Montmorency* | **s** Laval | ajoutait *oui* du bas-breton corrompu. Et une fois *quand*   qu'on a ainsi croisé et recroisé les témoignages sur l'homme cela n'empêche pas de de [sic] reconnaître et [**f. 56, v°**] saluer, +   *de subir jusqu'* | **s** le puissant | écrivain, *l'un*   de subir l'enchantement comme disait M. Joubert. | **i** Il y a du farfadet dans tout cela. | Seulement quand l'enchantement cesse on voit qu'on a été entraîné tout le temps | **s** *par ce farfadet* | à côté de la vérité. Oh ! qu'on *a* | **s** est | plus *tranquille* | **s** tranquille | avec les génies véridiques, avec les Térence, les Addison, les Racine *et* les Vauvenargues et pour fermer plus près de nous la chaîne d'or avec de Maistre et les Gasparin. (1).

---

(1) *Peut-être*   Si vous aviez su après avoir *chanté* | **i** exhalé | vos Dernières Harmonies, vous *étiez*   aviez su *monter* | **s** vous envoler | au Ciel | **s** et y +   régner et présider |, en sereine constellation, comme le Cygne, *si vous n'aviez pas*   ô le plus décevant lâchons le mot, le plus charlatan des hommes, Lamartine, peut-être seriez-vous de ceux-là. Mais en Lamartine comme en Chateaubriand l'homme a toujours fait tort au poète et finalement l'expia. [**f. 56, r°**] | **s** Les Girondins de | Lamartine, disait un homme bien à même d'en juger, M. Duchatel *c'est*   *ce* | **sc** c' | *sont* | **s** est une seconde édition des | *les*   Mystères de Paris. Et moi je réponds : une seconde édition malhonnête et ennuyeuse ce que n'était pas *du moins*   la première ; + Sue *n'ayant*   n'avait a | **s** du moins | jamais cherché à tromper personne et plaisait, *ce qui* | **s** et | en art c'est tout de même bien quelque chose. Avec

Lamartine, il faudra toujours en revenir à l'amant d'Elvire, à l'astre qui brillait encore chastement dans la pénombre et la suavité ; mais ce Lamartine-là, Olympio l'a si bien fait pâlir qu'il est presque effacé [17]. C'est qu'à l'heure naissante même du premier rayon et du mol enchantement, il avait bien peu de contours. Lamartine, disait encore un homme qui excelle à démêler, à accuser un peu durement ces parentés littéraires, c'est du Parny [18] ; et il répétait cela volontiers chez Mme de Boigne, quand il y avait peu de monde, Mme Récamier, le Chancelier qui était homme à surenchérir. Un jour que M. Royer-Collard [19] était là, il semblait hésiter et enfin hasarda cette ressemblance de Jocelyn [?] avec Parny. Alors Monsieur Royer-Collard, de ce ton qui imposait à tout le monde : « Sans la vivacité, Monsieur, sans la vivacité. » Et maintenant, sur Chateaubriand et sur Lamartine, je crois avoir tout dit [20] et comme montré le fond du sac, tout en n'oubliant rien du dessus du panier [21].

Lamartine il faudra toujours en revenir à l'amant d'Elvire, à *ces vers*   *la pé-*
nombre et la suavité des débuts   premiers jours, mais voilà, Olym   *Et ce*
Lamartine-là Olympio l'a bien fait pâlir   Il semblait   n'y brillait que   *l'astre*
qui brillait encore chastement dans la pénombre et la suavité ; *avant*   mais ce
Lamartine-là, Olympio l'a si bien fait pâlir qu'il est presque effacé. C'est qu'*il*
[f. 55, v°] *au moment* | **s** l'heure naissante | même *de la* | **sc** du | *premier*
| **s** *naissant* | **I** premier | rayon | **s** *naissant* | et du mol *nouvel premier*
enchantement il avait bien peu de contours. Lamartine disait encore un homme
qui excelle à démêler, à accuser un peu durement ces parentés littéraires, c'est
du Parny, *toujours*   et il répétait cela volontiers chez Me de Boigne, quand il
y avait peu de monde, Me Récamier, le Chancelier qui était homme à surenchérir.
Un jour que M. Royer-Collard était là il semblait hésiter et enfin *hasarda* | **s**
cette | *res* ressemblance de Jocelyn [?] avec Parny. Alors Monsieur Royer-
Collard, de ce ton qui imposait à tout le monde « Sans la vivacité, Monsieur,
sans la vivacité. » *Notre*   Et maintenant sur Chateaubriand et sur Lamartine,
je crois avoir tout dit, *comme à la fin* | **s** et comme montré | le fond du sac,
tout en n'oubliant rien du dessus du panier.

NOTES ET ÉCLAIRCISSEMENTS

Les éditions utilisées pour les références sont :
— *Les Grands écrivains français par Sainte-Beuve*, édition Maurice Allem, 23 volumes, Garnier, 1926 et suiv. ;
— *Nouveaux lundis*, Calmann-Lévy, 1878 ;
— *Portraits contemporains*, Calmann-Lévy, 1882 ;
— *Mes Poisons*, édition V. Giraud, Plon, 1926.

[1] Ce titre est de nous.

[2] Etienne Delécluze (1781-1863) : peintre, écrivain et critique, auteur, entre autres, de *Souvenirs de soixante années* (1862).

[3] Sur la vanité et les radotages de Chateaubriand, voir les anecdotes racontées par Mme de Villeparisis dans *RTP*, I, 721-722.

[4] Louis-Mathieu, comte Molé (1781-1855), l'homme politique. Dans *CSB*, (152-153) Proust note, à propos de Sainte-Beuve, sa « disposition à s'incliner devant les pouvoirs établis », à laquelle « nous devons la place énorme que tous les grands personnages politiques de la monarchie de Juillet tiennent dans son œuvre, où on ne peut faire un pas dans ces salons où il assemble les interlocuteurs illustres [..] sans rencontrer M. Molé, tous les Noailles possibles [...] ». C'est la même attitude que prend, dans *RTP*, Mme de Villeparisis parlant des écrivains qu'elle a connus dans sa jeunesse (I, 710).

[5] Cf. *Les Grands écrivains français*, vol. XVII, pp. 72-73 : « [...] Il commence pour nous déployer en plusieurs pages, au moment de sa naissance, ses parchemins et titres d'antique noblesse [...] ». Cf. encore sur ce sujet *CSB*, 151.

[6] Cf. la lettre de Joubert à Molé, citée par Sainte-Beuve dans *Nouveaux lundis*, t. III, p. 8 : « Ajoutez à cela quelques manies de grand seigneur, l'amour de ce qui est cher, le dédain de l'épargne, l'inattention à ses dépenses, l'indifférence aux maux qu'elles peuvent causer, même aux malheureux ; l'impuissance de résister à ses fantaisies, fortifiée par l'insouciance des suites qu'elles peuvent avoir ; en un mot l'inconduite des jeunes gens très généreux, dans un âge où elle n'est plus pardonnable, et avec un caractère qui ne l'excuse pas assez ; car, *né prodigue, il n'est point du tout né généreux*. Cette vertu suppose un esprit de réflexion pratique, d'attention à autrui, d'occupation du sort des autres et de détachement de soi, qu'il n'a pas reçu, ce me semble, infus avec la vie, et qu'il a encore moins songé à se donner. »

[7] Pierre-Simon Ballanche (1776-1847) : l'un des plus fidèles habitués de l'Abbaye-aux-Bois.

8 M. Kolb lit avec raison « le duc de Laval » : Montmorency, duc de Laval, fut un des familiers de Mme Récamier.

9 Proust cite dans *CSB*, 150, l'article du Constitutionnel sur les *Mémoires d'outre-tombe* : « On y sent à bien des pages le trait du maître, la griffe du vieux lion, des élévations soudaines à côté de bizarres puérilités, et des passages d'une grâce, d'une suavité magique, où se reconnaissent la touche et l'accent de l'enchanteur. »

10 Joseph Addison (1672-1719) : l'écrivain et publiciste anglais, fondateur du *Spectator*.

11 Adrien, comte de Gasperin (1873-1862) : agronome, ministre de l'Intérieur en 1836. Connu principalement pour ses ouvrages sur l'agriculture et l'économie rurale.

12 Cf. *Portraits contemporains* I, in *Les Grands écrivains français*, p. 161 : « Oh ! si Lamartine avait pu disparaître et s'évanouir dans les airs comme Romulus, le lendemain ou le soir même de cette triomphante journée du 16 avril [1848] [...], quelle idée il aurait laissée de lui ! Quelle figure historique et légendaire ! »

13 Cf. *Ibid.*, p. 47 : Lamartine est appelé le Cygne, tandis que Victor Hugo est appelé l'Aigle.

14 Cf. *Mes Poisons*, p. 85 : « Tous ceux qui approchent Lamartine s'accordent à dire que c'est le moins franc, le plus menteur des hommes ; sa parole ne compte pas, il l'oublie, la retire, la dément. »

15 Charles-Marie Tanneguy, comte Duchatel (1803-1867) : homme politique, plusieurs fois ministre sous la monarchie de Juillet.

16 Dans *Portraits contemporains*, I, (*Les Grands écrivains français*, p. 149) Sainte-Beuve écrit sur *L'Histoire des Girondins*, qu'il juge digne d'un magnifique succès en feuilletons : « J'accorde en effet que ce livre classe M. de Lamartine encore au-dessus de l'auteur des *Mystères de Paris*. Belle louange pour un historien ! »

17 Cf. *Portraits contemporains*, I, in *Les Grands écrivains français*, pp. 94-95 : « Comme, enfin, le volume en ce moment publié sous le nom de *Recueillements* affiche de plus en plus ces dissipations d'un beau génie, il est temps de le dire ; au troisième chant du coq, on a droit de s'écrier, et d'avertir le poète le plus aimé qu'il renie sa gloire ». Et *ibid.*, p. 111 : « Quant au génie poétique de M. de Lamartine, qui, malgré tant de déviations récentes, n'a jamais été plus puissant dans son jet et dans sa source, c'est à lui de voir si, par ce cri d'alarme, nous signalons un naufrage ou si nous le prévenons ».

18 Lamartine est comparé à Parny dans les *Portraits contemporains* (éd. Calmann-Lévy, t. IV) pp. 441-443, 470.

19 Pierre-Paul Royer-Collard (1763-1845) : le chef des Doctrinaires.

20 Cf. *Les Grands écrivains français*, t. I, p. 161 : « Il me semble maintenant que j'ai tout dit et même un peu plus qu'il ne faut. »

21 Sur l'attitude de Sainte-Beuve à l'égard de Lamartine, cf. M.-F. Guyard, « La Critique beuvienne de Lamartine », *Revue des Sciences humaines*, juillet-septembre 1969, pp. 429-437.

BIBLIOGRAPHIE

Pour une vaste bibliographie des œuvres de Proust et des ouvrages qui lui sont consacrés, nous renvoyons à René DE CHANTAL, *Marcel Proust, Critique littéraire*, tome II, pp. 645-744.

Nous ne citerons que les ouvrages et articles que nous avons effectivement utilisés, à l'exception des ouvrages des auteurs pastichés, déjà mentionnés dans les Notices et au début des Notes et éclaircissements.

Le lieu d'édition n'est pas indiqué pour les ouvrages publiés à Paris.

I. ŒUVRES DE MARCEL PROUST

A. « Pastiches et Mélanges ». « A la recherche du temps perdu ».

Pastiches et Mélanges, Gallimard, 1919, 272 p. ; et 57ᵉ édition, Gallimard, 1935, 272 p.

A la recherche du temps perdu, édité par Pierre Clarac et André Ferré, Gallimard, 1954, 3 vol., Bibliothèque de la Pléiade, xli-1003, 1224 et 1321 pages.

B. Autres œuvres en volume (dans l'ordre de leur première publication).

Les Plaisirs et les Jours, Gallimard, 1924 (1ʳᵉ édition, Calmann-Lévy, 1896), 277 p.

RUSKIN, John, *La Bible d'Amiens*, traduction, notes et préface par Marcel Proust, Mercure de France, 1947 (1ʳᵉ édition, 1904), 347 p.

RUSKIN, John, *Sésame et les Lys. Des Trésors des rois, des jardins des reines*, traduction, notes et préface par Marcel Proust, Mercure de France, 1906, 224 p.

Chroniques, Gallimard, 1927, 242 p.

Jean Santeuil, Gallimard, 1952, 3 vol., 336, 342 et 336 pages.

Contre Sainte-Beuve, suivi de *Nouveaux Mélanges*, Gallimard, 1954, 441 p.

C. Correspondance

CORRESPONDANCE GENERALE

Correspondance générale de Marcel Proust, publiée par Robert Proust et Paul Brach, t. I : *Lettres à Robert de Montesquiou, 1893-1921*, Plon, 1930, 291 p.

Id., t. II : *Lettres à la comtesse de Noailles, 1901-1919*, présentées par la comtesse de Noailles, suivies d'un article de Marcel Proust, Plon, 1931, 241 p.

Id., t. III : *Lettres à M. et Mme Sydney Schiff, Paul Souday, J.-E. Blanche, Camille Vettard, J. Boulenger, Louis Martin-Chauffier, E.-R. Curtius, L. Gautier-Vignal*, Plon, 1932, 327 p.

Id., t. IV : *Lettres à P. Lavallée, J.-L. Vaudoyer, R. de Flers, Marquise de Flers, G. de Caillavet, Mme G. de Caillavet, B. de Salignac-Fénelon, Mlle Simone de Caillavet, R. Boylesve, E. Bourges, Henri Duvernois, Mme T.-J. Gueritte et Robert Dreyfus*, Plon, 1933, 280 p.

Id., t. V : *Lettres à Walter Berry, comte et comtesse de Maugny, comte V. d'Oncien de la Batie, M. Pierre de Chevilly, Sir Philip Sassoon, Princesse Bibesco, Mlle Louisa de Mornand, Mme Laure Hayman, Mme Scheikévitch*, Plon, 1935, 268 p.

Correspondance générale de Marcel Proust, publiée par Suzy Proust-Mante et Paul Brach, t. VI : *Lettres à Madame et Monsieur Emile Straus*, suivies de quelques dédicaces, Plon, 1936, 281 p.

AUTRES RECUEILS (par ordre chronologique)

DAUDET, Lucien, *Autour de soixante lettres de Marcel Proust*, « Les Cahiers Marcel Proust », n° 5, Gallimard, 1929, 242 p.

PROUST, Marcel, *Lettres à la NRF*, « Les Cahiers Marcel Proust », n° 6, Gallimard, 1932, 283 p.

PROUST, Marcel, *A un ami. Correspondance inédite, 1903-1922*, préface de Georges de Lauris, Amiot-Dumont, 1948, 269 p.

PROUST, Marcel, *Lettres à André Gide*, Neuchâtel et Paris, Ides et Calendes, 1949, 122 p.

[PROUST, Marcel]], *Lettres de Marcel Proust à Bibesco*, Lausanne, La Guilde du livre, 1949, 181 p.

MORAND, Paul, *Le Visiteur du soir*, Genève, La Palatine, 1949, 133 p.

PROUST, Marcel, et RIVIÈRE, Jacques, *Correspondance*, présentée et annotée par Philip Kolb, Plon, 1955, 324 p.

PROUST, Marcel, *Lettres à Reynaldo Hahn*, présentées, datées et annotées par Philip Kolb, Gallimard, 1956, 261 p.

GREGH, Fernand, *Mon amitié avec Marcel Proust. Souvenirs et lettres inédites*, Grasset, 1958, 159 p.

PROUST, Marcel, *Choix de lettres*, présentées et datées par Philip Kolb, Plon, 1965, 304 p.

PROUST, Marcel, *Lettres retrouvées*, présentées et annotées par Philip Kolb, Plon, 1966, 175 p.

PROUST, Marcel, *Textes retrouvés*, recueillis et présentés par Philip Kolb et Larkin B. Price, University of Illinois Press, Urbana, Chicago, London, 1968.

D. Articles divers. Préfaces (par ordre chronologique)

« Etudes » : « Les Maîtresses de Fabrice », « Les Amies de la comtesse Myrto », « Heldémone, Adelgise, Ercole », *Le Banquet*, n° 2, avril 1892, pp. 41-44 (reprises dans *PJ*, « Fragments de Comédie italienne », pp. 67 sqq.)

« Etudes » : I à V. *Le Banquet*, n° 3, mai 1892, pp. 77-79 (reprises dans *PJ, ibid.*, pp. 71-77).

« Mondanité de Bouvard et Pécuchet », *La Revue blanche*, n° 21-22, juillet-août 1893, pp. 62-68 (repris dans *PJ*, « Mondanité et mélomanie de Bouvard et Pécuchet, I, Mondanité », pp. 99-108).

« Etudes » : « Contre la franchise », *Ibid.*, pp. 197-199 (reprise dans *PJ*, « Fragments de Comédie italienne », pp. 81-82).

« Etudes » : « Contre une snob », « A une snob », *La Revue blanche*, n° 26, décembre 1893, pp. 391-393, (reprises dans *PJ, Ibid.*, 77-79).

« Une Fête littéraire à Versailles », *Le Gaulois*, 31 mai 1894, p. 1.

« Lettres de Perse et d'ailleurs. Les Comédiens de salon. Bernard d'Algouvres à Françoise de Breyves », *La Presse*, 19 septembre 1899, p. 2, et 12 octobre 1899, p. 2.

« Nécrologie. John Ruskin », *La Chronique des arts et de la curiosité*, n° 4, 27 janvier 1900, pp. 35-36, signé M. P.

« La Cour aux lilas et l'atelier des roses. Le Salon de Madame Madeleine Lemaire », *Le Figaro*, 11 mai 1903, p. 3, signé Dominique (repris dans *Chr.*, pp. 28-38).

« Le Salon de la comtesse d'Haussonville », *Le Figaro*, 4 janvier 1904, p. 2, signé Horatio (repris dans *Chr.*, pp. 47-54).

« Salons parisiens. Fête chez Montesquiou à Neuilly. Extraits des Mémoires du duc de Saint-Simon », *Le Figaro*, 18 janvier 1904, p. 3, signé Horatio.

« Sur la lecture », *La Renaissance latine*, 15 juin 1905, pp. 379-410. Repris comme préface à *SL*, pp. 7-58, et, plus partiellement, dans *PM*, pp. 225-272 : « Journées de Lecture ».

BLANCHE, Jacques-Emile, *Propos de peintre. De David à Degas*, première série, préface de Marcel Proust, Emile-Paul, 1919 ; préface pp. I-XXXV.

« A propos du " style " de Flaubert », *Nouvelle Revue française*, n° 76, 1ᵉʳ janvier 1920, pp. 72-90. Repris dans *Chr.*, pp. 193-211.

« Pour un ami (Remarques sur le style) », *La Revue de Paris*, 15 novembre 1920, pp. 270-280. Repris comme préface à Paul Morand, *Tendres stocks*, Gallimard, 1921, pp. 9-37 (R. de Chantal commet des erreurs de date sur l'article et sur le volume).

« A propos de Baudelaire », *NRF*, n° 93, 1ᵉʳ juin 1921, pp. 641-663. Repris dans *Chr.*, pp. 212-238.

E. Manuscrits

Pastiches et Mélanges. Manuscrit autographe. — Bibliothèque Nationale. — Fonds Proust.

Pastiches et Mélanges. Coupures du Figaro, avec corrections et additions autographes. — Bibliothèque Nationale. — Fonds Proust.

Pastiches et Mélanges. Placards, avec corrections et additions autographes. — Bibliothèque Nationale. — Fonds Proust.

Cahiers d'ébauches, numérotés I à LXII. — Bibliothèque Nationale. — Fonds Proust.

Carnets. Quatre carnets d'ébauches, non numérotés. — Bibliothèque Nationale. Fonds Proust .

Articles critiques, manuscrits et dactylographies. — Bibliothèque Nationale. — Fonds Proust.

Lettres à Pierre Lavallée. — Bibliothèque Nationale. Fr. Nouv. acq., 24 326.

II. OUVRAGES D'AUTRES AUTEURS
(par ordre alphabétique des auteurs)

ADAM, Pierre, *Contribution à l'étude de la langue de Saint-Simon. Le vocabulaire et les images*, Berger-Levrault, 1920, VIII-260 p.

ALBALAT, Antoine, *Le Travail du style enseigné par les corrections manuscrites des grands écrivains*, A. Colin, 1903, 306 p.

ANTOINE, Gérald, « La Stylistique française ; sa définition, ses buts, ses méthodes », *Revue de l'Enseignement supérieur*, 1959, n° 1, pp. 42-60.

AUTRET, Jean, *L'Influence de Ruskin sur la vie, les idées et l'œuvre de Marcel Proust*, Genève, Droz ; Lille, Giard, 1955, 179 p.

BAILEY, Ninette, « Symbolisme et composition dans l'œuvre de Proust. Essai de " lecture colorée " de la Recherche du temps perdu », *French studies*, Oxford, July 1966, n° 3, pp. 253-266.

BALZAC, Honoré de, « A Mme la comtesse E. Sur M. Sainte-Beuve, à propos de Port-Royal », *La Revue parisienne*, 25 août 1840, pp. 176-207.

BONNET, Henri, *Alphonse Darlu, maître de philosophie de Marcel Proust*, Nizet, 1961, 137 p.

BONNET, Henri, *Marcel Proust de 1907 à 1914 (Essai de biographie critique)*, Nizet, 1959, 205 p. ; réédition prévue pour 1970.

Bulletin de la Société des amis de Marcel Proust et des amis de Combray, Illiers, Eure et Loir, 1950 et suiv.

BUTOR, Michel, « Les Œuvres d'art imaginaires chez Proust », in *Répertoire II*, Les Editions de Minuit, 1964, pp. 252-301 (compte-rendu par J. Milly, *Revue d'Histoire littéraire de la France*, juillet-septembre 1966, pp. 535-536).

CHANTAL, René de, *Marcel Proust, critique littéraire*, Montréal, Les Presses de l'Université de Montréal, 1967, 2 vol., 765 p.

CLERMONT-TONNERRE, Elisabeth de, *Robert de Montesquiou et Marcel Proust*, Flammarion, 1925, 248 p.

COIRAULT, Yves, *L'Optique de Saint-Simon. Essai sur les formes de son imagination et de sa sensibilité d'après les Mémoires*, Armand Colin, 1965, 716 p.

CRESSOT, Marcel, *Le Style et ses techniques*, Presses Universitaires de France, 1947, 253 p. ; réédition 1969.

DEBIDOUR, Victor-Henry, *Saveur des lettres. Problèmes littéraires*, Plon, 1946, 237 p.

DEFFOUX, Léon et DUFAY, Pierre, *Anthologie du pastiche*, G. Grès et Cⁱᵉ, 2 vol., 1926, 233 et 231 p.

DONZÉ, Roland, *Le Comique dans l'œuvre de Marcel Proust*, Neuchâtel-Paris, Editions Victor Attinger, 1955, 186 p.

DREYFUS, Robert, *Souvenirs sur Marcel Proust*, Grasset, 1926, 345 p.

Le Figaro, 15 déc. 1907-15 avril 1908, et 1908-1909, passim.

JAKOBSON, Roman, *Essais de linguistique générale*, traduit et préfacé par Nicolas Ruwet, Les Editions de Minuit, 1963, 260 p.

JOURNET, René, et ROBERT, Guy, *Le Manuscrit des Contemplations*, Les Belles-Lettres, 1956, 206 p.

JOURNET, René, et ROBERT, Guy, *Des Feuilles d'automne aux Rayons et les ombres. Etude des manuscrits*, Les Belles-Lettres, 1957, 269 p.

JOURNET, René, et ROBERT, Guy, *Notes sur les Contemplations*, Les Belles-Lettres, 1958, 399 p.

KOLB, Philip, *La Correspondance de Marcel Proust. Chronologie et commentaire critique*, Urbana, The University of Illinois Press, 1949, xiv-464 p.

LE BIDOIS, Robert, « Le Langage parlé des personnages de Proust », *Le Français moderne*, juillet 1939, pp. 197-218.

LESAGE, Laurent, « Proust and Henri de Régnier », *Modern Language Notes*, LXVIII, January, 1953, Nʳ 1, pp. 8-13.

DE LEY, Herbert, *Marcel Proust et le duc de Saint-Simon*, Illinois studies in language and literature, Urbana and London, University of Illinois Press, 1966, vii-133 p.

LOTMAN, Ju. M., « Sur la délimitation linguistique et littéraire de la notion de structure », *Linguistics*, n° 6, 1964, pp. 59-72.

MACHIELS, A., « Proust et la langue de Saint-Simon », *Le Français moderne*, juillet 1953, pp. 203-206.

MANSFIELD, Lester, *Le Comique de Marcel Proust*, Nizet, 1953, 186 p.

MASSON, Georges-Armand, *A la façon de...*, préfacé par Paul Reboux ; Pierre Ducray, éditeur, 1949, 220 p.

MILLY, Jean, « Les Pastiches de Proust : structure et correspondances », *Le Français moderne*, janvier 1967, pp. 33-52 ; et avril 1967, pp. 125-141.

MILLY, Jean, *Proust et le Style*, Minard (à paraître en 1970).

MOUROT, Jean, « Stylistique des intentions et Stylistique des effets », *Cahiers de l'Association internationale des Etudes françaises*, n° 16, 1964, pp. 71-79.

Mouton, Jean, *Le Style de Marcel Proust*, Corrêa, 1948, 239 p. ; réédition Nizet, 1969.

Painter, George D., *Marcel Proust*, t. I : *1871-1903, les Années de jeunesse* ; t. II : *1904-1922, les Années de maturité* ; traduit de l'anglais par G. Cattaui et R.-P. Vial, Mercure de France, 1966, 466 et 517 p.

Plantevignes, Marcel, *Avec Marcel Proust. Causeries-souvenirs sur Cabourg et le boulevard Haussmann*, Nizet, 1966, 685 p.

Poulet, Georges, « Une Critique d'identification », in *Les Chemins actuels de la critique*, 10-18, Union générale d'Editions, 1968, pp. 7-22.

Poulet, Georges, *L'Espace proustien*, Gallimard, 1963, 183 p.

Reboux, Paul, et Müller, Charles, *A la manière de ...*, 1ʳᵉ série, Les Lettres, 1908, 135 p. ; 2ᵉ série, Grasset, 1910, 333 p. ; 3ᵉ série, Grasset, 1913, 330 p. ; 4ᵉ série (par P. Reboux seul), Grasset, 1925, 294 p. ; 5ᵉ série, par P. Reboux, Raoul Solar, éditeur, 1950, 249 p. ; édition classique, Grasset, 1930, 307 p.

Riffaterre, Michaël, « Criteria for Style Analysis », *Word* (XV), 1959, pp. 154-174.

Riffaterre, Michaël, « Stylistic Context », *Word* (XVI), 1960, pp. 207-218.

Riffaterre, Michaël, « Vers une définition linguistique du style », *Word* (XVII), 1961, pp. 318-344.

Riffaterre, Michaël, « Problèmes d'analyse du style littéraire », *Romance Philology* (XIV), 1961, pp. 216-227.

Riffaterre, Michaël, « The Stylistic Function », in *Proceedings of the ninth international Congress of Linguists*, Cambridge, Mass., 1962, pp. 316-323.

Rousset, Jean, *Forme et signification. Essai sur les structures littéraires de Corneille à Claudel*, José Corti, 1962, xxvi-200 p.

Sayce, Robert, *Style in French prose. A method of analysis*, Oxford, At the Clarendon Press, 1953, 166 p. (pp. 146-149 : « Proust and Flaubert »).

Spitzer, Leo, *Stilstudien II*, München, Max Hueber, 1928, (Anhang II : « Saint-Simon und Proust », pp. 483-497).

Vigneron, Robert, « La Méthode de Sainte-Beuve et la méthode de M. Painter », *Modern Philology* (LXV), November, 1967, pp. 133-151.

TABLE DES MATIÈRES

L'AFFAIRE LEMOINE. TEXTES INÉDITS

ACHEVE D'IMPRIMER LE 15 AVRIL
1970 SUR LES PRESSES DE L'IM-
PRIMERIE R. BELLANGER & FILS
33, RUE DENFERT-ROCHEREAU
A LA FERTE-BERNARD (SARTHE)
Dépôt légal : 2e Trimestre 1970
Numéro Armand Colin : 5073

CHEZ LE MÊME ÉDITEUR

Mary-M. BARR	Quarante années d'études voltairiennes
Paul BASTID	Benjamin Constant et sa doctrine, 2 vol.
Suzanne BÉRARD	La Genèse d'un roman de Balzac : « Illusions perdues », 1837, 2 vol.
Jean BRUNEAU	Les Débuts littéraires de Gustave Flaubert : 1831-1845
Emilien CARASSUS	Le Snobisme et les Lettres françaises de Paul Bourget à Marcel Proust, 1831-1845
Yves COIRAULT	L'Optique de Saint-Simon
Yves COIRAULT	Les « Additions » de Saint-Simon au « Journal » de Dangeau
Colloque d'Aix	Le Marquis de Sade
Colloque E.N.S. Saint-Cloud	Romantisme et Politique
Frédéric DELOFFRE	Marivaux et le marivaudage
Jean-Hervé DONNARD	Balzac. Les réalités économiques et sociales dans la « Comédie humaine »
Jean-Hervé DONNARD	Le Théâtre de Carmontelle
René FROMILHAGUE	La Vie de Malherbe
Robert GARAPON	La Fantaisie verbale et le comique dans le théâtre français
Bernard GUYON	La Pensée politique et sociale de Balzac
Bernard GUYON	La Création littéraire chez Balzac
René JASINSKI	Vers le vrai Racine, 2 vol.

711281 4

DATE DUE

J